LE GARDIEN DE PHARE

DU MÊME AUTEUR

La Princesse des glaces, Actes Sud, 2008 ; Babel noir n° 61.
Le Prédicateur, Actes Sud, 2009 ; Babel noir n° 85.
Le Tailleur de pierre, Actes Sud, 2009 ; Babel noir n° 92.
L'Oiseau de mauvais augure, Actes Sud, 2010 ; Babel noir n° 111.
L'Enfant allemand, Actes Sud, 2011 ; Babel noir n° 121.
Cyanure, Actes Sud, 2011 ; Babel noir n° 71.
Super-Charlie, Actes Sud Junior, 2012.
À table avec Camilla Läckberg, Actes Sud, 2012.
La Sirène, Actes Sud, 2012 ; Babel noir n° 133.
Le Gardien de phare, Actes Sud, 2013.
Super-Charlie et le voleur de doudou, Actes Sud Junior, 2013.
La Faiseuse d'anges, Actes Sud, 2014.
Les Aventures de Super-Charlie. Mamie Mystère, Actes Sud Junior, 2015.
Le Dompteur de lions, Actes Sud, 2016.

Titre original :
Fyrvaktaren
Éditeur original :
Bokförlaget Forum, Stockholm
© Camilla Läckberg, 2009
publié avec l'accord de Nordin Agency, Suède

© ACTES SUD, 2013
pour la traduction française
ISBN 978-2-330-06445-7

CAMILLA LÄCKBERG

LE GARDIEN
DE PHARE

roman traduit du suédois
par Lena Grumbach

BABEL NOIR

à Charlie

C'est seulement lorsqu'elle posa ses mains sur le volant qu'elle vit qu'elles étaient pleines de sang. Ses paumes collaient au cuir. Elle enclencha quand même la marche arrière et sortit un peu trop brutalement de l'allée du garage. Le gravier crissa sous les pneus.

Le trajet en voiture allait être long. Elle jeta un coup d'œil vers le siège arrière. Sam dormait, enveloppé dans une couverture. Elle aurait dû lui mettre la ceinture de sécurité, mais elle n'avait pas le cœur de le réveiller. Elle conduirait prudemment. Par réflexe, elle leva le pied de l'accélérateur.

La nuit d'été commençait déjà à s'éclaircir. Les heures sombres étaient passées avant même d'avoir eu le temps de s'installer. Pourtant cette nuit paraissait interminable. La donne avait complètement changé. Les yeux bruns de Fredrik fixaient le plafond, immobiles, et elle avait compris qu'elle ne pouvait rien faire. Elle était obligée de se mettre en sécurité avec Sam. Ne pas penser au sang, ne pas penser à Fredrik.

Il n'y avait qu'un endroit où elle pouvait se réfugier.

Six heures plus tard, ils arrivèrent. Fjällbacka se réveillait tout juste. Elle gara la voiture devant le Sauvetage en mer et se demanda un instant comment elle ferait pour tout emporter. Sam dormait toujours profondément. Elle trouva un paquet de mouchoirs en papier dans la boîte à gants et s'essuya les mains du mieux qu'elle put. Le sang était tenace, il était difficile à nettoyer. Puis elle sortit les valises du coffre arrière et les tira rapidement vers Badholmen où le bateau était amarré. De peur que Sam ne se réveille pendant son absence, elle avait fermé la voiture à clé pour qu'il ne puisse pas en sortir et tomber à l'eau. Elle descendit péniblement les valises jusqu'au bateau et ouvrit le cadenas de la chaîne censée protéger des vols. Puis elle retourna à la voiture en courant presque et constata avec soulagement que Sam dormait encore paisiblement. Elle le souleva et le porta, enveloppé dans sa couverture. Le regard fixé sur ses pieds, elle parvint à monter à bord sans glisser. Doucement, elle posa Sam directement sur le plancher et tourna la clé de contact. Le moteur toussa, puis démarra à la première tentative. Cela faisait longtemps qu'elle n'avait pas piloté ce bateau, mais elle était confiante, elle y arriverait. Quittant l'emplacement en marche arrière, elle sortit du port.

Le soleil s'était levé mais ne chauffait pas encore. Elle sentait ses muscles se relâcher petit à petit, la tension cédait et l'horreur de la nuit perdait un peu de son emprise. Elle regarda Sam. Pourvu qu'il n'en garde pas de séquelles. À cinq ans, on est fragile. Comment savoir si rien ne s'était brisé en lui ? Elle ferait tout ce qui était en son pouvoir pour le guérir. Des bisous pour éloigner le mal, comme quand il tombait à vélo et s'écorchait les genoux.

Elle connaissait bien le trajet. Chaque île, chaque rocher. Elle mit le cap sur Väderöbod et s'éloigna de plus en plus de la côte. Les vagues étaient plus grosses ici, et l'étrave cognait contre l'eau en retombant après chaque crête. Elle savoura la sensation des embruns lui éclaboussant le visage et s'autorisa à fermer les yeux quelques secondes. En les rouvrant, elle aperçut Gråskär au loin. Son cœur frétilla comme toujours quand l'île apparaissait et qu'elle voyait la petite maison et le phare, blanc et fier, dressé vers le ciel bleu. Elle était encore trop loin pour voir la couleur de la maison, mais elle se rappelait sa nuance gris clair et les menuiseries blanches. Et les roses trémières qui poussaient devant le mur le plus abrité. C'était son refuge, son paradis. Son île. Gråskär.

L'église de Fjällbacka était remplie jusqu'au dernier banc et le chœur débordait de fleurs. Des couronnes, des bouquets et des rubans de soie exprimant un dernier adieu.

Patrik eut du mal à poser ses yeux sur le cercueil blanc au milieu de l'océan de fleurs. Le silence dans la grande église en pierre était lugubre. Aux enterrements des personnes âgées, on percevait toujours un certain bruit de fond. On échangeait des phrases comme "vu combien elle souffrait, il faut le voir comme une bénédiction", en attendant impatiemment le café offert après la cérémonie. Ce jour-là, aucun bavardage de ce genre ne venait perturber la cérémonie. Tous étaient assis en silence, remplis de chagrin et d'un sentiment d'injustice. Personne ne devrait avoir à vivre ça.

Patrik s'éclaircit la gorge et regarda le plafond pour essayer de chasser les larmes. Il serra la main d'Erica. Son costume lui donnait des démangeaisons, il tira sur le col de la chemise pour mieux respirer. Il avait l'impression d'étouffer.

Les cloches se mirent à retentir en haut du clocher, elles résonnaient entre les murs. Beaucoup sursautèrent et tournèrent les yeux vers le cercueil. Harald Spjuth sortit de la sacristie et se dirigea vers l'autel. C'était lui qui les avait unis dans cette église, dans ce qui semblait être une autre vie, une autre réalité. L'ambiance alors était détendue, gaie et lumineuse. À présent, le pasteur avait le visage grave. Patrik essaya d'interpréter son expression. Pensait-il lui aussi que ce n'était pas juste ? Ou bien se consolait-il avec la certitude qu'il y avait un sens derrière tout ce qui arrivait ?

Les larmes lui montèrent de nouveau aux yeux et il les essuya du dos de la main. Discrètement, Erica lui glissa un mouchoir. Quand la dernière note de l'orgue s'éteignit, il y eut quelques secondes de silence, puis Harald prit la parole. Sa voix, tremblante, se fit plus posée à mesure qu'il parlait.

— La vie peut changer en un instant. Mais Dieu est avec nous, même aujourd'hui.

Patrik voyait sa bouche remuer, mais il cessa bientôt d'écouter. Il ne voulait pas entendre. Le peu de foi de son enfance qu'il avait encore conservée venait de disparaître. Ce qui était arrivé n'avait aucun sens. De nouveau, il serra la main d'Erica.

— Je suis fier de pouvoir vous annoncer que nous sommes dans les temps. Dans un peu plus de quinze jours, nous allons procéder à l'inauguration officielle de Badis à Fjällbacka.

Erling W. Larson s'étira et balaya du regard les membres du conseil municipal, comme s'il attendait une ovation. Il dut se contenter de quelques hochements de tête approbateurs.

— Cette restauration est un triomphe pour la région, précisa-t-il. Une rénovation complète de ce qu'il faut sans doute considérer comme un patrimoine architectural. Et nous sommes désormais en mesure de proposer un centre de remise en forme moderne et concurrentiel. Un spa, comme on dit, ajouta-t-il en esquissant des guillemets dans l'air. Il ne nous reste que de menus détails à fignoler, puis nous ferons venir quelques groupes pour tester l'établissement. Et tout sera bien entendu bouclé avant la grande fête d'ouverture.

— C'est formidable. Simplement, j'ai quelques questions.

Mats Sverin, qui occupait le poste de directeur financier de la commune depuis deux mois, agita son stylo pour attirer l'attention d'Erling.

Mais Erling fit la sourde oreille. Il détestait tout ce qui était gestion et compte rendu. En un clin d'œil, il déclara la réunion close et se retira dans son spacieux bureau.

Après l'échec de l'émission de téléréalité *Fucking Tanum**, personne n'avait cru qu'il se relèverait, et pourtant il était revenu avec un projet encore plus démesuré. Lui n'avait jamais douté, même quand le vent des critiques soufflait la tempête. Il était né pour gagner.

Bien sûr, cela lui avait coûté, c'est pourquoi il était parti à la campagne se ressourcer dans le complexe de bien-être La Lumière. Et il remerciait sa bonne étoile de l'y avoir mené, car sinon, son chemin n'aurait jamais croisé celui de Vivianne. Leur rencontre avait représenté un moment décisif de sa vie, professionnelle comme privée. Elle l'avait envoûté comme aucune autre femme, et c'était son projet qu'il était en train de réaliser à Fjällbacka.

* Voir *L'Oiseau de mauvais augure* de Camilla Läckberg. *(Toutes les notes sont de la traductrice.)*

Il ne put résister à la tentation de soulever le combiné et de l'appeler. C'était la quatrième fois aujourd'hui, mais le son de sa voix lui envoyait des décharges électriques dans tout le corps. Il retint sa respiration en écoutant les sonneries.

— Salut mon amour. Je voulais juste savoir comment tu vas…

— Erling, dit-elle sur ce ton particulier qui lui donnait l'impression d'être un adolescent en mal d'amour. Je vais exactement aussi bien que quand tu m'as appelée il y a une heure.

— Tant mieux, dit-il avec un petit rire benêt. Je voulais seulement m'assurer que tout va bien.

— Tu prends soin de moi, et c'est pour ça que je t'aime. Mais nous avons encore beaucoup à faire pour l'inauguration… Tu ne veux quand même pas que je travaille le soir, je suppose ?

— Non, certainement pas, ma chérie.

Il décida de ne plus la déranger avec ses appels. Leurs soirées étaient sacrées.

— Continue de travailler, je vais en faire autant de mon côté.

Il envoya quelques baisers dans le combiné avant de raccrocher. Puis il se renversa dans son fauteuil de bureau, croisa ses mains derrière la tête et se laissa bercer par les réjouissances qui l'attendaient, le soir même.

La maison sentait le renfermé. Annie ouvrit toutes les portes et fenêtres et laissa le vent frais s'engouffrer dans les pièces. Un vase se renversa dans le courant d'air, mais elle le sauva *in extremis*.

Elle avait installé Sam dans la petite pièce derrière la cuisine. De tout temps, on l'avait appelée la chambre d'amis, bien que ce fût sa chambre à elle. L'étage était alors réservé à ses parents. Après s'être assurée qu'il dormait, elle mit un châle sur ses épaules, prit la grande clé rouillée qui était toujours accrochée à un clou à côté de la porte d'entrée, puis sortit sur les rochers. Le vent soufflait fort, il traversait les vêtements. Tournant le dos à la maison, elle regarda l'horizon. Le seul autre bâtiment sur l'île était le phare. Le petit hangar à bateaux à côté de l'embarcadère était si petit qu'il ne comptait pas vraiment.

Elle marcha jusqu'au phare. La clé tourna avec une facilité surprenante, Gunnar avait dû graisser la serrure. La porte s'ouvrit en grinçant. À l'intérieur, on tombait tout de suite sur l'escalier raide et étroit. La main sur la rampe, elle gravit les marches.

La vue était à couper le souffle, comme toujours. D'un côté, on ne voyait que la mer et l'horizon, de l'autre, l'archipel s'étalait avec ses îles, ses écueils et ses rochers. Le phare n'était plus utilisé depuis longtemps. Il se dressait sur l'île comme un monument dédié à un temps révolu. La lanterne s'était éteinte, la tôle et les boulons rouillaient lentement sous l'action du vent et de l'eau salée. Enfant, elle adorait jouer ici. Tout était si petit, comme une maison de poupée perchée sur les hauteurs. Il n'y avait de la place que pour un lit, dans lequel les gardiens de phare pouvaient se reposer pendant leurs longues gardes, et une chaise où ils restaient assis à surveiller les parages.

Elle s'allongea sur le lit. Une odeur de moisi monta du couvre-lit, mais les bruits autour d'elle étaient les mêmes que quand elle était petite. Les cris des mouettes, les vagues qui frappaient les rochers, le bruit grinçant et haletant émis par le phare lui-même. Tout était si simple à l'époque. Ses parents s'étaient inquiétés pour elle, ils pensaient qu'étant la seule enfant sur l'île, elle s'ennuierait. Ils avaient eu tort. Elle avait adoré vivre ici. Et elle n'avait pas été seule. Mais cela, elle n'avait pas pu le leur expliquer.

Mats Sverin soupira et déplaça au petit bonheur les papiers sur le bureau. C'était un de ces jours où il ne pouvait s'empêcher de penser à elle. Où il ne pouvait cesser de s'interroger. Dans ces moments-là, il délaissait son travail, mais cela lui arrivait de moins en moins souvent. Il commençait à lâcher prise, en tout cas il aimait s'en convaincre. En vérité, il ne renoncerait sans doute jamais complètement. Au fond de lui, il se réjouissait de voir toujours aussi nettement son visage, tout en souhaitant que l'image se trouble, devienne floue. Il essaya de nouveau de se concentrer sur son travail. Les bons jours, il lui arrivait même de le trouver plaisant. C'était un défi, de s'initier à l'économie d'une municipalité, tout en maintenant un équilibre perpétuel entre considérations politiques et logique commerciale. Pendant ces deux mois où il avait travaillé ici, une grande partie de son temps avait été consacrée au projet Badis. La restauration du vieux bâtiment qui avait abrité le célèbre hôtel-restaurant l'enchantait. Tout comme la majorité des natifs de Fjällbacka, il avait toujours déploré qu'on ait laissé tomber en ruine un si bel édifice. Heureusement, il retrouvait à présent sa splendeur d'antan.

Pourvu qu'Erling ait raison en prédisant avec tant d'emphase un énorme succès à l'établissement. Mats avait quant à lui quelques doutes. La réhabilitation du bâtiment avait déjà entraîné des coûts considérables, et les prévisions budgétaires étaient beaucoup trop optimistes. À plusieurs occasions, il avait tenté de faire valoir son opinion, mais sans se faire entendre. De plus, bien qu'il ait plusieurs fois vérifié à la loupe l'assise financière sans rien repérer d'autre que des dépenses faramineuses, il avait le mauvais pressentiment que quelque chose clochait.

Il regarda sa montre et s'aperçut qu'il était l'heure de déjeuner. Depuis un certain temps, il n'avait plus vraiment d'appétit. Il savait juste qu'il fallait manger. Aujourd'hui on était jeudi, jour où *Källaren* servait la traditionnelle soupe aux pois avec des crêpes en dessert. Il devrait quand même essayer d'en avaler un peu.

Seuls les plus proches devaient assister à l'inhumation. Les autres disparurent en silence, en direction du centre-ville. Erica prit la main de Patrik et la serra fort. Ils marchaient juste derrière le cercueil, et à chaque pas elle recevait un coup en plein cœur. Elle avait essayé de convaincre Anna de ne pas s'exposer à cette épreuve, mais sa sœur avait insisté pour qu'il y ait un vrai enterrement. Ce souhait l'avait temporairement tirée de son apathie, si bien qu'Erica avait abandonné ses tentatives de lui faire changer d'avis et s'était plutôt employée à se rendre utile dans les préparatifs pour qu'Anna et Dan puissent enterrer leur fils.

Sur un point cependant, elle n'avait pas cédé à sa sœur. Anna avait voulu que tous les enfants soient là, mais Erica avait décidé que les petits resteraient à la maison. Seules Belinda et Malou, les deux plus grandes filles de Dan, étaient présentes. La mère de Patrik s'occupait de Lisen, Adrian, Emma et Maja à la maison. Et des jumeaux, bien entendu. Erica avait eu peur que ce ne soit trop pour Kristina, mais sa belle-mère lui avait tranquillement assuré qu'elle saurait maintenir les marmots en vie pendant les deux heures que durerait l'enterrement.

C'était un véritable crève-cœur de voir la tête chauve d'Anna devant elle. Les médecins lui avaient rasé le crâne pour pouvoir percer l'os et réduire la pression qui risquait de provoquer des lésions irréversibles. Un fin duvet avait commencé à repousser, plus foncé que ses cheveux d'origine.

Contrairement à Anna, et à la conductrice de l'autre voiture qui était morte sur le coup, Erica s'en était miraculeusement bien sortie : une bonne commotion cérébrale et quelques côtes cassées. Les jumeaux étaient certes très petits quand ils virent le jour après la césarienne d'urgence, mais vigoureux et en bonne santé, et ils avaient assez rapidement pu quitter l'hôpital et rentrer à la maison.

Erica faillit céder aux larmes en déplaçant son regard de la tête duveteuse de sa sœur au petit cercueil blanc. Outre de graves blessures à la tête, Anna avait eu le bassin fracturé. On avait procédé d'urgence à une césarienne, comme pour Erica, mais les blessures du bébé étaient tellement graves que les médecins n'avaient pas donné beaucoup d'espoir aux parents. Et, âgé d'une semaine seulement, le petit garçon avait cessé de respirer.

Ils avaient dû repousser l'enterrement jusqu'à ce qu'Anna aille mieux. La veille, elle avait pu quitter l'hôpital, et aujourd'hui on enterrait son fils, qui aurait dû avoir une vie remplie d'amour. Erica vit Dan poser la main sur l'épaule d'Anna quand il arrêta le fauteuil roulant devant la tombe, mais elle la rejeta d'un mouvement brusque. C'était comme ça depuis l'accident. Comme si sa douleur était tellement grande qu'elle ne pouvait la partager avec personne. Dan en revanche avait besoin de partager la sienne, mais pas avec n'importe qui. Patrik et Erica avaient tenté de lui parler, et tous ses proches avaient fait de leur mieux pour le soutenir. Mais il ne voulait partager son deuil avec personne d'autre qu'Anna. Et elle en était incapable.

Pour Erica, la réaction de sa sœur était compréhensible. Elle connaissait Anna par cœur et savait ce qu'elle avait traversé. La vie avait déjà été rude avec elle, et cette dernière épreuve menaçait de la briser pour de bon. Mais même si Erica comprenait, elle aurait voulu que tout soit différent. Anna avait besoin de Dan plus que jamais, Dan avait besoin d'Anna, et cependant ils étaient comme deux étrangers l'un à côté de l'autre, tandis que le petit cercueil descendait lentement dans la tombe.

Erica tendit le bras et posa sa main sur l'épaule d'Anna. Elle ne fut pas repoussée.

Pleine d'une énergie fébrile, Annie s'attaqua au ménage et à la lessive. Malgré l'air frais qui avait envahi la maison, l'odeur de renfermé persistait dans les rideaux et la literie. Elle balança le tout dans un grand panier à linge qu'elle descendit à l'embarcadère. Munie de savon noir et de la vieille planche à laver qui était dans la maison depuis toujours, elle retroussa ses manches et commença le lourd travail de lessive à la main. De temps en temps, elle jetait un œil sur la maison pour vérifier que Sam ne s'était pas réveillé et n'était pas dehors. Mais il dormait encore, bizarrement. Était-ce une sorte de réaction au choc ? Il valait sans doute mieux qu'il se repose le plus possible. Encore une heure, se dit-elle, ensuite elle le réveillerait pour le nourrir.

Tout à coup, Annie réalisa qu'il n'y avait probablement pas grand-chose à manger. Elle étendit tout le linge sur le séchoir derrière la maison, puis elle rentra faire l'inventaire des placards. Une boîte de soupe de tomate Campbell's, une autre de saucisses à hot-dog, voilà tout ce qu'elle dénicha. Elle n'osa pas vérifier les dates de péremption. Ce genre de denrées était censé se conserver éternellement, ça ferait l'affaire pour aujourd'hui.

Une excursion en ville ne la tentait pas du tout. Ici, elle était en sécurité. Elle n'avait envie de voir personne, elle voulait qu'on la laisse tranquille. Annie réfléchit un instant, debout dans la cuisine, la boîte de soupe à la main. Il n'y avait qu'une solution. Il faudrait qu'elle appelle Gunnar. Il avait veillé sur la maison après la mort de ses parents, et elle pourrait sans problème lui demander de l'aide. Le téléphone fixe ne fonctionnait plus, mais il y avait du réseau. Elle pianota le numéro.

— Sverin.

Ce nom éveilla tant de souvenirs qu'Annie tressaillit. Il lui fallut quelques secondes avant de pouvoir parler.

— Allô? Il y a quelqu'un?

— Oui, bonjour, c'est Annie.

— Annie! s'exclama Signe Sverin.

Annie sourit. Elle avait toujours adoré Signe et Gunnar, et cette affection était réciproque.

— Ma petite puce! Tu appelles de Stockholm?

— Non, je suis sur l'île.

À sa surprise, elle sentit sa gorge se nouer. C'était probablement la fatigue qui la rendait si sentimentale, elle n'avait dormi que quelques heures. Elle s'éclaircit la gorge.

— Je suis arrivée hier.

— Mais bon sang, tu aurais dû nous prévenir, on serait allés faire le ménage. Ça doit être dans un drôle d'état, et…

Annie interrompit le flot de paroles. Elle avait oublié l'incroyable débit de Signe et combien elle pouvait être bavarde.

— Ne t'en fais pas pour le ménage. Vous avez maintenu la maison en bon état. J'ai juste fait un peu de rangement et de lessive.

— Tu aurais quand même pu nous demander un coup de main, franchement, souffla Signe. D'autant qu'on n'a rien de spécial à faire, Gunnar et moi. Même pas de petits-enfants à garder. Tu sais, Matte vit ici maintenant. Il a quitté Göteborg, il a trouvé du travail à la commune de Tanum.

— Vous devez être contents ! Qu'est-ce qui l'a décidé à revenir ? demanda Annie, tout en revoyant Matte, blond, bronzé et constamment de bonne humeur.

— Je ne sais pas trop. Ça s'est fait très vite. Il a eu un accident, et après j'ai eu l'impression que… Enfin non, je n'ai rien dit. Ne fais pas attention au caquetage d'une vieille bique. Bon, qu'est-ce que je peux faire pour toi, Annie ? On peut t'aider d'une façon ou d'une autre ? Et le petiot, il est avec toi ? Ça me ferait bien plaisir de le voir.

— Oui, Sam est avec moi, mais il est un peu malade.

Annie se tut. Bien sûr que Signe verrait son fils, ce serait une grande joie pour elle aussi. Mais pas avant qu'ils soient confortablement installés sur l'île, pas avant qu'elle ait pris la mesure des dégâts qu'il avait subis.

— Justement, c'est pour ça que je me suis dit que vous pourriez peut-être m'aider, reprit-elle. On n'a pas trop de réserves de nourriture, et je ne veux pas forcer Sam à se lever pour aller faire des cour…

Signe l'interrompit tout de suite.

— Mais évidemment, avec grand plaisir. Gunnar sort avec le bateau cet après-midi, et j'ai le temps de te faire des courses avant. Dis-moi seulement ce qu'il te faut.

— Est-ce que vous pouvez avancer l'argent ? Je rembourserai Gunnar quand il viendra, j'ai du liquide.

— Bien sûr, mon cœur. Bon, qu'est-ce que je note sur la liste ?

Annie vit mentalement Signe chausser ses lunettes sur le bout de son nez et attraper papier et stylo. Pleine de reconnaissance, elle énuméra tout ce dont ils pourraient avoir besoin. Y compris des bonbons pour Sam, sinon il ronchonnerait samedi, jour des sucreries. Il savait toujours très bien quel jour on était et dès le dimanche il commençait le compte à rebours jusqu'au samedi suivant et son sachet de bonbons.

Une fois la conversation terminée, Annie se demanda si elle ne devait pas aller réveiller Sam. Mais quelque chose lui dit de le laisser tranquille encore un peu.

Le travail avait été laissé en suspens au commissariat. Bertil Mellberg avait demandé à Patrik, avec une délicatesse inhabituelle, s'il souhaitait qu'ils viennent à l'enterrement. Mais Patrik avait secoué la tête. Cela ne faisait que deux jours qu'il avait repris le boulot, et tout le monde marchait sur des œufs avec lui. Même Mellberg.

Le jour de l'accident, Paula et Mellberg avaient été les premiers à arriver sur les lieux. À la vue des deux véhicules, réduits à un tas de tôle, ils s'étaient dit qu'il ne pouvait pas y avoir de survivants. Par une des vitres, ils avaient tout de suite reconnu Erica. À peine une demi-heure plus tôt, l'ambulance était venue chercher Patrik au commissariat après son malaise cardiaque, et voilà que sa femme était morte ou très grièvement blessée. Les ambulanciers n'avaient pas pu se prononcer sur la gravité de ses blessures, et le travail des pompiers pour découper la tôle avait été infiniment long.

Martin et Gösta étaient alors en intervention et n'avaient reçu l'information de l'accident de voiture et de l'effondrement de Patrik que plusieurs heures plus tard. Ils s'étaient rendus à l'hôpital d'Uddevalla où ils avaient passé la soirée à arpenter les couloirs. Patrik était en soins intensifs ; Erica et sa sœur Anna, qui se trouvait sur le siège passager, étaient en salle d'opération toutes les deux.

Maintenant Patrik était de retour. Heureusement, il n'avait pas fait d'infarctus, comme on l'avait craint tout d'abord, mais une angine de poitrine. Après trois bons mois d'arrêt maladie, les médecins l'avaient autorisé à reprendre le travail, avec l'ordre strict d'éviter tout stress. Facile à dire, pensa Gösta. Avec des jumeaux encore tout bébés à la maison, et ce qui était arrivé à la sœur d'Erica… Le diable lui-même serait stressé pour moins que ça.

— Vous ne pensez pas qu'on aurait dû y aller quand même ? dit Martin en tournant la cuillère dans son café. Patrik a dit non, c'est vrai, mais il attendait peut-être qu'on insiste.

— Non, je crois que Patrik était sincère, répondit Gösta tout en grattant Ernst, le chien du commissariat, derrière l'oreille. Il y a certainement assez de monde comme ça. Nous sommes plus utiles ici.

— Comment tu peux dire ça ? On n'a pas vu un chat de la journée !

— C'est le calme avant la tempête. Au mois de juillet, tu regretteras les jours sans ivrognes, sans cambriolages et sans bagarres.

— Pas faux, dit Martin.

Il avait beau avoir toujours été le petit jeune du commissariat, il ne se sentait plus si bleu que ça. Il avait plusieurs années d'expérience à son actif et avait participé à quelques enquêtes plutôt rudes. Et puis, il était papa maintenant, et il avait eu l'impression de grandir de plusieurs centimètres à l'instant où Pia accouchait de leur fille.

— Tu as vu l'invitation qu'on a reçue ? demanda Gösta.

Il prit un biscuit fourré au chocolat et commença son manège habituel : soigneusement séparer les deux moitiés pour atteindre la garniture.

— Quelle invitation ?

— Nous avons l'honneur de servir de cobayes au nouvel établissement qu'ils sont en train de construire à Fjällbacka.

— À Badis ? demanda Martin, subitement tous sens en éveil.

— Exactement, le nouveau projet d'Erling. Espérons que ça se passera mieux que ces âneries de *Fucking Tanum*.

— Moi, ça me tente. Beaucoup de mecs rigolent à l'idée d'un soin du visage, mais j'ai essayé une fois à Göteborg et c'était génial. J'ai eu la peau comme les fesses d'un bébé pendant des semaines.

Gösta regarda son jeune collègue avec dégoût. Soin du visage ? Plutôt mourir que de laisser quelqu'un lui tartiner un tas de saloperies sur la peau.

— On verra bien ce qu'ils auront à proposer. De la bonne bouffe en tout cas, ça ne serait pas de refus. Avec un buffet de desserts.

— J'en doute, rit Martin. Dans ce genre d'endroit, il est plutôt question de remise en forme, pas de s'en mettre plein la panse.

Gösta lui lança un regard offusqué. Il pesait au gramme près le même poids que quand il avait passé son bac. Il renifla avec condescendance et reprit un biscuit.

À leur retour, ils trouvèrent la maison en plein chaos. Maja et Lisen sautaient sur le canapé, Emma et Adrian se battaient pour un DVD et les jumeaux criaient à pleins poumons. La mère de Patrik semblait prête à se jeter du haut d'un précipice.

— Merci mon Dieu, vous voilà, laissa-t-elle échapper en donnant à Patrik et à Erica un bébé hurlant chacun. Je ne comprends pas ce qui leur a pris. Ils sont complètement déchaînés. J'ai essayé de nourrir ces deux-là, mais quand je m'occupe de l'un, l'autre hurle, ça dérange le premier qui n'arrive plus à boire son biberon, et alors il se met à hurler de nouveau et…

Elle se tut pour reprendre son souffle.

— Assieds-toi, maman, dit Patrik.

Il alla dans la cuisine préparer un biberon pour Anton, qu'il tenait dans ses bras. Le bébé était écarlate et criait aussi fort que son petit corps le lui permettait.

— Tu m'en fais un pour Noel aussi ? lui demanda Erica tout en essayant de calmer son fils.

Anton et Noel étaient encore si petits… Pas du tout comme Maja, qui avait été grande et robuste dès la naissance. Et pourtant ils avaient déjà pris beaucoup de poids. Comme des petits oisillons, ils s'étaient retrouvés chacun dans une couveuse, avec des tuyaux fixés à leurs bras minuscules. C'étaient des combatifs, avait-on dit à l'hôpital. Ils avaient vite récupéré et avaient bon appétit la plupart du temps. Mais l'inquiétude était encore là, par moments.

— Merci, dit Erica en prenant le biberon que Patrik lui tendait.

Elle s'assit dans un fauteuil avec Noel dans les bras. Il se mit tout de suite à boire. Patrik en fit de même avec Anton, qui se tut aussi vite que son frère. Tant mieux si l'allaitement n'avait pas fonctionné, se dit Erica. Du coup ils pouvaient partager la responsabilité des bébés, ce qui n'avait pas été le cas avec Maja. À l'époque, Erica avait eu l'impression que sa fille était collée à ses seins jour et nuit.

— Ça s'est passé comment ? demanda Kristina.

Elle fit descendre Maja et Lisen du canapé et leur dit de monter jouer dans la chambre de Maja. Emma et Adrian avaient déjà disparu à l'étage, si bien que les filles ne se firent pas prier.

— Eh bien, quoi dire… Je m'inquiète pour Anna, dit Erica.

— Moi aussi. C'est comme si elle refusait l'accès à Dan. Elle le tient à distance, renchérit Patrik tout en se tortillant pour trouver une position plus confortable.

— Je sais bien. J'ai essayé de lui parler. Mais après tout ce qu'elle a enduré…

Erica secoua la tête. C'était une telle injustice. Pendant de nombreuses années, Anna avait vécu un véritable enfer, mais dernièrement, elle paraissait enfin avoir trouvé la paix. Et elle s'était tant réjouie de l'enfant qu'elle attendait avec Dan. Non, ce qui était arrivé était d'une cruauté inconcevable.

— Malgré tout, Emma et Adrian semblent bien s'en sortir, constata Kristina avec un regard en direction de l'étage où retentissaient les rires joyeux des enfants.

— Oui, peut-être. Ils sont probablement surtout heureux que leur maman soit de retour. Mais je ne suis pas sûre que leur réaction aux événements se soit encore manifestée.

— Tu as sans doute raison, répliqua Kristina, puis elle regarda son fils : Et toi alors ? Est-ce vraiment raisonnable de reprendre le boulot déjà ? Personne au commissariat ne te remercie de trimer comme tu le fais. C'est une sonnette d'alarme, ce qui est arrivé.

— En ce moment, je pense que c'est plus calme au poste qu'ici, dit Erica avec un hochement de tête en direction des jumeaux. Mais rassure-toi, je lui ai dit la même chose.

— Ça me fait plutôt du bien de recommencer à travailler, mais si tu me le demandais, je prolongerais l'arrêt maladie, tu le sais, Erica.

Patrik posa le biberon vide sur la table basse et, d'un geste sûr, mit Anton sur son épaule pour qu'il fasse son rot.

— On s'en sort vraiment bien maintenant, je trouve.

Erica était sincère. Après la naissance de Maja, elle avait eu l'impression d'évoluer dans un brouillard épais ; cette fois, tout était différent. Les circonstances autour de la naissance des jumeaux n'avaient pas vraiment laissé de place à une dépression. De plus, les bébés avaient pris des habitudes régulières à l'hôpital, ce qui aidait beaucoup. Ils dormaient et mangeaient sagement à heures fixes, et tous les deux en même temps ! Non, elle ne s'inquiétait pas le moins du monde de sa capacité à s'occuper de ses enfants. Chaque seconde passée avec eux la rendait heureuse. Elle avait été si près de les perdre…

Elle ferma les yeux, se pencha et posa le nez contre la tête de Noel. Un instant, le duvet de son crâne ramena ses pensées vers Anna, et elle serra encore plus fort les paupières. Pourvu qu'elle trouve une manière d'aider sa sœur. Jusqu'à présent, elle s'était sentie totalement impuissante. Inspirant profondément, elle se laissa réconforter par l'odeur de Noel.

— Mon amour, murmura-t-elle contre sa tête. Mon amour.

— Et ton travail, comment ça se passe?

Signe essaya d'adopter un ton léger pendant qu'elle servait à son fils une assiette de pain de viande, petits pois, purée mousseline et sauce à la crème. Une portion généreuse.

Depuis que Matte était revenu, il ne faisait que picorer, alors qu'elle préparait ses plats préférés chaque fois qu'il venait manger à la maison. C'était à se demander s'il avalait quoi que ce soit quand il était seul chez lui. Il était maigre comme un clou. Grâce à Dieu, il avait quand même l'air en meilleure santé maintenant que les traces de coups avaient disparu. Quand ils étaient allés le voir à l'hôpital Sahlgrenska, elle n'avait pas pu retenir un cri d'horreur. Il avait été sérieusement tabassé. Son visage était tellement tuméfié qu'on le reconnaissait à peine.

— Ça se passe bien.

Signe sursauta au son de sa voix. La réponse à sa question avait tant tardé qu'elle avait eu le temps d'oublier qu'elle l'avait posée. Matte plongea la fourchette dans la purée et y glissa aussi un morceau de pain de viande. Signe se surprit à retenir sa respiration pendant qu'elle suivait le trajet de la fourchette vers la bouche.

— Arrête de le regarder comme ça quand il mange, marmonna Gunnar, qui se resservait déjà.

— Pardon… Je… je suis tellement contente de te voir manger, c'est tout.

— Je ne me laisse pas mourir de faim, maman. Tu vois. Je mange.

Comme pour la défier, il chargea la fourchette d'une autre bouchée qu'il fourra rapidement dans sa bouche avant qu'elle ne chavire.

— Ils ne t'épuisent pas à la mairie, au moins ?

Gunnar lança encore un regard irrité à Signe. Elle savait qu'il la trouvait trop mère poule et qu'elle devait ficher la paix à son fils. Mais c'était plus fort qu'elle. Matte était son seul enfant, et depuis le jour de sa naissance il y avait bientôt quarante ans, elle se réveillait régulièrement la chemise de nuit trempée de sueur et la tête remplie d'horreurs et de catastrophes qui s'abattaient sur son fils. Elle avait toujours pensé que rien au monde n'était plus important que son bien-être. Il en allait de même pour Gunnar, qui vénérait son fils tout autant qu'elle. Simplement, il était mieux armé pour barrer la route aux pensées morbides que l'amour pour un enfant inspire souvent.

Signe, elle, était obsédée par l'idée qu'elle pouvait le perdre en l'espace d'une seconde. Quand Matte était bébé, elle avait craint une malformation cardiaque et obligé les médecins à faire un examen approfondi qui révéla la parfaite santé de son fils. Elle ne dormait pas plus d'une heure d'affilée afin de contrôler régulièrement sa respiration. Même quand il avait commencé l'école, elle continuait à couper sa viande en tout petits morceaux pour qu'il ne s'étouffe pas en l'avalant de travers. Et elle faisait des cauchemars où des voitures venaient percuter son petit corps fragile.

Quand il avait atteint l'adolescence, les craintes de Signe se firent plus terribles encore. Coma éthylique, conduite en état d'ébriété, bagarres. Parfois elle était tellement agitée dans le lit qu'elle réveillait Gunnar.

Pour échapper aux mauvais rêves fiévreux, elle restait éveillée jusqu'à ce que Matte rentre, tantôt guettant à la fenêtre, tantôt implorant le téléphone. Son cœur faisait un bond chaque fois qu'elle entendait des pas s'approcher de la maison.

Ses nuits étaient devenues un peu plus calmes après qu'il eut quitté la maison familiale. Ce qui était assez paradoxal : n'étant plus en mesure de veiller sur lui, elle aurait pu craindre que son inquiétude irrationnelle ne s'aggrave. Mais elle savait qu'il ne prendrait pas de risques inutiles. Il était prudent, elle avait au moins réussi à lui inculquer cela. Il se montrait toujours bienveillant et aurait été incapable de faire du mal à une mouche. Selon la logique de Signe, cela signifiait que personne ne voudrait lui faire de mal non plus.

Elle sourit au souvenir de tous les animaux qu'il avait ramenés à la maison au fil des ans. Blessés, abandonnés ou simplement mal en point. Trois chats, deux hérissons heurtés par des voitures et un moineau à l'aile cassée. Sans parler du serpent qu'elle avait découvert par hasard en rangeant des slips propres dans sa commode. Après cet incident, il dut jurer solennellement de laisser les reptiles à leur sort, fussent-ils blessés ou abandonnés. Il avait accepté à contrecœur.

Elle l'aurait bien vu devenir vétérinaire ou médecin. Mais il s'était de toute évidence plu à l'école de commerce et il était doué pour les chiffres. Son emploi à la commune de Tanum semblait lui convenir aussi. Pourtant elle restait perplexe. Elle ne savait pas exactement pourquoi, mais les mauvais rêves avaient recommencé à la hanter. Toutes les nuits, elle se réveillait en sueur, avec des bribes d'images dans la tête. Quelque chose clochait, mais ses questions discrètes buttaient contre le silence de son fils. Elle s'était donc concentrée sur l'aspect nourricier. Si seulement il prenait quelques kilos, tout finirait par s'arranger.

— Mange encore un peu ! l'encouragea-t-elle quand Matte posa la fourchette, laissant la moitié de l'énorme portion dans l'assiette.

— Arrête maintenant, Signe ! s'exclama Gunnar. Fiche-lui la paix !

— Ça ne fait rien, dit Matte avec un pâle sourire.

Le fils de sa mère. Il ne voulait pas qu'elle se fasse sermonner à cause de lui, même si elle savait, après plus de quarante ans passés avec son mari, qu'il aboyait plus qu'il ne mordait. On n'aurait pas pu trouver un homme plus gentil que lui. La mauvaise conscience l'envahit : encore une fois, elle avait tort de s'inquiéter autant.

— Pardon, Matte. Bien sûr que tu n'es pas obligé de manger davantage.

Elle utilisait le diminutif qu'il s'était donné lui-même quand il avait commencé à parler et qu'il n'arrivait pas à prononcer son propre nom. Il disait Matte, et depuis tout le monde l'appelait comme ça.

— Devine qui est revenu à Fjällbacka ! poursuivit-elle sur un ton guilleret tout en débarrassant la table.

— Aucune idée.

— Annie.

Matte tressaillit et la regarda.

— Annie, mon Annie ?

Gunnar gloussa.

— Ah, je savais bien que ça te réveillerait. Tu as toujours un faible pour elle, avoue-le !

— Allez, arrête !

Subitement, Signe vit l'adolescent qu'il avait été, avec cette frange qui lui tombait sur les yeux quand il leur expliquait en bafouillant qu'il sortait avec une fille.

— Je suis allé lui apporter quelques provisions aujourd'hui, dit Gunnar. Elle est sur l'île aux Esprits.

— Ah non, ne l'appelle pas comme ça! dit Signe avec un frisson. Son vrai nom, c'est Gråskär.

— Elle est arrivée quand? demanda Matte.

— Hier je crois. Elle a le petit avec elle.

— Et elle reste longtemps?

— Elle ne sait pas.

Gunnar posa une chique de tabac sous sa lèvre supérieure et se renversa avec satisfaction sur la chaise.

— Elle était… elle n'avait pas trop changé?

Gunnar secoua la tête.

— Ne t'inquiète pas, elle est toujours aussi belle. Les yeux un peu tristes, il m'a semblé, mais ce n'était sans doute qu'une impression. Il y a peut-être de l'eau dans le gaz chez elle. Qu'est-ce que j'en sais, moi?

— On ne va pas commencer à broder là-dessus, gronda Signe. Tu as vu le petit?

— Non, Annie m'a accueilli au ponton et je n'avais pas le temps de rester. Mais tu n'as qu'à y passer, dit Gunnar en se tournant vers Matte. Ça lui fera sûrement plaisir d'avoir un peu de visite là-bas, sur l'île aux Esprits. Oh pardon, Gråskär, ajouta-t-il avec un regard espiègle pour sa femme.

— Arrête avec ces bêtises. Moi, je dis qu'il ne faut pas encourager les vieilles superstitions, dit Signe avec un pli profond entre les sourcils.

— Annie y croit, elle, dit Matte à voix basse. Elle disait toujours qu'elle savait qu'ils étaient là.

— Qui ça, ils?

Signe voulait changer de sujet de conversation, mais elle avait aussi envie d'entendre la réponse de Matte.

— Les morts. Annie disait qu'elle les voyait et les entendait parfois, mais qu'ils n'avaient pas de mauvaises intentions. Ils étaient restés sur l'île, c'est tout.

— Quelle horreur ! Allez, on va manger le dessert maintenant. J'ai fait une compote de rhubarbe, dit Signe en se levant brusquement. En tout cas, même s'il dit beaucoup de sottises, papa a raison sur un point : une visite lui ferait certainement plaisir.

Matte ne répondit pas. Il était perdu dans ses pensées.

FJÄLLBACKA 1870

Emelie était terrifiée. Elle n'avait jamais vu la mer auparavant, et encore moins embarqué sur ce qui avait tout l'air d'un bateau très instable. Elle s'agrippa fermement au garde-corps, ballottée en tous sens par les vagues, incapable de résister ou de suivre le mouvement avec son corps. Elle chercha le regard de Karl, mais il gardait les yeux braqués sur ce qui les attendait au loin, mâchoires serrées.

Les mots résonnaient encore aux oreilles d'Emelie. Ce n'était probablement que les sornettes d'une petite vieille superstitieuse, mais elles restaient gravées dans son esprit. Quand ils chargeaient leurs affaires dans le petit voilier au port de Fjällbacka, la vieille avait demandé où ils allaient.

— À Gråskär, avait-elle joyeusement répondu. Mon mari Karl est le nouveau gardien de phare.

La vieille ne s'était pas laissé impressionner. Elle avait reniflé et répliqué avec un drôle de petit rire :

— Gråskär? Hé, hé. Par ici, personne n'appelle cette île comme ça.

— Ah bon? avait dit Emelie avec le sentiment qu'elle ne devrait pas en demander davantage.

Mais la curiosité avait pris le dessus.

— Comment l'appelez-vous alors?

La vieille avait laissé passer un silence. Puis, d'une voix basse, lui avait glissé :

— Par ici, on l'appelle l'île aux Esprits.

— L'île aux Esprits ? C'est étrange. Pourquoi ce nom ?

Le rire nerveux d'Emelie avait retenti sur l'eau dans le petit matin.

— Parce qu'on dit que ceux qui y meurent ne quittent jamais l'île, avait répondu la vieille, les yeux scintillants.

Puis elle avait tourné les talons et Emelie était restée au milieu des valises et des malles avec une grosse boule dans le ventre à la place de la joie et de l'impatience qui l'habitaient quelques instants plus tôt.

À présent, c'était comme si elle pouvait croiser la mort à tout moment. La mer était si vaste, si sauvage, elle l'aspirait en quelque sorte. Emelie ne savait pas nager, et les vagues paraissaient si hautes, alors que Karl avait expliqué que ce n'était qu'une petite houle. Et si l'une d'elles venait à renverser le bateau ? Elle serait entraînée dans les profondeurs. Elle serra encore plus fort le garde-corps, le regard rivé au fond du bateau.

La voix de Karl l'invita à regarder au loin :

— Tu vois là-bas, c'est Gråskär.

Elle prit une profonde inspiration et leva les yeux. La première chose qui la frappa fut la beauté de l'île. Petite, certes, mais la maison semblait briller au soleil et les rochers gris lançaient des étincelles. Elle vit des roses trémières devant un des murs et s'étonna qu'elles puissent s'épanouir dans ce milieu aride. Côté ouest, des pics escarpés surplombaient la mer, comme si le roc avait été tranché net. Mais ailleurs, les dalles rocheuses descendaient en pente douce jusqu'à l'eau.

Subitement, les vagues autour d'eux lui parurent moins sauvages. Elle regrettait toujours la terre ferme du continent sous ses pieds, mais Gråskär l'avait déjà séduite. Elle relégua au fond de sa tête les propos de la vieille sur l'île aux Esprits. Un aussi bel endroit ne pouvait rien abriter de mal.

Cette nuit, elle les avait entendus. Les mêmes chuchotements, les mêmes voix que lorsqu'elle était petite. Sa montre indiquait trois heures quand elle s'était réveillée. D'abord, elle n'avait pas compris ce qui l'avait tirée du sommeil. Puis elle les avait entendus. Ils parlaient au rez-de-chaussée. Une chaise raclait le sol. De quoi devisaient les morts ? De ce qui s'était passé de leur vivant, ou de ce qui se passait maintenant, tant d'années après ?

Annie avait eu conscience de leur existence sur l'île depuis toujours. Sa mère racontait que tout bébé déjà, elle pouvait subitement se mettre à rire et à lever les bras comme si elle voyait quelque chose que personne d'autre ne pouvait voir. Ils s'étaient manifestés de plus en plus à mesure qu'elle grandissait. Une voix, un mouvement fugace, la sensation d'une présence étrangère dans la pièce. Mais ils ne lui voulaient aucun mal. Elle l'avait su à l'époque, et elle le savait aujourd'hui. Elle resta longtemps éveillée à écouter les voix jusqu'à ce qu'elles la bercent finalement et qu'elle se rendorme.

Le lendemain matin, ce n'était plus qu'un rêve lointain. Elle prépara le petit-déjeuner pour Sam et elle-même, mais il ne voulut rien manger, même pas ses céréales préférées.

— Mon chéri, je t'en prie. Une cuillère, une seule. Une petite ?

Elle essaya de l'amadouer mais ne put lui faire avaler le moindre flocon. Avec un soupir, elle posa la cuillère, et lui caressa la joue.

— Il faut que tu manges un peu, tu comprends ?

Il n'avait pas prononcé un seul mot depuis les événements. Mais Annie repoussa l'inquiétude loin dans sa conscience. Elle devait lui donner du temps, ne pas le presser, simplement être là en attendant que son esprit enfouisse ces souvenirs et que d'autres viennent les remplacer. Se réfugier ici sur Gråskär, loin de tout, près des rochers, du soleil et de la mer, c'était ce qu'il y avait de mieux à faire.

— Écoute, on laisse tomber le petit-déjeuner, et on va se baigner.

Comme elle n'obtint pas de réponse, elle le souleva tout bonnement de sa chaise et l'emmena au soleil. Doucement, tendrement, elle le déshabilla et le porta jusqu'au bord de l'eau, comme s'il n'était pas un grand garçon de cinq ans mais un tout petit bébé. L'eau n'était pas très chaude, mais il ne protesta pas quand elle l'immergea tout en serrant sa tête contre sa poitrine en un geste protecteur. C'était le meilleur des médicaments. Ils allaient rester ici jusqu'à la fin de la tempête. Jusqu'à ce que tout redevienne comme avant.

— Je croyais que tu ne revenais que lundi…

Annika baissa ses lunettes antireflets et regarda Patrik. Il avait fait une halte devant son bureau, qui servait également d'accueil du commissariat.

— Erica m'a mis à la porte. Elle en avait marre de

voir ma sale tronche à la maison, dit Patrik en for-
çant un sourire.

Mais la journée de la veille était encore présente en
lui, et le sourire échoua.

— Je comprends parfaitement le point de vue de
ta chère épouse.

Le regard d'Annika était rempli de la même tristesse
que celui de Patrik. La mort d'un enfant ne laisse personne indifférent, et depuis qu'Annika et Lennart, son
mari, avaient appris que leur fille adoptive tant attendue allait bientôt arriver de Chine, elle était encore
plus touchée par les enfants victimes d'accidents ou
à qui il arrivait malheur.

— Quelque chose en cours ? demanda Patrik.

— Non, pas vraiment. La routine. La Strömberg qui
a appelé pour la troisième fois cette semaine, elle pré-
tend que son gendre veut la tuer. Et des jeunes qui se
sont fait pincer pour vol à l'étalage chez Hedemyrs.

— Bref, vous ne chômez pas.

— Tu parles ! Du coup, l'événement ici, c'est surtout l'invitation à tester tous les miracles promis par
ce nouvel établissement, à Badis.

— C'est pas une mauvaise idée. Je pense que je
pourrais me sacrifier et y aller.

— Quoi qu'il en soit, c'est sympa de voir Badis res-
susciter, dit Annika. Ce bâtiment avait vraiment l'air
sur le point de s'effondrer.

— Oui, c'est chouette. Mais je doute que ça puisse
marcher. Ça a dû coûter une fortune à restaurer, et est-
ce que les gens vont vraiment venir ici pour fréquen-
ter un spa ?

— Si ça ne marche pas, ça va chauffer pour Erling.
J'ai une copine à la mairie, elle m'a dit qu'ils ont consacré une grande partie du budget à ce projet.

— Ça ne m'étonne pas. À Fjällbacka, tout le monde parle de la fête d'inauguration. Ça aussi, ça va coûter bonbon.

— Tout le commissariat est invité, au cas où tu ne le savais pas. Il va falloir que tu te mettes sur ton trente-et-un.

— Tout le monde est sorti ? demanda Patrik pour changer de sujet, moyennement intéressé par la mode et les mondanités.

— Oui, tous sauf Mellberg. Je suppose qu'il est dans son bureau comme d'habitude. Rien n'a changé, bien qu'il prétende avoir repris le boulot plus tôt que prévu parce que le commissariat était en train de sombrer sans lui. D'après ce que m'a dit Paula, elles ont été obligées de trouver une autre solution pour garder Leo, sinon il aurait bientôt été prêt pour une carrière de sumo. Un jour, Rita a trouvé Bertil en train de passer au mixeur un menu hamburger en entier pour Leo… Ça a été la goutte qui a fait déborder le vase. Elle a immédiatement demandé à passer à mi-temps pendant quelques mois.

— Sans blague ?

— Si, si, je te jure. Et maintenant c'est nous qui devons nous le coltiner à plein temps. Il y en a quand même un qui est content, c'est Ernst. Mellberg l'avait laissé ici pendant son congé et le clebs a failli mourir de chagrin. Il restait toute la journée dans son panier, à gémir.

— J'avoue que, d'une certaine façon, j'aime bien que tout soit comme d'habitude, dit Patrik.

Il partit en direction de son bureau et respira à fond en y reprenant place. Peut-être que le travail lui ferait oublier la journée de la veille.

Elle ne voulait plus jamais se lever. Seulement rester ici, au lit, et regarder le ciel qui parfois était bleu et parfois gris. Un bref instant, elle se dit qu'elle aurait bien aimé qu'on la ramène à l'hôpital. Tout y était tellement plus simple. Si calme et paisible. Tout le monde faisait attention, on parlait à voix basse et on l'aidait à manger et à se laver. Ici, à la maison, il y avait trop d'agitation. Elle entendait les enfants jouer, et leurs cris rebondissaient contre les murs. De temps en temps, ils venaient la voir et la regardaient avec de grands yeux. Elle avait l'impression qu'ils la sollicitaient, qu'ils lui demandaient quelque chose qu'elle ne pouvait pas leur donner.

— Anna, tu dors?

La voix de Dan. Elle aurait préféré faire semblant de dormir, mais elle savait qu'il l'aurait démasquée.

— Non.

— J'ai préparé à manger. Soupe de tomate avec pain grillé et fromage à tartiner. Je me suis dit que tu voudrais peut-être descendre manger avec nous? Les enfants te réclament.

— Non.

— Non tu ne veux pas manger, ou non tu ne veux pas descendre?

Anna entendit la frustration dans sa voix, mais elle y resta indifférente. Plus rien ne la touchait désormais. Elle n'avait qu'un grand vide en elle. Pas de larmes, pas de chagrin, pas de colère.

— Non.

— Il faut que tu manges. Il faut que…

La voix se tut et il posa le plateau sur sa table de chevet, d'un geste si brusque qu'un peu de soupe s'échappa du bol.

— Non.

— Moi aussi, j'ai perdu un enfant, Anna. Et les enfants, un petit frère. Nous avons besoin de toi. Nous…

Elle se rendit compte qu'il cherchait ses mots. Mais dans sa tête à elle, il n'y avait de place que pour un seul mot. Un seul mot qui trouvait une prise dans le vide. Elle détourna les yeux.

— Non.

Au bout d'un moment, Dan quitta la chambre. Elle se tourna de nouveau vers la fenêtre.

Il semblait tout le temps avoir l'esprit ailleurs, et ça l'inquiétait.

— Mon Sam adoré, dit-elle en le berçant et lui caressant les cheveux.

Il n'avait toujours pas proféré le moindre son. La pensée surgit qu'elle devait peut-être l'emmener chez le médecin, mais elle la chassa aussitôt. Elle ne tenait pas à laisser entrer un étranger dans leur monde en ce moment. S'il pouvait rester au calme, Sam se rétablirait bientôt.

— Tu veux dormir un peu, mon petit bonhomme ?

Il ne répondit pas, mais elle le porta à son lit et le borda. Puis elle prépara du café, se servit une tasse avec du lait et sortit s'asseoir sur l'embarcadère. Le beau temps persistait et elle profita du soleil qui chauffait son visage. Fredrik avait toujours aimé le soleil, il l'adorait même. Il se plaignait toujours du climat froid de la Suède, du soleil si rare.

D'où lui venaient ces pensées pour Fredrik subitement ? Elle avait pourtant enfoui son souvenir bien loin dans son esprit. Il n'avait plus de place dans leur vie. Fredrik avec ses exigences perpétuelles et son besoin de contrôler tout et tout le monde. Surtout elle, et Sam.

Ici à Gråskär, il n'y avait aucune trace de lui. L'île était à elle, il n'y avait jamais mis les pieds. N'avait pas voulu y venir. "Putain non, c'est hors de question d'aller me cloîtrer sur un foutu caillou au milieu de la mer", avait-il dit les quelques fois où elle lui avait proposé d'y aller. Tant mieux. L'île n'avait pas été souillée par sa présence. Elle était propre et n'appartenait qu'à elle et Sam.

Elle serra fort la tasse de café. Les années étaient passées si vite. La dégringolade avait été si rapide, elle s'était retrouvée piégée, sans aucune issue, sans possibilité de fuir. Elle n'avait personne, à part Fredrik et Sam. Où aurait-elle pu aller?

Ils étaient enfin libres. Elle sentit la brise marine chargée de sel sur son visage. Ils avaient réussi. Sam et elle. Dès qu'il serait rétabli, ils pourraient vivre leur vie, seuls.

Annie était revenue. Il avait pensé à elle pendant toute la soirée, après le dîner chez ses parents. Annie avec ses cheveux longs et ses taches de rousseur sur le nez et sur les bras. Annie au parfum de mer et d'été, et dont il pouvait encore sentir la chaleur, après tant d'années. C'était vrai ce qu'on disait. On n'oubliait jamais son premier amour. Et leurs trois étés sur Gråskär ne pouvaient être décrits autrement que comme magiques. Il était venu la rejoindre aussi souvent qu'il pouvait et l'île était devenue leur refuge, rien qu'à eux.

Mais parfois elle lui avait fait peur. Il arrivait que son rire joyeux se brise, et qu'elle disparaisse dans une sorte d'obscurité où il ne pouvait plus l'atteindre. Elle n'avait pas de mots pour décrire les tourments qui s'emparaient d'elle, et avec le temps il avait appris à simplement la laisser tranquille. Le dernier été, les ténèbres venaient l'envahir de plus en plus souvent, et elle s'était lentement éloignée de lui. Au mois d'août, en agitant sa main pour lui dire au revoir alors qu'elle montait dans le train pour Stockholm avec ses bagages, il avait su que c'était fini.

Ils n'avaient pas eu de contact depuis. Il avait essayé de lui téléphoner l'année suivante, quand ses parents étaient morts à peu d'intervalle, mais il n'avait eu que sa voix sur le répondeur. Elle ne l'avait jamais rappelé. La maison de Gråskär était restée vide. Il savait que Gunnar et Signe se rendaient régulièrement sur l'île afin d'y jeter un coup d'œil, et que de temps en temps Annie leur envoyait de l'argent pour l'entretien. Mais elle-même n'était jamais revenue et, avec le temps, le souvenir s'était effacé.

Et voilà qu'elle était de retour. Assis derrière son bureau, Matte fixait le vide. Les soupçons qu'il avait nourris ces derniers temps s'étaient renforcés et il devait régler certaines choses. Mais ses pensées pour Annie venaient sans cesse le déconcentrer. Quand le soleil d'après-midi commença à inonder la mairie de Tanumshede, il rassembla tous les papiers qu'il avait devant lui. Il fallait qu'il voie Annie. Quittant son bureau d'un pas décidé, il s'arrêta pour échanger quelques mots avec Erling avant de rejoindre sa voiture. Sa main tremblait quand il mit le contact et démarra le moteur.

— Tu arrives tôt aujourd'hui, chéri !

Vivianne l'accueillit avec une bise tiède sur la joue, mais lui ne put s'empêcher de l'attraper, d'entourer sa taille de son bras et de la serrer contre lui.

— Allons, calme-toi. On va garder cette énergie-là pour tout à l'heure, dit-elle en posant sa main sur la poitrine d'Erling.

— Tu es sûre ? Ces temps-ci, je suis si fatigué le soir.

Il l'attira contre lui de nouveau, mais à sa grande déception, elle s'esquiva et se dirigea vers son cabinet de travail.

— Tu vas devoir patienter. J'ai tellement de choses à faire que je serais incapable de me détendre. Et tu sais bien comment ça se passe quand je suis dans cet état.

— Oui, oui, c'est vrai.

Erling la regarda partir, l'air abattu. Bien sûr qu'ils pouvaient attendre un peu, mais ça faisait plus d'une semaine maintenant qu'il s'endormait sur le canapé. Tous les matins, il se réveillait avec un des coussins glissés sous sa tête et une couverture dont Vivianne l'avait de toute évidence recouvert. Il ne comprenait pas. Sans doute s'épuisait-il au travail. Il fallait vraiment qu'il apprenne à déléguer.

— En tout cas, j'ai apporté de bonnes petites choses pour le dîner, lui cria-t-il.

— Tu es mignon. C'est quoi ?

— Des crevettes de chez les Frères Olsson et une bonne bouteille de chablis.

— Miam. J'aurai terminé vers huit heures, ça serait formidable si tu pouvais tout préparer d'ici là.

— Bien sûr, ma chérie, murmura Erling.

Il prit les sacs de provisions et les porta dans la cuisine. Il n'était pas très habitué, il fallait bien l'avouer. Quand il était marié avec Viveca, elle s'occupait de tout à la maison, mais depuis que Vivianne avait emménagé chez lui, elle avait d'une façon ou d'une autre réussi à transférer la charge sur lui. Il avait beau se creuser la tête, il ne voyait vraiment pas comment elle avait su orchestrer un tel revirement.

Avec un profond soupir, il commença à ranger les courses dans le réfrigérateur. Puis il pensa aux réjouissances de la soirée et son visage s'illumina un peu. Pas de problème, il allait veiller à la détendre. Ça valait amplement une petite contribution à la cuisine.

Erica traversa Fjällbacka à pied et souffla lourdement. Attendre des jumeaux puis subir une césarienne n'avait été favorable ni à son poids ni à sa forme physique. Mais ces choses-là paraissaient terriblement triviales aujourd'hui. Ses deux fils étaient en bonne santé. Ils avaient survécu, et la gratitude qui la submergeait tous les matins quand ils commençaient à crier vers six heures et demie lui faisait encore monter les larmes aux yeux.

Anna avait été bien plus durement frappée, et pour la première fois, Erica ne savait pas comment approcher sa sœur. Leur relation n'avait pas toujours été simple, mais depuis leur plus tendre enfance, Erica avait été celle qui s'occupait d'Anna, celle qui soufflait sur les plaies et essuyait les larmes. Cette fois-ci, c'était différent. La plaie n'était pas une petite écorchure, mais une blessure profonde dans l'âme, et Erica avait l'impression de rester plantée là, à regarder Anna se vider de sa force vitale. Comment pourrait-elle la guérir ? Son fils était mort. Erica avait beau en être terriblement affligée, elle ne pouvait cacher sa joie de voir ses propres enfants vivants. Après l'accident, Anna ne supportait pas de croiser son regard. Erica était souvent venue à son chevet à l'hôpital. Mais pas une seule fois sa sœur n'avait tourné ses yeux vers elle.

Depuis qu'Anna était revenue chez elle, Erica n'avait pas pu se résoudre à aller la voir. Elle s'était contentée d'appeler Dan, et chaque fois il lui avait paru abattu et résigné. Elle ne pouvait plus repousser davantage sa visite, si bien qu'elle avait demandé à Kristina de passer s'occuper des jumeaux et de Maja un petit moment. Anna était sa sœur. Erica était responsable d'elle.

Sa main était lourde quand elle frappa à la porte. Elle entendit les enfants qui chahutaient à l'intérieur, et au bout d'un moment, Emma vint ouvrir.

— Tatie Erica! s'écria-t-elle tout heureuse. Où sont les bébés?

— Je les ai laissés à la maison avec Maja et leur grand-mère.

Erica caressa la joue d'Emma. C'était incroyable comme elle ressemblait à Anna petite.

— Maman est triste, dit Emma. Elle fait que dormir et dormir et papa dit que c'est parce qu'elle est tellement triste. Elle est triste parce que le bébé dans son ventre a décidé de monter au ciel au lieu d'habiter ici avec nous. Et moi, je le comprends, le bébé, parce qu'Adrian est méchant et Lisen m'embête tout le temps. Mais moi, j'aurais été super-gentille avec le bébé. C'est vrai. Super-gentille.

— J'en suis convaincue, ma puce. Mais dis-toi bien que le bébé doit être en train de s'amuser là-haut, à sauter sur les nuages.

— Comme sur un trampoline? demanda Emma, le visage ensoleillé.

— Exactement, comme sur tout un tas de trampolines.

— Oh, moi aussi j'aimerais en avoir plein, dit Emma. Nous, on a qu'un tout petit trampoline dans le jardin. On peut y être qu'un à la fois et c'est toujours

Lisen qui veut être prems et après c'est jamais mon tour.

Emma tourna les talons et partit dans le salon en marmonnant.

Ce n'est qu'à cet instant qu'Erica se rendit compte qu'Emma avait appelé Dan "papa". Erica sourit. En fait, elle n'était pas si étonnée que ça, car Dan adorait les enfants d'Anna et son amour avait été réciproque dès le premier instant. Leur enfant commun aurait resserré les liens familiaux encore davantage. Erica ravala un sanglot et suivit sa nièce dans le salon. On aurait dit qu'une bombe venait d'exploser.

— Désolé pour le désordre, dit Dan, embarrassé. Je n'ai pas le temps. Il n'y a pas assez d'heures dans la journée.

— Je sais de quoi tu parles. Tu devrais voir dans quel état c'est, chez nous, répondit Erica en restant à la porte et en lorgnant le premier étage. Je peux monter ?

— Oui, vas-y.

Dan se passa la main sur la figure. Il avait l'air terriblement fatigué et malheureux.

— Je veux y aller aussi, dit Emma.

Dan s'accroupit devant elle, lui parla calmement et la persuada de laisser Erica monter seule voir sa maman.

La chambre de Dan et Anna était située à droite sur le palier. Erica leva la main pour frapper, mais à quelques centimètres de la porte elle se ravisa et la poussa tout doucement. Anna était allongée sur le lit, tournée vers la fenêtre, et la lumière de fin d'après-midi qui se déversait faisait briller son crâne sous les cheveux duveteux. Erica eut un coup au cœur. Elle avait toujours été comme une maman pour Anna, mais ces dernières années leurs rapports avaient pris la tournure d'une véritable relation entre sœurs. Et, d'un seul coup, le sort les confinait de nouveau dans leurs anciens rôles. Anna, petite et vulnérable, et Erica, qui s'inquiète et surveille.

La respiration d'Anna était calme et régulière. Elle gémit un peu, et Erica comprit qu'elle dormait. Elle s'approcha sur la pointe des pieds, et s'assit doucement sur le bord du lit, pour ne pas la réveiller. Elle posa une main tendre sur la hanche de sa sœur. Qu'Anna le veuille ou non, elle avait l'intention d'être à son côté. Elles étaient sœurs. Elles étaient amies.

— C'est papa! cria Patrik d'une voix tonitruante.

Il n'eut pas à attendre bien longtemps la réaction habituelle. De petits pas rapides crépitèrent sur le parquet, et la seconde d'après il vit Maja arriver à toute vitesse au coin du vestibule et se jeter sur lui.

— Papaaaa!

Elle lui planta des bisous partout sur le visage comme s'il revenait d'une expédition autour du monde, et non d'une simple journée de travail.

— Salut, la petite chérie de son papa.

Il la serra fort, enfonça le nez dans le creux de son cou et inspira cette odeur particulière qui emballait toujours son cœur.

— Je croyais que tu n'allais travailler qu'à mi-temps.

Sa mère s'essuyait les mains sur un torchon et lui lança le même regard que lorsqu'il était adolescent et rentrait plus tard que l'heure promise.

— Oui, mais c'était tellement bon d'être de retour au boulot que je suis resté un peu plus longtemps. Ne t'inquiète pas, je fais attention. Il n'y a aucune affaire urgente en cours.

— J'imagine que tu sais ce que tu fais. Cela dit, on doit écouter son corps. Des alertes comme ça, il faut les prendre au sérieux.

— Oui, oui.

Patrik espérait que sa mère lâcherait bientôt le sujet. Elle n'avait pas à s'inquiéter. La terreur qu'il avait ressentie dans l'ambulance pour l'hôpital d'Uddevalla était bien ancrée dans sa mémoire. Il avait cru qu'il allait mourir, il en avait même été totalement persuadé. Les images de Maja et d'Erica qu'il ne verrait plus jamais et la pensée de ces bébés qu'il ne connaîtrait pas avaient tournoyé dans sa tête et s'étaient mêlées à la douleur dans sa poitrine.

En se réveillant aux soins intensifs, il avait compris qu'il avait survécu, que son corps lui avait simplement dit qu'il fallait lever le pied. Mais ensuite on l'avait informé de l'accident de voiture, et une autre douleur était venue remplacer la première. Quand on l'avait emmené voir ses jumeaux dans son fauteuil roulant, il avait fait demi-tour dès la porte. Ça avait été son premier réflexe. Ils étaient si petits et si vulnérables. Leur maigre poitrine se soulevait et s'abaissait laborieusement, et par moments, ils étaient agités de soubresauts. Il n'imaginait pas que de si petits êtres puissent survivre, si bien qu'il n'avait pas voulu s'approcher davantage, n'avait pas voulu les toucher. Parce qu'il savait qu'il ne pourrait pas supporter d'en être séparé ensuite.

— Qu'as-tu fait de tes frérots ? dit-il à Maja qui avait toujours les bras enroulés autour de son cou.

— Ils dorment. Mais ils ont fait caca. Des tonnes de caca. Mamie les a changés. Ça sentait beurk, dit-elle en plissant tout son visage.

— De véritables anges, dit Kristina. Ils ont englouti presque deux biberons chacun, et ils se sont endormis sans le moindre problème. Enfin, après avoir fait caca, donc, comme disait Maja.

— Je monte les voir.

Depuis leur retour de l'hôpital, Patrik avait pris l'habitude de les avoir tout le temps près de lui, et ils lui avaient manqué presque physiquement au travail.

Il monta à l'étage et entra dans la chambre. Erica et lui n'avaient pas voulu les séparer, et les deux bébés étaient couchés dans le même lit. Ils dormaient serrés l'un contre l'autre, nez contre nez. Le bras de Noel était posé sur Anton, comme s'il le protégeait. Patrik se demanda quels seraient leurs rôles respectifs. Noel paraissait plus déterminé, il était un peu plus bruyant qu'Anton, qui, lui, était plutôt du genre comblé. On ne l'entendait jamais émettre autre chose qu'un joyeux babillage, à condition d'être bien nourri et de pouvoir dormir tout son saoul. Noel en revanche pouvait protester énergiquement quand il n'était pas satisfait. Il n'appréciait ni d'être habillé ni d'être changé. Quant au bain, c'était pire que tout. À en juger par ses cris, l'eau était un danger de mort.

Patrik resta longuement penché sur le lit à barreaux. Dans leur sommeil, les yeux des jumeaux bougeaient sous les paupières. Il se demanda s'ils faisaient les mêmes rêves.

Annie était assise sur le perron face au soleil déclinant quand elle vit un bateau approcher. Sam était endormi. Elle se leva lentement et descendit sur l'embarcadère.

— Tu autorises une petite invasion ?

La voix parut si familière, et pourtant différente. De toute évidence, il avait eu une vie bien remplie depuis qu'ils s'étaient vus la dernière fois. Tout d'abord elle eut envie de crier : "Non, ne débarque pas, tu n'as rien à faire ici !" Mais, au lieu de cela, elle attrapa l'amarre qu'il lui lança et l'attacha d'une main sûre avec un tour mort et deux demi-clés. L'instant d'après, il sautait sur le ponton. Annie avait oublié qu'il était si grand. Elle aurait pu appuyer sa tête contre sa poitrine, elle qui d'habitude pouvait rivaliser en taille avec les hommes. C'était une des choses qui agaçaient tant Fredrik, le fait qu'elle mesure quelques centimètres de plus que lui. Il lui avait toujours interdit de porter des talons hauts quand ils sortaient ensemble.

Ne pas penser à Fredrik maintenant. Ne pas penser à…

Elle atterrit dans ses bras sans savoir comment ni qui avait fait le pas qui les séparait. Soudain, elle s'y trouvait, tout simplement, et le pull en laine râpait sa joue. Elle retrouva confiance, et huma cette odeur si familière qu'elle n'avait pas sentie depuis de nombreuses années. L'odeur de Matte.

— Salut toi.

Il la serra encore plus fort, comme s'il essayait de l'empêcher de tomber, ce qui était bien le cas. Elle aurait voulu rester dans ses bras pour toujours, retrouver tout ce qui avait été à elle tant d'années auparavant, mais qui avait disparu dans un micmac d'obscurité et de détresse. Il finit cependant par la lâcher et la tint à bout de bras pendant qu'il examinait soigneusement son visage comme s'il le voyait pour la première fois.

— C'est toujours toi, dit-il.

Mais Annie lut dans ses yeux que ce n'était pas vrai. Ce n'était pas elle, elle était devenue une autre. C'était écrit sur son visage, gravé dans les fines rides autour des yeux et de la bouche, et elle savait qu'il le voyait.

Il transformait la réalité, et elle lui en était reconnaissante. Il avait toujours été doué pour ça, faire comme si le mal pouvait disparaître simplement en serrant plus fort les paupières.

— Viens, dit-elle en lui tendant la main, et ils montèrent ensemble vers la maison.

— C'est toujours la même île.

Le vent se saisit de la voix de Matte et l'emporta vers les rochers.

— Oui, rien n'a changé.

Elle avait autre chose à dire, mais Matte entra dans la maison. Il inclina la tête pour franchir la porte, et l'instant s'envola. Ça avait toujours été comme ça, avec Matte. Elle se rappelait tous les mots qu'elle avait portés en elle sans parvenir à les lui confier. Elle était restée muette et Matte s'en était désolé, elle le savait. Il avait été peiné qu'elle lui refuse l'accès quand l'obscurité arrivait sur elle.

Elle ne pouvait pas lever les barrières aujourd'hui non plus, mais il aurait le droit de passer un moment avec elle dans la maison. Un tout petit moment. Elle avait besoin de sa chaleur. Ça faisait si longtemps qu'elle avait froid.

— Tu veux du thé?

Elle sortit une casserole sans attendre sa réponse. Il fallait qu'elle occupe ses mains pour cacher qu'elle tremblait.

— Oui, je veux bien. Où il est, ton petit loup? Quel âge il a maintenant?

Pour toute réponse, elle lui jeta un regard interloqué.

— Maman et papa m'ont tenu informé, tu comprends, dit-il avec un sourire.

— Il a cinq ans. Et il dort.

— Ah bon.

Il parut déçu, ce qui lui fit chaud au cœur. Ça signifiait quelque chose. Maintes fois elle s'était demandé comment la vie aurait tourné si elle avait eu son fils avec Matte plutôt qu'avec Fredrik. Mais dans ce cas, il n'aurait pas été Sam, il aurait été un tout autre enfant. Et cette pensée était inconcevable.

Elle était contente qu'il dorme. Elle ne voulait pas que Matte le voie dans cet état. Dès qu'il irait mieux, Matte rencontrerait son petit garçon, dont les yeux bruns étaient toujours pleins de malice. Si seulement la malice revenait, ils pourraient se voir tous ensemble. Elle s'en réjouissait déjà.

Ils restèrent en silence un instant à siroter leur thé. C'était bizarre comme sensation, d'être presque des étrangers l'un pour l'autre, d'avoir laissé le temps filer jusque-là. Puis ils se mirent à parler. Avec une certaine gêne, car ils n'étaient plus les mêmes. Lentement, ils retrouvèrent le rythme, le ton qui avait été le leur, et ils purent enjamber tous les obstacles que les années avaient dressés entre eux.

Quand elle prit sa main et le guida dans l'escalier menant à l'étage, elle eut l'impression que tout était normal. Plus tard, en s'endormant dans ses bras, avec sa respiration tout près de son oreille, elle pouvait entendre dehors les vagues qui frappaient les rochers.

Vivianne étendit une couverture sur Erling. Le somnifère l'avait mis K.-O. comme d'habitude. Il commençait à se demander pourquoi il s'endormait ainsi sur le canapé tous les soirs, et elle savait qu'elle devait être vigilante. Mais se coucher à côté de lui et sentir son corps contre le sien était désormais au-dessus de ses forces. Elle ne le supportait plus.

Elle alla dans la cuisine, jeta les déchets de crevettes à la poubelle, rinça les assiettes et les mit dans le lave-vaisselle. Il restait un fond de vin, qu'elle versa dans un verre propre, puis elle retourna dans le salon.

La date approchait à grands pas, et elle commençait à s'inquiéter. Ces derniers jours, elle avait eu l'impression que la construction si minutieusement élaborée était en train de s'écrouler. Il suffisait qu'un morceau soit déplacé pour que tout s'effondre. Elle le savait. Plus jeune, elle avait trouvé une sorte de jouissance perverse dans la prise de risques. Elle avait adoré la sensation de faire de l'équilibre au bord d'un volcan. Mais plus maintenant. C'était comme si l'âge avait traîné dans son sillage une envie de sécurité de plus en plus forte, un besoin de se détendre et de ne pas avoir à penser. Elle était certaine qu'Anders éprouvait la même chose. Ils se ressemblaient tant, ils devinaient les pensées de l'autre sans qu'il fût besoin de les exprimer. Ça avait toujours été comme ça.

Vivianne porta le verre de vin à sa bouche, mais s'arrêta une seconde en sentant les effluves d'alcool. L'odeur ressuscita le souvenir d'événements qu'elle s'était juré de ne plus jamais évoquer. Cela remontait à un passé si lointain. Elle avait été une autre, quelqu'un qu'elle ne serait plus jamais, en aucun cas. Elle était Vivianne maintenant.

Elle savait qu'elle avait besoin d'Anders pour ne pas dégringoler à nouveau, ne pas tomber dans le trou noir des souvenirs qui la salissaient et la diminuaient.

Après un dernier regard à Erling sur le canapé, elle enfila sa veste et sortit. Il dormait profondément. Elle ne lui manquerait pas.

FJÄLLBACKA 1870

Lorsque Karl avait demandé sa main, Emelie avait été au septième ciel. Jamais elle n'aurait imaginé qu'une telle chose pût se produire. Elle en avait rêvé, certes. Pendant les cinq années où elle avait servi comme bonne à la ferme des parents de Karl, elle s'était souvent endormie avec son image sur la rétine. Mais c'était utopique, elle le savait. Et les avertissements secs d'Edith avaient chassé ce qui restait de ses rêves. Car le fils des propriétaires ne se marierait pas avec la bonne, même si elle était enceinte.

Karl ne l'avait jamais touchée. Il lui adressait à peine la parole quand il rentrait à la maison pendant ses congés du bateau-phare. Il se contentait de s'écarter de son chemin avec un sourire poli ou, à la rigueur, lui demandait comment elle allait, mais il n'avait jamais laissé entendre qu'il partageait ses sentiments. Edith l'avait traitée de folle, l'avait sommée de renoncer à ce genre d'idées et de cesser de fantasmer.

Mais les rêves peuvent se réaliser et les prières, être entendues. Un jour, il était venu lui demander un entretien. Elle avait eu peur, avait cru qu'elle avait fait une bêtise et qu'il allait lui demander de faire ses bagages et de quitter la ferme. Au lieu de cela, il avait fixé le plancher. Sa frange sombre tombait sur ses yeux, et elle avait dû se retenir de tendre la main pour la *relever. En bégayant, il avait demandé si elle pouvait envisager de se marier avec lui. Elle n'en avait pas cru ses oreilles, l'avait examiné de la tête aux pieds pour voir s'il se moquait d'elle. Mais il avait continué de parler et affirmé qu'il la voulait pour épouse, oui, dès le lendemain. Ses parents étaient au courant, et le pasteur aussi, de sorte que, si elle donnait son accord, tout pouvait se faire sur-le-champ.*

Elle avait hésité un instant, puis avait soufflé un oui. Karl s'était incliné devant elle et l'avait remerciée tout en sortant à reculons de la pièce. Elle était restée assise un long moment, sentant la chaleur se répandre dans sa poitrine, et elle avait remercié le Seigneur d'avoir entendu les prières qu'elle chuchotait en silence le soir. Puis elle s'était précipitée dehors pour trouver Edith.

Mais Edith n'avait pas réagi comme elle l'avait espéré, avec surprise et, pourquoi pas, un peu de jalousie. Non, elle avait froncé les sourcils et secoué la tête en lui disant qu'elle ferait mieux de se méfier. Edith avait entendu des conversations étranges, des voix tantôt fortes, tantôt assourdies derrière des portes closes, depuis que Karl était rentré du bateau-phare. Personne ne s'était attendu à son retour. En tout cas, aucun des employés de la ferme n'avait été prévenu que le benjamin rentrait à la maison. Et ce n'était pas comme ça que ça se passait en général, avait-elle précisé. Emelie n'avait pas écouté, interprétant les propos de son amie comme un signe de mesquinerie : Edith voyait d'un mauvais œil le bonheur qui avait croisé le chemin d'Emelie. Avec détermination, elle lui avait tourné le dos et ne lui avait plus adressé la parole. Elle ne voulait pas être mêlée à ce genre de commérages et de médisance. Elle allait se marier avec Karl.

*Une semaine était passée depuis et ils se trou-
vaient dans leur nouvelle maison depuis vingt-quatre
heures. Emelie se surprit en train de fredonner tout
bas. C'était merveilleux de pouvoir s'occuper d'un
foyer à soi. La maison était petite, certes, mais jolie
dans toute sa simplicité. Elle l'avait récurée et asti-
quée depuis leur arrivée, si bien que tout était rutilant
et sentait bon le savon noir. Karl et elle n'avaient pas
encore pu passer beaucoup de temps ensemble, mais
ils avaient l'avenir devant eux. Son mari avait un certain nombre de choses à régler pour que tout soit en
ordre. Le garçon de phare, Julian, venait aussi d'arriver, et dès la première nuit, ils avaient commencé
leurs gardes dans le phare.*

*Elle n'était pas très sûre de ce qu'elle pensait de
l'homme avec qui ils allaient partager l'île. Julian
lui avait à peine adressé la parole depuis qu'il avait
débarqué sur Gråskär. La plupart du temps, il la regardait d'une façon qui la mettait mal à l'aise. Mais il
était peut-être tout simplement timide. Ça ne devait
pas être facile d'avoir à vivre subitement si près d'une
étrangère. Il connaissait Karl depuis l'époque du
bateau-phare, avait-elle compris, mais il fallait lui
laisser un peu de temps pour lier connaissance avec
elle. Et s'il y avait une chose dont ils disposaient
ici, c'était bien de temps. Emelie continua à s'affairer dans la cuisine. Karl n'aurait pas à regretter de
l'avoir prise pour épouse.*

Elle tendit la main pour le toucher. Comme elle avait toujours fait à l'époque. Elle avait l'impression qu'il ne s'était écoulé que quelques jours depuis la dernière fois qu'ils s'étaient trouvés ensemble, ici, dans le lit. Mais ils étaient adultes maintenant. Il était plus anguleux, plus velu, et marqué de cicatrices nouvelles, certaines bien apparentes sur sa peau, d'autres dissimulées dans l'âme. Elle était restée longuement la tête sur sa poitrine et avait suivi le contour des marques du bout de son index. Elle avait voulu demander, mais au fond d'elle, elle sentait que tout était encore trop fragile pour supporter des questions sur toutes ces années passées.

Mais le lit était vide. Elle avait la bouche sèche, elle était épuisée. Et seule. Sa main continua de tâter le drap et l'oreiller, mais Matte avait disparu. Si elle avait découvert qu'on l'avait amputée d'un membre durant la nuit, l'impression n'aurait pas été plus douloureuse. Puis l'espoir se réveilla. Peut-être était-il juste descendu au rez-de-chaussée ? Retenant sa respiration, elle tendit l'oreille, mais ne perçut aucun bruit. Annie s'enveloppa dans la couverture et posa les pieds sur le vieux plancher usé. Doucement, elle s'approcha de la fenêtre qui donnait sur l'embarcadère et regarda dehors. Le bateau n'était plus là. Il l'avait quittée sans lui dire au revoir. Elle se laissa glisser par terre le long du mur et sentit la migraine l'assaillir. Il fallait qu'elle boive quelque chose.

Laborieusement, elle enfila ses vêtements. Elle avait l'impression de ne pas avoir fermé l'œil de la nuit, mais ce n'était pas vrai. Elle s'était lovée dans ses bras et n'avait pas aussi bien dormi depuis long-temps. Et pourtant, le mal de tête était là.

Tout était silencieux au rez-de-chaussée et elle alla voir Sam. Il était réveillé, mais ne faisait aucun bruit. Sans un mot, elle le souleva et le porta à la table de la cuisine. Elle lui caressa les cheveux, mit de l'eau à chauffer pour le café et alla boire un verre d'eau. Elle avait si soif. Un deuxième verre fut nécessaire pour faire disparaître la sensation de sécheresse dans sa bouche. La fatigue devint plus nette, plus imposante maintenant que sa soif était étanchée. Mais Sam devait manger, et elle aussi. Elle fit cuire des œufs à la coque, beurra une tartine et prépara du porridge pour Sam. Le tout d'un geste machinal. Son regard se tourna vers la commode dans l'entrée. Il ne lui en restait plus beau-coup. Il faudrait qu'elle se rationne. Mais la fatigue et la vue de son bateau solitaire au ponton la poussèrent à faire quelques pas rapides jusqu'à l'entrée et à ouvrir le tiroir du bas. Fébrilement, elle chercha sous les vête-ments, mais ses doigts ne trouvèrent rien. Elle fouilla le tiroir encore une fois, et finit par le vider entière-ment. Il n'y avait plus rien. Peut-être se trompait-elle de tiroir? Elle ouvrit les deux autres et les vida par terre, mais rien non plus. Une vague de panique l'envahit et subitement elle comprit pourquoi sa main n'avait ren-contré qu'un lit vide quand elle s'était réveillée. Elle comprit pourquoi Matte avait disparu et pourquoi il ne lui avait pas dit au revoir.

S'écroulant par terre, elle resta en position fœtale,

les mains serrées sur ses genoux. Elle entendit l'eau arriver à ébullition et déborder de la casserole.

— Laisse donc ton fils tranquille.

Gunnar leva les yeux du *Bohusläningen* en répétant la phrase qui avait été son leitmotiv tout au long de la journée.

— Mais il aimerait peut-être venir dîner avec nous ce soir ? Ou déjeuner demain, on est dimanche ? Tu ne crois pas ? dit Signe d'une voix pressante.

Gunnar soupira derrière son journal.

— Je suis sûr qu'il a autre chose à faire ce week-end. C'est un homme adulte. S'il veut venir, il saura appeler ou passer. Tu ne peux pas continuer à le harceler comme ça. Et il a déjà dîné avec nous l'autre soir.

— Je crois que je vais quand même lui passer un coup de fil. Juste pour lui demander comment ça va.

Signe tendit le bras pour attraper le téléphone, mais Gunnar se pencha en avant et l'en empêcha.

— Fiche-lui la paix, dit-il énergiquement.

Signe retira sa main. Tout son corps, néanmoins, brûlait d'envie de composer le numéro du portable de Matte, d'entendre sa voix et d'apprendre que tout allait bien. Depuis l'histoire de l'agression, son inquiétude n'avait fait qu'empirer. L'incident avait confirmé ce qu'elle avait toujours su, que le monde était un endroit dangereux pour Matte.

Le bon sens lui disait d'abandonner la partie. Mais cela lui faisait une belle jambe quand tout son être lui hurlait de le protéger. Il était adulte. Elle le savait. Et pourtant elle était incapable de cesser de se tourmenter.

Signe se faufila dans le vestibule et se servit de l'autre téléphone. En entendant la voix de Matte sur le répondeur, elle raccrocha. Pourquoi ne répondait-il pas?

— Je ne sais pas quoi faire.

Erica se sentait complètement découragée. Ils disposaient d'un petit moment de calme au milieu de la pagaille habituelle. Les trois enfants dormaient, ils pouvaient donc rester à table ensemble, manger des tartines chaudes et se parler sans être tout le temps interrompus. Erica avait pourtant du mal à apprécier l'instant. Ses pensées allaient sans cesse vers Anna, ne lui laissant aucun répit.

— Tu ne peux pas faire beaucoup plus qu'être là si elle a besoin de toi. Et puis elle a Dan, dit Patrik en posant sa main sur celle d'Erica.

— Et si elle me haïssait?

Sa voix était fluette et les larmes n'étaient pas loin.

— Pourquoi veux-tu qu'elle te haïsse?

— Parce que j'en ai deux et qu'elle n'en a pas.

— Mais tu n'y es pour rien! C'est le… je ne sais pas comment appeler ça. Le destin, peut-être, dit Patrik en continuant à caresser le dos de sa main.

— Le destin? fit Erica, sceptique. Anna a eu sa part de destin. Elle avait enfin commencé à être heureuse, et on était devenues proches, toutes les deux. Mais maintenant… elle va me haïr, je le sais.

— Comment était-elle hier?

Ils avaient été tellement débordés qu'ils n'avaient pas encore eu le temps d'en parler. La flamme de la bougie que Patrik avait allumée dansait et jetait sa lumière vacillante sur le visage d'Erica.

— Elle dormait. Je suis restée près d'elle un moment. Elle m'a paru si petite.

— Et Dan, il en dit quoi?

— Il est désespéré. C'est lourd, ce qu'il trimballe en ce moment, ça se voit, même s'il essaie de faire bonne figure. Emma et Adrian posent beaucoup de questions. Ils demandent où est passé le bébé dans le ventre, pourquoi maman ne fait que dormir. Et il ne sait pas quoi répondre.

— Elle saura s'en sortir cette fois aussi. Elle a déjà montré à quel point elle est forte, dit Patrik, puis il lâcha la main d'Erica et reprit ses couverts.

— Je ne suis pas si sûre. Combien d'épreuves un être humain peut-il endurer avant de se briser définitivement? J'ai l'impression que c'est ce qui arrive à Anna, répondit Erica d'une voix étouffée.

— On ne peut qu'attendre. Et être là.

Patrik entendit ses paroles voler, creuses, dans la cuisine. Mais il n'avait rien de mieux à dire. Il ne savait pas non plus. Comment se protège-t-on contre le destin? Comment survit-on à la perte d'un enfant?

Des cris dédoublés au premier étage les firent sursauter. Ils montèrent ensemble chercher chacun un jumeau. Leur destin à eux, c'était ça. Et ils en ressentaient une immense gratitude empreinte de culpabilité.

— C'était le bureau de Matte. Il n'est pas venu hier, ni aujourd'hui. Et il n'a pas signalé qu'il était malade, dit Gunnar qui se tenait tout raide et serrait le combiné dans sa main.

— Il n'a pas non plus répondu au téléphone pendant tout le week-end, répliqua Signe.

— Je vais chez lui jeter un coup d'œil.

Gunnar avait déjà mis le cap sur la porte, tout en enfilant sa veste. C'était donc ça que Signe ressentait. Cette terreur qui farfouillait comme un animal dans la poitrine. C'était ça qu'elle avait vécu pendant toutes ces années.

— Je viens avec toi.

La voix de Signe exprimait sa détermination et Gunnar était suffisamment avisé pour ne pas la contredire. Il hocha brièvement la tête et patienta pendant qu'elle mettait son manteau.

Ils parcoururent en silence le trajet jusqu'à l'immeuble de Matte. Gunnar évita le centre-ville et fit un détour par le talus surnommé les Sept Bosses où les enfants faisaient de la luge en hiver. Où Matte avait joué quand il était petit. Il déglutit. Il y avait sûrement une explication logique. Il avait peut-être beaucoup de fièvre et n'avait pas pensé à appeler le bureau. Ou alors… Mais il ne trouva pas d'autre explication. Matte était un garçon très consciencieux. Il aurait donné de ses nouvelles s'il n'avait pas pu aller travailler.

Signe était toute pâle. Assise sur le siège passager, elle regardait droit devant elle en serrant son sac à main sur ses genoux. Gunnar se demanda à quoi il pouvait bien lui servir, puis il se dit que le sac devait être une sorte de bouée de sauvetage, quelque chose à quoi s'accrocher.

Il se gara devant l'immeuble de Matte. Porte B. Il avait envie de courir, mais pour Signe, il essaya de paraître calme et se força à marcher normalement.

— Tu as les clés ? demanda Signe qui l'avait dépassé et poussait déjà la porte de l'immeuble.

— Les voilà.

Gunnar brandit le trousseau avec les doubles des clés que Matte leur avait donnés.

— Mais il est sûrement là, on n'en aura pas besoin. Il va nous ouvrir la porte lui-même et alors…

Il entendit les propos décousus de Signe pendant qu'elle montait les marches quatre à quatre. Matte habitait au dernier étage, et tous deux étaient hors d'haleine en arrivant sur son palier. Gunnar dut se retenir de glisser directement la clé dans la serrure.

— On sonne d'abord. S'il est là, ça va le rendre furieux qu'on entre comme dans un moulin. Il est peut-être avec quelqu'un, c'est peut-être pour ça qu'il n'est pas allé travailler.

Signe appuyait déjà sur la sonnette, et ils entendirent le carillon dans l'appartement. Elle sonna de nouveau, plusieurs fois. Ils guettèrent les pas de Matte venant ouvrir la porte. Mais le silence se prolongea.

— Maintenant tu ouvres, s'il te plaît, lui ordonna Signe.

Il hocha la tête, passa devant elle en cherchant maladroitement la bonne clé. Il la glissa dans la serrure, la tourna et essaya d'ouvrir. C'était fermé. Désorienté, il réalisa qu'il venait de verrouiller la porte, qu'elle n'avait pas été fermée à clé. Il regarda Signe, et chacun put lire la panique dans les yeux de l'autre. Pourquoi la porte était-elle ouverte s'il était sorti ? Et s'il était là, pourquoi ne venait-il pas ouvrir ?

Gunnar tourna la clé de nouveau et ils entendirent le clic de la serrure. D'une main tremblante et incontrôlable, il appuya sur la poignée et poussa la porte.

Au premier regard dans le vestibule, il comprit que Signe avait eu raison depuis le début.

Elle était malade. Plus malade que jamais dans toute sa vie. L'odeur de vomi remplit ses narines. Ses souvenirs étaient vagues, mais il lui semblait avoir vomi dans un seau à côté du matelas. Tout était dans le brouillard. Annie tenta un mouvement prudent. Tout son corps était douloureux, même ses yeux la faisaient souffrir. Elle plissa les paupières pour regarder sa montre, en vain. Quel jour était-on ? Comment allait Sam ?

L'évocation de son fils lui donna assez de force pour se redresser. Elle était allongée sur un matelas par terre, à côté du lit du garçon. Il dormait. Elle parvint à focaliser son regard sur le cadran de sa montre. Un peu plus d'une heure de l'après-midi. Sam faisait sa sieste, tout était normal. Elle lui caressa la tête.

D'une façon ou d'une autre, elle avait dû réussir à s'occuper de lui dans les brumes de la fièvre. D'une façon ou d'une autre, son instinct maternel avait été suffisamment fort. Une vague de soulagement la parcourut et rendit la douleur plus supportable. Elle regarda autour d'elle. Il y avait une bouteille d'eau dans le lit de Sam et, jonchant le plancher, un paquet de biscuits, des fruits et un morceau de fromage. Malgré tout, elle avait veillé à ce qu'il ait à manger et à boire.

Un seau était posé à côté du matelas, et l'odeur qui s'en dégageait lui souleva l'estomac. Elle avait dû sentir qu'elle était en train de tomber malade et placé le seau là. Son ventre n'était qu'un creux, elle s'était totalement vidée.

Lentement, elle essaya de se relever. Elle ne voulait pas réveiller Sam et dut se retenir de pousser un gémissement. Elle finit par se retrouver debout sur des jambes flageolantes. Il était important qu'elle se réhydrate et qu'elle avale quelque chose. Elle n'avait pas faim, mais son ventre grondait et se plaignait de ne rien avoir à digérer. Elle prit le seau pour le sortir de la chambre, en évitant d'y poser les yeux. Lorsqu'elle poussa la porte d'entrée avec l'épaule, la fraîcheur de l'air la surprit et elle eut un frisson. La chaleur d'été balbutiante avait apparemment fait une pause pendant qu'elle était malade.

D'un pas prudent, elle descendit à l'embarcadère et vida le seau dans la mer en détournant le regard. Elle trouva une corde qu'elle attacha à l'anse, puis elle immergea le seau de l'autre côté du ponton et le rinça dans l'eau de mer.

Le vent la fouetta lorsqu'elle remonta vers la maison, les bras serrés contre sa poitrine. Tout son corps protestait contre l'effort, et elle sentit la transpiration ruisseler sur sa peau. Écœurée, elle arracha ses vêtements et fit un brin de toilette avant d'enfiler un tee-shirt sec et un jogging. Les mains tremblantes, elle se prépara une tartine, se versa un verre de jus de fruits et s'assit devant la table de la cuisine. Après quelques bouchées, son appétit commença à s'éveiller, et elle avala deux autres tartines. Petit à petit, ses forces revenaient.

Elle jeta de nouveau un coup d'œil sur le petit cadre avec la date de sa montre-bracelet. Après un petit calcul mental, elle conclut qu'on était mardi. Elle était restée malade pendant presque trois jours. Trois jours de vide et d'hallucinations. À quoi avait-elle rêvé ? Elle essaya de capturer les images qui virevoltaient dans son esprit. Il y en avait une qui ressurgissait sans cesse. Annie secoua la tête, mais le mouvement raviva son mal au cœur. Elle croqua dans une quatrième tartine, et son ventre se calma. Une femme. Une femme était apparue dans ses rêves, et son visage lui avait paru si familier… Annie plissa le front. Elle l'avait déjà vue, mais impossible de savoir où.

Elle se leva. Ça finirait bien par lui revenir. Mais la sensation qu'elle avait éprouvée dans le rêve demeura. La femme avait l'air si triste. Avec le même sentiment de tristesse, Annie entra dans la chambre de Sam pour voir comment il allait.

Patrik avait mal dormi. L'inquiétude d'Erica pour Anna était contagieuse, et il s'était réveillé plusieurs fois au cours de la nuit en proie à de sombres pensées. La vie pouvait être si vite bouleversée ! Son propre pépin de santé l'avait aussi fortement ébranlé. C'était sans doute bien de ne plus considérer la vie comme allant de soi, mais du coup, une crainte dévorante avait trouvé prise en lui. Il se surprenait à vouloir surprotéger son entourage comme jamais auparavant. Il préférait qu'Erica ne conduise pas avec les enfants dans la voiture. En vérité, il aurait vu d'un bon œil qu'elle ne conduise pas du tout. Et ce qui lui aurait vraiment garanti une sécurité totale, c'est qu'elle et les enfants ne sortent plus jamais, qu'ils restent à la maison, loin de tous les dangers.

Naturellement, il comprenait qu'il n'était ni sain ni rationnel de raisonner ainsi. Mais ça s'était joué à si peu de chose. Si peu de chose pour que lui-même perde la vie, et qu'il perde Erica et les jumeaux. Leur famille avait été à une seconde de l'anéantissement.

Il serra le bord de sa table de travail et s'obligea à respirer calmement. La panique l'envahissait de temps à autre, il aurait peut-être à vivre avec elle à tout jamais. Il faudrait bien s'en accommoder, après tout il avait encore sa famille.

— Comment ça va ? demanda subitement Paula sur le seuil de la porte, et Patrik inspira encore une fois profondément.

— Ça va. Un peu fatigué, c'est tout. Les biberons de nuit, tu sais, dit-il en esquissant un sourire.

Paula entra et s'assit.

— Pas de ça avec moi.

Elle le fixa droit dans les yeux, lui signifiant que pas un instant elle ne croyait à ses excuses ou à ses sourires forcés.

— J'ai dit : Comment ça va ?

— Couci-couça, reconnut Patrik à contrecœur. Il faut un peu de temps pour trouver le rythme. Même si tout le monde va bien maintenant. Sauf la sœur d'Erica, évidemment.

— Elle s'en sort ?

— Pas trop bien, non.

— Il faut du temps.

— Je suppose que oui. Mais elle s'est retranchée dans le mutisme. Même Erica n'arrive pas à lui parler.

— Et ça t'étonne ? dit Paula doucement.

Patrik savait que sa collègue avait le don de ne pas tourner autour du pot. Souvent, elle prononçait exactement les mots qu'on avait besoin d'entendre, plutôt que ceux qu'on voulait entendre. Et la plupart du temps, elle avait raison.

— Vous avez deux enfants qui ont survécu. Anna a perdu le sien. Ce n'est pas si étrange que ça, qu'elle ferme la porte à Erica.

— C'est justement ce qu'Erica craint. Mais qu'est-ce qu'on peut faire ?

— Rien. Pour le moment, rien du tout. Anna a une famille, elle a son mari, le père de l'enfant. Il faut d'abord qu'ils se retrouvent tous les deux. Ça peut paraître dur, mais aujourd'hui, Erica doit se mettre en retrait. Ce n'est pas pour autant qu'elle abandonne sa sœur. Elle est toujours là.

— Je comprends, mais je ne sais pas comment le lui expliquer.

Patrik prit encore une profonde inspiration. Parler avec Paula allégeait considérablement le poids qui pesait sur sa poitrine.

— Je crois qu'il… commença Paula, mais un coup frappé à la porte vint l'interrompre.

— Désolée, dit Annika, le visage écarlate. On vient d'avoir un coup de fil de Fjällbacka. Un homme a été retrouvé abattu dans son appartement.

Il y eut un silence. Puis une activité fébrile se mit en branle, et en l'espace d'une minute, Paula et Patrik avaient déjà rejoint le garage du commissariat. Derrière eux, ils entendirent Annika frapper aux portes de Gösta et de Martin pour les prévenir.

— Mais tout ça m'a l'air absolument parfait ! s'exclama Erling avec un regard satisfait sur la salle à manger de Badis, avant de se tourner vers Vivianne. Ça a coûté un bras à la mairie, mais ça vaut chaque couronne qu'on y a placée. Je ne doute pas un instant du succès. Et vu la somme que tu as investie, on touchera sans doute un joli petit magot une fois les coûts amortis. J'espère que vous ne payez pas des salaires trop élevés?

Il regarda avec méfiance une jeune femme vêtue de blanc qui passait. Vivianne glissa son bras sous le sien et l'entraîna vers une des tables.

— Ne t'inquiète pas, nous sommes tout à fait vigilants sur les coûts. Anders ne desserre pas facilement les cordons de la bourse. C'est grâce à lui qu'on a fait tant de bénéfices avec La Lumière et qu'on a pu investir ici.

— Oui, heureusement que tu as Anders, commenta Erling en s'installant à la table où étaient servis le café et les viennoiseries. D'ailleurs, est-ce que Matte a fini par te joindre? Il a laissé entendre la semaine dernière qu'il y avait quelques petites choses qu'il voulait vérifier avec Anders et toi.

Erling prit un petit pain au lait, mais après avoir croqué dedans, il le posa sur son assiette.

— C'est quoi, ça?

— Petit pain à l'épeautre.

— Ah, fit-il et il se contenta de siroter son café.

— Non, il ne m'a pas contactée. Ça ne doit donc pas être très important. J'imagine qu'il fera un saut ici ou qu'il me passera un coup de fil à l'occasion.

— C'est plutôt étrange. Il n'est pas venu au bureau hier et il n'a pas appelé pour dire qu'il était malade. Je ne l'ai pas vu ce matin non plus.

— Il n'y a pas vraiment de quoi s'inquiéter, dit Vivianne.

— Je peux m'asseoir avec les tourtereaux, ou peut-être préfèrent-ils rester seuls?

Anders venait de les rejoindre sans qu'Erling ni Vivianne ne l'aient entendu. Tous deux sursautèrent, puis Vivianne sourit et tira une chaise à son frère.

Comme toujours, leur ressemblance frappa Erling. Ils étaient blonds tous les deux, avec des yeux bleus et la même bouche, la même lèvre supérieure ourlée. Cependant, Vivianne était énergique et sociable, et possédait une sorte d'aura, alors que son frère était replié sur lui-même et presque trop calme. Le genre comptable, avait-il pensé la première fois qu'il avait rencontré Anders durant son séjour à La Lumière. Il n'y avait là rien de négatif à ses yeux. Avec tout l'argent qui était en jeu ici, pouvoir compter sur un homme de chiffres rigoureux était plutôt rassurant.

— Mats a essayé de te joindre? Erling me dit qu'il voulait te poser quelques questions, dit Vivianne en se tournant vers son frère.

— Oui, il est passé vendredi après-midi. Pourquoi?

Erling se racla la gorge.

— Il y avait apparemment des trucs qui le tracassaient, il me l'a dit la semaine dernière.

Anders hocha la tête.

— Eh bien, comme je te le disais, il est venu me voir, et on a mis tout ça au clair.

— Tant mieux. Je préfère que les choses soient en règle, dit Erling avec un sourire satisfait.

Un couple de retraités attendait devant l'immeuble, se serrant étroitement dans les bras l'un de l'autre. Patrik supposa qu'il s'agissait des parents de la victime. C'étaient eux qui avaient trouvé le corps et qui avaient contacté la police. Paula et lui descendirent de la voiture et s'approchèrent d'eux.

— Patrik Hedström, de la police de Tanum. C'est vous qui avez appelé ? demanda-t-il alors qu'il connaissait déjà la réponse.

— Oui, c'est nous.

Les joues de l'homme étaient baignées de larmes. Sa femme gardait son visage collé contre sa poitrine.

— C'est notre fils, dit-elle sans lever les yeux. Il… là-haut…

— Nous allons monter et tenter de comprendre ce qui s'est passé.

L'homme fit mine de les suivre, mais Patrik l'arrêta.

— Je crois qu'il vaut mieux que vous restiez ici. L'ambulance va bientôt arriver, il y aura un infirmier pour s'occuper de vous. Paula va vous tenir compagnie en attendant.

Patrik fit signe à sa collègue, qui entraîna doucement le couple un peu à l'écart. Puis il entra dans l'immeuble et grimpa au dernier étage, où une porte était ouverte. Il n'eut pas besoin de pénétrer dans l'appartement pour constater que l'homme qui gisait sur le ventre dans le vestibule était mort. Un grand trou était bien visible à l'arrière de la tête. Du sang et de la substance cérébrale, coagulés depuis un certain temps déjà, avaient éclaboussé le parquet et les murs. C'était une scène de crime, et il était inutile de faire quoi que ce soit avant que Torbjörn Ruud et ses techniciens aient examiné l'appartement. Autant redescendre et aller parler avec les parents de la victime.

Patrik rejoignit donc le couple et Paula qui s'entretenaient avec les ambulanciers. La femme était toujours secouée par des sanglots et quelqu'un lui avait mis une couverture sur les épaules. Patrik décida de parler en premier avec l'homme, qui semblait plus maître de lui, même s'il pleurait aussi.

— Besoin de nous là-haut? demanda l'un des ambulanciers en levant la tête vers l'immeuble.

Patrik secoua la tête.

— Non, pas pour l'instant. Les techniciens sont en route.

Il y eut un moment de silence, troublé seulement par les pleurs déchirants de la femme. Patrik s'adressa à son mari.

— J'aimerais m'entretenir avec vous.

— On est prêts à vous aider, on fera de notre mieux. Mais on ne comprend pas qui a…

La voix de l'homme se brisa, puis il suivit Patrik jusqu'à la voiture de police, après avoir jeté un regard sur sa femme. Elle ne semblait même pas consciente de ce qui se passait autour d'elle.

Ils s'assirent à l'arrière du véhicule.

— C'est écrit Mats Sverin sur la porte. C'est votre fils?

— Oui. Mais on l'appelle Matte.

— Et vous, quel est votre nom ? demanda Patrik qui notait dans un calepin tout en parlant.

— Gunnar Sverin. Ma femme s'appelle Signe. Mais pourquoi…

Patrik posa sa main sur son bras pour essayer de le calmer.

— Nous ferons tout ce qui est en notre pouvoir pour arrêter le coupable. Vous pensez être en état de répondre à quelques questions ?

Gunnar fit oui de la tête.

— Quand avez-vous vu votre fils pour la dernière fois ?

— Jeudi soir. Il est venu dîner à la maison. Il mange souvent chez nous depuis qu'il est revenu à Fjällbacka.

— À quelle heure vous a-t-il quittés ce soir-là ?

— Un peu après neuf heures je crois, il était en voiture.

— Et depuis ? Vous avez eu de ses nouvelles ? Au téléphone peut-être ?

— Non, on n'a eu aucune nouvelle. Signe est très inquiète de nature, et elle a essayé de l'appeler pendant tout le week-end mais il ne répondait pas et je… je disais qu'elle exagérait, qu'elle devait ficher la paix au garçon.

Les larmes lui montèrent aux yeux et, gêné, il les essuya avec la manche de sa veste.

— Ça ne répondait donc pas chez votre fils. Il ne répondait pas non plus sur son portable ?

— Non, on tombait tout le temps sur le répondeur.

— C'était inhabituel, ça ?

— Oui, je crois. Signe l'appelle sans doute un peu trop souvent, mais Matte a la patience d'un ange.

Gunnar passa de nouveau la manche sur ses yeux.

— C'est pour ça que vous êtes venus ici aujourd'hui ?

— Oui et non. Signe commençait à être sérieusement inquiète. Moi aussi, même si je ne voulais pas le montrer. Et quand ils ont appelé de la mairie pour dire qu'il n'était pas venu au bureau… Eh bien, ça ne lui ressemblait pas. Il a toujours été très à cheval sur les horaires et tous ces trucs-là. Il tient ça de moi.

— C'était quoi, son travail, à la mairie ?

— Il était directeur financier depuis quelques mois. Il est revenu à Fjällbacka pour ce boulot. Il avait eu de la chance de le décrocher. Les postes dans ce domaine sont plutôt rares par ici.

— Pourquoi est-il revenu ? Il habitait où avant ?

— À Göteborg, dit Gunnar en répondant d'abord à la deuxième question. Nous ne savons pas exactement pourquoi il a pris cette décision. Mais il avait vécu quelque chose d'assez horrible peu avant, il s'était fait attaquer dans la rue par des voyous et il était resté hospitalisé plusieurs semaines. Ce genre d'expérience vous fait réfléchir, je suppose. Toujours est-il qu'il a déménagé, il est revenu à Fjällbacka, et ça nous a fait très plaisir. Surtout à Signe, évidemment. Elle était folle de joie.

— Sait-on qui l'a agressé ?

— Non, la police n'a jamais réussi à les coincer. Matte ne les a pas reconnus sur le moment, et il n'a pas pu les identifier après coup non plus. En tout cas, il s'était fait sauvagement tabasser. Quand on est allés le voir à l'hôpital, Signe et moi, on a eu du mal à le reconnaître.

— Mmm… fit Patrik.

Il ajouta un point d'exclamation à côté de sa note concernant les coups et blessures. Cela mériterait d'être examiné de plus près. Il contacterait ses collègues de Göteborg.

— Vous ne connaissez personne qui aurait voulu du mal à Matte? Quelqu'un qui aurait eu des comptes à régler avec lui?

Gunnar secoua violemment la tête.

— Matte n'a eu de maille à partir avec personne, jamais, de toute sa vie. Tout le monde l'aimait bien. Et il aimait tout le monde.

— Et ça se passait comment sur son lieu de travail?

— Je crois qu'il s'y plaisait. C'est vrai qu'il m'a semblé un peu soucieux jeudi quand on s'est vus, mais j'ai pensé que c'était juste une impression. Il était peut-être débordé. En tout cas, il n'a pas laissé entendre qu'il était en mauvais termes avec qui que ce soit. Erling est un type un peu spécial, si j'ai bien compris, mais Matte le trouvait plutôt inoffensif, et il savait comment le prendre.

— Et sa vie à Göteborg? Vous en savez quelque chose? Des amis, des copines, des collègues?

— Non, on n'était au courant de rien. Il n'était pas très bavard à ce sujet. Signe essayait toujours de piocher des informations sur ce qui se passait dans sa vie, concernant les filles par exemple. Mais il ne s'étendait jamais là-dessus. Il y a quelques années, il nous parlait parfois de copains qu'il voyait, mais tout le temps où il a travaillé dans cette boîte, là, à Göteborg, on a eu l'impression qu'il s'était retiré de toute vie sociale, qu'il ne vivait que pour le boulot. Il pouvait se laisser totalement absorber par ce qu'il faisait.

— Et depuis son retour à Fjällbacka? Il n'a pas repris contact avec ses anciens copains?

De nouveau, Gunnar secoua la tête.

— Non, cela ne semblait pas l'intéresser. D'un autre côté, il n'y a pas beaucoup de ses anciens amis qui habitent encore ici. La plupart sont partis vivre ailleurs.

Mais il paraissait préférer rester seul. Ça inquiétait Signe, d'ailleurs.

— Et il n'avait pas de petite amie non plus?

— Je ne pense pas. Mais évidemment, on n'était pas très au parfum de ces choses-là.

— Il ne vous a jamais présenté de copine?

— Non, on n'a jamais vu de petite amie.

Patrik était étonné. Quel âge avait-il, Matte? Il posa la question et Gunnar répondit. Le même âge qu'Erica, se dit-il.

— Mais ça ne veut pas dire qu'il n'en a pas eu, ajouta Gunnar comme s'il avait deviné les pensées de Patrik.

— Très bien. Si vous vous rappelez autre chose, vous pouvez me contacter à ce numéro, dit Patrik en lui tendant sa carte. Ça peut être n'importe quoi, même une bricole. Nous aurons besoin de parler avec votre femme aussi. Et de nouveau avec vous. J'espère que ça ne pose pas de problème?

— Pas du tout, dit Gunnar en prenant la carte. Aucun.

Il regarda par la vitre en direction de Signe qui semblait avoir cessé de pleurer. L'infirmier lui avait probablement donné un sédatif.

— Je vous présente mes sincères condoléances, dit Patrik.

Puis le silence resta suspendu entre eux. Il n'y avait pas grand-chose à ajouter.

Au moment où ils sortaient de la voiture, Torbjörn Ruud et ses techniciens arrivèrent sur le parking. Le laborieux travail de collecte des pièces à conviction allait commencer.

À la réflexion, elle trouvait incompréhensible de ne pas avoir démasqué Fredrik plus tôt. Et en même temps, ça ne pouvait pas être si simple que ça. Il avait soigné les apparences et lui avait fait la cour d'une manière dont elle n'aurait jamais osé rêver. Au début, elle s'était moquée de lui, mais ça l'avait plutôt motivé et il avait redoublé d'efforts, jusqu'à ce que lentement ses défenses cèdent. Il l'avait gâtée, l'avait emmenée en voyage à l'étranger dans des hôtels cinq étoiles, lui avait offert du champagne et envoyé tant de fleurs que les bouquets envahissaient presque tout son appartement. Elle méritait de vivre dans le luxe, disait-il. Et elle l'avait cru. C'était comme s'il s'adressait à quelque chose qu'elle avait toujours eu en elle. Un manque d'assurance et un désir d'entendre qu'elle était spéciale, qu'elle avait droit à plus que tout le monde. D'où venait l'argent? Annie ne se rappelait pas s'être jamais posé la question.

Le vent avait forci, mais elle resta assise sur le banc devant la façade sud de la maison. De temps en temps, elle buvait une gorgée de café froid. Les mains qui tenaient la tasse tremblaient. Elle avait les jambes encore flageolantes et son ventre faisait des siennes. Ça allait durer encore un moment, elle le savait. Ce n'était pas nouveau.

Lentement, elle avait été entraînée dans le monde de Fredrik, un monde rempli de fêtes, de voyages et de belles choses. De belles personnes. Une maison magnifique. Elle s'y était installée presque tout de suite, quittant sans regret son petit studio étriqué à Farsta. Comment aurait-elle pu y retourner et y vivre après avoir passé des nuits et des jours dans l'énorme villa de Fredrik à Djursholm, où tout était neuf, blanc et hors de prix?

Lorsqu'elle avait compris ce que faisait Fredrik, la façon dont il gagnait son argent, il était trop tard. Sa vie était soudée à la sienne. Ils avaient les mêmes amis, elle avait une bague au doigt et pas de travail, puisque Fredrik voulait qu'elle reste à la maison pour veiller au bon déroulement de son existence. Et la triste vérité, c'est que la découverte ne l'avait pas spécialement scandalisée. Elle avait juste haussé les épaules, confortée dans sa certitude qu'il appartenait à la crème d'une industrie sale, qu'il se trouvait suffisamment haut dans la hiérarchie pour ne pas être touché par la merde d'en bas. Cela comportait aussi une certaine dose d'excitation. Savoir ce qui se tramait autour d'elle faisait monter un peu l'adrénaline.

Extérieurement, rien de tout cela n'était perceptible, bien entendu. Sur le papier, Fredrik était importateur de vin, et dans une certaine mesure, c'était vrai. Son entreprise engrangeait un petit bénéfice commode chaque année, il adorait se rendre dans le domaine viticole qu'il avait acheté en Toscane et projetait de lancer sa propre cuvée. Voilà pour la façade, et personne ne la remettait en question. Il arrivait à Annie de partager la table d'hommes issus de la noblesse ou du secteur économique, et elle s'étonnait de constater à quel point ils étaient faciles à duper, à quel point ils avalaient naïvement les propos de Fredrik. Ils gobaient sans broncher l'idée que les énormes quantités d'argent qui virevoltaient autour d'eux puissent provenir de son entreprise d'importation. Sans doute choisissaient-ils de croire ce qui les arrangeait. Exactement comme elle.

Tout avait changé avec la naissance de Sam. C'était Fredrik qui avait insisté pour qu'ils aient un enfant. Il voulait un fils. Pour sa part, elle avait hésité. Elle avait encore honte de s'être inquiétée pour sa silhouette. Elle s'était aussi dit qu'un enfant allait l'incommoder quand elle voudrait déjeuner avec ses copines et faire du shopping tout l'après-midi. Mais Fredrik avait été inflexible, et elle avait accepté à contrecœur.

Et cependant, à l'instant où la sage-femme avait déposé Sam dans les bras d'Annie, sa vie entière avait basculé. Rien d'autre n'eut plus aucune importance. Fredrik avait obtenu son fils tant désiré, mais du coup il s'était trouvé relégué au second plan dans le cœur de sa femme. N'étant pas homme à tolérer d'être évincé du haut du podium, sa jalousie envers Sam avait pris des expressions étranges. Il avait interdit à Annie de l'allaiter, et malgré ses protestations, il avait engagé une jeune fille pour s'occuper du bébé. Mais Annie ne s'était pas laissé faire. Elle avait demandé à Elena de faire du repassage et de passer l'aspirateur, tandis qu'elle-même passait des heures dans la chambre de Sam. Rien ne pouvait s'interposer entre eux. Elle était aussi sûre dans son nouveau rôle de maman qu'elle avait été gâtée et perdue dans sa vie d'épouse.

Mais à l'instant où elle avait tenu Sam dans ses bras pour la première fois, sa vie avait aussi commencé de s'écrouler. La violence avait déjà fait son apparition, quand Fredrik avait beaucoup bu ou quand il avait sniffé quelques lignes de trop et fait un mauvais trip. Elle s'était déjà pris quelques coups qui avaient été douloureux pendant deux, trois jours. Elle avait un peu saigné du nez. Rien de vraiment insurmontable.

Après la naissance de Sam, par contre, sa vie était devenue un calvaire. Le vent et les souvenirs lui firent monter les larmes aux yeux. Ses mains tremblaient tant qu'elle renversa du café sur son pantalon. Elle cilla pour chasser les larmes et les images. Le sang. Il y avait eu tant de sang. Les souvenirs se superposèrent, comme deux clichés négatifs qui n'en formaient plus qu'un. Cela la troubla. L'effraya même.

Annie se leva d'un coup. Elle avait besoin d'être près de Sam. Elle avait besoin de Sam.

— Ce qui est arrivé est une véritable tragédie.

Erling présidait la réunion, debout devant la grande table de conférence, et il fixa ses collaborateurs d'un œil grave.

— Mais qu'est-ce qui s'est passé?

La secrétaire Gunilla Kjellin se moucha, les larmes coulaient sur ses joues.

— Le policier qui m'a appelé ne m'a pas appris grand-chose, mais j'ai cru comprendre que Mats aurait été victime d'un meurtre.

— Il a été tué?

Uno Brorsson se renversa contre le dossier de sa chaise. Les manches de sa chemise à carreaux en flanelle étaient comme d'habitude retroussées au-dessus des coudes.

— Comme je viens de le dire, je ne sais rien encore, mais je compte sur la police pour nous tenir informés.

— Quelles seront les conséquences sur le projet? demanda Uno en tirant sur sa moustache, comme toujours quand il était bouleversé.

— Aucune. Je tiens à l'affirmer ici et maintenant devant vous tous. Matte a consacré beaucoup de temps au projet Badis, et il aurait été le premier à dire qu'il faut qu'on poursuive. Tout va se dérouler exactement selon le calendrier, et je vais personnellement reprendre la responsabilité du volet financier jusqu'à ce que nous ayons trouvé un remplaçant.

— Comment pouvez-vous déjà parler d'un rempla-çant ? sanglota Gunilla bruyamment.

— Allons Gunilla, fit Erling, ne sachant pas trop comment gérer ce débordement d'émotion, qui même dans ce contexte lui paraissait terriblement déplacé. Nous avons la responsabilité de la municipalité, de ses habitants et de tous ceux qui ont mis leur âme non seulement dans ce projet, mais dans tout ce que nous entreprenons pour faire prospérer notre commune.

Il fit une pause, surpris et satisfait de sa formule, avant de continuer :

— Il est tragique de voir la vie d'un jeune homme s'éteindre avant l'heure, j'en suis conscient, mais nous ne pouvons pas tout arrêter pour autant. *The show must go on*, comme on dit à Hollywood.

Le silence fut total dans la salle de conférences. Cette dernière phrase avait sonné tellement juste aux oreilles d'Erling qu'il se sentit obligé de la répéter. Il se redressa, bomba le torse, et avec un fort accent du Bohuslän s'exclama :

— *The show must go on, people. The show must go on.*

Sans ressort, ils étaient assis l'un en face de l'autre à la table de la cuisine, et ce depuis que l'un des policiers si aimables les avait raccompagnés chez eux. Gunnar aurait préféré conduire lui-même, mais ils avaient insisté. Sa voiture était restée là-bas sur le parking, et il serait obligé d'aller la récupérer à pied. Évi-demment, ce serait l'occasion de faire un saut chez…

Gunnar chercha sa respiration. Comment pouvait-il oublier si vite, comment pouvait-il oublier ne serait-ce qu'une seconde que Matte était mort ? Ils l'avaient vu allongé là sur le tapis que Signe avait elle-même tissé durant sa période lirette. À plat ventre, avec un trou à l'arrière du crâne. Comment pouvait-il oublier le sang?

— On se fait un peu de café?

Il s'était senti obligé de rompre le silence. L'unique bruit dans la cuisine provenait de son propre cœur, et il aurait fait n'importe quoi pour oublier ces battements réguliers qui lui rappelaient qu'il était vivant et qu'il respirait, alors que son fils était mort.

— Je m'en occupe.

Il se leva, bien que Signe ne lui ait pas répondu. Les calmants qu'on lui avait administrés faisaient encore leur effet, elle était assise, immobile, le regard vide et les mains croisées sur la toile cirée de la table.

D'un geste machinal, il inséra un filtre, remplit le réservoir d'eau, ouvrit la boîte à café, dosa le café moulu dans le filtre et appuya sur le bouton de marche.

— Tu veux quelque chose avec ton café? Un morceau de quatre-quarts?

Sa voix paraissait si normale. Il sortit du réfrigérateur le reste du gâteau que Signe avait préparé la veille. Soigneusement, il ôta le film plastique, plaça le gâteau sur la planche à découper et trancha deux parts épaisses, qu'il disposa sur deux assiettes, l'une pour Signe et l'autre pour lui. Elle ne réagit pas, mais il n'avait pas la force de s'en inquiéter. Il entendait seulement le martèlement dans sa poitrine, couvert pendant un bref instant par le cliquetis des assiettes et le crachotement de la cafetière électrique.

Quand le café eut fini de couler, il sortit des tasses. La force de l'habitude semblait grandir d'année en année: Signe buvait toujours dans la fragile tasse blanche bordée de roses, tandis qui lui préférait celle en céramique robuste qu'ils avaient achetée lors d'une excursion en bus à Gränna. Du café noir avec un morceau de sucre pour lui, du café au lait avec deux morceaux de sucre pour Signe.

— Tiens, dit-il en posant la tasse à côté de l'assiette.

Mais Signe ne réagit pas.

Le café lui brûla la gorge et il toussa pour se débarrasser de cette sensation désagréable. Il croqua un bout de quatre-quarts, qui grandit dans sa bouche jusqu'à former une grosse boule de sucre, d'œuf et de farine. Il sentit l'acidité gastrique monter dans sa gorge et il eut envie de vomir.

Gunnar se précipita aux toilettes dans le vestibule et se jeta à genoux, la tête au-dessus de la cuvette. Des miettes de gâteau, du café et de la bile se mélangèrent à l'eau qui était toujours verte grâce au bloc désodorisant que Signe s'entêtait à fixer sur le rebord des toilettes.

Quand son estomac fut pratiquement vide, il entendit à nouveau le bruit de son cœur. Boum, boum, boum. Il se pencha en avant et vomit encore. Dans la cuisine, le café de Signe refroidissait dans la tasse blanche avec des roses.

L'après-midi tirait sur sa fin avant qu'ils en aient terminé avec l'appartement de Mats Sverin et le voisinage. Il faisait encore jour, mais l'activité humaine ralentissait et les badauds étaient moins nombreux.

— Ça y est, le corps est arrivé à Göteborg, dit Torbjörn Ruud qui avançait vers Patrik, le portable à la main.

Le technicien judiciaire avait l'air fatigué. Patrik avait déjà travaillé avec lui et son équipe sur plusieurs enquêtes pour meurtres et éprouvait un immense respect pour l'homme à la barbe grise.

— L'autopsie sera prête quand, à ton avis ? lui demanda Patrik.

Il se massa la racine du nez. Lui aussi commençait à sentir que la journée avait été très longue.

— Il faut que tu voies ça avec Pedersen. Moi, je n'en sais rien.

— Et ton jugement préliminaire ? dit Patrik, qui grelottait, exposé au vent sur la petite pelouse de l'immeuble.

Il serra davantage sa veste autour de lui.

— Ça ne me paraît pas très compliqué. Blessure par balle à l'arrière de la tête. Un seul coup, mortel. La balle est toujours logée dans la tête. La douille que nous avons trouvée suggère un pistolet neuf millimètres.

— Des indices dans l'appartement ?

— On a relevé des empreintes digitales partout, et on a aussi pris quelques échantillons de fibres. Si on nous fournit un suspect avec qui comparer, on aura de quoi travailler.

— À condition que ce soit le suspect qui ait laissé ces empreintes et ces fibres, objecta Patrik.

La technique était certes utile, mais il savait d'expérience qu'il fallait une bonne dose de chance pour élucider un meurtre. Des gens allaient et venaient, et les traces pouvaient tout aussi bien être celles d'amis ou de parents. Si le meurtrier se trouvait parmi eux, ils auraient de sérieux problèmes pour lier le coupable au lieu du crime.

— Il n'est pas un peu trop tôt pour être pessimiste ? dit Torbjörn en donnant une petite bourrade à Patrik.

— Si, désolé, rit Patrik. Je commence sans doute à fatiguer.

— Tu fais attention quand même ? On m'a dit que

tu avais un peu trop tiré sur la ficelle. Un burn-out, ça ne s'efface pas juste en claquant des doigts.

— Burn-out, je n'aime pas trop ce mot, marmonna Patrik. Mais tu as raison, il faut le prendre comme un avertissement.

— C'est bien. Tu n'es pas si vieux que ça, il te reste encore pas mal d'années à bosser dans la police.

— Et qu'est-ce que tu penses de ce que vous avez récolté? demanda Patrik dans une tentative de changer de sujet, car le souvenir de la douleur qu'il avait ressentie était encore trop vif.

— Comme je l'ai dit, on dispose d'un certain matériel. Tout ça va partir au labo central maintenant, et tu sais que ça peut prendre du temps. Mais j'ai quelques renvois d'ascenseur à récupérer, avec un peu de chance je pourrai activer les choses.

— Plus vite on obtient les résultats, mieux c'est, évidemment.

Patrik était toujours gelé. Le temps n'était vraiment pas fiable, il faisait beaucoup trop froid pour un mois de juin. Aujourd'hui la température était tout juste printanière alors que quelques jours plus tôt, il avait fait si chaud qu'Erica et lui avaient pu manger bras nus dans le jardin.

— Et vous? Des pistes? Quelqu'un a entendu ou vu quelque chose? demanda Torbjörn en hochant la tête vers les immeubles alentour.

— On a frappé à toutes les portes, sans grand résultat pour l'instant. Un des voisins a l'impression d'avoir entendu un bruit dans la nuit de vendredi à samedi, ça l'a réveillé mais il est incapable de dire ce que c'était. À part ça, rien. Mats Sverin semble avoir été une sorte de solitaire, en tout cas quand il était chez lui. Personne ne le connaissait vraiment, les gens lui disaient bonjour dans l'escalier, c'est tout. Mais comme il a grandi à Fjällbacka et que ses parents ont toujours habité ici, tout le monde sait à peu près qui il est. Ils étaient au courant qu'il travaillait pour la municipalité de Tanum, par exemple.

— Le téléphone arabe semble bien fonctionner à Fjällbacka, dit Torbjörn. Je suppose qu'il vous est assez utile par moments ?

— Absolument. Pour l'instant, on a l'impression que Sverin vivait comme un ermite, mais on en saura plus demain, quand on s'y remettra.

— Rentre te reposer, conseilla Torbjörn avec une petite tape sur l'épaule de Patrik.

— Merci, c'est bien ce que j'ai l'intention de faire, mentit Patrik.

Il avait déjà appelé Erica pour annoncer qu'il rentrerait tard. Ils seraient obligés de définir une stratégie dès ce soir. Et après quelques rares heures de sommeil, il faudrait se lever tôt. Son accident cardiaque aurait dû lui servir de leçon, mais le travail passait avant. C'était inscrit dans ses gènes.

Erica fixa les flammes du poêle à bois. Elle avait essayé de ne pas laisser paraître son inquiétude quand Patrik avait appelé. Il avait enfin meilleure mine, mettait un peu plus d'énergie dans ses mouvements, et son visage avait pris des couleurs. Elle comprenait évidemment qu'il devait rester au commissariat, mais c'était comme s'il avait déjà oublié sa promesse de faire attention à lui.

Elle se demanda qui était la victime. Patrik n'avait rien voulu préciser au téléphone, il avait seulement dit qu'un homme avait été retrouvé mort à Fjällbacka.

Erica était terriblement curieuse de nature, ce qui allait peut-être de pair avec son métier. En tant qu'écrivaine, elle était mue par une insatiable soif de connaître les gens et d'analyser les événements. Le moment voulu, elle saurait exactement ce qui s'était passé. Même si Patrik ne racontait rien, tous les détails seraient bientôt répandus par le bouche-à-oreille. C'était à la fois l'avantage et l'inconvénient d'habiter à Fjällbacka.

Elle était encore émue jusqu'aux larmes quand elle repensait au soutien massif qui leur avait été témoigné après l'accident. Tout le monde s'était mobilisé, aussi bien leurs amis proches que de simples connaissances. On les avait aidés avec Maja et pour le ménage, on leur avait livré des repas tout prêts quand enfin elle avait pu revenir chez elle. Et à l'hôpital, ils s'étaient presque noyés sous les cartes de bon rétablissement, les fleurs, les boîtes de chocolats et les jouets pour les enfants. Tout cela de la part des habitants de la ville. C'était comme ça, ici. À Fjällbacka, on était solidaire.

Pourtant, ce soir elle se sentait bien seule. Sa première impulsion après la conversation avec Patrik avait été d'appeler Anna. C'était toujours aussi douloureux de réaliser qu'il était impossible de lui parler et qu'elle devait raccrocher le téléphone.

Les enfants dormaient à l'étage. Le feu dans le poêle crépitait, et dehors, le crépuscule s'installait. Si elle avait souvent eu peur ces derniers mois, elle ne s'était jamais retrouvée seule. Au contraire, elle avait toujours été entourée de gens. Ce soir cependant, tout était paisible.

Des pleurs au premier étage la tirèrent de ses réflexions et elle se leva immédiatement. Quand elle serait occupée à nourrir les jumeaux et à les changer, elle n'aurait pas le temps de s'inquiéter pour Patrik.

— La journée a été longue, mais je me suis dit que nous devions quand même prendre le temps de nous concerter avant de rentrer chez nous.

Patrik observa ses collègues. Tous avaient l'air fatigués, mais concentrés. Ils avaient abandonné depuis longtemps l'idée de se réunir ailleurs que dans la cuisine du commissariat, et Gösta s'était montré inhabituellement attentionné et avait veillé à ce que chacun ait sa tasse de café.

— Martin, est-ce que tu peux nous résumer ce qu'a donné le porte-à-porte ?

— Nous sommes passés dans tous les appartements et nous avons pu parler avec pratiquement tous les locataires. Il n'en reste que quelques-uns chez qui il faudra revenir. Ce qui nous intéressait avant tout, c'était de savoir si quelqu'un avait entendu du bruit dans l'appartement de Mats Sverin. Une dispute, du tapage, un coup de feu. Mais on a fait chou blanc, ou presque. Le seul qui avait éventuellement quelque chose à nous dire, c'était le voisin de palier. Il s'appelle Leandersson. Il a été réveillé dans la nuit de vendredi à samedi par un bruit, qui aurait pu être un coup de feu mais tout aussi bien autre chose. Son souvenir de ce bruit est extrêmement flou. Il se rappelle surtout que quelque chose l'a réveillé.

— Personne qui aurait vu un inconnu traîner dans le coin ? demanda Mellberg.

Annika nota fébrilement pendant qu'ils parlaient.

— Personne ne se souvient d'avoir vu qui que ce soit lui rendre visite depuis qu'il a emménagé là.

— Ça fait combien de temps ? demanda Gösta.

— Son père a dit qu'il était revenu de Göteborg assez récemment. Mais j'ai l'intention de parler de nouveau avec les parents demain, quand les choses se seront un peu tassées… Je leur poserai la question, dit Patrik.

— Donc, le porte-à-porte n'a pas donné de résultat, dit Mellberg en fixant Martin, comme si c'était sa faute.

— Non, pas grand-chose, dit Martin en lui retournant son regard.

Il était toujours le plus jeune du commissariat, mais il s'était définitivement débarrassé du respect proche de la terreur qu'il avait voué à Mellberg au début.

— Poursuivons, dit Patrik. J'ai parlé avec le père. La mère était en état de choc, je n'ai pas pu l'entendre. Je vais les voir demain, comme je viens de le dire, pour les questionner plus longuement et voir ce que je pourrai obtenir. Mais selon le père, Gunnar, ils ne connaissent personne qui aurait pu vouloir du mal à leur fils. Il ne semble pas avoir fréquenté grand monde depuis son retour ici, même s'il est originaire de Fjällbacka. J'aimerais que quelqu'un aille interroger ses collègues demain. Paula et Gösta, vous pouvez vous en charger ?

Ils se consultèrent du regard et hochèrent la tête.

— Martin, tu continues de chasser les voisins que nous n'avons pas encore entendus. Ah, et Gunnar a mentionné que Mats a été victime d'une agression brutale à Göteborg juste avant son déménagement, il faut que je me renseigne là-dessus.

Pour finir, Patrik se tourna vers son patron. Cela faisait partie de la routine désormais, de veiller à minimiser l'influence nocive de Mellberg dans les enquêtes.

— Bertil, dit-il gravement. En tant que commandant en chef, tu es indispensable ici, au commissariat. Tu es le meilleur parmi nous pour traiter avec la presse, et on ne sait jamais quand ils auront vent de l'affaire.

Mellberg ressuscita subitement dans son coin.

— Effectivement, c'est exact. J'ai une très bonne relation avec la presse et je sais parfaitement gérer les journalistes.

— Excellent, dit Patrik sans la moindre trace d'ironie dans la voix. Alors tout le monde a quelque chose à se mettre sous la dent pour demain. Annika, on te mettra au courant au fur et à mesure, selon les informations dont on aura besoin. À toi de nous les dégoter.

— Je serai à mon poste, répondit-elle et elle referma son calepin.

— Bien. Maintenant on rentre tous retrouver nos familles et profiter de quelques heures de sommeil.

En prononçant ces mots, Patrik sentit combien il avait envie de se retrouver avec Erica et les enfants. Il était tard, et l'épuisement le gagnait. Dix minutes plus tard, il roulait en direction de Fjällbacka.

FJÄLLBACKA 1870

Karl ne l'avait toujours pas touchée intimement. Emelie se sentait confuse. Elle était assez naïve à ce sujet,
mais elle avait compris que certaines choses étaient
censées se passer entre mari et femme, qui n'avaient
pas encore eu lieu.

Elle aurait aimé qu'Edith soit là, qu'il n'y ait pas
eu ce malentendu entre elles avant son départ de la
ferme. Elle aurait pu lui en parler ou au moins lui
demander conseil dans une lettre. Car une épouse ne
pouvait certainement pas prendre la liberté de parler
d'une telle chose avec son mari. Cela ne se faisait pas.
Mais la situation était tout de même assez étrange.

Son premier engouement pour Gråskär s'était
calmé, lui aussi. Le soleil d'automne avait été remplacé par des vents violents qui soulevaient la mer
et envoyaient des vagues jusque sur les rochers. Les
fleurs avaient fané et dans la plate-bande ne restaient que quelques tiges nues et tristes. Le ciel semblait invariablement d'un gris épais et uniforme. Elle
restait à l'intérieur la plupart du temps. Dehors, elle
grelottait de froid même en se couvrant chaudement.
Mais la maison était toute petite et elle avait l'impression que les murs se rapprochaient les uns des autres.

Parfois, elle surprenait Julian en train de la fixer
méchamment, mais quand elle lui rendait son regard, il

détournait les yeux. Il ne lui avait toujours pas adressé la parole et elle ne comprenait pas ce qu'il lui reprochait. Peut-être lui rappelait-elle une autre femme qui avait mal agi avec lui. Cela dit, il aimait sa cuisine, apparemment. Karl et lui mangeaient de bon appétit, et elle trouvait elle-même qu'elle était devenue une très bonne cuisinière, particulièrement douée pour apprêter ce qui s'offrait – des maquereaux la plupart du temps. Les deux hommes faisaient un petit tour avec le bateau tous les jours, et revenaient en général avec une bonne pêche. Elle faisait frire une partie des poissons argentés et les servait au dîner accompagnés de pommes de terre, et mettait les autres en saumure pour qu'ils se conservent jusqu'en hiver, car elle avait compris qu'il serait rude.

Si seulement Karl pouvait lui dire un mot gentil de temps à autre, la vie sur l'île lui semblerait tellement plus facile. Il ne la regardait jamais dans les yeux, elle n'avait même pas droit à une petite tape amicale en passant. C'était comme si elle n'existait pas, comme s'il la désavouait en tant qu'épouse. Rien n'était devenu comme dans ses rêves, et parfois les avertissements d'Edith l'incitant à se méfier résonnaient dans sa tête.

Emelie se débarrassait toujours de ces idées-là au plus vite. L'existence ici était austère, mais elle n'avait pas l'intention de se plaindre. C'était le lot qui lui avait été attribué et elle devait en faire quelque chose de bien. Sa mère lui avait appris ça, quand elle était encore en vie, et c'était un conseil qu'elle avait l'intention de suivre. Rien ne devenait jamais comme on l'avait imaginé.

Martin détestait le porte-à-porte. Cela lui rappelait trop son enfance, quand on l'avait obligé à vendre des billets de tombola, des chaussettes et autres bricoles afin de collecter de l'argent pour des voyages scolaires. Mais ça faisait partie du boulot. Il fallait qu'il se résigne à entrer et sortir des immeubles, à monter et descendre les escaliers et à frapper à toutes les portes. Heureusement, ils avaient déjà fait la plus grande partie la veille. Il vérifia sur sa liste les noms qui restaient, puis commença par le plus prometteur : l'occupant d'un des deux appartements situés au même étage que celui de Mats Sverin.

C'était écrit Grip sur la porte. Martin vérifia l'heure avant de sonner : il n'était que huit heures, il espérait trouver le locataire avant qu'il ou elle parte au boulot. Personne ne vint ouvrir et, en soupirant, il appuya de nouveau sur la sonnette. Le timbre était aigu et écorchait l'oreille, mais toujours pas de réaction. Il venait de tourner les talons et s'apprêtait à redescendre l'escalier quand il entendit une clé tourner dans la serrure.

— Oui ?

La voix n'était pas vraiment aimable. Martin pivota et avança de nouveau vers la porte.

— Bonjour, je suis de la police. Martin Molin.

La chaîne de sûreté était attachée, et dans l'entrebâillement, il ne put distinguer qu'une barbe touffue. Ainsi qu'un nez rouge vif.

— Qu'est-ce que tu veux ?

Apprendre qu'il s'agissait de la police ne semblait pas avoir mis M. Grip dans de meilleures dispositions.

— Il y a eu un décès dans l'appartement, là, dit Martin en montrant la porte de Mats Sverin soigneusement scellée avec du ruban adhésif.

— Oui, j'ai entendu ça, fit l'homme, et sa barbe dansait dans l'étroite ouverture de la porte. En quoi ça me concerne ?

— Pourrais-je entrer quelques minutes ? demanda Martin en adoptant son ton le plus aimable.

— Pourquoi ?

— Pour vous poser quelques questions.

— Je ne sais rien.

L'homme voulut fermer la porte, mais Martin posa instinctivement un pied dans l'ouverture.

— Soit nous parlons ici un petit moment, soit ça prendra toute la matinée parce que je serai obligé de vous embarquer au commissariat et de vous poser les questions là-bas.

Martin savait très bien qu'il n'avait aucune compétence pour traîner Grip au commissariat, mais il se dit que le bonhomme, lui, n'en savait sans doute rien.

— C'est bon, entre, dit Grip.

Il retira la chaîne de sûreté puis ouvrit la porte pour laisser le passage au policier. Ce que Martin regretta immédiatement quand il sentit la puanteur.

— Non, non, tu ne sortiras pas, petite canaille.

Martin eut le temps d'apercevoir une boule poilue avant que l'homme à la barbe se jette en avant et empoigne la queue du chat. L'animal miaula en signe de protestation puis il se laissa soulever et ramener dans l'appartement.

Grip referma la porte, et Martin essaya de respirer par la bouche pour ne pas vomir. Une odeur de poubelle et de renfermé flottait dans l'air, couronnée par une épouvantable puanteur de pisse de chat. L'explication ne se fit pas attendre. Martin resta planté sur le seuil, bouche bée. La pièce était remplie de chats, assis, couchés ou en mouvement. Il fit une rapide estimation et constata qu'il y en avait au moins quinze. Dans un appartement qui faisait tout au plus quarante mètres carrés.

— Assieds-toi, grogna Grip en chassant quelques chats du canapé. Vas-y, pose tes questions. J'ai pas que ça à faire. C'est du boulot quand on en a autant.

Un gros chat roux sauta sur les genoux du bonhomme, s'y installa et commença à ronronner. Son pelage était tout emmêlé, et il avait des plaies sur les deux pattes arrière.

Martin posa une fesse prudente au bord du canapé, puis se racla la gorge.

— Votre voisin, Mats Sverin, a été trouvé mort dans son appartement hier. Nous aimerions savoir si vous, qui habitez ici, avez vu ou entendu quelque chose d'inhabituel ces derniers jours ?

— Ce n'est pas à moi de voir ou d'entendre des choses. Je m'occupe que de mes affaires et j'aimerais bien que tout le monde fasse pareil.

— Vous n'avez rien entendu dans l'appartement de votre voisin ? Ni vu une tête inconnue dans la cage d'escalier ? insista Martin.

— Je viens de le dire. Je m'occupe que de mes affaires.

Le bonhomme grattouilla le chat, les doigts plongés dans des touffes de poils. Martin referma son bloc-notes et décida d'abandonner.

— Au fait, c'est quoi, votre prénom?

— Je m'appelle Gottfrid Grip. Je suppose que tu veux le nom des autres aussi?

— Les autres?

Martin regarda autour de lui. Qui d'autre pouvait bien habiter ici?

— Voici Marilyn, dit Gottfrid en montrant le chat sur ses genoux. Elle n'aime pas les bonnes femmes, elle crache quand elle en voit une.

Par devoir, Martin ouvrit de nouveau son bloc et nota les mots exacts de l'homme. Ça ferait bien rire quelqu'un, à défaut d'autre chose.

— Le gris là-bas c'est Errol, le blanc aux pieds marron, Humphrey, et puis là tu as Cary, Audrey, Betty, Ingrid, Lauren et James.

Grip continua d'énumérer le nom des chats tout en les montrant, tandis que Martin écrivait. Ça ferait une super-histoire à raconter quand il serait de retour au commissariat.

Au moment de partir, il s'arrêta tout à coup.

— Ni vous ni les chats, donc, n'avez rien vu, rien entendu?

— Je n'ai jamais dit que les chats n'avaient rien vu. J'ai seulement dit que moi, je n'avais rien vu. Mais Marilyn, elle, elle a vu une voiture tôt, très tôt le samedi matin, elle était assise à la fenêtre de la cuisine. Elle n'arrêtait pas de cracher, elle était déchaînée.

— Marilyn a vu une voiture? Quelle marque? dit Martin en décidant de ne pas tenir compte de l'absurdité de sa question.

Grip le regarda avec pitié.

— Tu crois que les chats connaissent les marques de voiture, toi ? Ça tourne pas bien rond là-dedans, dit-il en tapotant un doigt contre sa tempe et en secouant la tête.

Puis il ferma la porte et remit la chaîne de sûreté.

— Erling est là ?

La porte du premier bureau dans le couloir était ouverte, et Gösta frappa doucement au chambranle. Paula et lui venaient d'arriver à l'hôtel de ville à Tanumshede.

Gunilla sursauta sur sa chaise, elle tournait le dos à la porte.

— Oh, vous m'avez fait peur ! dit-elle, et ses mains papillonnèrent nerveusement.

— Je suis désolé, dit Gösta. On cherche Erling.

— C'est au sujet de Mats ? Tout ça est tellement affreux.

La lèvre inférieure de Gunilla se mit à trembler. Elle tira un mouchoir en papier du paquet posé sur son bureau et essuya ses larmes naissantes.

— Oui, en effet, dit Gösta. Nous allons parler avec vous tous, mais pour l'instant c'est Erling qu'on aimerait voir, s'il est là.

— Oui, il est dans son bureau. Je vais vous accompagner.

Elle se leva et, après s'être bruyamment mouchée, les précéda jusqu'à un autre bureau plus loin dans le couloir.

— Erling, tu as de la visite, dit-elle, puis elle s'effaça.

— Tiens donc, Gösta, qu'est-ce qui t'amène ? dit Erling, qui se leva et vint serrer cordialement la main du policier.

Puis il regarda Paula et parut fouiller fébrilement dans sa mémoire.

— Laura, c'est ça? Mon cerveau est une machine bien huilée, je n'oublie jamais rien.

— Paula, dit Paula en tendant la main.

Un bref instant, Erling eut l'air décontenancé, puis il haussa simplement les épaules.

— Nous avons quelques questions au sujet de Mats Sverin, dit Gösta rapidement.

Il s'assit sur une des chaises devant le bureau, obligeant ainsi Erling et Paula à s'asseoir aussi.

— Oui, c'est épouvantable cette histoire, dit Erling en plissant son visage en une étrange grimace. Ici, au bureau, on est tous terriblement affectés, et on se demande bien entendu comment une telle chose a pu arriver. Tu peux m'en dire un peu plus, Gösta?

— Nous avons très peu d'éléments pour le moment, répondit Gösta en secouant la tête. Je peux seulement te confirmer ce qu'on vous a dit hier au téléphone. Sverin a été retrouvé mort dans son appartement et une enquête a été ouverte.

— Il a été assassiné?

— C'est une information que nous ne pouvons ni démentir ni confirmer.

Gösta réalisa à quel point il employait un ton formel, mais il savait que Hedström ne serait pas tendre avec lui s'il portait atteinte à l'enquête en parlant à tort et à travers.

— Mais nous avons besoin de l'aide de la municipalité, poursuivit-il. Nous avons compris que Sverin n'était venu au bureau ni lundi ni mardi. Et qu'ensuite vous avez contacté ses parents. Est-ce que c'était fréquent, ces absences au travail?

— Loin de là. Je ne pense pas qu'il ait pris un seul

jour de congé depuis qu'il a commencé ici. Aucune absence d'aucune sorte. Même pas pour un rendez-vous chez le dentiste. Il était ponctuel, dévoué et très minutieux. C'est pour ça qu'on s'est inquiétés quand il n'est pas venu et qu'il n'a même pas appelé.

— Ça faisait combien de temps qu'il travaillait ici? demanda Paula.

— Deux mois. On a eu de la chance de tomber sur quelqu'un comme Mats. Le poste était à pourvoir depuis cinq semaines, on avait fait passer des entretiens à quelques candidats, mais ils étaient loin d'avoir les qualifications requises. Quand Mats a postulé, on s'est plutôt inquiétés de sa surqualification, mais il nous a vite rassurés. Apparemment, ce boulot était exactement ce qu'il cherchait. Il semblait particulièrement excité à l'idée de revenir vivre à Fjällbacka. Et on le comprend, non? La perle de la côte! s'exclama Erling en écartant les mains.

— Il n'a pas évoqué les raisons précises de son départ de Göteborg? demanda Paula en se penchant en avant.

— Il nous a juste dit qu'il voulait quitter le stress de la grande ville, retrouver une meilleure qualité de vie. Et c'est exactement ce qu'offrent les villes de notre commune*. Du calme, de la tranquillité et une bonne qualité de vie, récita Erling en appuyant sur les syllabes.

— Il n'a donc pas mentionné de raisons plus personnelles? s'impatienta Gösta.

* Les communes en Suède regroupent en général plusieurs villes et villages. La commune de Tanum comprend entre autres les municipalités de Fjällbacka et Grebbestad, ainsi que celle de Tanumshede, qui a été choisie comme chef-lieu pour abriter la mairie et le commissariat.

— Ah non, il restait assez secret là-dessus. Je sais évidemment qu'il est originaire de Fjällbacka et que ses parents y habitent, mais pour le reste, je n'ai pas le souvenir qu'il ait jamais parlé de sa vie en dehors du bureau.

— Peu avant de quitter Göteborg, il lui est arrivé une sale histoire. Il a été sauvagement agressé, au point qu'il a dû passer plusieurs semaines à l'hôpital. Il n'en a jamais parlé? demanda Paula.

— Non, jamais! dit Erling, tout surpris. Il avait des cicatrices sur le visage, mais il nous avait raconté qu'il était tombé de vélo quand son pantalon s'était pris dans la roue.

Gösta et Paula échangèrent un regard d'étonnement.

— Qui l'a frappé? Le même qui…? fit Erling en chuchotant presque.

— D'après ses parents, c'était un cas de violence gratuite. Ça n'a sans doute rien à voir avec sa mort, mais on ne peut rien exclure, dit Gösta.

— Il n'a vraiment jamais rien dévoilé sur ses années à Göteborg? insista Paula.

Erling secoua la tête.

— Je viens de le dire, Mats ne parlait jamais de lui. C'était comme si sa vie avait commencé le jour où il a pris son poste chez nous.

— Personne n'a trouvé ça étrange?

— Ben, je crois que personne n'y a vraiment pensé. Il n'était absolument pas asocial. Il savait rire et plaisanter, il donnait son avis sur les émissions télé et toutes ces choses dont on parle devant la machine à café. J'ai l'impression qu'on n'a pas réalisé qu'il ne parlait jamais de lui. Ce n'est que maintenant que je m'en rends compte.

— Il travaillait bien? demanda Gösta.

— Mats était un brillant directeur financier. Soigneux, appliqué, méticuleux, il avait toutes les qualités requises chez une personne censée gérer les finances, surtout dans une activité aussi sensible politiquement que la nôtre.

— Rien à lui reprocher, donc ? demanda Paula.

— Non, rien. Mats était extrêmement doué dans tout ce qu'il faisait. Il nous a été très précieux sur le projet Badis. Il nous a rejoints sur le tard, c'est vrai, mais il a très vite assimilé l'essentiel et il nous a beaucoup aidés à avancer.

Gösta regarda Paula, qui secoua la tête : ils n'avaient pas d'autres questions pour le moment. Gösta se fit la réflexion que Mats Sverin restait aussi impersonnel qu'auparavant. Il se demanda ce qui émergerait quand ils commenceraient à gratter la surface.

La petite maison des Sverin était joliment située au bord de l'eau dans le quartier de Mörhult à Fjällbacka. Il faisait plus chaud aujourd'hui, une belle journée de début d'été, et Patrik laissa sa veste dans la voiture. Il avait téléphoné pour annoncer sa visite, et quand Gunnar vint ouvrir, il put voir par la porte de la cuisine que le café attendait sur la table. C'était l'usage ici sur la côte. Tristes ou joyeuses, toutes les occasions étaient bonnes pour servir du café et des pâtisseries. En tant que policier, il avait dû écluser des litres et des litres de café au fil des ans lors de ses visites chez les habitants de la commune.

— Entrez. Je vais voir si je peux convaincre Signe de…

Gunnar ne termina pas sa phrase et monta à l'étage.

Gunnar tardait à revenir et le silence remplissait la maison. En attendant son retour Patrik prit la liberté d'entrer dans la pièce à vivre. C'était propre et bien rangé, avec de jolis meubles anciens et des napperons partout, comme souvent chez des personnes âgées. Dans tous les coins de la pièce il y avait des photos encadrées de Mats. Patrik put ainsi suivre sa vie depuis le nourrisson qu'il avait été jusqu'à l'homme adulte. Il avait un physique sympathique et avenant, son visage respirait la joie et le bonheur. Ces photos laissaient entrevoir une enfance et une jeunesse agréables.

— Signe va arriver.

Patrik était tellement plongé dans ses pensées qu'il faillit laisser tomber la photo qu'il tenait entre les mains en entendant la voix de Gunnar.

— Ce sont de belles photos que vous avez là, dit-il en reposant le cadre sur la commode, puis il suivit Gunnar dans la cuisine.

— J'ai toujours aimé prendre des photos. Au fil des ans, ça fait un paquet de clichés. Aujourd'hui, je ne peux que m'en féliciter. Je veux dire, comme ça, il reste quelque chose.

Un peu embarrassé, Gunnar commença à servir le café.

— Vous prenez du sucre, du lait? Les deux?

— Du café noir, merci bien, répondit Patrik en s'asseyant sur une des chaises de cuisine blanches.

Gunnar posa une tasse devant lui et s'assit de l'autre côté de la table.

— On n'a qu'à commencer, Signe ne va pas tarder, dit-il après avoir jeté un regard inquiet vers l'étage, où régnait le silence.

— Comment va-t-elle?

— Elle n'a pas dit un mot depuis hier. Mais le docteur passera la voir tout à l'heure. Tout ce qu'elle veut, c'est rester allongée sur son lit, mais je ne crois pas qu'elle ait fermé l'œil de la nuit.

— On vous a envoyé énormément de fleurs, constata Patrik en hochant la tête en direction des nombreux bouquets sur le plan de travail, disposés dans des vases plus ou moins appropriés.

— Les gens sont gentils. Beaucoup ont proposé de venir aussi, mais je ne supporte pas l'idée d'avoir un tas de gens qui défilent sans arrêt.

Il mit un morceau de sucre dans son café, prit un biscuit et le trempa dans la tasse avant de l'enfourner dans sa bouche. Il dut le faire passer avec une gorgée de café tant cela semblait difficile à avaler.

— Ah, te voilà, fit Gunnar en se retournant vers Signe qui arrivait dans le vestibule.

Ils ne l'avaient pas entendue descendre l'escalier, et Gunnar se leva pour l'accueillir. Il la prit doucement sous le bras et l'aida à s'asseoir, comme une petite vieille. Elle semblait d'ailleurs avoir pris plusieurs années depuis la veille.

— Le médecin sera là dans un petit moment. Allez, bois ton café maintenant, et mange un biscuit. Il faut que tu te mettes quelque chose dans l'estomac. Tu ne veux pas que je te prépare une tartine ?

Elle secoua la tête. C'était la première réaction laissant entendre qu'elle comprenait ce que son mari lui disait.

— Je suis vraiment désolé. J'aurais préféré ne pas venir vous déranger dans un moment comme celui-ci. Je veux dire, ça vient juste de se produire.

Patrik ne put s'empêcher de poser sa main sur celle de Signe. Elle ne la retira pas, mais ne répondit pas non plus à son contact. Elle laissa sa main sous celle de Patrik comme un membre inanimé.

Comme toujours, il avait du mal à trouver les mots. Depuis qu'il était père lui-même, il lui était plus difficile qu'avant de rencontrer des gens qui avaient perdu un enfant, qu'il soit petit ou grand. Que dire à quelqu'un qui a le cœur arraché ? Car c'était ainsi qu'il s'imaginait leur détresse.

— Nous savons que vous faites votre travail. Et nous tenons à ce que vous retrouviez celui qui… a fait ça. Si nous pouvons vous aider en quoi que ce soit, nous le ferons.

Gunnar s'était assis à côté de sa femme et il approcha davantage sa chaise de la sienne en un geste protecteur. Elle n'avait pas touché à son café.

— Bois un peu, dit-il en portant la tasse à ses lèvres, et à contrecœur elle avala quelques gorgées.

— Nous avons déjà parlé de Mats hier, mais j'aimerais que vous m'en disiez plus sur lui. Des choses importantes ou pas, tout ce que vous aurez envie de partager avec nous.

— Il était tellement gentil tout bébé déjà, dit Signe, et sa voix parut sèche et cassée, comme inutilisée depuis longtemps. Dès le début, il a fait ses nuits, c'était le bébé idéal. Mais je m'inquiétais. Je l'ai toujours fait. Comme si j'attendais en permanence qu'un drame se produise.

— Et tu ne t'es pas trompée. J'aurais dû t'écouter davantage, dit Gunnar en baissant les yeux.

— Non, c'est toi qui avais raison, dit Signe en le regardant, comme si elle sortait subitement de sa torpeur. J'ai gaspillé tant de temps et d'énergie à me faire du souci, alors que toi, tu étais content et reconnaissant de ce que nous avions, de Matte. De toute façon, quand le malheur arrive, on n'y est jamais préparé. Tout au long de sa vie, je me suis inquiétée des dangers possibles, des drames comme des broutilles, mais jamais je n'aurais pu imaginer ça. J'aurais mieux fait de me réjouir de l'avoir près de moi, dit-elle, puis elle ajouta : Qu'est-ce que vous voulez savoir ?

— Quand il a quitté la maison, il s'est tout de suite installé à Göteborg ?

— Oui, après le bac, il a intégré une école de commerce. Il avait de très bonnes notes, dit Gunnar avec une fierté manifeste.

— Mais il rentrait souvent le week-end, ajouta Signe.

Parler de son fils semblait avoir un effet positif sur elle. Elle avait repris un peu de couleur, et son regard était plus clair.

— Avec le temps, il venait de moins en moins souvent, évidemment, mais les premières années, il rentrait pratiquement chaque week-end, précisa Gunnar.

— Et ses études se passaient bien ?

Patrik prit le parti de parler de ce qui les rassurait.

— Oui, à l'école de commerce aussi, il obtenait d'excellents résultats, dit Gunnar. Je n'ai jamais compris d'où lui venait cette facilité à apprendre. En tout cas, pas de moi.

Il sourit, paraissant oublier un instant pourquoi ils étaient là, à parler de Mats. Puis la mémoire lui revint et son sourire s'éteignit.

— Et après ses études, qu'est-ce qu'il a fait ?

— Son premier boulot, c'était dans ce bureau de révision, non ? fit Signe en se tournant vers son mari qui plissa le front.

— Oui, je crois, mais ne me demande pas de retrouver le nom de la boîte. Un nom américain, je crois. Il n'y est resté que quelques années. Il ne s'y plaisait pas. Trop de chiffres et pas assez d'humain, disait-il.

— Et après ça ?

Le café de Patrik avait refroidi, mais il continua à le boire quand même.

— Il a eu plusieurs emplois. Je pense que je pourrais les retrouver si vous voulez savoir exactement, mais ces quatre dernières années, il était responsable de gestion dans une ONG. Elle s'appelle Refuge.

— C'est quel genre d'organisation ?

— Ils aident des femmes qui ont quitté un mari violent, pour qu'elles puissent s'en sortir et reconstruire leur vie. Matte adorait travailler là. Il en parlait tout le temps.

— Et il a démissionné. Vous savez pourquoi ?

Gunnar et Signe échangèrent un regard, et Patrik comprit qu'ils s'étaient posé la même question.

— Eh bien, on a supposé que ça avait un rapport avec ce qui lui était arrivé. Il ne se sentait peut-être plus en sécurité en ville, dit Gunnar.

— Il n'était pas plus en sécurité ici, dit Signe.

Non, pensa Patrik, apparemment pas. Quelle qu'ait été la raison de son départ de Göteborg, la violence l'avait rattrapé.

— Il est resté hospitalisé combien de temps après l'agression ?

— Trois semaines, je crois, dit Gunnar. On a eu un sacré choc quand on l'a vu dans son lit.

— Montre-lui les photos, dit Signe doucement.

Gunnar se leva et alla chercher un carton dans le salon.

— Je ne sais pas trop pourquoi on les a conservées. Ce ne sont pas vraiment des photos qu'on a envie de sortir et de regarder.

De ses doigts calleux, il prit précautionneusement les clichés en haut de la boîte.

— Je peux? dit Patrik en tendant la main. Dès qu'il vit les premières images de Mats Sverin dans son lit d'hôpital, il ne put réprimer un "Aïe, aïe, aïe" éloquent. L'homme était méconnaissable. Tout son visage était gonflé, jusqu'au crâne. La peau affichait différentes nuances de rouge et de bleu.

— N'est-ce pas, dit Gunnar en détournant les yeux.

— Ils ont dit que ça aurait pu très mal se terminer. Qu'il avait été bien chanceux de s'en tirer, dit Signe en cillant pour chasser les larmes.

— Et si j'ai bien compris, on n'a jamais trouvé les coupables.

— Non. Vous pensez qu'il peut y avoir un lien? C'était de parfaits inconnus qui l'ont agressé dans la rue. Une bande de jeunes. Il avait juste dit à l'un des gars de ne pas pisser devant sa porte. Il ne les avait jamais vus auparavant. Alors, pourquoi auraient-ils…

La voix de Signe se fit plus aiguë et Gunnar lui caressa le bras pour la calmer.

— Pour l'instant, personne ne sait rien. La police essaie simplement de récolter le plus d'informations possible, dit-il.

— Exactement. Nous ne penchons pour aucune thèse. Nous tentons seulement d'en apprendre davantage sur Mats et sur ce qui s'est passé dans sa vie, dit Patrik, puis il se tourna vers Signe. Votre mari disait qu'à votre connaissance, Mats n'avait pas de copine en ce moment?

— Non, ce côté-là de sa vie, il le gardait pour lui. J'avais même commencé à abandonner l'espoir d'avoir des petits-enfants, dit Signe, puis en réalisant qu'effectivement tout espoir était perdu maintenant, ses larmes se remirent à couler.

Gunnar serra sa main.

— Je crois qu'il avait quelqu'un à Göteborg, poursuivit Signe, la voix épaisse de pleurs. Il n'en a rien dit, c'est plus un sentiment que j'ai eu. Et parfois ses vêtements sentaient le parfum quand il venait nous voir. La même odeur, chaque fois.

— Mais il ne vous a jamais parlé d'elle ?

— Non, jamais, et ce n'est pas faute d'avoir demandé, n'est-ce pas Signe ? sourit Gunnar.

— Oui, je ne comprenais pas toutes ces cachotteries. Était-ce si difficile que ça de l'amener ici, pour qu'on puisse faire sa connaissance ? On sait se conduire, quand même.

— C'était un sujet sensible, comme vous le voyez, dit Gunnar en secouant la tête.

— Vous avez eu l'impression que cette femme était toujours dans la vie de Mats après son retour à Fjällbacka ?

— Eh bien… hésita Gunnar en interrogeant Signe du regard.

— Non, justement, répondit-elle fermement. Une mère sent ces choses-là. Et je serais prête à jurer qu'il n'avait personne.

— Moi, je pense qu'il n'a jamais oublié Annie, ajouta Gunnar.

— Qu'est-ce que tu racontes ? C'était il y a une éternité. Ils n'étaient que des enfants à l'époque.

— Peu importe. Annie avait quelque chose de spécial, je l'ai toujours senti, et je pense que Matte… Tu as bien vu sa réaction quand on lui a dit qu'elle était de retour ?

— Mais enfin, ils avaient quel âge ? Dix-sept, dix-huit ans ?

— Je crois ce que je crois, dit Gunnar en avançant le menton. Et il avait l'intention d'y aller, il voulait la voir.

— Pardon, glissa Patrik. Qui est Annie ?

— Annie Wester. Matte et elle ont grandi ensemble. D'ailleurs, ils étaient tous les deux dans la même classe que votre femme.

Gunnar parut un peu gêné de connaître l'existence d'Erica. Mais Patrik n'était pas surpris. À Fjällbacka, tout le monde savait pratiquement tout sur tout le monde, et on était particulièrement au courant de la vie d'Erica après ses succès littéraires.

— Elle habite encore ici, cette Annie ?

— Non, elle a déménagé il y a de nombreuses années. Elle est partie à Stockholm, et Matte et elle n'ont plus eu de contact depuis. Mais elle est propriétaire d'une île au large de Fjällbacka. Gråskär.

— Et vous pensez donc que Matte y serait allé ?

— Je ne sais pas s'il a eu le temps, dit Gunnar. Mais vous n'avez qu'à appeler Annie et le lui demander.

Il se leva et alla chercher un bout de papier qui était collé au réfrigérateur avec un aimant.

— C'est son numéro de portable. Je ne sais pas combien de temps elle a l'intention de rester. Elle y est avec le petit.

— Elle vient souvent ?

— Non, sa venue nous a bien surpris, on l'a très peu vue depuis son départ pour Stockholm. La dernière fois, ça remonte à des années. Mais l'île est à elle. C'est son grand-père qui l'avait achetée il y a très longtemps, et Annie est la seule qui reste, puisqu'elle n'a ni frère ni sœur. On l'a aidée pour l'entretien de la maison, mais si personne ne fait rien pour le phare, il sera bientôt foutu.

— Le phare ?

— Il y a sur l'île un vieux phare du XIXe siècle. Et une seule maison. Autrefois, elle était occupée par le gardien du phare et sa famille.

— Ça devait être une vie très solitaire, dit Patrik en avalant la dernière gorgée de café froid avec une grimace.

— Solitaire, ou calme et agréable, selon le point de vue, dit Signe. Pour ma part, jamais je n'aurais pu passer une nuit seule là-bas.

— C'est pourtant toi qui dis toujours que tout ça, ce ne sont que sottises et superstition ? dit Gunnar.

— Quoi donc ? demanda Patrik en dressant l'oreille.

— Les gens appellent cette île l'île aux Esprits. La légende affirme que ceux qui y meurent ne la quittent jamais, dit Gunnar.

— Une île hantée, donc ?

— Pfff, les gens racontent tellement de bêtises, souffla Signe.

— Quoi qu'il en soit, je passerais un coup de fil à cette Annie. Merci mille fois pour le café et les biscuits, et pour le temps que vous m'avez accordé, dit Patrik, puis il se leva et replaça sa chaise.

— C'était agréable de pouvoir parler de lui un petit moment, dit Signe à voix basse.

— Est-ce que vous me les prêteriez ? demanda Patrik en montrant les photos de l'hôpital. Je vous promets d'y faire attention.

— Gardez-les, dit Gunnar. J'ai un de ces appareils numériques, et je les ai transférées sur l'ordinateur.

— Merci, dit Patrik en rangeant les photos dans son sac.

Signe et Gunnar le raccompagnèrent à la porte. En se glissant derrière le volant, il voyait encore les images de Mats Sverin enfant, adolescent et adulte. Il décida de rentrer déjeuner à la maison. Il ressentait un besoin urgent de serrer les jumeaux dans ses bras.

— Comment il va, le petit chéri de son papi ?

Mellberg aussi était rentré chez lui pour le déjeuner, et dès qu'il eut franchi la porte, il arracha Leo des bras de Rita et commença à le lancer au-dessus de lui. Le petit garçon hurlait de rire.

— C'est typique. Papi arrive, et tout de suite mamie ne vaut plus un clou.

Rita adopta une mine sévère, puis elle sourit et vint leur faire un bisou sur la joue qu'ils avaient tous les deux rebondie.

Un lien particulier unissait Leo et Bertil, qui avait assisté à la naissance du petit, et Rita en était tout à fait heureuse. Mais elle avait quand même été soulagée que Bertil se soit laissé convaincre de repasser à temps plein. L'idée d'aider Paula était bonne, mais même si elle adorait son invraisemblable héros, elle ne se faisait aucune illusion sur son sens de la mesure, qui par moments était pour le moins défaillant.

— Qu'est-ce qu'il y a à manger ? demanda Mellberg tout en installant Leo dans sa chaise et en nouant un bavoir autour de son cou.

— Du poulet avec la sauce mexicaine que tu aimes tant.

Mellberg ronronna de satisfaction. Toute sa vie durant, il n'avait jamais rien mangé de plus exotique que de la blanquette de veau avec des pommes de terre, jusqu'à ce que Rita réussisse à le convertir. Sa *salsa* de tomates était tellement relevée qu'elle attaquait presque l'émail des dents, mais Mellberg l'adorait.

— Tu es rentré tard hier.

Elle posa devant Leo une assiette avec une portion moins piquante, et laissa à Bertil le soin de le nourrir.

— Eh oui, on tourne à plein régime à nouveau. Paula et les gars font le sale boulot sur le terrain, mais comme Hedström l'a si bien fait remarquer, il faut que quelqu'un reste au poste pour se charger de la presse. C'est une lourde responsabilité et personne n'est aussi bien placé que moi pour l'assumer.

Il enfourna une bouchée un peu trop grosse dans la bouche de Leo, qui en recracha la moitié, l'air ravi.

Rita retint un sourire. Patrik avait apparemment encore une fois réussi à se dépêtrer de son patron. Elle aimait bien Hedström. Il savait gérer Bertil. Avec patience, diplomatie et une bonne dose de flatterie, on pouvait mener cet homme-là par le bout du nez. Elle utilisait les mêmes méthodes pour que leur vie à la maison soit douce et supportable.

— Mon pauvre, ça doit être pénible, dit-elle en lui servant du poulet généreusement arrosé de sauce to-mate.

L'assiette de Leo était vide et Mellberg s'attaqua à la sienne. Deux portions plus tard, il se renversait contre le dossier de la chaise en se tapotant le ventre.

— C'était excellent. Et maintenant je sais ce qu'il nous faut pour conclure en beauté, n'est-ce pas, mon petit Leo ?

Il se leva et se dirigea vers le congélateur.

Rita était bien consciente qu'elle aurait dû l'en em-pêcher, mais elle n'en avait pas le cœur. Elle le laissa sortir trois énormes Magnum qu'il distribua, l'air heu-reux. Leo disparaissait presque derrière le sien. Si elle laissait Bertil faire, le petit serait bientôt aussi large que long. Elle décida qu'aujourd'hui, c'était une exception.

FJÄLLBACKA 1870

Elle se serra plus près de Karl dans le lit. Pour dormir, il avait gardé son caleçon long et son pull. Dans quelques heures, il devrait se lever et prendre la relève de Julian au phare. Doucement, elle posa une main sur sa jambe. La laissa glisser le long de la cuisse, les doigts tremblants. Ce n'était pas à elle de faire ceci, mais quelque chose clochait. Pourquoi ne la touchait-il pas? Il lui adressait à peine la parole. Murmurait seulement un remerciement en quittant la table. Pour le reste, ses yeux ne la voyaient pas. Comme si elle était faite de verre, transparente, à peine perceptible.

Il ne restait jamais très longtemps dans la maison, d'ailleurs. Il passait le plus clair de son temps dans le phare ou à bricoler dehors ou sur le bateau. Ou en mer. Toute la journée, elle se retrouvait seule dans la petite maison, et les tâches ménagères étaient vite expédiées. Ensuite, il lui restait de nombreuses heures à remplir, et elle ne tarderait pas à devenir folle. Si elle avait un enfant, cela lui ferait de la compagnie, quelqu'un qui aurait besoin d'elle. Peu lui importerait alors que Karl travaille du matin au soir et qu'il ne lui parle pas. Si seulement elle avait un bébé à qui se consacrer.

Depuis sa vie à la ferme, elle savait qu'il devait forcément se passer certaines choses entre un homme et une femme pour que la femme soit enceinte. Des choses qui n'avaient pas encore eu lieu. Voilà pourquoi sa main se promenait le long de la jambe de Karl, à l'intérieur de sa cuisse. Le cœur palpitant à la fois d'appréhension et d'excitation, elle laissa ses doigts se faufiler à l'intérieur du caleçon.

Karl sursauta et se redressa dans le lit.

— Qu'est-ce que tu fais ?

Ses yeux étaient mauvais, remplis d'une noirceur qu'elle n'y avait jamais vue auparavant, et elle retira vivement sa main.

— Je... je me disais que...

Les mots lui manquaient. Comment expliquer l'évidence ? Ce qui devait être évident pour lui aussi : ils étaient mariés depuis bientôt trois mois sans qu'il se soit approché d'elle une seule fois. Elle sentit les larmes lui monter aux yeux.

— Autant aller dormir au phare. Ici, je ne trouverai pas de repos.

Karl se leva en la poussant, enfila ses vêtements et dévala l'escalier.

Emelie eut l'impression d'avoir pris une gifle. S'il l'avait toujours traitée avec indifférence, jamais il ne lui avait parlé sur ce ton auparavant. Dur, froid et méprisant. Il l'avait regardée comme on regarde une créature répugnante sortie de terre.

Les larmes ruisselant sur ses joues, Emelie alla regarder par la fenêtre. Le vent soufflait fort sur l'île, et Karl dut lutter pour atteindre le phare. Il arracha la porte et entra. Ensuite elle le vit par la fenêtre de la tour, transformé en ombre chinoise par la lumière de la lanterne.

En pleurs, elle se recoucha. La maison craquait et tremblait, on aurait dit qu'elle s'apprêtait à s'envoler au-dessus des îles, tout droit au cœur du mauvais temps. Mais cela ne lui fit pas peur. Elle s'envolerait volontiers n'importe où plutôt que de rester ici.

Une caresse sur sa joue, à l'endroit même où les paroles de Karl l'avaient brûlée telle une gifle. Emelie sursauta. Il n'y avait personne dans la pièce à part elle. Se redressant, elle monta la couverture jusqu'au menton et fixa les recoins sombres de la chambre. Ils semblaient vides. Elle s'allongea de nouveau. Elle devait se faire des idées. Exactement comme pour tous les autres bruits étranges qu'elle avait entendus depuis son arrivée sur l'île. Et les portes de placard qui étaient ouvertes alors qu'elle était sûre de les avoir bien fermées, et le sucrier qui d'une façon ou d'une autre s'était déplacé de la table à la paillasse. Toutes ces choses étaient forcément nées de son imagination. C'était son cerveau et la vie isolée sur l'île qui lui jouaient des tours.

Une chaise racla le plancher au rez-de-chaussée. Emelie s'assit, le souffle coupé. Les mots de la vieille résonnaient dans ses oreilles, ces mots qu'elle était parvenue à chasser pendant les mois écoulés. Elle ne voulut pas descendre vérifier, ne voulut pas savoir ce qu'il y avait en bas, ni ce qui à l'instant avait caressé sa joue.

En tremblant, elle tira la couverture sur sa tête, se cacha comme un enfant face à des dangers inconnus. Là, sous les draps, elle resta éveillée jusqu'à l'aube. Elle n'entendit pas d'autres bruits.

— Qu'est-ce que tu en penses? demanda Paula.

Gösta et elle avaient acheté de quoi déjeuner à la Coop, ils étaient en train de manger dans la cuisine du commissariat.

— C'est assez étrange, dit Gösta en goûtant son gratin de poisson. Personne ne semble savoir quoi que ce soit sur la vie privée de Sverin. Pourtant tout le monde l'aimait bien, le trouvait ouvert et sociable. Ça ne colle pas.

— Mmm, c'est exactement ce que je ressens. Comment peut-on garder secret tout ce qui se passe en dehors du boulot? Ça alimente forcément les conversations à un moment ou un autre, à la pause café ou au déjeuner.

— Mouais, tu n'étais pas spécialement loquace toi-même au début.

Paula rougit.

— Un point pour toi. Mais c'est exactement là où je veux en venir. Moi, je me taisais parce qu'il y avait un fait précis que je ne voulais pas révéler. J'ignorais totalement quelle serait votre réaction en apprenant que je vivais avec une autre femme. La question est de savoir ce que Mats Sverin cachait.

— On finira bien par l'apprendre.

Paula sentit quelque chose contre sa jambe. Ernst avait flairé l'odeur de nourriture, il était venu s'asseoir, plein d'espoir, à côté d'elle.

— Désolé, mon vieux. Tu as misé sur le mauvais cheval. Moi, je n'ai que de la salade.

Mais Ernst la regardait de ses yeux suppliants, et elle comprit qu'elle devait lui montrer ce qu'elle mangeait. Elle prit une feuille de salade dans le bol en plastique et la lui tendit. Il remua la queue contre le sol, tout excité, puis, après avoir reniflé la verdure, lui jeta un œil déçu et lui tourna ostensiblement le derrière. Puis il s'approcha de Gösta, qui lui glissa un biscuit.

— Tu ne lui rends pas service, tu sais, dit Paula. Non seulement il va devenir obèse, mais malade aussi, si toi et Bertil vous continuez à le gaver comme ça. Heureusement que maman s'entête à faire courir le pauvre chien, autrement il serait mort depuis longtemps.

— Oui, je sais. Mais c'est ce regard qu'il a…

— Hmm, fit Paula en fixant Gösta avec sévérité.

— Bon, espérons que Martin ou Patrik auront trouvé quelque chose de pertinent, dit Gösta en changeant rapidement de sujet. Parce qu'on n'est pas beaucoup plus avancés qu'hier.

— Non, c'est le moins qu'on puisse dire, répondit Paula et elle fit une pause avant de reprendre : C'est tellement horrible, quand j'y pense. Se faire descendre dans son propre appartement. L'endroit où on est censé être totalement en sécurité.

— Ça doit être quelqu'un qu'il connaissait. La porte d'entrée n'était pas fracturée, il a dû laisser entrer cette personne de son plein gré.

— C'est encore pire, dit Paula. Se faire descendre chez soi par quelqu'un qu'on connaît.

— D'un autre côté, c'est pas obligé non plus, que ce soit une connaissance. On lit souvent ce genre d'histoires dans les journaux, des gens qui sonnent chez vous juste pour emprunter le téléphone et qui vous délestent de tous vos biens, dit Gösta en plantant la fourchette dans le dernier morceau de gratin.

— Je sais, mais en général ils s'en prennent plutôt aux personnes âgées, pas aux types jeunes et costauds comme Mats Sverin.

— Oui, tu as raison. Mais on ne peut pas l'exclure.

— Attendons de voir ce que vont ramener Martin et Patrik, dit Paula en posant ses couverts et en se levant. Un café ?

— Oui, merci.

Gösta glissa encore un biscuit à Ernst et fut récompensé par un coup de langue mouillée sur la main.

— Oh, c'est exactement ce dont j'avais besoin !

Sur la table de massage, Erling poussa un grognement de bien-être.

Les doigts habiles de Vivianne pétrissaient son dos, et il sentait les tensions qui commençaient à céder. Avoir autant de responsabilités que lui était une lourde tâche.

— C'est ce genre de soins qu'on va proposer ? demanda-t-il, le visage calé dans le trou facial aménagé à cet effet dans la table.

— Ça, c'est le massage classique. Ensuite, nous aurons des massages thaïs et des soins avec des pierres chaudes. On pourra aussi choisir entre un massage intégral ou partiel.

Vivianne continua de masser tout en parlant d'une voix calme et hypnotique.

— Splendide, absolument splendide.

— Et puis nous proposerons certains traitements spéciaux en plus de la formule de base. Bains d'algues et frictions avec du sel, luminothérapie, soins du visage à base de boue et ainsi de suite. Il ne manquera rien. Mais tout ça, tu le sais déjà, c'est dans le prospectus.

— Oui, mais j'aime l'entendre, c'est comme une douce musique à mes oreilles. Et le personnel? Tout le monde est là?

Il sentit que le massage, assorti à la lumière tamisée et à la voix de Vivianne, le rendait somnolent.

— Les employés auront bientôt terminé leur formation. Je m'en suis occupée personnellement. Nous avons eu la chance de tomber sur des gens formidables, jeunes, enthousiastes et ambitieux.

— Splendide, splendide, dit Erling encore une fois, puis il poussa un profond soupir d'aise. Ce sera un succès, je le sens.

Il fit une grimace quand Vivianne appuya sur un point sensible de son dos.

— Il reste quelques tensions là, constata-t-elle tout en malaxant la zone douloureuse.

— Ça fait mal, dit-il en se réveillant tout à coup.

— Il faut chasser le mal par le mal, répondit Vivianne en appuyant encore plus fort, et Erling s'entendit gémir. Tu es vraiment très, très tendu.

— C'est sûrement lié à ce qui est arrivé à Mats. La police est venue à la mairie ce matin poser des questions. C'est vraiment terrible, tout ça.

Il dut forcer sa voix. La douleur était si intense qu'il sentit les larmes lui monter aux yeux. Vivianne s'arrêta au milieu de son geste.

— Qu'est-ce qu'ils ont demandé?

Soulagé que l'épreuve cesse au moins temporairement, Erling en profita pour respirer un peu.

— Ils voulaient surtout savoir comment il se comportait au travail. Ce qu'on avait à en dire, s'il faisait correctement son boulot.

— Et qu'est-ce que tu as répondu?

Vivianne se remit à le masser. Heureusement, elle avait abandonné le point douloureux.

— Eh bien, il n'y avait pas grand-chose à dire. Il était assez secret, ce garçon, on n'a jamais bien su qui il était. Mais j'ai examiné ses bilans cet après-midi, et je dois dire que ses dossiers étaient impeccables. Ça va me faciliter la tâche jusqu'à ce qu'on trouve quelqu'un pour le remplacer.

— Je suis sûre que t'en sortiras très bien, dit Vivianne. Ça veut donc dire qu'il n'a rien laissé en plan, des trucs pas clairs?

Vivianne massait maintenant sa nuque avec un doigté à lui faire dresser les poils sur les bras.

— Non, d'après ce que j'ai pu voir, tout est en règle.

Il sentit qu'il s'assoupissait de nouveau. Les doigts de Vivianne poursuivaient leur travail.

Dan était assis à la table de la cuisine et regardait par la fenêtre. Tout était silencieux dans la maison. Les enfants étaient à l'école et à la crèche. Il avait peu à peu repris le travail, mais aujourd'hui il était en congé. Il aurait presque préféré travailler. Ces derniers temps, il avait commencé à avoir mal au ventre en rentrant, parce que tout dans la maison lui rappelait ce qu'ils avaient perdu. Pas seulement le bébé, mais aussi la vie qu'ils avaient eue ensemble. Au fond de lui germait la pensée qu'elle était peut-être irrémédiablement partie, et il ne savait pas quoi faire. Cela ne lui ressemblait pas, mais en ce moment, il ne voyait aucune issue, et il détestait ça.

Son cœur saignait pour Emma et Adrian. Ils ne comprenaient pas plus que lui, et probablement encore moins que lui, pourquoi leur maman ne faisait que rester au lit, pourquoi elle ne leur parlait plus, ne leur faisait plus de bisous et ne regardait pas les dessins et les petits objets qu'ils lui apportaient. Ils savaient qu'elle avait eu un accident et que leur petit frère était monté au ciel. Mais que cela la condamne à rester clouée au lit, à regarder par la fenêtre, ça dépassait leur entendement. Rien de ce qu'il disait ne pouvait combler le vide laissé par Anna. Lui, ils l'aimaient bien, mais c'est leur maman qu'ils aimaient d'amour.

Emma se repliait chaque jour un peu plus sur elle-même et Adrian devenait agressif. Tous deux réagissaient, mais différemment. La crèche l'avait averti de l'attitude d'Adrian, il frappait et mordait les autres enfants. Et l'instituteur d'Emma avait appelé pour signaler son changement de comportement pendant les cours. Cette enfant habituellement éveillée, joyeuse et vive restait désormais murée dans le silence. Mais que pouvait-il faire ? Ils avaient besoin d'Anna, pas de lui. Il pouvait consoler ses trois filles. Elles venaient vers lui, posaient des questions, réclamaient des câlins. Elles étaient tristes et perplexes, mais pas du tout de la même manière qu'Emma et Adrian. Par ailleurs, ses filles étaient chez leur maman une semaine sur deux, et chez Pernilla leur quotidien était libéré de cette tristesse qui pesait à présent sur sa vie comme une couverture en laine mouillée.

Pernilla avait été d'un grand soutien. Leur divorce n'avait pas été sans frictions, mais depuis l'accident, elle s'était montrée formidable. C'était en grande partie grâce à elle que Lisen, Belinda et Malou s'en tiraient aussi bien. Emma et Adrian n'avaient personne d'autre. Certes, Erica avait essayé, mais elle était accaparée par les jumeaux, elle n'avait tout simplement pas le temps. Il le comprenait et lui était reconnaissant de ses efforts.

Au bout du compte, Emma, Adrian et lui étaient quand même seuls dans leur peur paralysante de ce qui allait arriver à Anna. Parfois il se demandait si elle allait passer le restant de ses jours comme ça, à se contenter de regarder par la fenêtre. Les semaines se transformeraient en mois, puis en années tandis qu'Anna vieillirait lentement. Il savait qu'il faisait preuve de pessimisme en envisageant une telle suite. Les médecins avaient dit qu'elle finirait par sortir de sa dépression, qu'il fallait du temps. Le seul petit hic, c'est qu'il ne les croyait pas. Plusieurs mois s'étaient écoulés depuis l'accident, et il avait l'impression qu'Anna disparaissait de plus en plus.

Devant la fenêtre de la cuisine, quelques mésanges picoraient les boules de graisse que les filles avaient à tout prix voulu suspendre, malgré la belle saison. Il les suivit du regard et se dit avec envie que leur existence était tout de même plus simple. Leur seul souci était de satisfaire leurs besoins primaires : manger, dormir et se reproduire. Pas de sentiments, pas de relations compliquées. Pas de deuil.

Il se mit à penser à Matte. Erica avait appelé pour lui dire ce qui s'était passé. Dan connaissait bien ses parents. Gunnar et lui avaient passé de nombreuses heures ensemble dans le bateau à refaire le monde, et Gunnar avait toujours parlé de son fils avec beaucoup de fierté. Dan savait évidemment aussi qui était Matte. À l'école, il était dans la classe d'Erica, pas celle de Dan, et ils n'étaient pas spécialement copains. Gunnar et Signe devaient être ravagés par le deuil. Cette pensée replaça son propre chagrin dans une nouvelle perspective. Si perdre un fils qu'on n'avait jamais eu l'occasion de connaître faisait aussi mal, qu'est-ce que ça devait être de perdre un fils qu'on avait accompagné dans la vie et vu grandir ?

Les mésanges s'envolèrent subitement, s'éparpillant dans toutes les directions. Il comprit vite pourquoi : le chat du voisin s'était approché, il guettait l'arbre. Mais cette fois, pas de festin pour le matou.

Dan se leva. Il ne pouvait pas se contenter de rester assis comme ça. Il fallait qu'il parle de nouveau avec Anna, pour qu'elle se réveille, sorte de sa léthargie. Lentement, il monta l'escalier.

— Ça s'est passé comment, Martin ?

Patrik se renversa sur sa chaise. Ils étaient de nouveau rassemblés dans la cuisine pour faire le point.

Martin secoua la tête.

— Pas terrible. J'ai réussi à rencontrer la plupart de ceux qu'on avait loupés hier, mais personne n'a vu ni entendu quoi que ce soit. À part peut-être… dit-il en hésitant.

— Oui ? dit Patrik, et tous les regards convergèrent vers Martin.

— Je ne sais pas si c'est valable. Le vieux n'a pas toute sa tête.

— Raconte.

— OK. Ce vieux, il s'appelle Grip, il habite le même étage que Sverin. Mais il m'a l'air un peu dérangé, dit Martin en se tapotant la tempe avec l'index. Son appartement est rempli de chats, c'est une véritable infection, mais… Grip a dit que l'un de ses chats avait vu une voiture tôt le samedi matin. Au même moment, donc, où l'autre voisin, Leandersson, était réveillé par un bruit qui aurait pu être un coup de feu.

— Le chat avait vu une voiture ? pouffa Gösta.

— Tais-toi, Gösta, dit Patrik. Continue, qu'est-ce qu'il a dit d'autre ?

— Seulement ça. Je ne l'ai pas vraiment pris au sérieux. Je viens de le dire, il était complètement à l'ouest.

— Enfants et sots sont devins, la vérité sort de leur bouche, murmura Annika tout en notant dans son calepin.

Martin haussa les épaules, démoralisé.

— Toujours est-il que c'est tout ce que j'ai obtenu comme info.

— C'est du bon boulot, malgré tout, l'encouragea Patrik. Frapper aux portes, ce n'est pas facile. Les gens ont toujours vu et entendu trop de choses ou rien du tout.

— C'est vrai que sans tous ces témoins, notre boulot serait franchement plus facile, marmonna Gösta.

— Et pour vous, ça s'est passé comment ? demanda Patrik en se tournant vers Gösta et Paula, installés l'un à côté de l'autre.

— On n'a pas grand-chose non plus, dit Paula en secouant la tête. À en croire ses collègues, Mats Sverin n'avait aucune vie privée. En tout cas, aucune dont ils aient eu connaissance. Il n'a jamais évoqué ni passe-temps, ni amis, ni copines. Pourtant, ils le décrivent comme sympa et sociable. Ça ne colle pas.

— Il leur a parlé de ses années à Göteborg ?

— Non, absolument pas, répondit Gösta. Comme le disait Paula, il ne semble avoir parlé que du boulot et de généralités.

— Ils étaient au courant pour l'agression ?

Patrik se leva et commença à servir du café à tout le monde.

— Ben, pas vraiment, dit Paula. Mats leur a raconté qu'il était tombé de vélo et avait passé quelque temps à l'hôpital. Ce qui ne correspond pas tout à fait la vérité.

— Et son travail ? Des zones d'ombre à ce niveau ?

126

— Apparemment, il se montrait très professionnel. Tout le monde était très content de lui. Ils étaient persuadés d'avoir touché le gros lot en embauchant un économiste expérimenté de Göteborg. Qui, de plus, était originaire de Fjällbacka, dit Gösta en portant la tasse à sa bouche et en se brûlant aussitôt la langue.

— Il n'y a donc rien à creuser de ce côté-là ?

— Non, rien d'après ce qu'on nous a dit, dit Paula et elle eut l'air aussi découragé que Martin l'instant précédent.

— Il faudra faire avec ça jusqu'à nouvel ordre, dit Patrik. On aura sûrement l'occasion de les interroger à nouveau. Je suis allé parler aux parents de Mats, avec à peu près le même résultat. Il ne semble pas avoir été très expansif avec eux non plus. Mais j'ai appris qu'une ancienne copine à lui se trouve sur Gråskär dans l'archipel en ce moment, et Gunnar pense que Mats avait l'intention d'aller la voir. Je vais la contacter. Et puis j'ai pu emporter ça.

Patrik posa sur la table les photos de Mats prises à l'hôpital, qui circulèrent de main en main.

— Oh pétard ! dit Mellberg. Il a été salement amoché.

— Oui, il s'agit de toute évidence de coups et blessures aggravés. Ça n'a pas forcément de lien avec le meurtre, mais je me suis dit qu'on allait quand même y regarder de plus près, demander le dossier médical, vérifier s'il y a eu plainte ou pas. Il faut aussi qu'on discute avec les employés de l'organisation où Mats travaillait avant. Ils s'occupent de femmes battues, c'est intéressant à savoir. Le motif est peut-être à chercher de ce côté-là ? Le mieux serait sans doute d'aller à Göteborg, et de rencontrer les gens sur place.

— Est-ce vraiment nécessaire? objecta Mellberg. Rien n'indique qu'il ait été tué à cause de cet incident. C'est une histoire locale, croyez-moi.

— Vu le peu de matériel que nous avons, et la totale discrétion de Sverin sur sa vie à Göteborg, je trouve qu'il est absolument justifié d'y aller, riposta Patrik.

Mellberg plissa le front et réfléchit. La décision à prendre semblait lui coûter.

— Hmm, bon, d'accord alors, finit-il par dire. Mais tu ferais mieux de ramener quelque chose d'utilisable. Tu seras quand même absent pratiquement toute la journée de demain.

— C'est promis. Et, au fait, je pensais prendre Paula avec moi, précisa Patrik.

— Et nous, qu'est-ce qu'on fait pendant ce temps? demanda Martin.

— Annika et toi, vous pouvez vérifier ce que les registres officiels ont sur Mats Sverin. Marié ou divorcé en cachette? A-t-il des enfants? Est-il propriétaire? Casier judiciaire? Tout ce que vous pouvez grappiller.

— OK, on va examiner ça, dit Annika avec un regard pour Martin.

— Et toi Gösta… dit Patrik en réfléchissant, appelle Torbjörn et demande-lui quand on pourra entrer dans l'appartement de Sverin pour fureter un peu. N'hésite pas à le tanner pour l'enquête technique aussi. Avec le peu de matériel qu'on a, il nous faudrait les résultats le plus vite possible.

— Entendu, dit Gösta sans grand enthousiasme.

— Bertil? Tu continues à maintenir les positions?

— Absolument, comptez sur moi, dit Mellberg en redressant le dos. Je me tiens prêt pour l'attaque.

— Bien. Bon courage alors pour demain.

Patrik se leva, indiquant ainsi que la réunion était terminée. Il se sentait totalement épuisé.

Annie tressaillit. Quelque chose l'avait réveillée. Elle s'était assoupie sur le canapé et avait rêvé de Matte. Elle pouvait toujours sentir la chaleur de son corps et la sensation de l'avoir en elle, entendre sa voix si rassurante qui n'avait pas changé. Mais il n'avait pas dû ressentir la même chose, et elle pouvait le comprendre. Matte avait aimé la personne qu'elle était autrefois. La femme qu'elle était aujourd'hui l'avait déçu.

Les tremblements avaient disparu, et ses articulations ne lui faisaient plus mal. Mais la fébrilité était toujours là. Elle avait des fourmis dans les jambes et les bras, qui la faisaient errer comme une âme en peine dans la maison sous les yeux écarquillés de Sam.

Si seulement elle avait pu expliquer à Matte pourquoi tout avait si mal tourné. Elle lui en avait raconté une partie quand ils étaient installés dans la cuisine, lui confiant ce qu'elle arrivait à dire à voix haute. Mais elle n'avait pas eu le courage de parler de l'humiliation suprême. Les choses qu'elle avait été obligée de faire et qui l'avaient fondamentalement transformée.

Elle n'était plus la même, elle le savait. Matte l'avait vu, il avait vu combien elle était détruite et pourrie à l'intérieur.

Annie eut l'impression d'avoir du mal à respirer. Elle s'assit, remonta les genoux vers le menton et mit ses bras autour des jambes. Tout était silencieux, quand subitement elle entendit quelque chose rebondir sur le sol. Un ballon, celui de Sam. Elle le regarda rouler lentement vers elle. Sam n'avait pas joué une seule fois depuis qu'ils étaient arrivés sur l'île. S'était-il réveillé et levé parce qu'il avait enfin envie de s'amuser? L'espoir fit battre plus fort son cœur jusqu'à ce qu'elle comprenne que c'était impossible. La chambre de Sam était située à sa droite et le ballon était arrivé de la cuisine, à gauche.

Lentement elle se redressa et alla dans la cuisine. Un instant, elle eut peur des ombres qui bougeaient sur les murs et sur le plafond, mais sa peur disparut aussi vite qu'elle était venue. Un grand calme s'empara d'elle. Personne ici ne lui voulait du mal. Elle en était intimement convaincue, sans pouvoir expliquer comment ni pourquoi.

Elle entendit un rire étouffé dans un recoin sombre de la cuisine. Un garçon. Elle eut tout juste le temps de l'apercevoir, avant qu'il ne se déplace à nouveau. Il courut vers la porte d'entrée mais elle savait qu'il attendait qu'elle le suive. Elle ouvrit la porte, sentit le vent violent la fouetter et courut derrière lui.

Il allait en direction du phare. Par moments il se retournait, comme pour s'assurer qu'elle était là, derrière lui. Le vent ébouriffait les cheveux blonds du garçon, le même vent qui coupait presque le souffle d'Annie.

La porte du phare était lourde, mais il l'avait poussée et elle devait le suivre. Quatre à quatre, elle monta l'escalier raide, entendit le garçon bouger là-haut, l'entendit pouffer de rire.

Mais quand elle arriva en haut, elle trouva la pièce vide. Qui que fût cet enfant, il était reparti.

— Ça se passe comment au commissariat?

Erica vint se coller à Patrik, sur le canapé. Il était rentré à temps pour le dîner, et à présent les enfants étaient couchés. Avec un bâillement, elle étira les jambes et posa les pieds sur la table basse.

— Fatiguée ? demanda Patrik, puis il lui caressa le bras tout en gardant un œil sur la télé.

— Tu n'as pas idée.

— Va te coucher alors, mon amour.

Il lui planta une bise sur la joue, l'air absent.

— Je devrais, mais je n'en ai pas envie, dit-elle en l'observant. J'ai besoin d'un peu de temps pour être femme aussi, avoir un peu de Patrik et un peu de JT pour contrebalancer les couches sales, les tee-shirts pleins de vomi et les gazouillis sans fin.

Patrik se tourna vers elle.

— Tout va bien, tu es sûre ?

— Oui, oui. Rien à voir avec les premières semaines de Maja. Mais j'ai quand même le droit d'en avoir un peu marre, de temps en temps.

— Après l'été, je prends la relève, comme ça tu pourras te remettre à écrire.

— Oui, je sais. Et puis on a toutes les vacances d'été avant ça. Ne t'inquiète pas, la journée a été pénible, c'est tout. Et c'est tellement affreux ce qui est arrivé à Matte. Je ne le connaissais pas vraiment, mais on a quand même passé plusieurs années dans la même classe. D'abord au collège, puis au lycée, dit-elle avant de marquer une pause. Comment se passe votre enquête ? Tu ne m'as pas répondu.

— On piétine, soupira Patrik. On a parlé avec les parents de Mats et avec plusieurs de ses collègues, mais apparemment, c'était un loup solitaire. Personne n'a quoi que ce soit de pertinent à dire à son sujet. Soit il était l'homme le plus ennuyeux du monde, soit…

— Soit quoi ?

— Soit il y a des choses qu'on ignore encore.

— En tout cas, je ne le trouvais pas ennuyeux quand on était à l'école. Plutôt très sociable et joyeux. Il avait pas mal de succès. Un de ces mecs qui sont prédestinés à réussir, quoi qu'il entreprenne.

— Ah oui… Il y avait aussi sa copine dans votre classe, non ? demanda Patrik.

— Annie ? Oui. Mais elle…

Erica chercha ses mots avant de poursuivre :

— On la trouvait un peu pimbêche. Elle n'était pas vraiment à sa place. Elle aussi, elle était assez populaire, et avec Matte ils formaient un couple parfait. Mais j'avais toujours le sentiment, comment dire, qu'il la suivait comme un caniche. Il était reconnaissant de la moindre de ses attentions et remuait la queue, tout content. Personne n'a vraiment été surpris quand elle a décidé de partir à Stockholm en abandonnant Matte ici. Ça l'a complètement démoli, je crois, mais au fond, peut-être qu'il s'y attendait, lui aussi. Annie n'était pas le genre de fille qu'on peut retenir. Tu comprends ce que je veux dire, ou ça te paraît flou ?

— Non, je comprends.

— Mais pourquoi parles-tu d'Annie ? Ils étaient ensemble au lycée, et même si ça m'ennuie de le reconnaître, tout ça ne date pas d'hier.

— Annie est ici.

— À Fjällbacka ? dit Erica, sidérée. Ça fait des années qu'elle n'est pas revenue.

— Je sais, mais d'après les parents de Mats, elle et son fils se trouvent en ce moment sur l'île qui est la propriété de sa famille.

— L'île aux Esprits ?

Patrik hocha la tête.

— Les gens l'appellent apparemment comme ça, mais je crois qu'ils m'ont aussi donné un autre nom.

— Gråskär, dit Erica. Presque tout le monde ici dit l'île aux Esprits, parce qu'il paraît que les morts…

— … ne quittent jamais l'île, compléta Patrik en souriant. Merci, j'ai entendu parler de cette superstition ridicule.

— Comment peux-tu être si sûr qu'il s'agit d'une superstition ? On y a passé la nuit une fois avec l'école, et après ça, je peux te dire que la moitié de la classe, moi comprise, était persuadée que l'endroit était hanté. L'atmosphère était vraiment étrange sur cette île, et on a vu et entendu pas mal de choses. Jamais de la vie on n'aurait accepté d'y rester une deuxième nuit.

— Les fantasmes des ados, tu sais ce que j'en pense.

Erica le gratifia d'une petite bourrade dans les côtes.

— Tu es trop terre à terre. Quelques fantômes, ça met du piment dans l'existence.

— C'est une façon de voir les choses. Quoi qu'il en soit, il faut que je parle avec Annie. Les parents de Mats avaient cru comprendre qu'il s'apprêtait à aller lui rendre visite sur l'île, mais ils ne savaient pas si c'était chose faite. Même si leur relation datait, ils étaient restés très proches, il a peut-être été plus bavard avec elle…

Patrik semblait réfléchir à voix haute.

— Je viens avec toi, dit Erica. Tu me dis quand tu comptes y aller, et on demande à ta mère de garder les enfants. Annie ne te connaît pas, ajouta-t-elle avant que Patrik ait le temps de protester, et elle et moi, on a été dans la même classe, même si on n'était pas spécialement copines. Je pourrai peut-être t'aider à la détendre et à la faire parler.

— D'accord, dit Patrik à contrecœur. Mais demain, je dois aller à Göteborg, alors ça sera vendredi.

— J'achète, répondit Erica, et elle se blottit avec satisfaction dans ses bras.

FJÄLLBACKA 1870

— Ça vous a plu ?

Emelie posait la question après chaque repas, sachant très bien quelle serait la réponse. Un grognement de la part de Karl, et un autre de la part de Julian. Le régime ici sur l'île était sans doute un peu monotone, mais elle n'y était pour rien. La plupart des aliments qui se retrouvaient sur leur table provenaient de la pêche de Karl et Julian, en général des maquereaux et des carrelets. Et comme on ne l'avait pas encore autorisée à aller à Fjällbacka, où ils se rendaient deux fois par mois, l'approvisionnement laissait à désirer.

— Au fait, Karl, je me demandais… dit Emelie en posant ses couverts alors qu'elle n'avait pas encore commencé de manger. Est-ce que je pourrais vous accompagner à Fjällbacka cette fois ? Ça fait si longtemps que je n'ai vu personne, ça me ferait tellement plaisir de me retrouver sur la terre ferme un petit moment.

— C'est hors de question.

Les yeux de Julian étaient noirs comme toujours quand il la regardait.

— Je m'adressais à Karl, répondit-elle calmement.

Elle sentit son cœur battre à tout rompre. C'était la première fois qu'elle osait s'opposer à lui. Julian lâcha un soupir de mépris et regarda Karl.

— *Tu as entendu ça ? Et je suis censé supporter un tel comportement de la part de ta bonne femme ?*

Karl fixa son assiette d'un air las.

— *On ne peut pas t'emmener,* dit-il.

De toute évidence, pour lui le sujet était clos, mais la solitude commençait à taper sur les nerfs d'Emelie, et elle fut incapable de s'arrêter.

— *Pourquoi pas ? Il y a de la place dans le bateau, et je pourrais m'occuper des courses, comme ça on aurait autre chose à manger que des maquereaux et des pommes de terre tous les jours que Dieu nous donne. Ça serait quand même mieux, non ?*

Julian était blanc de colère. Il continuait de fixer Karl, qui se leva brusquement de table.

— *Tu ne viendras pas, on n'en parle plus.*

Il enfila sa veste et sortit dans le vent. La porte claqua derrière lui.

Depuis la nuit où elle avait tenté de s'approcher de lui, c'était comme ça. Son indifférence était désormais plus proche de l'aversion que lui témoignait Julian depuis toujours, une malveillance qu'elle ne comprenait pas et contre laquelle elle ne pouvait rien. Son geste avait-il été si affreux ? Était-elle si répugnante, si immonde ? Emelie essaya de se rappeler l'instant où il avait demandé sa main. Ça s'était fait si rapidement, mais il y avait tout de même eu de la chaleur et du désir dans sa voix, non ? Ou bien y avait-elle juste entendu l'écho de ce qu'elle ressentait elle-même et dont elle avait tellement rêvé ?

— *Et voilà le résultat !* s'écria Julian en lançant violemment ses couverts sur l'assiette.

— *Pourquoi est-ce que tu me traites ainsi ? Je ne t'ai rien fait de mal.*

Emelie s'étonnait elle-même de son courage, mais

c'était comme si elle devait à tout prix expulser le poids qu'elle portait en permanence dans sa poitrine.

Julian ne répondit pas. Il se contenta de la fixer de ses yeux noirs, puis il se leva et sortit rejoindre Karl. Quelques minutes plus tard, elle vit le bateau quitter l'embarcadère en direction de Fjällbacka. En réalité, elle savait très bien pourquoi elle n'avait pas le droit de les accompagner. La présence d'une épouse n'était pas souhaitée à la taverne d'Abela sur Florö, où leurs expéditions les menaient apparemment souvent. Ils seraient de retour avant la tombée de la nuit, ils étaient toujours à l'heure pour s'occuper du phare.

Une porte de placard claqua bruyamment et Emelie sursauta malgré elle. Elle ne pensait pas que l'intention fût de lui faire peur. La porte d'entrée était fermée, si bien qu'aucun courant d'air ne pouvait expliquer le phénomène. Elle ne bougea pas, écouta et regarda autour d'elle. Il n'y avait rien, personne. Mais en dressant bien l'oreille, elle entendit un bruit lointain et assourdi. Une respiration, légère et régulière, dont elle n'aurait su dire d'où elle venait. C'était comme si les murs eux-mêmes respiraient. Elle essaya de comprendre ce qu'ils lui voulaient. Puis le bruit disparut, et la maison retrouva son calme.

Les pensées d'Emelie repartirent vers Karl et Julian, et ce fut le cœur lourd qu'elle s'attaqua à la vaisselle. Elle était une bonne épouse, et pourtant rien de ce qu'elle faisait ne semblait convenir. Elle se sentait si terriblement seule. En même temps, elle ne l'était pas. Elle percevait de plus en plus leur présence sur l'île. Elle entendait des bruits, repérait des mouvements, comme l'instant précédent. Et elle n'avait plus peur. Ils ne lui voulaient aucun mal.

Se tenant là, au-dessus du bac à vaisselle, ses larmes dégouttant dans l'eau sale, elle sentit une main sur son épaule. Une main consolatrice. Elle ne se retourna pas. Elle savait qu'elle ne verrait personne.

Paula s'étira dans le lit et sa main frôla les cheveux de Johanna. Elle l'y abandonna. Ce contact l'emplit d'inquiétude. Dernièrement, il y avait eu une sorte de distance entre elles chaque fois qu'elles se touchaient. La spontanéité s'était envolée, chaque geste ressemblait au contraire à un acte bien réfléchi. Elles s'aimaient, et pourtant tout était devenu étrange.

En fait, cela ne datait pas seulement des derniers mois. Pour être vraiment honnête, tout avait commencé à la naissance de Leo. Elles l'avaient tant désiré, ce bébé, avaient tant lutté pour l'avoir. Elles avaient cru qu'un enfant rendrait leur amour encore plus fort. En un certain sens, c'était bien le cas, mais pas seulement. Pour sa part, elle n'avait pas l'impression d'avoir beaucoup changé. Johanna en revanche s'était totalement investie dans son rôle de mère, et avait même commencé à en tirer une certaine arrogance. C'était comme si Paula ne comptait pas, ou en tout cas comme si Johanna comptait plus, puisque c'était elle qui avait porté Leo. Elle était sa mère biologique. Il ne possédait aucun gène de Paula, et n'était lié à elle que par l'amour qu'elle avait ressenti pour lui dès qu'il avait été dans le ventre de Johanna. Un amour qui avait centuplé à sa naissance, quand elle l'avait tenu dans ses bras. Elle se sentait la maman de Leo autant que Johanna. Le problème était que Johanna ne partageait pas ce sentiment, même si elle refusait de le reconnaître.

Paula entendit sa mère s'affairer dans la cuisine tout en bavardant avec Leo. Elles avaient de la chance. Rita était du matin et se levait sans problème pour permettre à Paula et Johanna de dormir un peu plus longtemps. Et à présent que le congé parental à mi-temps de Paula était perturbé par l'enquête, Rita la remplaçait au pied levé. À la surprise générale, même Bertil s'était montré prêt à se lever pour donner un coup de main. Mais ces derniers temps, Johanna critiquait de plus en plus souvent la façon dont Rita s'occupait de leur fils. Personne d'autre qu'elle ne savait ce dont Leo avait besoin.

Avec un soupir, elle bascula ses jambes par-dessus le bord du lit. Johanna bougea un peu, mais ne se réveilla pas. Paula se pencha vers elle et écarta d'une caresse une mèche de cheveux de son visage. Elle avait toujours été si sûre que leur relation était stable, immuable. Mais ce n'était plus le cas, et cette pensée lui faisait peur. Si elle perdait Johanna, elle perdrait aussi Leo. Johanna ne resterait jamais ici, à Tanumshede, et pour sa part, elle ne pouvait pas imaginer quitter cet endroit. Elle se plaisait dans cette petite ville, elle aimait son travail et ses collègues. La seule chose qu'elle n'aimait pas, c'était ce qui se passait actuellement entre Johanna et elle.

Malgré tout, elle se réjouit d'aller à Göteborg avec Patrik aujourd'hui. Quelque chose chez Mats Sverin éveillait sa curiosité. Elle voulait en savoir davantage sur lui. Instinctivement, elle sentait que pour trouver son meurtrier, il fallait fouiller dans son passé, dans tout ce dont il avait évité de parler.

— Bonjour, dit Rita quand Paula arriva dans la cuisine.

Leo était assis dans sa chaise haute. Il tendit les bras vers Paula, et elle l'attrapa pour le serrer contre elle, puis s'installa avec lui sur les genoux.

— Bonjour.

— Petit-déjeuner ?

— Je veux bien. J'ai super-faim.

— J'ai la solution, dit Rita et elle glissa un œuf sur le plat dans une assiette qu'elle posa devant sa fille.

— Tu nous gâtes trop, maman.

Paula passa spontanément son bras autour de la taille de Rita et appuya sa tête contre ses rondeurs douillettes.

— Je fais ça avec plaisir, ma puce. Tu le sais.

Rita la serra à son tour et en profita pour poser un baiser sur la tête de Leo.

Ernst arriva, de l'espoir plein les yeux, et s'assit par terre à côté de Paula et Leo. Avant que quiconque n'ait eu le temps de réagir, Leo jeta l'œuf à Ernst qui l'engloutit, l'air heureux. Satisfait d'avoir nourri son chien préféré, Leo s'applaudit.

— Dis donc, mon petit bonhomme ! lança Rita. Ce chien sera bientôt tellement obèse qu'il ne fera pas de vieux os.

Elle se tourna vers la cuisinière et cassa un autre œuf dans la poêle.

— Au fait, comment ça va, toutes les deux ? demanda-t-elle ensuite d'une voix légèrement assourdie et sans regarder Paula.

— Qu'est-ce que tu veux dire ? dit Paula, tout en sachant très bien à quoi Rita faisait allusion.

— Johanna et toi ? Tout va bien ?

— Mais oui. Un peu trop à faire au boulot, toutes les deux.

Paula fixa Leo pour que ses yeux ne la trahissent pas au cas où Rita se retournerait.

— Vous êtes… commença Rita, mais elle n'eut pas le temps de finir sa phrase.

— C'est le petit-déjeuner que je sens, là?

Mellberg apparut, vêtu d'un simple caleçon. Il se gratta le ventre avec satisfaction et s'assit à table.

— Je disais justement à maman qu'elle nous gâte trop, dit Paula, soulagée de changer de sujet.

— C'est vrai, ça, répliqua Mellberg en lorgnant l'œuf dans la poêle d'un œil gourmand.

Du regard, Rita interrogea Paula qui fit oui de la tête.

— Finalement, je vais juste prendre une tartine, dit-elle.

Rita laissa l'œuf glisser sur une assiette. Ernst le suivit des yeux et s'assit tout contre Mellberg cette fois-ci. Il avait touché le gros lot une fois, pourquoi pas deux?

— Il faut que j'y aille, dit Paula après avoir avalé une grosse tartine. On part à Göteborg aujourd'hui, Patrik et moi.

— Bonne chance, dit Mellberg. Passe-moi le petiot, que je le tripatouille un peu.

Il tendit les bras vers Leo qui changea volontiers de place.

En quittant la cuisine, Paula jeta un dernier coup d'œil à Leo. Vif comme l'éclair, l'enfant jeta l'œuf de Mellberg à Ernst. Pour certains, ce jour était indéniablement un jour de chance.

Après avoir installé les jumeaux par terre sur une couverture moelleuse, Erica monta rapidement au grenier. Elle ne voulait pas les laisser seuls plus de quelques minutes, et elle grimpa quatre à quatre les marches raides de l'escalier. Une fois en haut, elle fut obligée de s'arrêter pour reprendre son souffle.

Elle dut farfouiller un peu avant de trouver le bon carton, puis elle redescendit prudemment en marche arrière, la lourde boîte dans les bras. Apparemment, les petits s'en étaient bien sortis pendant son absence. Elle s'installa sur le canapé, posa le carton par terre à côté d'elle et commença à aligner son contenu sur la table basse. Depuis quand n'avait-elle pas sorti ces objets ? Répertoires d'élèves avec trombinoscope, albums photo, cartes postales et lettres couvrirent bientôt toute la table. Tout était couvert de poussière, et le temps avait estompé la netteté et les couleurs d'origine. À les regarder, elle se sentit d'un âge canonique.

Au bout de quelques minutes, elle trouva ce qu'elle cherchait. Un répertoire et un album photo. Elle se renversa dans le canapé et parcourut le répertoire. Les photos étaient en noir et blanc, les pages avaient été manipulées mille fois. Certains visages étaient biffés, d'autres entourés d'un cercle, selon qu'ils avaient été détestés ou aimés. Il y avait aussi de petits commentaires par-ci, par-là. Beau, mignon, débile, crétin, tels étaient les jugements qui avaient été rendus à l'emporte-pièce. L'adolescence n'était pas vraiment une période dont on pouvait être fier, et quand elle arriva à la page avec la photo de sa classe, elle rougit. Seigneur, elle avait vraiment été comme ça ? Avec cette coiffure et ces vêtements ? Elle comprenait mieux soudain pourquoi elle n'avait pas ressorti ces photos pendant tout ce temps.

Elle respira profondément et s'examina de plus près. Tout indiquait que la photo avait été prise quand elle traversait sa phase Farrah Fawcett. Ses cheveux étaient longs et blonds et avaient été soigneusement sculptés au fer à friser en grosses boucles tournées vers l'extérieur. Des lunettes couvraient la moitié de son visage, et elle envoya une pensée reconnaissante à l'inventeur des lentilles de contact.

Tout à coup, son ventre se noua au souvenir des dernières années de collège qui avaient été marquées par tant d'angoisse. Elle se rappela l'impression de ne pas avoir sa place, de n'appartenir à aucun groupe. La quête permanente de ce qui lui permettrait d'accéder au cercle des cools et des branchés. Elle avait essayé. Imité des coiffures et des styles vestimentaires, utilisé les mêmes mots et expressions que certaines filles de sa classe. Des filles comme Annie. Mais elle n'y était jamais parvenue. Elle n'avait pas fait partie des plus nulles non plus, c'est vrai, de celles qu'on prenait constamment pour cible et qui n'avaient aucune chance de s'en sortir. Non, elle avait surnagé dans la masse grise des invisibles. Seuls les profs l'avaient remarquée et encouragée, en lui montrant qu'ils l'appréciaient. Mais cela n'avait pas été d'une grande consolation. Qui avait envie d'être traitée de bûcheuse ? Qui avait envie d'être Erica quand on pouvait être Annie ?

Elle déplaça son regard vers le visage d'Annie sur la photo de classe. Elle était assise au premier rang, les jambes nonchalamment croisées. Toutes les autres filles prenaient des poses étudiées, alors qu'Annie semblait s'être simplement laissée tomber là. Pourtant, c'était sur elle que le regard se posait spontanément. Elle avait des cheveux longs et blonds, qui descendaient jusqu'à la taille. Lisses et raides, sans frange, si bien qu'elle pouvait aussi les ramener en arrière en une queue de cheval décontractée. Tout ce que faisait Annie semblait évident. Elle était l'original et les autres, des copies.

Derrière elle, sur la photo, se tenait Matte. C'était avant qu'ils sortent ensemble, mais quand on connaissait la suite, tout était déjà inscrit là. Car les yeux de Matte n'étaient pas tournés vers l'objectif comme tous les autres. Non, il avait été immortalisé au moment où il regardait Annie, fixait ses beaux cheveux longs. Erica avait-elle compris que Matte était amoureux d'Annie ? Elle ne s'en souvenait pas mais elle avait probablement supposé que tous les garçons l'étaient. Pourquoi aurait-il fait exception ?

Comme il était mignon, pensa Erica. Elle n'y avait pas pensé alors, trop accaparée sans doute par sa propre passion pour Johan, un garçon d'une autre classe pour qui elle avait nourri un amour parfaitement unilatéral pendant toutes les années de collège. Matte était carrément canon, elle le réalisait maintenant. Assez grand, tignasse blonde, un regard sérieux comme elle les aimait. Un peu dégingandé – mais ils l'étaient tous à cet âge-là. Globalement, elle ne gardait aucun souvenir précis de Matte. Elle n'avait pas fait partie de la même bande que lui. Il traînait avec les mecs à succès, sans pour autant se mettre en avant. Pas comme certains, les m'as-tu-vu bruyants et imbus d'eux-mêmes et de leur statut, dans ce petit monde où ils se prenaient pour les rois. Matte avait plutôt tendance à se laisser porter par le flot.

Erica reposa le trombinoscope et prit l'album photo. Il était plein de clichés pris au collège, lors de voyages scolaires, de distributions des prix en fin d'année et des rares boums auxquelles ses parents l'avaient autorisée à se rendre. Annie figurait sur de nombreuses photos. Toujours au centre des événements, comme si elle attirait l'objectif. Mince alors, comme elle était belle, pensa Erica et elle se surprit à espérer avec mesquinerie qu'aujourd'hui Annie serait une grosse dame avec une coiffure sage et pratique. Elle avait quelque chose qui éveillait à la fois l'envie et la jalousie. On voulait être comme elle, ou au moins avec elle. Erica n'avait été ni l'un ni l'autre. D'ailleurs, elle n'était sur aucune des photos. C'était elle qui tenait l'appareil, bien sûr, mais personne ne le lui avait pris des mains pour qu'elle puisse poser devant l'objectif. Elle était invisible. Cachée derrière l'appareil, pendant qu'elle mitraillait frénétiquement ce à quoi elle aurait tant voulu pouvoir prendre part.

Cela l'irrita de ressentir tant d'amertume. De se rendre compte que les souvenirs étaient capables de la replonger dans les troubles de l'adolescence, de l'affaiblir et d'annihiler la femme qu'elle était devenue. Elle était une auteure couronnée de succès, une épouse comblée et la mère de trois enfants merveilleux, elle avait une belle maison et beaucoup d'amis. Malgré cela, l'ancienne jalousie lui rongeait à nouveau le cœur, ce douloureux désir d'appartenance et la certitude lancinante que jamais elle ne ferait l'affaire, quels que soient ses efforts.

Les petits commencèrent à geindre sur leur couverture. Soulagée de sortir de sa bulle, elle se leva et les prit dans ses bras. Elle laissa l'album et tout le reste sur la table. Patrik aurait sûrement envie d'y jeter un coup d'œil.

— On commence par quoi ?

Paula luttait contre le mal des transports. Elle avait ressenti des nausées dès Uddevalla, et ça ne s'était pas amélioré au cours du trajet, bien au contraire.

— Tu veux qu'on s'arrête un instant ? demanda Patrik en jetant un œil sur son visage qui avait pris une teinte verdâtre inquiétante.

— Non, ça ira, on est bientôt arrivés, répondit-elle en déglutissant.

— Je me suis dit qu'on irait d'abord faire un tour à l'hôpital. On a l'autorisation de consulter le dossier de Mats, et j'ai appelé le médecin qui le soignait pour le prévenir de notre visite.

— Très bien.

Paula avala sa salive. Avoir mal au cœur lui était particulièrement désagréable.

Patrik s'engagea dans le système complexe de circulation de Göteborg en serrant les dents. Dix minutes plus tard, il entra sur le parking de l'hôpital Sahlgrenska, et Paula se précipita hors de la voiture à l'instant où il se garait. Appuyée contre la portière, elle prit quelques profondes inspirations qui effacèrent progressivement les nausées, mais un vague mal-être persistait et elle savait qu'il ne céderait que lorsqu'elle aurait mangé quelque chose.

— Ça va mieux? Tu veux attendre encore un moment? demanda Patrik, mais elle vit qu'il trépignait d'impatience.

— C'est bon, on peut y aller. Tu sais où c'est?

— Je crois, répondit-il en mettant le cap sur l'entrée du gigantesque bâtiment.

Après s'être trompés de chemin un certain nombre de fois, ils purent finalement frapper à la porte du bureau de Nils-Erik Lund, le médecin responsable de Mats Sverin pendant les semaines qu'il avait passées à Sahlgrenska.

— Entrez, fit une voix autoritaire à laquelle ils obéirent.

Le médecin se leva, contourna son bureau et vint vers eux, la main tendue.

— Vous êtes de la police, je suppose?

— Oui, on s'est parlé au téléphone. Patrik Hedström, et voici ma collègue Paula Morales.

Ils échangèrent les habituelles phrases de politesse avant de prendre place.

— J'ai sorti des documents qui, je pense, vous seront utiles, dit Nils-Erik Lund en poussant un dossier devant eux.

— Merci. Pouvez-vous nous parler de Mats Sverin, si vous vous souvenez de lui?

— J'ai des milliers de patients par an, et il est impossible de se souvenir de tous. Mais ça m'a rafraîchi la mémoire de lire son dossier, dit-il en tirant sur sa barbe, qui était blanche et épaisse. Ce patient nous est arrivé avec de graves blessures. Il avait été sérieusement passé à tabac, probablement par plusieurs personnes. La police de Göteborg pourra certainement vous renseigner là-dessus.

— Absolument, dit Patrik. Mais je vous en prie, faites-nous part de vos réflexions. Toute information pourra se révéler utile.

— D'accord. Je vais éviter la terminologie médicale, vous pourrez la consulter dans le dossier plus tard, mais en résumé on peut dire que le patient a reçu des coups de poing et des coups de pied à la tête qui ont causé une hémorragie mineure au cerveau, ainsi qu'un certain nombre de fractures au visage, des boursouflures, des lésions des tissus sous-cutanés et des ecchymoses importantes. Il avait aussi des blessures au ventre, deux côtes cassées et un éclatement de la rate. Nous avons tout de suite compris la gravité de son état, et il a été opéré d'urgence. On a dû faire une IRM pour nous rendre compte de l'importance de l'hémorragie au cerveau.

— Avez-vous jugé que ses blessures mettaient sa vie en danger? demanda Paula.

— Nous avons considéré son état comme critique, et le patient était sans connaissance en arrivant ici. Une fois établi que la lésion au cerveau était bénigne et ne nécessitait pas de chirurgie, nous nous sommes concentrés sur les blessures au ventre. Nous avons craint qu'une des côtes cassées ne perfore un poumon, ce qui n'est pas une situation souhaitable.

— Vous avez donc réussi à stabiliser l'état de Mats Sverin ?

— Je dirais même que nous avons fait un travail brillantissime. Rapide et efficace. Un très bon boulot d'équipe.

— Est-ce que Mats Sverin a évoqué ce qui s'était passé ? En ce qui concerne l'agression ? demanda Patrik.

Nils-Erik Lund réfléchit tout en tirant sur sa barbe. Patrik se dit que c'était un miracle qu'il lui reste encore des poils à force de la maltraiter de la sorte.

— Non, pas que je m'en souvienne.

— Est-ce qu'il paraissait avoir peur ? Comme s'il se sentait menacé et essayait de dissimuler quelque chose ?

— Non, pas vraiment, il ne me semble pas. Mais comme je l'ai dit, ça fait plusieurs mois maintenant, j'ai eu beaucoup de patients depuis. Il faudra demander ça aux responsables de l'enquête.

— Savez-vous s'il a reçu des visites pendant son hospitalisation ?

— C'est possible, mais je ne suis pas du tout au courant.

— Alors il ne nous reste qu'à vous remercier de nous avoir reçus, dit Patrik et il se leva. Ce sont des copies ? ajouta-t-il en montrant le dossier sur le bureau.

— Oui, vous pouvez tout prendre, dit Nils-Erik Lund en se levant, lui aussi.

Une fois sortis de l'hôpital, Patrik eut une idée.

— Puisqu'on est là, si on faisait un saut chez Pedersen ? Voir s'il a quelque chose pour nous ?

— Bonne idée, dit Paula.

Elle suivit Patrik qui semblait déjà mieux se repérer dans le labyrinthe de couloirs. Un petit reste de mal au cœur persistait, et elle n'était pas sûre qu'une visite à la morgue puisse améliorer les choses.

Quelle serait désormais sa raison de vivre ? Signe s'était extirpée de son lit, avait préparé le petit-déjeuner, puis le déjeuner. Ils n'y avaient pas touché, ni l'un ni l'autre. Elle avait passé l'aspirateur dans tout le rez-de-chaussée, lavé des draps et fait du café qu'ils n'avaient pas bu. Elle avait accompli toutes ses tâches habituelles, avait essayé d'imiter la vie qui était la leur seulement quelques jours auparavant, mais c'était comme si elle était aussi morte que Matte. En fait, elle ne faisait que déplacer son corps partout dans la maison, un corps sans contenu, sans vie.

Elle se laissa tomber sur la banquette de la cuisine. Le tuyau d'aspirateur tomba par terre, mais ni elle ni Gunnar, qui était assis à la table, ne réagirent. Il y était resté toute la journée. Ils avaient en quelque sorte échangé leurs rôles. La veille, il était encore en état de bouger, tandis qu'elle devait mobiliser toute sa volonté pour faire coopérer ses muscles avec son cerveau inerte. Aujourd'hui, c'était lui qui restait assis, tandis qu'elle essayait de remplir le trou dans son cœur en se livrant à une activité fébrile.

Elle fixa la nuque de Gunnar et, comme tant de fois auparavant, se fit la réflexion que Matte avait hérité de la même mèche rebelle en bas du crâne, à la hauteur du col de chemise. Mais elle ne serait pas transmise au petit garçon aux boucles blondes qu'elle avait vu tant de fois dans ses songes. Ni à une petite fille. Garçon ou fille, ça n'avait pas d'importance, ils auraient été les bienvenus, si seulement Matte lui avait donné quelqu'un à gâter, quelqu'un à qui glisser des bonbons avant le repas et à qui offrir beaucoup trop de cadeaux à Noël. Un enfant avec les yeux de Matte et la bouche de quelqu'un d'autre. Car elle s'était réjouie de ça aussi, découvrir qui il leur présenterait finalement. Comment serait-elle ? Choisirait-il une femme qui ressemblerait à sa mère ou bien qui serait son exact opposé ? Elle aurait été curieuse de tout ça, mais elle aurait été gentille avec la fille. Pas une de ces belles-mères horribles dont on entendait parfois parler, mais une grand-mère qui ne se serait mêlée de rien, qui aurait été là simplement et qui aurait gardé les enfants dès qu'on lui aurait demandé.

Elle avait certes commencé à perdre espoir. Elle s'était demandé, à une époque, s'il n'était pas plutôt attiré par les hommes. Cela lui aurait demandé quelques efforts pour se faire à cette idée, et elle aurait été déçue par rapport aux petits-enfants, mais elle l'aurait accepté. Son seul souhait, c'était le voir heureux. Mais personne n'était arrivé et maintenant tout espoir s'était envolé, pour toujours. Elle n'aurait pas de tête blonde avec une mèche rebelle dans la nuque à qui glisser quelque friandise avant le dîner. Pas de cadeaux de Noël superflus, trop bruyants, cassés au bout de quelques semaines. Rien, à part le vide. Les années se présentaient devant eux comme une route déserte. Elle regarda Gunnar devant la table de la cuisine. Pour qui allaient-ils vivre maintenant ? Pour qui allait-elle vivre ?

— Avoue-le, tu aurais bien aimé aller avec eux à Göteborg? lança Annika.

Elle avait levé les yeux de l'écran et regardait Martin. Il était son protégé au commissariat, et un lien particulier les unissait.

— Oui, reconnut-il. Mais c'est important, ce qu'on fait ici aussi.

— Tu veux savoir pourquoi Patrik a emmené Paula?

— Pfff, on s'en fiche. Patrik a le droit de choisir qui il veut, répliqua-t-il, un peu boudeur.

Avant l'arrivée de Paula, c'était presque toujours lui, le premier choix de Patrik. Probablement parce que, à l'époque, il était le seul au commissariat à bénéficier d'un tant soit peu de bon sens. Mais il ne pouvait pas nier qu'il prenait assez mal cette nouvelle situation.

— Patrik a l'impression que Paula a des problèmes, et il voulait lui changer les idées.

— Aïe, je n'avais pas remarqué, dit Martin avec une pointe de mauvaise conscience. Tu sais ce qui cloche?

— Non, je l'ignore. Elle n'est pas toujours très bavarde. Mais je suis d'accord avec Patrik, il y a quelque chose. Elle ne se ressemble plus.

— En soi, rien que la pensée de cohabiter avec Mellberg suffirait à m'anéantir.

— C'est une façon comme une autre de voir les choses! rit Annika, mais elle retrouva vite son sérieux. Cela dit, je ne pense pas que ce soit ça, le problème. Il faut la laisser tranquille jusqu'à ce qu'elle ressente le besoin d'en parler. Au moins, tu sais pourquoi Patrik a demandé à Paula de venir, et pas à toi.

— Merci.

Martin se sentit un peu honteux de sa réaction puérile. L'important, c'était que le boulot soit fait, pas la personne qui le faisait.

— Tu veux qu'on s'y mette ? dit-il en s'étirant. Ce serait bien si on pouvait récolter quelques données sur Sverin avant leur retour.

— Ça serait effectivement pas mal, dit Annika et elle se mit aussitôt à pianoter sur son clavier.

— Il t'arrive encore de penser à lui ?

Anders sirotait son café. Vivianne et lui s'étaient retrouvés pour déjeuner chez *Lilla Berith*, une habitude presque quotidienne qui leur permettait d'échapper au chantier de Badis.

— À qui ? répondit Vivianne, même si elle avait évidemment compris de qui il voulait parler.

Anders vit les articulations de ses doigts blanchir quand elle serra plus fort sa tasse de café.

— À Olof.

Ils l'avaient toujours appelé par son prénom. Il avait insisté là-dessus, et tout autre choix aurait paru artificiel. Il ne méritait pas d'autre dénomination.

— Oui, ça m'arrive.

Elle regarda le petit bout de gazon au-dessus de Galärbacken. Avec les prémices de l'été, la ville sortait de son hibernage. Il y avait plus de gens dans les rues, c'était comme si Fjällbacka s'assouplissait lentement, faisait des étirements et se préparait à l'affluence. Le changement serait radical par rapport à la torpeur où se trouvait plongée la petite localité durant la saison froide.

— Et qu'est-ce qui te vient à l'esprit dans ces moments-là ?

Vivianne lui lança un regard acéré.

— Pourquoi tu parles de lui tout à coup ? Il n'existe plus. Il ne signifie rien.

— Aucune idée. À cause de Fjällbacka peut-être. Je ne sais pas pourquoi, mais je me sens en sécurité ici. Suffisamment pour pouvoir penser à lui.

— Il vaut mieux que tu ne t'acclimates pas trop. On ne va pas rester ici très longtemps, le rabroua-t-elle.

Elle regretta aussitôt sa brusquerie. Ce n'était pas à son frère qu'elle en voulait, mais à Olof. Pourquoi Anders l'avait-il remis sur le tapis ? À quoi bon ? Elle inspira profondément et décida de répondre à sa question. Après tout, il l'avait soutenue, l'avait suivie partout, il avait été sa sécurité, et le moins qu'elle puisse faire, c'était de lui répondre.

— Je pense à combien je le hais, dit-elle et elle sentit ses mâchoires se crisper. Je pense à tout ce qu'il a détruit, à tout ce qu'il nous a pris. Ce n'est pas à ça que tu penses, toi ?

Vivianne eut peur subitement. Ils avaient toujours été soudés dans leur haine pour Olof. Elle constituait le ciment puissant qui les avait unis, qui les avait poussés à prendre le même chemin dans la vie et à se donner la main dans la bonne fortune comme dans la mauvaise. Surtout la mauvaise.

— Je ne sais pas, répondit Anders en tournant son visage en direction de la mer. Il serait peut-être temps de…

— Temps de quoi ?

— De pardonner.

Les voici. Les mots qu'elle ne voulait pas entendre, la pensée qu'elle ne voulait pas prendre en considération. Comment pourraient-ils pardonner à Olof ? Il leur avait volé leur enfance, avait fait d'eux des adultes qui restaient agrippés l'un à l'autre comme des naufragés. Il était le moteur de tout ce qu'ils avaient entrepris, hier comme aujourd'hui.

— J'y ai beaucoup réfléchi ces temps-ci, on ne peut pas continuer comme ça, poursuivit Anders. On fuit, Vivianne. On fuit quelque chose, mais on ne peut pas y échapper, parce que c'est ici que ça se trouve, dit-il en pointant un doigt sur sa tempe tandis que son regard se faisait perçant et déterminé.

— Qu'est-ce que tu essaies de me dire? Tu veux faire marche arrière?

Elle sentit les larmes brûler derrière ses paupières. Allait-il l'abandonner maintenant? La trahir, comme l'avait fait Olof?

— On cherche un trésor au pied de l'arc-en-ciel, et on croit qu'Olof va disparaître à l'instant où on le découvrira. Je me dis de plus en plus que ça ne sert à rien. On ne trouvera jamais ce trésor, parce qu'il n'existe pas.

Vivianne ferma les yeux. Elle se rappelait encore trop bien la crasse, les odeurs, les gens qui allaient et venaient sans qu'Olof soit là pour les protéger. Olof qui les haïssait. Il le leur disait, qu'ils n'auraient jamais dû naître, qu'il les avait eus pour ses péchés. Ils étaient affreux, vilains et stupides, c'étaient eux les responsables de la mort de leur mère.

Elle rouvrit brusquement les yeux. Comment Anders pouvait-il parler de pardon? Lui qui était intervenu tant de fois, qui l'avait protégée en parant les coups avec son corps.

— Je ne veux pas parler d'Olof.

Sa voix était forcée, pleine de tout ce qu'elle refoulait. La terreur l'envahit. Anders parlait de pardon alors qu'il n'y avait aucun pardon possible, comment fallait-il interpréter cela?

— Je t'aime, ma sœur.

Anders caressa doucement sa joue. Mais Vivianne

ne l'entendit pas. Les souvenirs noirs inondaient ses oreilles d'une rumeur assourdissante.

— Tiens, tiens. Que me vaut l'honneur ?

Tord Pedersen leva les yeux par-dessus le bord de ses lunettes.

— Eh bien, on s'est dit, autant que la montagne vienne à Mahomet, dit Patrik avec un sourire et il alla lui serrer la main. Voici ma collègue Paula Morales. On est venus à Sahlgrenska poser quelques questions au sujet de Mats Sverin. Et du coup on a eu envie de faire un saut chez toi, voir un peu comment tu t'en sors.

— Vous venez trop tôt, dit Pedersen en secouant la tête.

— Tu n'as aucun élément ?

— Non, j'ai juste eu le temps de jeter un rapide coup d'œil sur lui.

— Et qu'est-ce que tu en penses ? demanda Paula.

Pedersen rit.

— D'habitude c'est Patrik que j'ai sur le dos tout le temps, je ne pensais pas que ça pouvait être pire…

— Pardon, dit Paula, mais elle continua à le regarder comme si elle attendait une réponse.

— Venez dans mon bureau.

Pedersen ouvrit une porte sur leur gauche. Ils le suivirent et s'assirent face au médecin légiste, qui croisa les mains sur son bureau.

— Ce que je peux vous dire après l'examen externe du corps, c'est que la seule lésion apparente est une plaie par balle à l'arrière du crâne. En revanche, il y a pas mal de blessures cicatrisées assez récentes, qui proviennent apparemment de coups reçus il y a quelques mois.

— C'est à ce sujet que nous sommes venus à l'hôpital. Il est resté mort combien de temps avant qu'on le trouve ? demanda Patrik.

— Pas plus d'une semaine, je pense. Mais l'autopsie nous le dira.

— Est-ce que tu sais de quel type d'arme il s'agit ? demanda Paula.

— La balle est toujours logée dans sa tête, mais dès que je l'aurai sortie, vous aurez votre réponse. À condition qu'elle soit en bon état.

— Je comprends, dit Paula. D'un autre côté, tu as dû en voir, des blessures par balle. Tu n'as pas une petite idée ?

— Encore une qui ne lâche rien, rigola Pedersen et il eut presque l'air ravi. Ce n'est qu'une supposition, et il faut la prendre comme telle, mais je dirais qu'il s'agit probablement d'un neuf millimètres. Mais n'oubliez pas, c'est une supposition et je peux me tromper, serina Pedersen en levant un doigt en guise d'avertissement.

— Bien sûr, dit Patrik. Quand auras-tu le temps de pratiquer l'autopsie pour qu'on puisse disposer de la balle ?

— Je vais voir... dit-il en se tournant vers l'ordinateur et en cliquant avec la souris. Elle est programmée pour lundi prochain. Vous aurez donc votre rapport mercredi.

— Pas avant ?

— Je suis désolé. On a un putain de boulot ce mois-ci. Les gens se sont mis à tomber comme des mouches pour une raison que j'ignore, et en plus on a deux employés en arrêt maladie pour un temps indéfini. Complètement cramés. Voilà l'effet que ce boulot peut avoir sur certains.

De toute évidence, Pedersen ne se comptait pas parmi ceux-là.

— Tant pis. Mais passe-moi un coup de fil dès que tu en sais un peu plus. Je suppose que la balle partira aussitôt au labo central ?

— Évidemment, dit Pedersen, l'air presque offusqué. On est débordés en ce moment, c'est vrai, mais on fait quand même correctement notre boulot.

— OK OK, excuse-moi, dit Patrik en levant les mains. C'est moi qui suis trop impatient, comme toujours. Fais-nous savoir quand tu auras fini, et je promets de ne pas te harceler d'ici là.

— Pas de problème.

Pedersen se leva et ils prirent congé. Ils avaient l'impression que le prochain mercredi était loin, très loin.

— C'est bon alors, on peut y aller ? dit Gösta avec entrain. Et le rapport arrivera demain ? Tant mieux. Hedström sera content.

Il sourit en raccrochant. Torbjörn Ruud venait de signaler que son équipe avait fini l'examen technique de l'appartement de Mats Sverin et que le champ était libre désormais. Soudain, il eut un trait de génie. Ce serait idiot de rester ici à attendre le retour de Hedström et Morales en se tournant les pouces. Se tourner les pouces était certes l'une de ses occupations favorites, mais le fait que ce soit toujours Patrik qui dirige les opérations commençait à l'agacer. Après tout, Bertil et lui étaient les plus expérimentés dans ce commissariat. Il ne pouvait pas nier qu'il était motivé par un certain désir de revanche, et même s'il répugnait à travailler inutilement, ça ne ferait de mal à personne de montrer aux morveux comment la barque devait être menée. Il prit sa décision en un clin d'œil et se précipita dans le bureau de Mellberg. Dans son empressement, il oublia de s'annoncer et, en ouvrant la porte à la volée, il tira Bertil de ce qui semblait être une très bonne sieste.

— Nom d'une pipe !

Déboussolé, Mellberg regarda autour de lui, tandis qu'Ernst se relevait dans son panier et dressait l'oreille.

— Pardon. Je m'étais juste dit…

— Dit quoi ? rugit Mellberg et il remit en place le nid de cheveux qui avait glissé de son crâne d'œuf.

— Ben voilà, je viens de parler avec Torbjörn Ruud.

— Et alors ?

Mellberg avait toujours l'air grincheux, alors qu'Ernst se recouchait confortablement.

— Il m'a annoncé qu'on pouvait entrer dans l'appartement dès maintenant.

— Quel appartement ?

— Celui de Mats Sverin. Ils ont terminé. Les techniciens, je veux dire. Et je me disais… Je me disais…

Gösta commença à regretter son initiative. Ce n'était peut-être pas l'idée du siècle, après tout.

— Accouche, bon sang !

— Ben, Hedström tient toujours à ce que les choses soient faites sur-le-champ, voire la veille. On ferait donc mieux de s'y mettre tout de suite et de démarrer nos propres investigations. Au lieu d'attendre son retour.

Le visage de Mellberg s'éclaircit. Il commençait à comprendre le raisonnement de Gösta et l'approuvait pleinement.

— Tu as parfaitement raison. Ne remettons pas à demain. Et qui serait plus compétent que nous pour faire avancer cette affaire ? dit-il avec un large sourire.

— C'est exactement ce que je me suis dit, sourit Gösta. Il est temps de montrer aux jeunes coqs ce que valent les vieux renards.

— Tu es un génie, mon ami.

Mellberg se leva et ils partirent en direction du garage. Les vétérans s'apprêtaient à aller sur le terrain.

Annie lui fit prendre encore un bain de mer. Elle lava entièrement son corps, mouilla ses cheveux en essayant d'éviter de mettre de l'eau dans ses yeux. Il ne montra aucun signe de plaisir, mais pas de contrariété non plus. Il resta silencieux dans ses bras et se laissa immerger.

Elle savait que tôt ou tard il allait sortir de sa torpeur. Son cerveau était en train de traiter ce qui s'était passé, cette épreuve que personne ne devrait avoir à vivre, surtout pas un petit garçon. Un petit garçon de cinq ans ne devrait pas être séparé de son papa, mais elle n'avait pas eu le choix. Il était devenu nécessaire de fuir, c'était la seule issue, même si le prix à payer, pour Sam et elle, était très élevé.

Sam adorait Fredrik. Il ne pouvait pas saisir certaines de ses facettes qu'elle avait vues, elle. Il n'avait pas vécu ce qu'elle avait vécu. Pour Sam, Fredrik était un héros qui ne se trompait jamais. Sam adulait son papa, et c'était l'élément qui avait rendu le choix si difficile. Dans la mesure où on considérait qu'elle avait eu le choix.

Malgré tous les événements, elle était peinée par l'idée qu'il ait perdu son père. Quoi que Fredrik lui ait fait, à elle, il avait beaucoup compté pour Sam. Pas plus qu'elle, mais beaucoup. Et maintenant Sam ne le reverrait plus jamais.

Annie le sortit de l'eau et le posa sur la serviette qu'elle avait étalée sur l'embarcadère. Son propre père disait toujours que le soleil faisait du bien au corps comme à l'âme, que ses rayons bienfaisants réchauffaient au plus profond de l'être. Au-dessus d'eux, les mouettes décrivaient des cercles, et elle se dit que Sam aimerait les observer quand il irait mieux.

— Mon tout petit chéri, dit-elle en lui caressant les cheveux.

Il était encore si petit, si vulnérable. Elle avait l'impression qu'hier encore il n'était qu'un nourrisson, tout léger dans ses bras. Peut-être devrait-elle quand même l'emmener chez un médecin, mais tout son instinct maternel lui criait de ne pas le faire. Il était en sécurité ici. Il n'avait pas besoin d'hôpital et de médicaments, mais de calme et de tranquillité, et des soins qu'elle lui prodiguait. Voilà ce qui allait le guérir.

Elle frissonna subitement. Un vent plus frais balaya l'embarcadère et elle eut peur que Sam n'attrape un rhume. Elle le souleva, se redressa elle-même avec quelques difficultés, se dirigea vers la maison, ouvrit la porte en la poussant du pied et entra avec son fils dans les bras.

— Tu as faim? demanda-t-elle pendant qu'elle l'habillait.

Il ne répondit pas, mais elle l'assit quand même sur une chaise et commença doucement à le nourrir de céréales. Bientôt, il reviendrait à la vraie vie. La mer, le soleil et son amour guériraient son âme blessée.

Erica essayait de faire une promenade tous les après-midi en allant chercher Maja à la crèche. Pour que les deux petits prennent l'air, mais aussi pour faire elle-même un peu d'activité physique. La poussette pour jumeaux n'était pas un mauvais accessoire de sport, et au retour, quand elle ajoutait le marchepied sur lequel Maja se tenait debout, ça devenait une véritable gageure de la pousser jusqu'à la maison.

Elle décida de prendre le long trajet aujourd'hui, celui qui passait devant Badis et la conserverie Lorentz, au lieu de l'itinéraire direct par Galärbacken. Elle s'arrêta sur le quai en bas de Badis et mit sa main en visière pour regarder le vieux bâtiment qui trônait au soleil, fraîchement repeint en blanc. Elle était contente qu'on l'ait restauré. Le vieil hôtel-restaurant des Bains, dit Badis, occupait une place prépondérante à Fjällbacka, et à part l'église, c'était le premier bâtiment qu'on remarquait en arrivant par la mer. Laissé à l'abandon pendant de nombreuses années, il menaçait de tomber en ruine. Aujourd'hui, il faisait à nouveau la fierté de la ville.

En pleine euphorie, elle prit une profonde inspiration, puis rit tout bas, un peu gênée d'être si émue par une vieille bâtisse, quelques planches et de la peinture. Mais en réalité, il s'agissait de plus que ça. Elle avait tout un tas d'excellents souvenirs de l'endroit, et ce bâtiment avait une place à part dans son cœur. Badis était un morceau d'histoire qui renouait avec le présent et avec l'avenir. On pouvait se montrer sentimental pour moins que ça.

Erica venait de se remettre en route et se préparait psychologiquement à la longue et éprouvante côte devant la station d'épuration et le minigolf, quand une voiture ralentit et s'arrêta juste à sa hauteur. Une femme en descendit, qu'elle reconnut immédiatement. Certes, Erica ne l'avait jamais rencontrée, mais son nom était sur toutes les lèvres depuis son arrivée quelques mois auparavant. C'était Vivianne Berkelin.

— Bonjour, lança-t-elle joyeusement en s'approchant d'Erica, la main tendue. Erica Falck, c'est ça, non?

— Oui, c'est moi, répondit Erica et elle prit sa main.

— Ça fait un moment que j'avais envie de vous rencontrer. J'ai lu tous vos livres, je les adore.

Erica se sentit rougir comme toujours quand on la complimentait sur son travail. Elle ne s'était toujours pas habituée à l'idée que pratiquement une personne sur deux ici avait lu un texte issu de sa plume. Après plusieurs mois de congé parental, c'était libérateur de croiser quelqu'un qui l'envisageait avant tout comme l'auteure Erica, et non comme la maman de Noel, d'Anton et de Maja.

— J'admire vraiment ceux qui ont la patience de s'asseoir et d'écrire un livre entier.

— Des fesses bien rembourrées pour supporter la position assise, c'est tout ce qu'il faut, rit Erica.

Vivianne dégageait un enthousiasme communicatif et Erica sentit germer en elle un sentiment qu'elle eut d'abord du mal à définir. Puis elle trouva de quoi il s'agissait. Elle avait envie que Vivianne l'aime bien.

— C'est devenu tellement beau, dit-elle en levant les yeux vers Badis.

— Oui, on est vraiment très fiers. Ça vous dit, une petite visite guidée?

Erica regarda l'heure. Elle avait pensé récupérer Maja plus tôt aujourd'hui, mais sa fille adorait la crèche et n'aurait certainement rien à y redire si sa maman arrivait à l'heure normale. Et elle était très curieuse de voir si l'intérieur de Badis était aussi resplendissant que l'extérieur.

— Avec plaisir. Mais je ne sais pas comment je vais pouvoir monter ça. dit-elle en montrant la poussette, puis les marches raides.

— Je vais vous donner un coup de main, dit Vivianne et elle partit vers l'escalier sans attendre de réponse.

Cinq minutes plus tard, la poussette était tant bien que mal arrivée en haut de l'escalier. Une fois la porte franchie, Erica s'arrêta net et ouvrit des yeux grands comme des soucoupes. Tout ce qui était vieux et vétuste avait disparu, sans que la splendeur originelle ne soit perdue. Elle balaya du regard le décor, tous les détails qui lui rappelaient les soirées disco de son adolescence et qui avaient été rafraîchis et remis à neuf. Elle rangea la poussette près du mur et souleva Noel. Comme elle s'apprêtait à défaire le cosy d'Anton, elle entendit la voix mélodieuse de Vivianne :

— Je peux le prendre ?

Erica fit oui de la tête et Vivianne se pencha et prit doucement Anton dans ses bras. Les jumeaux étaient tellement habitués à voir des inconnus s'occuper d'eux qu'ils ne protestaient jamais. Anton regarda Vivianne de ses grands yeux, puis il lui décocha un sourire radieux.

— Quel petit charmeur tu fais, babilla Vivianne et elle lui ôta la veste et le petit bonnet.

— Vous avez des enfants aussi ?

— Non, ça ne s'est jamais fait, répondit Vivianne en détournant la tête. Vous voulez un thé ? demanda-t-elle, et avec Anton dans les bras, elle se dirigea vers la salle à manger.

— Plutôt un café, si possible. Je ne suis pas vraiment fan de thé.

— Normalement, nous conseillons de ne pas s'empoisonner le corps avec de la caféine, mais je vais faire une exception. Je vais voir si je peux dénicher un paquet de café.

Erica lui emboîta le pas. Le café était ce qui l'aidait

à maintenir le rythme. Elle en buvait tant que c'était probablement du sang noir qui coulait dans ses veines.

— Merci, c'est sympa, dit-elle. Il faut bien avoir quelques vices. Après tout, ce n'est que de la caféine, il y a pire.

— Ne dites pas ça, dit Vivianne.

Elle choisit cependant de ne pas s'étendre là-dessus, devinant sans doute que ce serait comme prêcher dans le désert.

— J'arrive, installez-vous en attendant. On fera le tour après.

Elle disparut par une porte pivotante qui menait apparemment à la cuisine.

Un instant, Erica se demanda comment Vivianne arriverait à préparer du café avec un bébé dans les bras. Pour sa part, elle avait appris à faire pratiquement tout d'une seule main, mais l'entraînement avait été long. Elle chassa cette pensée. Si Vivianne avait besoin d'aide, elle le dirait.

Une fois le café servi, Vivianne s'assit en face d'elle. Erica nota que les tables et les chaises étaient neuves aussi. Le style était plutôt moderne, tout en convenant admirablement à cet environnement chargé de traditions. La personne qui avait choisi les meubles avait du goût. Des fenêtres s'alignaient sur tout un mur, offrant un panorama époustouflant. Tout l'archipel de Fjällbacka s'étendait devant elles.

— Vous ouvrez quand ?

Erica prit un biscuit à l'aspect bizarre, et le regretta aussitôt. Il manquait franchement de sucre, et il était sans doute beaucoup trop bon pour la santé pour mériter l'appellation biscuit.

— Dans un peu plus d'une semaine. En espérant que tout sera prêt, soupira Vivianne.

Elle trempa son biscuit dans le thé. Du thé vert, à tous les coups, pensa Erica tout en sirotant avec plaisir son breuvage noir comme de la poix.

— Vous viendrez à la fête d'inauguration? demanda Vivianne.

— J'aimerais bien. J'ai reçu une invitation, mais on n'a pas encore décidé. Ce n'est pas évident de trouver une baby-sitter pour trois enfants.

— Essayez de passer, ça me ferait plaisir. D'ailleurs, ce samedi, votre mari et ses collègues vont bénéficier d'une avant-première. Ils vont tester nos services.

— Ah bon?! dit Erica en riant. Patrik ne m'en a pas parlé. Je crois qu'il n'a jamais mis les pieds dans un spa, ça va être une expérience intéressante.

— Je l'espère bien, dit Vivianne en caressant la tête d'Anton. Comment va votre sœur? J'espère ne pas être indiscrète, mais j'ai entendu parler de l'accident.

— Pas de problème, répondit Erica, et à son grand dépit elle sentit les larmes monter, mais elle déglutit plusieurs fois et réussit à contrôler à peu près sa voix. Pour tout vous dire, ça ne va pas très bien. Anna a traversé beaucoup d'épreuves.

Des images de Lucas, le premier mari d'Anna, jaillirent dans la tête d'Erica. Il y avait tant de choses qu'elle n'arrivait pas à expliquer, mais d'une étrange façon, cette femme lui donnait envie de les raconter. Et tout fut dit. Elle ne parlait jamais de la vie d'Anna avec qui que ce soit, mais elle avait l'impression que Vivianne comprendrait. Quand elle eut fini, ses joues étaient baignées de larmes.

— On peut dire qu'elle a vraiment dégusté. Elle avait besoin de cet enfant, dit Vivianne doucement.

Elle formulait ainsi ce qu'Erica avait pensé maintes

fois. Anna méritait cet enfant. Elle méritait d'être heureuse.

— Je ne sais pas quoi faire. On dirait qu'elle ne se rend pas compte de ma présence. C'est comme si elle avait disparu. Et j'ai peur qu'elle ne revienne pas.

— Elle n'a pas disparu, dit Vivianne en balançant Anton sur ses genoux. Elle s'est simplement réfugiée dans un endroit où ça fait moins mal. Mais elle sait que vous êtes là, Erica. Ce que vous avez de mieux à faire, c'est d'être auprès d'elle et de la toucher. On a oublié de nos jours combien il est important de se toucher. On en a besoin pour survivre. Alors, touchez-la, et dites à son mari d'en faire autant. On commet souvent l'erreur de ne pas vouloir déranger celui qui pleure. On pense qu'il lui faut du calme et de la tranquillité, qu'on doit le laisser en paix. C'est totalement faux. L'être humain est un animal de meute, il a besoin d'être entouré, il a besoin de proximité, de chaleur et du contact d'autrui. Faites en sorte qu'Anna soit entourée par sa meute. Ne la laissez pas toute seule sur son lit, ne la laissez pas se réfugier à sa guise dans cet endroit où le deuil n'existe pas, mais où les autres sentiments n'existent pas non plus. Forcez-la à en sortir.

Erica resta silencieuse un moment. Elle réfléchit aux paroles de Vivianne, et comprit qu'elle avait raison. Ils n'auraient pas dû laisser Anna se terrer. Ils auraient dû essayer davantage.

— Et ne vous sentez pas coupable. Son deuil n'a rien à voir avec votre joie.

— Mais elle ressent forcément… dit Erica, et ses larmes coulaient à flots maintenant. Elle ressent forcément que moi, j'ai tout eu, et elle rien.

— Elle sait que ce sont deux choses différentes. Le seul frein qui pourrait venir s'interposer entre vous, c'est votre sentiment de culpabilité. Pas une sorte de jalousie ou d'indignation qu'Anna sentirait parce que vos enfants ont survécu. Tout ça, ça n'existe que dans votre tête.

— Comment pouvez-vous le savoir?

Erica voulait avoir foi en ce que Vivianne lui disait, mais elle n'osait pas. Que savait-elle des pensées et des sentiments d'Anna? Elle ne l'avait jamais rencontrée. En même temps, son discours sonnait en quelque sorte très vrai et très juste.

— Je n'arrive pas à l'expliquer. Mais je ressens certaines choses, et j'en sais long sur les humains. Vous devez tout simplement me faire confiance, dit Vivianne sur un ton ferme.

Et à sa grande surprise, Erica sentit que Vivianne avait raison. Elle lui faisait confiance.

Un moment plus tard, quand elle eut repris le chemin de la crèche, ses pas étaient beaucoup plus légers. Elle était débarrassée de ce qui l'avait empêchée de se rapprocher d'Anna. Elle était débarrassée de son sentiment d'impuissance.

FJÄLLBACKA 1871

Pour finir, la glace avait complètement recouvert la mer. Elle était arrivée tard cette année, il avait fallu attendre le mois de février. D'une certaine manière, la mer gelée donnait une sorte de liberté à Emelie. Au bout d'une semaine, la glace était assez épaisse pour qu'on puisse marcher dessus, et pour la première fois depuis son arrivée sur l'île, elle avait la possibilité d'en partir par ses propres moyens, si elle le souhaitait. Cela signifierait une longue marche et comporterait aussi des risques, car on disait que même si la glace était épaisse, il pouvait y avoir des fissures traîtresses là où passaient les courants marins. Mais la possibilité existait.

D'une autre manière cependant, la glace l'enfermait encore davantage. Karl et Julian ne pouvaient plus faire leurs excursions habituelles à Fjällbacka. Leur absence périodique lui avait offert un répit certain, et chaque fois elle avait redouté leur retour, ivres et hargneux comme ils pouvaient l'être. À présent, ils se trouvaient plus souvent à proximité d'elle, et l'ambiance était pesante. Elle essayait d'être serviable et accomplissait ses tâches en silence. Karl ne l'avait toujours pas touchée, et elle n'avait plus cherché à l'approcher. Elle restait blottie dans le lit, serrée contre le mur froid, immobile. Mais le mal était déjà fait. L'aversion de Karl semblait persister et elle se sentait affreusement seule.

Les voix s'étaient faites plus sonores et elle distinguait plus souvent ce que le bon sens contredisait, mais elle était persuadée maintenant qu'elle n'hallucinait pas. Les morts étaient sa sécurité, la seule compagnie qu'elle avait sur cette île déserte, et leur chagrin vibrait en harmonie avec le sien. Leur vie non plus n'avait pas été à la hauteur de leurs espérances. Ils se comprenaient, bien que leurs sorts fussent séparés par le plus épais des murs. La mort.

Karl et Julian ne les remarquaient pas de la même façon qu'elle. Mais ils semblaient parfois pris d'une frayeur qu'ils ne s'expliquaient pas. Dans ces moments-là, elle pouvait voir leur peur, et s'en réjouissait secrètement. Elle ne vivait plus pour l'amour de Karl. Il s'était révélé différent de ce qu'elle avait cru, la vie était ainsi faite et elle n'y pouvait rien. Elle pouvait seulement se réjouir de sa peur, et trouver un réconfort chez les morts. Cela lui donnait le sentiment d'être élue. Elle était seule à savoir qu'ils étaient là. Ils étaient à elle.

Mais quand la mer était restée gelée pendant un bon mois, elle avait commencé à comprendre que la peur se voyait sur son visage aussi. L'ambiance était encore plus tendue. Julian saisissait chaque occasion de la rappeler à l'ordre, comme un exutoire à sa frustration d'être coincé sur l'île. Karl la fixait de ses yeux froids, et les deux hommes tenaient souvent des messes basses. Assis sur la banquette de la cuisine, le regard fixé sur elle, ils chuchotaient, têtes rapprochées. Si elle ne pouvait pas entendre leurs propos, elle savait néanmoins qu'ils n'étaient en rien bienveillants. Parfois, quand ils la pensaient hors de portée de voix, elle saisissait des bribes de conversation. Dernièrement, il avait beaucoup été question du courrier que Karl avait reçu de ses parents juste avant que la glace s'installe. Ils en discutaient en s'emportant, mais Emelie n'avait pas réussi à en comprendre le contenu. À vrai dire, elle n'y tenait pas non plus. Aux mots méprisants de Julian et au ton résigné de Karl quand ils évoquaient la lettre, un courant froid lui glaçait le dos.

Elle ne comprenait pas non plus pourquoi ses beaux-parents ne venaient jamais leur rendre visite, ni pourquoi Karl et elle n'allaient jamais chez eux. La maison natale de Karl n'était qu'à une heure de route de Fjällbacka. En partant tôt, ils seraient de retour bien avant la tombée de la nuit. Mais elle n'osait pas demander. Chaque fois qu'il recevait de leurs nouvelles, Karl était de mauvaise humeur pendant plusieurs jours. Après la dernière lettre, il s'était montré plus désagréable que jamais et, comme toujours, Emelie était tenue à l'écart, ignorant tout de ce qui se passait autour d'elle.

— C'est propre, constata Gösta en balayant l'appartement du regard.

Même s'il était content de son initiative, il avait le ventre noué à l'idée de la réaction qu'aurait forcément Hedström.

— Il était sûrement pédé, dit Mellberg.

— Qu'est-ce qui te fait dire ça ? soupira Gösta.

— Y a que chez les pédés que c'est aussi bien rangé. Les vrais mecs ont toujours des trucs qui traînent dans les coins. Et ils n'ont certainement pas de rideaux, dit Mellberg en fronçant le nez pour montrer les rideaux écrus. D'ailleurs, tout le monde a dit qu'il n'avait pas de copine.

— Oui, mais…

Gösta soupira de nouveau et abandonna toute tentative d'émettre un avis différent. Mellberg avait deux oreilles comme tout le monde, certes, mais il les utilisait rarement pour écouter.

— Tu prends la chambre et moi le salon ? dit Mellberg et il commença à farfouiller parmi les livres dans la bibliothèque.

Gösta acquiesça et examina la pièce. Elle était assez impersonnelle. Un canapé beige, une table basse en bois sombre posée sur un tapis clair, un poste de télévision sur son meuble et une bibliothèque avec quelques rares livres – surtout des essais sur l'économie et la comptabilité.

— Un drôle de loustic quand même, dit Mellberg. Il n'a vraiment pas beaucoup d'affaires.

— Il aimait peut-être vivre simplement, dit Gösta, et il entra dans la chambre.

Elle était aussi bien rangée que le salon. Un lit blanc, une table de chevet, des rideaux blancs et une commode.

— En tout cas, il a la photo d'une nana ici, cria Gösta à Mellberg tout en prenant le portrait posé contre la lampe de chevet.

— Montre-moi. Elle est belle ? demanda Mellberg.

— Mouais, je dirais plutôt mignonne.

Mellberg jeta un coup d'œil et fit une grimace signifiant qu'il n'était pas spécialement sous le charme. Il retourna dans le salon et Gösta resta planté là, la photo à la main. Il se demanda qui était cette fille. Elle avait dû avoir de l'importance pour Mats Sverin. Ça semblait être la seule photo dans tout l'appartement, et il l'avait gardée dans sa chambre.

Il la reposa doucement et commença à examiner les tiroirs et les placards. Il n'y avait que des vêtements, rien de plus personnel. Pas d'agenda, pas de vieilles lettres ou d'albums-souvenir. Il tâta minutieusement le fond de tous les espaces de rangement, mais put rapidement constater qu'il n'y avait là strictement rien qui fût digne d'intérêt. C'était comme si Sverin avait emménagé dans l'appartement sans avoir eu de vie auparavant. La seule chose qui prouvait le contraire était le portrait de cette femme.

Gösta retourna devant la table de chevet et reprit le cliché. Elle était mignonne, il le pensait sincèrement. Petite et menue avec de longs cheveux blonds que le vent ramenait sur son visage. Il approcha encore la photo, plissa les yeux et l'étudia en détail. Il cherchait quelque chose, n'importe quoi, qui aurait pu révéler qui était cette femme ou au moins l'endroit où elle avait été immortalisée. Il n'y avait rien d'écrit au dos, et on ne distinguait que de l'herbe à l'arrière-plan. Mais en regardant de plus près, il découvrit quelque chose. Sur le bord droit, on voyait une main. Quelqu'un entrait dans l'image ou en sortait. C'était une petite main. L'image était trop floue pour qu'on puisse en être certain, mais on ne pouvait qu'imaginer une main d'enfant. Il reposa le portrait. Même s'il avait raison, ça ne disait pas qui elle était. Gösta tourna les talons pour sortir de la chambre, puis se ravisa. Il retourna à la table de chevet, prit la photo et la glissa dans sa poche.

— Ça ne valait vraiment pas le coup, marmonna Mellberg, à genoux en train de regarder sous le canapé. On aurait peut-être dû laisser Hedström s'occuper de ça. J'ai l'impression qu'on perd notre temps.

— Il reste la cuisine, dit Gösta sans prêter attention aux jérémiades de son chef.

Il examina l'intérieur de tous les meubles de cuisine, sans rien trouver de particulier. La vaisselle semblait provenir d'Ikea, et ni le réfrigérateur ni les placards n'étaient spécialement remplis.

Gösta se retourna et s'adossa au plan de travail. Il aperçut alors quelque chose sur la table. Un câble serpentait jusqu'au sol et terminait sa course dans une prise murale. Il le prit et l'examina. C'était le chargeur d'un ordinateur portable.

— Est-ce qu'on sait si Sverin avait un ordinateur portable ? cria-t-il.

Il ne reçut aucune réponse, mais entendit les pas nonchalants de Mellberg se rapprocher de la cuisine.

— Pourquoi ?

— Parce qu'il y a un chargeur ici, mais personne n'a jamais parlé d'un ordinateur.

— Il doit être à son boulot.

— Mais ils nous en auraient parlé, à Paula et moi, quand on y était, non ? Ils auraient forcément pensé que son ordi nous intéresserait.

— Vous avez posé la question ? dit Mellberg en levant un sourcil.

Gösta fut obligé de lui donner raison. Ils avaient complètement oublié de demander à avoir accès à l'ordinateur de Mats Sverin. Il était probablement resté à la mairie. Il se sentit soudain totalement idiot, debout avec le chargeur à la main, et il le lâcha comme s'il s'était brûlé.

— Je passerai à la mairie tout à l'heure, dit-il et il sortit de la cuisine.

— Attendre, encore attendre, on ne fait que ça ! Merde à la fin ! marmonna Patrick, irrité, en s'engageant sur le parking devant le commissariat de Göteborg.

— Mercredi prochain, c'est plutôt rapide, je trouve, dit Paula, et elle retint son souffle quand Patrik frôla un lampadaire.

— Oui, tu as peut-être raison, répondit Patrik en claquant la portière. Mais combien de temps faudra-t-il encore avant d'obtenir les résultats du labo central ? Surtout la balle. S'il existe une balle qui correspond dans les fichiers, on devrait en être informés immédiatement au lieu de poireauter pendant des semaines.

— C'est comme ça, et on n'y peut pas grand-chose.

Ils avaient appelé pour annoncer leur visite, mais on leur demanda quand même de bien vouloir s'asseoir et de patienter. Dix minutes plus tard, un homme immense et corpulent vint à leur rencontre. Patrik estima rapidement qu'il devait mesurer dans les deux mètres, et en se levant pour lui dire bonjour, il se fit l'effet d'un lilliputien. Et que dire de Paula ? Elle lui arrivait au niveau de la taille.

— Walter Heed, on s'est parlé au téléphone, dit-il en tendant la main.

Patrik et Paula se présentèrent et lui emboîtèrent le pas. Il est sûrement obligé d'acheter ses chaussures dans des magasins spécialisés, se dit Patrik en regardant avec fascination les pieds de Walter. On aurait dit de petits bateaux. Paula lui donna un coup de coude et, gêné, il releva la tête.

— Je vous en prie, entrez. Voici mon bureau. Je vous offre un café ?

Tous deux hochèrent la tête et se retrouvèrent rapidement avec un gobelet de café à la main.

— Vous avez besoin de renseignements sur un cas de coups et blessures, c'est ça ?

La question était plutôt une constatation, si bien que Patrik se contenta d'acquiescer de la tête.

— J'ai le dossier ici, mais je ne suis pas sûr de vous être d'une grande aide.

— Vous pouvez nous faire un résumé ? demanda Paula.

— Oui, voyons voir, dit Walter.

Il ouvrit le dossier et parcourut rapidement quelques feuillets, puis il se racla la gorge :

— Mats Sverin est rentré tard le soir à son domicile dans Erik Dahlbergsgatan. Après coup, il n'était plus vraiment sûr de l'heure, mais il a estimé qu'il était minuit tout juste passé. Il avait dîné au restaurant avec quelques amis. Les souvenirs de la victime étaient assez diffus, entre autres parce que les coups d'une extrême violence reçus à la tête avaient entraîné des pertes de mémoire.

Walter leva les yeux et abandonna le jargon technique :

— Ce que nous avons finalement compris, c'est qu'il y avait une bande de jeunes devant la porte d'entrée de son immeuble et qu'il leur avait dit de ne pas pisser là. Après quoi ils l'avaient agressé. Mais il était incapable de nous donner un signalement clair et net, il ne pouvait pas non plus dire combien ils étaient. Nous avons parlé avec Mats Sverin à plusieurs reprises après sa sortie du coma, mais ça n'a pratiquement rien donné, soupira Walter en refermant le dossier.

— C'est tout ce que vous avez pu obtenir ? demanda Patrik.

— Oui, nous disposions de trop peu d'éléments pour ouvrir une enquête en bonne et due forme. Il n'y avait pas de témoins. Mais…

Walter hésita un instant et but une gorgée de café.

— Mais quoi ?

— Ce ne sont que des suppositions de ma part… hésita-t-il de nouveau.

— Tout ce que vous pouvez nous donner nous intéresse, dit Paula.

— Eh bien, j'avais toujours le sentiment que Mats ne nous disait pas tout ce qu'il savait. Je n'ai rien pour étayer mes soupçons, mais parfois, quand on parlait avec lui, c'était comme s'il y avait une zone d'ombre.

— Vous voulez dire qu'il savait qui étaient ses agresseurs ? demanda Patrik.

— Je n'irais pas jusque-là, se défendit Walter en ouvrant grands les bras. J'ai juste eu le sentiment qu'il détenait des informations qu'il n'était pas disposé à partager avec nous. Mais vous savez aussi bien que moi que quand les victimes et les témoins se taisent, c'est qu'ils ont leurs raisons.

Patrik et Paula hochèrent la tête.

— J'aurais aimé consacrer plus de temps à ce cas pour essayer d'en tirer quelque chose. Mais je n'ai pas assez de moyens, pas de personnel, et il nous a fallu reporter l'affaire. On avait compris que tant qu'on n'aurait pas éléments nouveaux, l'enquête n'avancerait pas.

— Eh bien aujourd'hui, on peut dire qu'il y en a, des éléments nouveaux, avança Patrik.

— Vous croyez qu'il y a un lien entre l'agression et le meurtre ? C'est votre hypothèse de travail ?

Patrik croisa les jambes et réfléchit quelques secondes avant de répondre.

— Je crois que nous n'avons pas de véritable hypothèse pour le moment. Nous essayons de ne pas nous mettre d'œillères. Mais oui, bien sûr, c'est une possibilité. Il s'est fait tabasser quelques mois avant d'être assassiné, c'est tout de même une drôle de coïncidence.

— C'est vrai. Si on peut vous aider en quoi que ce soit, n'hésitez pas, dit Walter et il se leva en déployant tout son long corps. Notre enquête n'est pas close, juste suspendue, et nous pouvons sans doute nous aider mutuellement.

— Absolument, répondit Paula en lui tendant la main. Est-ce qu'on peut avoir une copie du dossier ?

— Je m'en suis déjà occupé, déclara Walter en remettant à Patrik une liasse de documents. Vous saurez retrouver le chemin ?

— Oui, pas de problème, dit Patrik.

Puis, sur le seuil de la porte, il se retourna et ajouta :

— Au fait, on avait l'intention de passer voir l'organisation où Sverin a travaillé, mais je ne sais pas trop où ça se trouve.

Il sortit un bout de papier avec l'adresse et le montra à Walter. Après quelques indications simples de sa part, ils le remercièrent et prirent congé.

— Ça n'a pas donné grand-chose, soupira Paula quand ils furent de nouveau installés dans la voiture.

— Ne dis pas ça. Il en faut du courage, pour oser dire qu'on pense que la victime d'un crime tait quelque chose. Je crois qu'on doit absolument tenter d'en savoir plus sur l'agression de Sverin. Il y a peut-être quelque chose à Göteborg qu'il n'a pas réussi à fuir en revenant à Fjällbacka.

— Il est donc logique d'enchaîner tout de suite avec son dernier employeur ici, constata Paula en bouclant sa ceinture de sécurité.

— Oui, c'est sans aucun doute notre meilleur point de départ.

Patrik sortit en marche arrière de sa place de parking, et Paula ferma les yeux quand il faillit défoncer le flanc d'une Volvo 740 bleue, que pour une obscure raison il n'avait pas vue dans son rétroviseur. La prochaine fois, elle insisterait pour conduire. Ses nerfs ne résisteraient pas longtemps à la conduite de Patrik.

Les enfants couraient partout dans la cour. Madeleine enchaînait cigarette sur cigarette, même si elle savait qu'elle ferait mieux d'arrêter. Mais ici, au Danemark, les gens avaient une relation détendue avec le tabac. Fumer paraissait plus autorisé.

— Maman, est-ce que je peux aller chez Ditte ?

Vilda, sa fille, se tenait devant elle, les boucles ébouriffées et les joues rougies par l'air frais et l'excitation du jeu.

— Bien sûr, vas-y, dit-elle en lui faisant une petite bise sur le front.

Les avantages de cet immeuble, c'était la grande cour toujours pleine d'enfants, qui permettait aux petits d'aller les uns chez les autres comme une seule grande famille. Elle sourit et alluma une autre cigarette. C'était une sensation inhabituelle. Se sentir en sécurité. Ça ne lui était pas arrivé depuis si longtemps qu'elle avait presque oublié comment c'était. Ils habitaient ici, à Copenhague, depuis maintenant quatre mois et les jours s'écoulaient paisiblement. Elle avait même cessé de se baisser en passant devant les fenêtres ; elle s'y montrait sans crainte, rideaux ouverts.

Ils s'étaient occupés de tout. Ce n'était pas la première fois, mais la situation était quand même différente. Elle avait personnellement parlé avec eux, expliqué pourquoi elle devait à nouveau disparaître avec les enfants. Et ils avaient écouté. La nuit suivante, elle avait reçu la consigne de faire les bagages et de rejoindre la voiture qui les attendait, moteur allumé.

Elle avait décidé de ne pas regarder en arrière. Pas un seul instant elle n'avait douté du bien-fondé de sa décision. Par moments, cependant, elle était incapable de refouler la tristesse qui surgissait dans ses rêves, la réveillait et l'obligeait à fixer le noir. Elle le voyait alors, l'homme auquel elle ne devait pas s'autoriser à penser.

La cigarette lui brûla les doigts, elle poussa un juron et la lança par terre. Kevin la regarda de ses yeux intenses. Elle était tellement plongée dans ses pensées qu'elle n'avait pas remarqué qu'il était venu s'asseoir à côté d'elle, sur le banc. Elle lui ébouriffa les cheveux et il se laissa faire. Il était si sérieux. Son grand petit garçon qui, à huit ans seulement, avait vécu tant de choses.

Partout autour d'eux, des cris joyeux résonnaient entre les immeubles. Elle avait remarqué que des mots danois commençaient à se glisser dans le vocabulaire de ses enfants. Cela l'amusait, tout en l'effrayant. En renonçant au passé et à leur identité, ils se dessaisissaient d'autre chose aussi. Les petits finiraient par perdre leur langue maternelle, perdre leur héritage suédois. Mais elle était prête à faire le sacrifice. Ils étaient arrivés à bon port maintenant et ne déménageraient plus. Ils resteraient ici pour oublier tout ce qu'ils avaient laissé derrière eux.

Elle caressa la joue de Kevin. Avec le temps, il redeviendrait un enfant comme les autres. Et ça, ça n'avait pas de prix.

Comme toujours, Maja arriva en courant et se jeta dans les bras d'Erica. Après lui avoir fait un bisou mouillé, elle tendit les mains pour essayer de distribuer des caresses à ses petits frères dans la poussette.

— Ça, c'est une petite fille qui aime beaucoup ses frères, dit Ewa qui se tenait à la porte et cochait le nom des enfants sur sa liste, au fur et à mesure que les parents venaient les chercher.

— Oui, la plupart du temps. Mais il leur arrive de prendre des coups aussi, répondit Erica en regardant tendrement ses fils.

— C'est normal que les enfants réagissent à l'arrivée d'un petit frère ou d'une petite sœur, ils n'ont plus le monopole de l'attention de leurs parents, remarqua Ewa en se penchant sur la poussette pour faire coucou aux jumeaux.

— Bien sûr, tu as raison. Ça se passe même étonnamment bien.

— Ils font leurs nuits ?

Ewa gazouilla avec les petits et reçut deux grands sourires en récompense.

— Oui, ils ont très vite eu des horaires parfaits. Le seul hic, c'est Maja qui s'ennuie quand ils font la sieste, et si on ne la surveille pas, elle monte les réveiller.

— Ça ne m'étonne pas. C'est une petite fille particulièrement vive et entreprenante.

— Oui, c'est le moins qu'on puisse dire.

Les jumeaux commencèrent à gigoter dans leur poussette et Erica chercha sa fille du regard.

— Elle est là-bas, sur l'aire de jeux, dit Ewa. Elle y est tout le temps fourrée.

Effectivement. Erica vit Maja glisser sur le toboggan à toute allure, aux anges. Elle parvint quand même à la persuader de monter sur le marchepied de la poussette pour s'en aller.

— On va pas maison ? demanda Maja.

Erica avait tourné à droite plutôt qu'à gauche comme d'habitude, quand elles rentraient à la maison.

— Non, on va chez tatie Anna et tonton Dan, annonça Erica.

La nouvelle fut reçue avec un cri de joie.

— Maja joue avec Lisen. Et Emma. Pas Adrian, déclara Maja d'un ton ferme.

— Ah bon ? Pourquoi tu ne vas pas jouer avec Adrian ?

— C'est un garçon.

Apparemment, c'était un argument suffisant, et Erica n'obtint pas plus d'informations. Elle se demanda en soupirant si la distinction entre garçons et filles devait vraiment commencer si tôt. Ce qu'on pouvait faire et ne pas faire, avec qui on pouvait jouer et ne pas jouer.

Les vêtements qu'on pouvait porter ou non. Devait-elle culpabiliser d'avoir participé à ces clichés en cédant à sa fille qui voulait que tout soit rose princesse ? La garde-robe de Maja était désormais remplie de vêtements roses, la seule couleur qui permettait d'éviter que le choix quotidien de sa tenue ne tourne au drame. Était-ce une erreur de la laisser décider toute seule ?

Erica ne mena pas ses réflexions jusqu'au bout, elle n'en avait pas la force. Faire avancer la poussette était en soi suffisamment pénible. Elle s'arrêta un instant au rond-point avant de reprendre son élan et de tourner à gauche dans Dinglevägen. Elle vit la maison de Dan et Anna à Falkeliden, et le chemin restant lui parut bien plus long qu'il ne l'était réellement. Elle finit par arriver à bon port, mais le dernier raidillon avait failli la mettre à plat et elle resta un bon moment devant la porte afin de reprendre son souffle. Une fois son pouls apaisé, elle put appuyer sur la sonnette, et quelques secondes plus tard on lui ouvrait grande la porte.

— Maja ! Et les bébés ! s'écria Lisen.

Puis elle se retourna et lança en direction du salon :

— C'est Erica, avec Maja et les bébés ! Ils sont trop mignons !

Erica ne put s'empêcher de rire de son enthousiasme, et elle s'effaça pour que Maja puisse entrer dans le vestibule.

— Ton papa est là ?

— Papa ! hurla Lisen en guise de réponse à la question d'Erica.

— Salut, je suis content de vous voir, dit Dan en sortant de la cuisine. Entrez, entrez.

Il ouvrit ses bras pour accueillir Maja qui se précipitait sur lui. Dan était son favori absolu. Après la séance de câlins, il la reposa par terre et elle disparut rapidement dans le salon avec les autres enfants, qui étaient manifestement absorbés par la télé.

— Je suis désolée, je suis souvent de passage chez vous, hein, dit Erica en se débarrassant de sa veste.

Puis elle dégagea les cosys des jumeaux et suivit son beau-frère dans la cuisine.

— Un peu de compagnie, ça nous fait plaisir, dit Dan en se frottant le visage.

Il avait l'air terriblement fatigué et démoralisé. Il ajouta :

— Je viens de faire du café, ça te tente ?

— Depuis quand est-ce que tu as besoin de me demander ? répondit-elle avec un sourire complice.

Elle posa les jumeaux par terre sur une couverture qu'elle avait sortie du sac à langer. Puis elle s'assit devant la table de cuisine et Dan s'installa en face d'elle, après leur avoir servi du café. Ils restèrent un instant sans rien dire. Ils se connaissaient tellement bien que le silence n'était jamais gênant. C'était assez amusant, l'amoureux de sa sœur avait été son petit ami par le passé. Mais cela remontait à un temps si lointain qu'ils s'en souvenaient à peine. Leur relation avait pris la forme d'une chaleureuse amitié, et Erica n'aurait pu imaginer un meilleur compagnon pour sa sœur.

— J'ai eu une conversation intéressante aujourd'hui, finit-elle par dire.

— Ah bon ? dit Dan en sirotant son café.

Ce n'était pas un homme prolixe et il savait qu'Erica n'avait pas besoin de beaucoup d'encouragements pour poursuivre.

Elle raconta sa rencontre avec Vivianne, et ce qu'elle lui avait dit à propos d'Anna.

— On l'a laissée se couper du monde au moment où il aurait fallu faire exactement le contraire.

— Je ne sais pas, dit Dan et il se leva pour reprendre la cafetière. J'ai l'impression que quoi que je fasse, ce n'est jamais ce qu'il faut.

— À mon avis, elle n'a pas tort. J'en suis sûre, même. On ne peut pas la laisser s'éteindre à petit feu toute seule là-haut. On lui imposera notre présence, s'il le faut.

— Tu as peut-être raison, dit-il tout en restant dubitatif.

— Ça vaut la peine d'essayer en tout cas, insista Erica.

Elle se pencha pour vérifier que les jumeaux allaient bien. Ils étaient là, sur la couverture, à agiter leurs petites menottes et leurs petits pieds, et ils avaient l'air si satisfaits qu'elle se réinstalla confortablement sur sa chaise.

— Bien sûr que ça vaut la peine d'essayer, mais…

Dan laissa sa phrase en suspens, comme s'il n'osait pas prononcer les mots à voix haute de crainte qu'ils ne se confirment.

— … mais si ça ne change rien ? Si elle a tout simplement abandonné la partie ?

— Anna n'abandonne jamais, dit Erica. Elle est au fond du trou en ce moment, mais elle n'abdiquera pas, et tu dois y croire, toi aussi. Tu dois croire en Anna.

Elle braqua ses yeux sur Dan, l'obligeant à croiser son regard. Anna n'était pas de celles qui renoncent, elle avait juste besoin d'un coup de pouce pour grimper les premières marches. Et ils allaient lui fournir cette aide-là.

— Tu peux surveiller les petits un instant ? Je monte la voir.

— Bien sûr, laisse-les-moi, fit Dan avec un pâle sourire.

Il se leva, puis s'accroupit par terre, à côté d'Anton et de Noel.

Erica était déjà sortie de la cuisine et montait au premier étage. Elle ouvrit doucement la porte de la chambre. Anna était couchée exactement dans la même position que la dernière fois. Sur le côté, le visage tourné vers la fenêtre. Erica ne dit rien, s'allongea simplement sur le lit en laissant son corps épouser celui d'Anna. Elle l'entoura de son bras, la serra fort et sentit qu'elle communiquait sa chaleur à sa sœur.

— Je suis là, Anna, chuchota-t-elle. Tu n'es pas seule. Je suis là.

Les provisions que Gunnar lui avait apportées touchaient à leur fin. Mais elle hésita à rappeler les parents de Matte. Elle ne voulait pas penser à lui, à la déception qu'il avait forcément éprouvée.

Annie cilla pour chasser les larmes et décida d'attendre le lendemain. Pour l'instant, ils avaient encore de quoi tenir. Sam ne mangeait pas grand-chose. Elle était toujours obligée de le nourrir comme un bébé, d'introduire de force chaque cuillérée dans sa bouche pour ensuite le voir recracher presque tout.

Elle frissonna et se recroquevilla sur elle-même. Il ne faisait pas réellement froid, mais c'était comme si le vent qui balayait l'île traversait les murs de la maison, traversait ses vêtements épais, traversait sa peau et pénétrait ses os. Elle enfila un autre pull, un épais tricot fait main que portait toujours son père quand il allait à la pêche. Mais ça ne suffisait toujours pas. On aurait dit que le froid venait de l'intérieur de son corps.

Ses parents n'auraient pas aimé Fredrik. Elle l'avait toujours su, depuis la première fois qu'elle l'avait rencontré. Mais elle avait refoulé cette idée. Ils étaient morts, ils l'avaient laissée seule, alors de quel droit viendraient-ils s'immiscer dans sa vie ? C'est ainsi qu'elle ressentait les choses. Elle avait été abandonnée.

Son père était décédé le premier. Il avait fait un infarctus, s'était écroulé à la maison et ne s'était jamais relevé. La mort avait été immédiate, disait le médecin, comme une consolation. Trois semaines plus tard, sa mère avait appris sa propre sentence. Cancer du foie. Elle avait vécu six mois de plus avant de s'endormir paisiblement, le visage tranquille, presque heureux pour la première fois depuis des mois. Annie était à son chevet quand elle était partie, elle lui tenait la main et essayait de ressentir ce qu'elle était censée ressentir, de la peine et du chagrin. Au lieu de cela, elle s'était remplie de colère. Comment pouvaient-ils la laisser seule ? Elle avait besoin d'eux. Ils étaient son point de repère dans l'existence, elle avait toujours pu se réfugier dans leurs bras quand elle avait fait une bêtise qui leur faisait secouer la tête et dire avec tendresse : "Mais enfin, Annie, voyons…" Qui allait la surveiller désormais et refréner son tempérament débridé ?

Devenue orpheline en quelques mois, elle avait veillé sa mère morte. *Little orphan Annie*, s'était-elle dit en repensant au film préféré de son enfance. Mais elle n'était pas une petite fille à la chevelure rousse et frisée adoptée par un gentil millionnaire. Elle était Annie, qui prenait des décisions impulsives et stupides, qui voulait tester ses limites, tout en sachant qu'elle ne devrait pas. Elle était Annie, qui avait rencontré Fredrik, et si ses parents avaient encore été en vie, ils auraient eu une conversation sérieuse avec elle. Ils seraient arrivés à lui faire changer d'idée, à renoncer à Fredrik et à la vie avec lui, qui la menait tout droit au désastre. Mais ils n'avaient pas été là. Ils l'avaient abandonnée, et au fond d'elle-même elle leur en voulait toujours.

Elle se redressa sur le canapé et remonta ses genoux vers sa poitrine. Matte avait su calmer cette colère-là. Pendant quelques heures, une courte soirée, une nuit, pour la première fois depuis la mort de ses parents, elle ne s'était pas sentie seule. Mais il était parti lui aussi. Elle appuya son front contre ses genoux et pleura. Elle était toujours la petite Annie abandonnée.

— Est-ce qu'Erling est là ?

— Il est dans son bureau, vous n'avez qu'à frapper, répondit Gunilla en se levant à moitié pour indiquer la porte fermée d'Erling.

— Je vous remercie, fit Gösta avec un hochement de tête.

Il était contrarié d'avoir à faire cette nouvelle visite qui n'aurait pas dû avoir lieu. S'il avait eu la présence d'esprit de se renseigner sur l'ordinateur quand il était venu la première fois avec Paula, il ne serait pas là aujourd'hui. Mais ils n'y avaient pas pensé, ni l'un ni l'autre.

— Entrez !

Erling répondit tout de suite quand il frappa à la porte, et Gösta ouvrit et pénétra dans le bureau.

— Si la police débarque tous les jours maintenant, on n'a pas de souci à se faire pour la sécurité de nos bureaux, sourit Erling de son sourire de politicien, et il secoua la main de Gösta avec beaucoup d'enthousiasme.

— Hum, oui, il y a une chose que je dois vérifier à nouveau, murmura Gösta en s'asseyant.

— Vas-y, demande, nous sommes à la disposition de la police.

— Eh bien, il s'agit de l'ordinateur portable de Mats Sverin. On vient d'examiner son appartement, et il semblerait qu'il en possédait un. Est-ce qu'il se trouve ici?

— Le portable de Mats? Ça ne m'est pas venu à l'esprit. Laisse-moi aller voir.

Erling se leva et sortit dans le couloir pour entrer aussitôt dans une pièce voisine. Il fut de retour presque immédiatement.

— Non, il n'est pas là. Il aurait été volé? demanda-t-il d'un air soucieux en se réinstallant derrière son bureau.

— On n'en sait rien. Mais on aimerait bien mettre la main dessus.

— Vous avez trouvé son attaché-case? Une mallette en cuir marron. Il l'avait toujours avec lui, en arrivant au bureau et en repartant, et je sais qu'il y glissait souvent son portable.

— Non, aucun attaché-case.

— Aïe, aïe, aïe, c'est inquiétant ça. Si le portable et l'attaché-case ont été volés, ça veut dire que des données sensibles se baladent dans la nature.

— Comme quoi?

— Je veux juste dire qu'il ne faudrait pas que des informations sur les finances de la commune ou ce genre de choses soient rendues publiques. Mieux vaut garder le contrôle là-dessus. Ce sont des chiffres officiels, nous n'avons pas de secrets ici, mais il est quand même préférable de rester maîtres de leur divulgation. Et avec Internet, va savoir jusqu'où ça peut aller...

— Ça, c'est vrai, dit Gösta.

Il se sentait un peu dépité de ne pas avoir mis la main sur cet ordinateur. Où pouvait-il bien être? Erling avait-il raison de craindre un vol, ou bien Mats l'avait-il rangé ailleurs que dans son appartement?

— En tout cas, merci de ton aide, dit Gösta en se levant. On reste en contact. Et si le portable ou l'attaché-case réapparaissent, merci de nous prévenir tout de suite.

— Bien entendu, répondit Erling et il raccompagna Gösta dans le couloir. Pareil pour vous. C'est terriblement ennuyeux que des objets qui sont la propriété de la commune se volatilisent ainsi. Particulièrement en ce moment, en plein projet Badis, la plus grosse réalisation jamais entreprise ici.

Erling s'arrêta net.

— Ça me revient ! Quand Mats est parti vendredi soir, il a parlé de quelques points pas très clairs qui le tracassaient. Il allait voir ça avec Anders Berkelin, le responsable financier de Badis. Vous pouvez toujours lui demander s'il sait quelque chose au sujet de l'ordinateur. C'est un peu hasardeux, comme hypothèse, mais il faut absolument qu'on le retrouve, tu comprends.

— On va lui poser la question, et on t'appelle bien sûr si on a du neuf.

Gösta soupira en sortant de la mairie. Ça allait faire beaucoup de boulot pour les semaines à venir, beaucoup trop. Alors que la saison de golf avait démarré depuis un bon moment déjà.

Les locaux de Refuge étaient discrètement situés dans un quartier d'affaires sur l'île de Hisingen à Göteborg. Patrik ne repéra le bâtiment qu'après être passé devant plusieurs fois.

— Ils savent qu'on vient ? demanda Paula en sortant de la voiture.

— Non. J'ai fait exprès de ne pas les prévenir.

— Tu as des infos sur leur activité ?

Paula hocha la tête vers le panneau, dans l'entrée, indiquant le nom des diverses entreprises.

— Leur mission consiste à s'occuper de femmes battues. Ils leur procurent un refuge quand elles sont obligées de s'enfuir, d'où leur nom. Et ils proposent un soutien à celles qui vivent encore avec leur mari, et les aident, elles et les éventuels enfants, à s'en sortir. Annika n'a pas trouvé grand-chose sur eux, à ce qu'elle m'a dit. Ils mènent leur activité avec une grande discrétion.

— Ça se comprend, dit Paula en appuyant sur la sonnette correspondant au nom de l'association. Enfin, même si leurs bureaux ne sont pas faciles à trouver, je suppose que ce n'est pas ici qu'ils accueillent les femmes.

— Non, ils ont sûrement un autre local.

— Association Refuge, bonjour, crépita l'interphone, et du regard, Paula interrogea Patrik qui se racla la gorge.

— Bonjour, je m'appelle Patrik Hedström. Je suis de la police de Tanumshede et, avec une collègue, nous aimerions vous poser quelques questions, annonça Patrik avant de poursuivre : C'est au sujet de Mats Sverin.

Il y eut un silence. Puis un bourdonnement se fit entendre et la porte se débloqua. Les bureaux étaient situés au premier étage, et ils choisirent de monter à pied. Patrik remarqua que la porte de Refuge se distinguait des autres portes de l'immeuble. Elle était plus solide, en acier, avec une serrure à gorges. Ils sonnèrent de nouveau, et un autre interphone crépita.

— C'est Patrik Hedström.

Ils attendirent quelques secondes avant d'entendre qu'on déverrouillait la porte. Une femme d'une quarantaine d'années, en jean usé et pull blanc, ouvrit.

— Excusez-nous. Nous préférons traiter nos visiteurs avec une certaine prudence. Je m'appelle Leila Sundgren. Je suis la responsable de Refuge.

— Patrik Hedström, et voici ma collègue Paula Morales.

Ils se serrèrent poliment la main.

— Entrez, nous allons nous installer dans mon bureau. C'est au sujet de Matte, vous avez dit ? demanda Leila, et sa voix trahissait un brin de nervosité.

— Attendons d'être assis, dit Patrik.

Leila hocha la tête et les précéda dans une petite pièce claire. Les murs étaient tapissés de dessins d'enfants, mais le plateau de son bureau était net et rangé. Tellement différent du mien, se dit Patrik en s'asseyant.

— Vous aidez combien de femmes chaque année ? demanda Paula pour commencer.

— Nous hébergeons une trentaine de femmes par an. La demande est énorme. Parfois on a vraiment l'impression que nos interventions ne sont qu'une goutte d'eau dans l'océan, mais malheureusement, nous n'avons pas assez de moyens.

— Comment est financée votre activité ?

La curiosité de Paula était authentique, et Patrik se renversa dans sa chaise pour la laisser poser ses questions.

— Nous avons deux sources de financement. Des subventions de la commune et des donateurs particuliers. Mais nous sommes constamment en manque d'argent et frustrés de ne pas pouvoir intervenir davantage.

— Vous avez combien d'employés ?

— Nous sommes trois salariés, et nous travaillons avec un nombre variable de bénévoles. Les salaires ne sont pas mirobolants, je tiens à le souligner. Nous avons tous connu une baisse de salaire par rapport à nos emplois précédents. Ce n'est pas l'argent qui nous motive.

— Mats Sverin faisait partie des salariés ? glissa Patrik.

— Oui, c'était notre directeur financier. Il a travaillé pour nous pendant quatre ans et il a fait un boulot formidable. Dans son cas, le salaire était dérisoire comparé à ce qu'il gagnait auparavant. Il était un véritable moteur ici. Et il n'a pas été difficile à convaincre quand j'ai voulu le faire participer à cette expérience.

— Quelle expérience ?

Leila eut l'air de méditer sur la meilleure façon de s'exprimer.

— Refuge est unique, finit-elle par dire. Normalement, aucun homme ne travaille dans les structures d'accueil pour femmes battues. Je dirais même que c'est un tabou absolu d'avoir un homme dans ce type d'organisation. Nous, au contraire, nous avons maintenu une stricte parité quand Matte travaillait ici, deux femmes, deux hommes, et c'était exactement mon but quand j'ai créé Refuge. Mais ça n'a pas toujours été facile.

— C'est-à-dire ? demanda Paula.

Elle n'avait jamais réfléchi à ces questions-là, mais elle n'avait pas non plus souvent été en relation avec des foyers pour femmes battues.

— Le sujet est brûlant, et les deux points de vue ont de fervents défenseurs. Ceux qui veulent tenir les hommes à l'écart des foyers affirment qu'après tout ce qu'elles ont vécu, ces femmes ont besoin d'un lieu exclusivement féminin. D'autres, comme moi, trouvent que c'est une grave erreur. J'estime que les hommes ont une fonction à remplir dans les accueils pour femmes en difficulté. Ils existent dans le monde, et les exclure créerait une sécurité illusoire. Pratiquement toutes ces femmes n'ont connu qu'un type d'hommes dans leur vie, et c'est salutaire de leur montrer qu'il existe aussi des hommes bien. Je me suis donc opposée à cette méthode. Refuge a été la première structure d'accueil à choisir de travailler à la fois avec des hommes et des femmes.

Leila fit une brève pause avant de reprendre :

— Mais cela sous-entend bien sûr que les hommes que nous faisons entrer ici soient choisis avec très grand soin, et que nous ayons une confiance absolue en eux.

— Qu'est-ce qui vous a amenée à avoir cette confiance en Mats ? demanda Patrik.

— C'est un ami de mon neveu. Ils se sont beaucoup vus pendant quelques années, et j'ai rencontré Matte à plusieurs occasions à cette époque. Il m'a raconté qu'il ne s'épanouissait pas dans son travail, qu'il était à la recherche d'un autre emploi. Quand il a entendu parler de l'activité de Refuge, il s'est montré très enthousiaste, et il a réussi à me convaincre qu'il était l'homme qu'il me fallait pour ce boulot. Il avait vraiment envie d'aider autrui, et il a pu le faire chez nous.

— Pourquoi a-t-il démissionné ?

À cette question, Patrik vit un scintillement fugace dans les yeux de Leila.

— Il avait envie d'autre chose. Et je pense que l'idée de retourner chez lui a germé après son agression. C'est souvent le cas. Il a été sévèrement tabassé, vous le savez peut-être ?

— Oui, nous avons vu les médecins de Sahlgrenska, dit Patrik.

— Pourquoi venez-vous me poser toutes ces questions sur Matte ? Ça fait déjà plusieurs mois qu'il ne travaille plus ici, dit Leila avec un soupir de regret.

Patrik esquiva la réponse.

— Est-ce que quelqu'un ici est resté en contact avec lui depuis ?

— Non, nous ne nous voyions pas en dehors du boulot et ça a paru naturel de ne pas garder le contact après son départ. Mais j'aimerais vraiment comprendre la raison de votre venue, répéta Leila.

Sa voix s'était faite plus aiguë et ses mains serrèrent le rebord du bureau.

— Mats a été retrouvé mort avant-hier. Abattu à bout portant.

Leila chercha sa respiration.

— Ce n'est pas possible.

— Je suis désolé, dit Patrik.

Elle devint livide et il se demanda s'il ne devait pas aller lui chercher un verre d'eau. Elle ravala sa salive, parut se ressaisir, mais sa voix trembla légèrement quand elle demanda :

— Pourquoi ? Vous savez qui a fait ça ?

— Nous avons affaire à un meurtrier inconnu de nos services.

Patrik s'entendit retomber dans l'abrupt jargon policier, comme chaque fois que la situation se chargeait d'émotions.

Leila était de toute évidence touchée.

— Y a-t-il un lien avec… ? demanda-t-elle sans terminer sa phrase.

— Nous avons encore très peu d'éléments, répondit Paula. Nous essayons d'en apprendre plus sur Mats, et de savoir s'il y avait quelqu'un dans sa vie qui pouvait avoir un motif pour le tuer.

— Vous menez une activité très particulière, dit Patrik. Je suppose que vous avez une certaine habitude des menaces ?

— Oui, en effet, dit Leila. Mais ce sont plutôt les femmes que nous accueillons qui sont visées, pas nous. De plus, Matte s'occupait principalement de la gestion financière, il n'était le référent que d'un tout petit nombre de femmes. Et, comme je viens de le dire, il ne travaille plus ici depuis trois mois. J'ai du mal à voir comment…

— Vous n'avez pas gardé en tête un souvenir particulier ? Une situation inhabituelle, une menace qui lui aurait été directement destinée ?

De nouveau, Patrik eut l'impression de voir une lueur dans les yeux de Leila, mais elle disparut tellement vite qu'il ne sut dire s'il l'avait réellement vue.

— Non, rien de tel. Matte travaillait dans les coulisses. Il gérait les comptes. Crédit et débit.

— Est-ce qu'il entrait en contact direct avec les femmes qui venaient chercher de l'aide auprès de vous ? demanda Paula.

— Très peu. Il avait surtout des tâches administratives, répondit Leila qui paraissait toujours ébranlée par la nouvelle de la mort de Mats.

— Bon, je pense que nous avons fait le tour, dit Patrik et il sortit une carte de visite qu'il posa sur le bureau impeccable de Leila. Si vous, ou l'un de vos collaborateurs, vous rappelez quoi que ce soit, soyez gentils de m'appeler.

Leila hocha la tête en prenant la carte.

— Bien sûr.

Ils prirent congé et la lourde porte en acier se referma derrière eux.

— Qu'est-ce que tu en penses ? demanda Patrik à voix basse tandis qu'ils descendaient l'escalier.

— Je crois qu'elle cache quelque chose.

— Je suis d'accord avec toi.

La mine de Patrik était soucieuse. Il allait s'intéresser d'un peu plus près à Refuge.

FJÄLLBACKA 1871

L'ambiance avait été étrange toute la journée. Karl et Julian étaient allés jeter un coup d'œil sur le phare à plusieurs reprises, et ils semblaient tout faire pour éviter Emelie. Ni l'un ni l'autre ne la regardait droit dans les yeux.

Les autres aussi sentaient qu'il y avait une menace dans l'air. Ils étaient plus présents que d'habitude, surgissaient subrepticement pour disparaître tout aussi vite. Des portes claquaient et elle entendait des pas à l'étage qui s'arrêtaient dès qu'elle montait. Ils voulaient lui dire quelque chose, elle le comprenait, mais elle ne savait pas quoi. Plusieurs fois elle sentit un souffle contre sa joue, elle sentit quelqu'un lui toucher l'épaule ou le bras. Un frôlement léger comme une plume sur sa peau qui, une fois envolé, semblait sorti de son imagination. Mais elle savait qu'il était réel, aussi réel que le pressentiment qui lui dictait de s'enfuir.

Songeuse, Emelie regarda la mer couverte de glace. Elle ferait peut-être mieux de s'y aventurer. À peine l'idée eut-elle surgi dans son esprit qu'elle sentit dans son dos une main qui la poussait vers la porte. Était-ce cela qu'ils essayaient de lui dire ? Qu'elle devrait partir pendant qu'il était encore temps ? Mais elle n'en avait pas le courage. Elle tournait dans la maison comme une âme en peine. Faisait le ménage, rangeait, essayait de tenir ces pensées à l'écart. C'était comme si l'absence des regards malveillants était plus funeste et effrayante que les regards eux-mêmes.

Tout autour, les autres cherchaient à attirer son attention. Ils voulaient qu'elle tende l'oreille et qu'elle écoute, mais elle ne comprenait pas, malgré ses efforts. Elle sentait les mains qui la touchaient, elle entendait les pas qui la suivaient avec impatience où qu'elle aille, et les chuchotements agités se confondaient, impossibles à distinguer les uns des autres.

Quand vint le soir, tout son corps fut pris de tremblements. Elle savait que Karl n'allait pas tarder à prendre le premier quart dans le phare et qu'elle devait se dépêcher de préparer le repas du soir. L'esprit vide, elle apprêta le hareng saur. Quand elle égoutta les pommes de terre bouillies, ses mains tremblaient si fort qu'elle faillit s'ébouillanter.

Ils se mirent à table, et subitement elle entendit du bruit à l'étage. Les chocs se firent de plus en plus forts et rythmés. Karl et Julian ne paraissaient pas les entendre, mais ils avaient quand même l'air agités et mal à l'aise.

— Sors-nous la gnôle, dit Karl d'une voix cassée avec un mouvement de tête en direction du placard où était rangée l'eau-de-vie.

Elle ne savait pas quoi faire. S'ils rentraient souvent de chez Abela soûls comme des Polonais, ils touchaient rarement à la bouteille à la maison.

— La gnôle, j'ai dit, répéta Karl.

Emelie se leva prestement, ouvrit le placard et sortit la bouteille qui était presque pleine. Elle la posa sur la table et sortit deux verres.

— Toi aussi, t'en prendras, dit Julian.

Dans ses yeux brillait une lueur qui la fit frissonner.

— Je ne sais pas, bégaya-t-elle.

Elle ne buvait pas volontiers de l'alcool. À quelques rares occasions, elle en avait goûté et elle avait compris qu'elle n'aimait pas ça.

Irrité, Karl se leva, prit un autre verre dans le placard et le posa brutalement devant Emelie. Puis il le remplit à ras bord.

— Je n'y tiens pas...

Sa voix se rompit et elle sentit les tremblements reprendre possession de son corps. Personne n'avait encore touché à la nourriture. Lentement, elle leva le verre et y trempa ses lèvres.

— Cul sec, ordonna Karl.

Puis il se rassit et servit la même rasade dans les deux autres verres.

— Vas-y. Bois.

À l'étage, les chocs bruyants continuaient. Elle pensa à la glace qui couvrait la mer jusqu'à Fjällbacka et qui aurait pu la porter, la mettre en sécurité si seulement elle avait écouté, si elle avait osé. Mais il faisait nuit maintenant, et elle ne pouvait plus s'enfuir. Soudain, elle sentit une main sur son épaule, un contact bref qui lui dit qu'elle n'était pas seule.

Emelie leva le verre et avala l'alcool d'un seul trait. Elle n'avait pas le choix, elle était prise au piège. Pourquoi, elle n'en savait rien, mais c'était ainsi. Elle était leur captive.

En voyant qu'elle avait tout bu, Karl et Julian vidèrent aussi leur verre. Puis Julian les remplit de nouveau, les fit déborder même. Ils n'avaient pas besoin de lui dire ce qu'elle avait à faire, elle le savait. Ils la scrutaient, et elle comprit que quoi qu'il arrive, elle serait obligée de lever le verre, encore et encore.

Au bout d'un moment, toute la pièce s'était mise à tanguer et elle sentit qu'ils commençaient à la déshabiller.

Elle se laissa faire. L'alcool avait rendu ses membres lourds et lui avait retiré toute capacité de résistance. Pendant que le martèlement à l'étage se faisait toujours plus intense jusqu'à lui remplir entièrement l'esprit, Karl s'allongea sur elle. Puis vinrent la douleur et l'obscurité. Julian lui tenait fermement les bras, et la dernière chose qu'elle vit, ce fut son regard. Il était rempli de haine.

Ce vendredi matin, la journée s'annonçait belle et ensoleillée. Erica se retourna dans le lit et entoura Patrik de son bras. Il était rentré tard la veille. Elle était déjà couchée et n'avait eu la force que de murmurer un "salut" ensommeillé avant de se rendormir. Mais maintenant elle était réveillée et elle avait envie de lui, de son corps et de l'intimité qui avait été trop rare ces derniers mois. Elle se demandait parfois s'ils parviendraient un jour à la partager de nouveau. La vie tournait tellement vite désormais. On lui avait toujours dit que s'occuper d'enfants en bas âge était épuisant, que ces années-là rongeaient le couple et qu'on n'avait plus le temps l'un pour l'autre. À présent qu'elle y était plongée jusqu'au cou, elle était d'accord, mais seulement à moitié. Ça avait été pénible quand Maja était bébé, elle ne pouvait le nier. Mais la relation entre Patrik et elle ne s'était pas détériorée depuis l'arrivée des jumeaux. Après l'accident, ils étaient plus soudés que jamais et savaient que rien ne pourrait les séparer. Mais l'intimité lui manquait. Celle qu'ils n'avaient pas le temps de s'offrir, entre les couches à changer, les biberons et les allers-retours à la crèche.

Patrik lui tournait le dos et elle se pelotonna tout contre lui. C'était un des premiers matins où elle se réveillait d'elle-même, et non à cause des pleurs des enfants. Elle se serra encore plus près de lui et laissa sa main glisser à l'intérieur de son caleçon. Lentement, elle le caressa et sentit sa réaction. Il ne bougeait toujours pas, mais elle entendit sa respiration se faire plus rapide, et comprit que lui aussi était réveillé. Erica savoura la sensation de chaleur qui se répandait dans son corps. Patrik se tourna vers elle. Ils se regardèrent dans les yeux avec une intensité qui lui donna des frissons. Doucement, il commença à l'embrasser dans le cou, elle laissa échapper un léger gémissement et tendit la nuque pour qu'il puisse atteindre ce point sensible, là, derrière son oreille.

Leurs mains se baladaient sur leurs corps et il ôta son caleçon. Elle enleva rapidement son tee-shirt et se débarrassa de sa culotte avec un petit rire.

— On a presque perdu l'habitude, murmura Patrik tout en continuant à lui mordiller la nuque, et elle se tortilla d'excitation.

— Mmm, je pense qu'on devrait s'entraîner plus souvent.

Elle laissa ses doigts se promener sur ses épaules. Patrik la tourna sur le dos et fut sur le point de la chevaucher quand un bruit familier s'éleva dans la chambre voisine.

— Ouiiin !

Une voix aiguë, puis une autre. Ils entendirent des pas de loup dans le couloir et Maja apparut à la porte, le pouce dans la bouche et sa poupée préférée sous le bras.

— Les bébés pleurent, dit-elle avec un pli épais entre les sourcils. Debout maman, debout papa.

— Oui, oui, on arrive, petit monstre.

Dans un soupir abyssal, Patrik roula hors du lit. Il passa un jean et un tee-shirt et se dirigea vers la chambre des enfants en lançant un regard plein de regret vers Erica.

C'en était fini des plaisirs de l'amour pour cette fois, et elle enfila sa tenue d'intérieur posée par terre à côté du lit, puis suivit Maja dans la cuisine pour préparer le petit-déjeuner et les biberons des jumeaux. Même si son corps était encore chaud, le frisson de la volupté disparut rapidement.

Mais en levant les yeux et en voyant Patrik descendre l'escalier avec un bébé tout juste réveillé sur chaque bras, un désir fulgurant la traversa de nouveau. Mince alors, ce qu'elle pouvait être amoureuse de son mari !

— On n'a toujours pas grand-chose à se mettre sous la dent, dit Patrik quand ils furent tous rassemblés. En revanche, on a soulevé quelques points d'interrogation qui peuvent nous servir de point de départ.

— Rien de plus concernant l'agression, donc ? demanda Martin d'un air découragé.

— Non, d'après la police, il n'y avait pas de témoin. Ils n'ont eu que les déclarations de Mats Sverin lui-même, qui a affirmé que c'était des jeunes qu'il ne connaissait pas.

— Vous êtes sûr qu'on n'est pas en train de perdre notre temps ? dit Mellberg.

— On ne peut évidemment rien garantir, mais je pense que ça vaut le coup de creuser un peu plus dans ce sens, répondit Patrik.

— Et le lieu de travail de Sverin ? demanda Gösta.

— Pareil. Rien de vraiment exploitable. Mais on n'a pas envie de lâcher ça non plus. On a parlé avec la directrice. Elle a paru bouleversée d'apprendre la mort de Mats, mais elle n'était pas... comment dire ?

— Elle n'a pas paru tout à fait surprise, compléta Paula.

— Une simple impression encore une fois, dit Mellberg avec un profond soupir. Pensez aux ressources humaines de ce commissariat, elles ne sont pas illimitées, on n'a pas les moyens de s'éparpiller à gauche et à droite et de faire n'importe quoi. Personnellement, j'estime que c'est une perte de temps de fouiller dans la vie de la victime du temps où elle habitait à Göteborg. Ma longue expérience m'a appris que la réponse se trouve souvent beaucoup plus près. Par exemple, avons-nous bien examiné les parents à la loupe ? Vous connaissez les statistiques, la plupart des meurtres sont commis par des membres de la famille ou des proches.

— Non, je ne pense pas que Gunnar et Signe Sverin représentent un grand intérêt sur ce plan, répliqua Patrik et il dut se retenir de lever les yeux au ciel.

— Je trouve quand même qu'on ne peut pas les éliminer de la liste aussi simplement. Personne ne connaît tous les secrets d'une famille.

— Tu as raison, mais dans le cas présent, je ne suis pas d'accord, trancha Patrik en croisant les bras et en s'appuyant contre le plan de travail, puis il changea de sujet : Martin, Annika, avez-vous trouvé quelque chose hier ?

Martin regarda Annika, et comme elle ne dit rien, il prit la parole.

— Non, tout semble concorder. Mats Sverin n'a pas laissé de traces particulières dans les registres. Il n'a jamais été marié, il n'a pas d'enfant. Après avoir quitté Fjällbacka, il a eu trois adresses différentes à Göteborg, la dernière dans Erik Dahlbergsgatan. Il possédait toujours cet appartement, mais l'avait mis en sous-location. Il avait deux emprunts en cours, un pour ses études et un pour sa voiture, rien à signaler sur les remboursements. Propriétaire d'une Toyota Corolla depuis un peu moins de quatre ans.

Martin fit une pause pour vérifier ses notes, puis il reprit :

— Ses emplois correspondent aux renseignements que nous avons. Il n'a pas de casier. Voilà, c'est tout. À en croire les registres officiels, Sverin semble avoir vécu une vie ordinaire, sans embrouilles.

Annika hocha la tête. Ils avaient espéré avoir plus que ça à présenter, mais n'avaient rien déniché de plus.

— Bon, nous voilà fixés, dit Patrik. Il nous reste encore l'appartement de Mats à examiner. On aura peut-être plus de chance là-bas.

Gösta se racla la gorge et Patrik l'interrogea du regard en fronçant les sourcils. Ce n'était jamais bon signe, quand Gösta se raclait la gorge.

— Eh bien… commença Gösta.

— Oui, qu'est-ce que tu veux nous dire ?

Patrik n'était pas très sûr de vouloir entendre ce que Gösta avait tant de mal à formuler. Quand il le vit jeter un regard suppliant à Mellberg, Patrik sentit son ventre se nouer. Gösta et Bertil, ce n'était pas une bonne combinaison, quel que soit le contexte.

— Voilà, il se trouve que… Torbjörn a appelé hier quand tu étais à Göteborg, dit Gösta, puis il se tut et déglutit.

— Et alors ? dit Patrik, en faisant un gros effort pour ne pas se lever et secouer Gösta.

— Torbjörn nous a donné le feu vert pour l'appartement hier. Et comme on sait que tu ne tiens pas à perdre du temps, Bertil et moi, on s'est dit qu'on pouvait tout aussi bien aller y jeter un coup d'œil tout de suite.

— Et vous l'avez fait?

Patrik agrippa le bord du plan de travail et se força à respirer calmement. Il se souvenait très bien de l'horrible sensation d'étau autour de sa poitrine et savait qu'il ne devait en aucun cas laisser la colère prendre le dessus.

— Il n'y a aucune raison de t'emporter, dit Mellberg. Au cas où tu l'aurais oublié, il se trouve que c'est moi, le chef, ici. Je suis ton supérieur, et j'ai pris la décision d'entrer dans l'appartement.

Patrik savait bien que Mellberg avait raison, mais ça n'arrangeait pas les choses. Et même si officiellement Mellberg était à la tête du commissariat, dans la pratique c'était Patrik qui le dirigeait, et ce depuis l'entrée en fonction de Mellberg après sa mutation de Göteborg.

— Qu'est-ce que vous avez trouvé? demanda-t-il au bout d'un moment.

— Pas grand-chose, avoua Mellberg.

— L'appartement ressemble plus à un pied-à-terre qu'à un lieu véritablement habité, précisa Gösta. Il n'y a pratiquement pas d'objets personnels. Je dirais même qu'il n'y en a aucun.

— C'est bizarre, dit Patrik.

— Et il manque son ordinateur, lâcha Mellberg nonchalamment en grattant Ernst derrière l'oreille.

— Son ordinateur?

Patrik sentit l'irritation monter. Il n'y avait même pas pensé. Évidemment que Mats Sverin avait un ordinateur, ça aurait dû être une des premières questions à poser aux techniciens. Il jura tout bas.

— Comment savez-vous qu'il "manque"? poursuivit-il. Il est peut-être dans son bureau. Peut-être n'avait-il même pas d'ordinateur personnel chez lui.

— Il semble qu'il en ait possédé un, dit Gösta. On a trouvé un chargeur dans la cuisine. Et Erling nous a confirmé que Sverin disposait d'un portable qu'il rapportait en général chez lui.

— Tu as donc parlé avec Erling de nouveau ?

— J'y suis allé hier après notre visite à l'appartement. Il s'est un peu inquiété de savoir que l'ordinateur se balade dans la nature.

— C'est sans doute l'assassin qui l'a emporté, mais dans ce cas, pourquoi ? dit Martin. D'ailleurs, est-ce qu'on n'aurait pas dû trouver le mobile de Sverin ? Il a disparu, lui aussi ?

Patrik poussa de nouveau un juron silencieux. Encore une chose qu'il avait négligée.

— L'ordinateur contient peut-être des données qui fournissent le motif du meurtre et qui désignent l'assassin, dit Mellberg. On n'a plus qu'à le retrouver, et ce sera plié.

— Gardons-nous des conclusions hâtives, répliqua Patrik. On ignore totalement où se trouve l'ordinateur et qui l'a pris. Il faut absolument le récupérer, ainsi que son téléphone portable. Et on ne tirera de conclusions qu'à ce moment-là.

— À condition d'y arriver… grommela Gösta.

Puis il s'illumina soudain.

— Erling m'a dit que Sverin était préoccupé par la comptabilité. Il allait rencontrer un certain Anders Berkelin, qui s'occupe des finances à Badis. L'ordinateur a très bien pu rester chez lui. Ils travaillaient ensemble sur le projet, il est tout à fait possible qu'il l'ait laissé là-bas ?

— Gösta, tu vas voir cet Anders. Prends Paula avec toi. Martin et moi, on ira à l'appartement, j'aimerais y jeter un coup d'œil moi-même. Au fait, ce n'est pas aujourd'hui qu'on devait recevoir le rapport de Torbjörn ?

— Si, c'est aujourd'hui, dit Annika.

— Tant mieux. Et Bertil, tu surveilles le poste ?

— Bien sûr, dit Mellberg. C'est une évidence. Et vous n'oubliez pas pour demain ?

— Demain ?

Tout le monde se tourna vers lui.

— Oui, l'invitation VIP à Badis. Il faut y être à dix heures et demie.

— Tu crois vraiment qu'on n'a que ça à faire ? dit Patrik. J'étais persuadé que ça avait été annulé, vu tout ce qu'on a sur le feu.

— L'intérêt de la région et de la commune a toujours la priorité absolue, déclara Mellberg en se levant. Nous sommes censés être des modèles, et il ne faut pas sous-estimer la valeur de notre participation aux projets locaux. Donc, on se retrouve à Badis demain à dix heures et demie.

Un murmure résigné se fit entendre. Tous savaient quand il était inutile d'argumenter avec Mellberg. Et quelques heures de pause avec bain à remous, massage et autres saunas bénéfiques au corps et à l'esprit auraient peut-être un effet miraculeux sur la motivation des troupes.

— Putain d'escalier ! s'exclama Gösta en s'arrêtant à mi-chemin.

— On aurait pu passer par l'autre côté, comme ça on se serait garés au-dessus de Badis, plutôt qu'en bas, dit Paula et elle s'arrêta pour l'attendre.

— Et c'est maintenant que tu le dis !

Gösta prit encore quelques inspirations avant de continuer. Les quelques parties de golf qu'il avait eu le temps de faire cette année n'avaient pas suffi à améliorer sa forme physique. À contrecœur, il dut reconnaître que l'âge commençait sans doute aussi à se faire sentir.

— Patrik n'était pas très content d'apprendre que vous êtes entrés dans l'appartement de Mats, avança Paula.

Ils avaient évité le sujet pendant tout le trajet en voiture, mais elle n'arrivait plus à se contenir.

— Si j'ai bonne mémoire, ce n'est pas Hedström le boss, répondit Gösta avec un petit reniflement.

Paula ne répliqua pas, et après un long silence Gösta soupira.

— D'accord, ce n'était peut-être pas très malin d'y aller sans avertir Patrik. Mais parfois c'est difficile pour nous, la vieille garde, d'accepter que la jeune génération reprenne le flambeau. On a l'expérience et le temps de notre côté, et on a l'impression que ça compte pour du beurre.

— Je crois que tu te sous-estimes. Patrik a toujours des mots très gentils à ton sujet. En revanche, pour ce qui est de Mellberg…

— C'est vrai ?

Il parut agréablement surpris, et Paula espéra que son petit mensonge pieux ne serait pas percé à jour. Gösta ne contribuait pas souvent au bon déroulement de leur travail, et Patrik n'avait certainement pas chanté ses louanges. Mais ce n'était pas un mauvais bougre et ses intentions étaient toujours bonnes. Ça ne pouvait pas faire de mal de l'encourager un peu.

— C'est vrai que Mellberg est assez spécial, dit Gösta et il s'arrêta de nouveau en arrivant en haut du long escalier. Bon, maintenant on va voir qui sont ces gens. J'ai beaucoup entendu parler du projet, et je me dis qu'il faut être fichtrement costaud pour travailler avec Erling.

Il secoua la tête et tourna le dos à Badis pour contempler la mer. C'était une belle journée de début d'été, encore une, et la mer s'étendait comme un miroir devant Fjällbacka. Par-ci, par-là, on pouvait distinguer des touffes de verdure, mais c'était surtout le gris des roches qui dominait.

— C'est tout de même vachement beau ici, dit-il d'un air pénétré assez inhabituel chez lui.

— Oui, c'est une chouette ville. Et Badis est vraiment bien situé, il n'y a pas de doute. C'est bizarre qu'on l'ait laissé se délabrer pendant si longtemps.

— Question d'argent, évidemment. Ça a dû coûter des millions, de le remettre en état. Le bâtiment tombait littéralement en ruine. On ne va pas se plaindre du résultat, mais on peut se demander quelle sera l'addition pour nous, les contribuables.

— Je te reconnais bien là, Gösta. Pendant un petit instant, je me suis inquiétée, sourit Paula et elle se dirigea vers l'entrée du bâtiment, impatiente de commencer.

— Ohé ?

Ils lancèrent des appels dans le hall et après quelques minutes un homme de grande taille et d'allure ordinaire vint les accueillir. Ses cheveux blonds avaient juste la bonne longueur, ses lunettes juste le bon design et sa poignée de main juste la fermeté qu'il fallait. Paula se dit qu'elle aurait probablement du mal à le reconnaître si elle le croisait dans la rue.

— Nous avons appelé tout à l'heure, dit Paula.

Elle fit les présentations avant qu'ils ne s'installent dans la salle à manger. La table était couverte de papiers éparpillés autour d'un ordinateur portable.

— Sympa comme bureau, dit-elle en regardant la vaste pièce.

— J'ai aussi un petit réduit là derrière, dit Anders Berkelin en agitant la main dans une direction approximative. Mais je préfère travailler ici, je me sens moins à l'étroit. Dès que l'activité aura démarré, je suppose que je devrai me retirer dans mon antre de nouveau.

Il sourit, et même son sourire avait juste le bon dosage.

— Vous avez des questions à me poser au sujet de Mats, c'est ça ? poursuivit-il en refermant son portable et en les regardant. C'est une vraie tragédie.

— Oui, il semble avoir été très apprécié, dit Paula en ouvrant son bloc-notes. Vous avez travaillé ensemble depuis le début du projet Badis ?

— Non, seulement depuis son recrutement par la commune il y a quelques mois. Avant son arrivée, c'était assez flou chez eux, et on a dû faire le plus gros du boulot nous-mêmes. Mats est arrivé comme un véritable don du ciel.

— Il lui a sans doute fallu un certain temps pour se mettre au courant de tout ? J'imagine que le montage financier d'un tel projet est assez complexe.

— En réalité, ce n'est pas si compliqué que ça. Il y a deux bailleurs de fonds. La commune et nous – c'est-à-dire ma sœur et moi. On partage équitablement les dépenses et on va également partager les bénéfices.

— Et à votre avis, il faudra combien de temps avant que ce soit rentable ? demanda Paula.

— On a essayé d'être le plus réalistes possible dans nos prévisions. Ça ne rend service à personne de bâtir des châteaux en Espagne. Si bien qu'on a estimé atteindre le *break even* dans environ quatre ans.

— Le *break even* ? dit Gösta.

— Le seuil de rentabilité, précisa Paula.

— Ah.

Gösta se sentit un peu bête, il avait honte de son anglais désastreux. Certes, il avait glané quelques termes de golf en regardant des tournois à la télé, mais ça ne lui était pas d'une grande utilité dans la vie courante.

— En quoi consistait votre collaboration avec Mats ? demanda Paula.

— Ma sœur et moi sommes en charge de tout le côté pratique, nous coordonnons les travaux de restauration, nous engageons du personnel, bref, nous structurons l'activité. Et nous facturons la commune pour sa quote-part des frais. La mission de Mats était de vérifier les factures et de veiller à ce qu'elles soient honorées. On a bien sûr entretenu un dialogue constant autour des dépenses et des recettes du projet. La commune a toujours eu son mot à dire.

Anders remonta ses lunettes sur le nez. Ses yeux étaient d'un bleu indéfini derrière les verres.

— Il vous est arrivé de ne pas être d'accord sur certains points ? demanda Paula.

Elle notait tout en parlant, et avait presque rempli une page de ce qui ressemblait à un gribouillis illisible.

— Tout dépend de ce qu'on entend par être d'accord, dit Anders en croisant les mains devant lui sur la table. On n'était pas sur la même longueur d'onde pour tout, mais avec Mats, l'échange était constructif, même quand nos opinions divergeaient.

— Et personne d'autre n'a fait mention de problèmes avec lui ? glissa Gösta.

— Dans le projet ? demanda Anders, et il eut l'air de trouver l'idée tout à fait saugrenue. Non, vraiment pas. À part les désaccords qu'on pouvait avoir, lui et moi, sur des détails. Rien qui puisse être grave au point de… non, certainement pas, dit-il en secouant vigoureusement la tête.

— D'après Erling Larson, Mats devait passer vous voir vendredi dernier pour évoquer avec vous quelques points qui le tracassaient. Vous l'avez vu ? demanda Paula.

— Oui, il est venu, mais il n'est pas resté très long-temps, une demi-heure tout au plus. Dire qu'il était tracassé, ça me semble largement exagéré. Il y avait quelques chiffres erronés, et il fallait ajuster les prévisions, mais ça n'avait rien d'étrange. On a remis tout ça à plat en un rien de temps.

— Y a-t-il quelqu'un qui puisse l'attester ?

— Non, il n'y avait que moi ici à ce moment-là. Il est arrivé assez tard, vers cinq heures. Directement après le boulot, je crois.

— Vous vous rappelez s'il avait son ordinateur portable avec lui ?

— Mats avait toujours son ordinateur avec lui, si bien que je pense pouvoir l'affirmer avec certitude. Oui, je me souviens qu'il avait son attaché-case.

— Et il ne l'a pas oublié ici ?

— Non, je m'en serais rendu compte. Pourquoi ? Il a disparu ?

Anders eut l'air inquiet.

— Nous n'en sommes pas encore sûrs, dit Paula. Mais s'il venait à refaire surface d'une façon ou d'une autre, il faudrait nous contacter immédiatement.

— Bien entendu. En tout cas, il ne l'a pas laissé ici. Ce serait assez fâcheux pour nous si son ordinateur était perdu. Toutes les données du projet Badis se trouvent sur son disque dur.

Anders remonta de nouveau ses lunettes sur son nez.

— Oui, je comprends, dit Paula en se levant, et Gösta sut qu'il devait faire la même chose. N'hésitez pas à nous appeler si vous vous rappelez quoi que ce soit.

Elle lui tendit sa carte et Anders la glissa dans un étui qu'il sortit de sa poche.

— Comptez sur moi, dit-il.

Son regard bleu clair les suivit jusqu'à la porte d'entrée.

Pourvu qu'ils ne les retrouvent pas ici. Bizarrement, cette pensée n'avait frappé Annie qu'aujourd'hui. Gråskär avait toujours été un havre de paix, et elle réalisait seulement maintenant qu'ils pouvaient la retrouver s'ils le voulaient.

Les coups de feu résonnaient encore dans sa mémoire. Ils avaient brisé la quiétude de la nuit, avant que le calme ne s'installe à nouveau. Et elle s'était enfuie, elle avait pris Sam et laissé le chaos derrière elle. Elle avait laissé Fredrik.

Les personnes qu'il avait fréquentées pourraient facilement retrouver sa trace, elle s'en rendait compte à présent. En même temps, elle n'avait pas d'autre choix que de rester ici et d'attendre qu'on la retrouve ou qu'on l'oublie. Ils savaient qu'elle était fragile. À leurs yeux, elle n'avait été que l'accessoire de Fredrik, un beau bijou, une silhouette discrète qui veillait en permanence à ce que leurs verres soient remplis et que la cave à cigares ne soit jamais vide. Pour eux, elle n'avait jamais été une personne réelle, et cela pourrait être à son avantage. Il n'y avait aucune raison de chasser des ombres.

Annie retourna dehors au soleil, essayant de se persuader à nouveau qu'elle était en sécurité. Mais le doute persistait. Elle contourna la maison, scruta la mer et les îles, en direction de la terre ferme. Un jour, un bateau allait peut-être s'approcher, et alors Sam et elle seraient pris au piège comme des rats. Elle s'assit sur le banc et le bois craqua sous son poids. Le vent et le sel le rongeaient petit à petit, et le vieux banc s'appuyait sur le mur, comme s'il était trop fatigué. Il y avait beaucoup de choses ici sur l'île à remettre en état. Certaines plantes revenaient fidèlement d'une année à l'autre. Les roses trémières étaient celles dont elle se souvenait le mieux. Quand elle était petite et que sa mère s'occupait tendrement des plantations, elles avaient rempli tout l'arrière-plan de la plate-bande. Aujourd'hui, il ne restait que quelques tiges solitaires. Il était encore trop tôt pour deviner de quelle couleur seraient les fleurs. Les roses non plus n'avaient pas encore éclos, mais elle espérait que ce serait sa variété préférée qui aurait survécu, la rose claire. Les plantes aromatiques de sa mère étaient mortes depuis longtemps. Seuls quelques brins de ciboulette témoignaient qu'un jour il y avait eu un carré d'herbes ici, embaumant l'air quand on passait la main au milieu des feuilles.

Elle se leva et jeta un coup d'œil à l'intérieur par la fenêtre. Sam était couché sur le côté, elle ne pouvait pas voir son visage. Il dormait longtemps le matin désormais, et elle n'avait aucune raison de l'arracher du lit. Peut-être que le sommeil et les rêves lui procuraient de quoi guérir ce qui avait été abîmé.

Doucement elle se rassit, et le bruit régulier des vagues contre les rochers chassa peu à peu l'inquiétude de son corps. Ils se trouvaient à Gråskär, elle était une ombre et personne n'allait les trouver ici. Ils étaient en sécurité.

— Maman ne pouvait pas venir aujourd'hui ?

Patrik sembla déçu. Il parlait au téléphone tout en négociant à une vitesse beaucoup trop élevée le virage serré de Mörhult.

— Demain après-midi ? OK, tant pis, ce sera demain alors. Bisou, salut.

Il termina la conversation et Martin l'interrogea du regard.

— J'avais pensé emmener Erica à Gråskär pour bavarder un peu avec l'ancienne copine de Sverin, Annie Wester. D'après les parents de Mats, il avait eu en tête d'aller la voir, mais ils ignorent s'il l'a fait ou pas.

— Tu ne peux pas simplement l'appeler pour te renseigner ?

— Si, je pourrais faire ça. Mais en général, c'est plus rentable de voir les gens en face, et je tiens à parler avec tous ceux qui ont connu Mats, même si c'était il y a longtemps. Il reste une énigme, et j'ai besoin d'en savoir plus.

— Pourquoi Erica doit-elle t'accompagner ?

Sur le parking devant les immeubles, Martin descendit de la voiture, heureux d'être encore en vie.

— Elle était dans la même classe qu'Annie. Et que Mats.

— Ah oui, c'est vrai, on m'a dit ça. Effectivement, c'est plutôt habile de l'emmener. Annie se sentira peut-être plus décontractée.

Ils montèrent l'escalier et s'arrêtèrent devant la porte de l'appartement de Mats Sverin.

— Pourvu que Mellberg et Gösta n'aient pas foutu trop de pagaille, dit Martin.

— Ouais, on peut toujours rêver.

Patrik ne se faisait pas trop d'illusions sur leur délicatesse. Enfin, surtout en ce qui concernait Mellberg.

Gösta pouvait avoir des fulgurances par moments et se montrer assez compétent.

Ils contournèrent précautionneusement le sang séché dans l'entrée.

— Il faut que quelqu'un s'occupe de tout ça, dit Martin.

— Je pense malheureusement que c'est aux parents de la victime de le faire. J'espère qu'ils ont quelqu'un pour les aider. Personne ne devrait avoir à laver le sang de son enfant assassiné.

Patrik entra dans la cuisine.

— Tiens, voilà le chargeur dont parlait Gösta. J'espère qu'avec Paula, ils auront retrouvé l'ordinateur. Quoique, ils nous auraient prévenus dans ce cas, dit-il en s'adressant à lui-même.

— Pourquoi Sverin l'aurait-il laissé à Badis ? dit Martin. Je suis prêt à parier que celui qui l'a tué l'a emporté.

— On dirait en tout cas que Torbjörn et son équipe ont relevé les empreintes sur le chargeur. Si seulement on pouvait avoir les résultats aujourd'hui, comme prévu, ça nous aiderait peut-être.

— Un assassin maladroit, tu veux dire ?

— Il y en a plein, heureusement.

— Mais ils font quand même plus attention depuis que la télé diffuse toutes ces émissions sur les crimes et la criminologie. Aujourd'hui, n'importe quel petit voleur s'y connaît en empreintes digitales et en ADN.

— C'est vrai, mais il y aura toujours des crétins.

— Avec un peu de chance, on aura affaire à l'un d'eux, dit Martin en quittant la cuisine pour se rendre dans le salon. Je comprends ce que Gösta voulait dire, cria-t-il à Patrik, resté dans l'autre pièce.

— À propos de quoi ?

— Quand il a dit que ça ressemblait à un pied-à-terre. C'est presque inquiétant, un appart aussi impersonnel. Aucun objet qui pourrait nous renseigner sur sa personne, pas de photos, pas de bibelots, et juste tout un tas d'essais dans sa bibliothèque.

— C'est bien ce que je dis, ce type est une véritable énigme, dit Patrik qui venait le rejoindre.

— Quoique, il tenait peut-être seulement à préserver sa vie privée. Ça n'a rien de mystérieux, après tout. Il n'a pas parlé de copines ou de trucs dans ce genre au boulot, d'accord, et alors ? Certains sont plus secrets que d'autres, c'est tout.

— Bien sûr, s'il n'y avait que ça, dit Patrik en faisant lentement le tour de la pièce. Mais on dirait qu'il n'avait aucune relation, pas d'amis, son appartement est totalement impersonnel, tu le dis toi-même, et il taisait les détails d'une agression sauvage dont il a été victime…

— Tu n'as pas vraiment de preuves pour ce qui est de l'agression, pas vrai ?

— Non, je n'ai pas de preuves. Mais quelque chose ne tourne pas rond. Et il a quand même été retrouvé tué dans son propre appartement. Je veux dire, un quidam ordinaire ne se fait pas descendre comme ça. La chaîne hi-fi et la télé sont encore là, alors s'il s'agit d'un cambriolage, autant dire que le voleur est particulièrement abruti ou fainéant.

— Il manque l'ordinateur, fit remarquer Martin, en ouvrant un tiroir du meuble télé.

— Oui… Mettons que c'est juste une intuition.

Patrik entra dans la chambre et commença à l'examiner. Il était d'accord avec Martin sur chaque point. Rien ne justifiait cette sensation qui lui tenaillait le ventre, cette idée qu'il y avait forcément quelque chose et que c'était à lui de faire toute la lumière dessus.

Ils consacrèrent une heure à passer l'appartement au peigne fin pour finalement tirer les mêmes conclusions que Gösta et Mellberg la veille. Il n'y avait là aucune réponse. L'appartement aurait tout aussi bien pu servir de pièce témoin chez Ikea. Et encore, dans ce magasin, elles étaient sans doute plus personnalisées que le domicile de Mats Sverin.

— On laisse tomber ? dit Patrik avec un soupir.

— Oui, on a fait le tour, je crois. J'espère que Torbjörn aura trouvé quelque chose.

Patrik ferma l'appartement à clé. Il avait espéré y dénicher de nouveaux éléments. Pour l'instant, il n'était guidé que par ses vagues intuitions et personne, surtout pas lui, ne s'y serait fié.

— On déjeune chez *Lilla Berith* ? demanda Martin quand ils montèrent dans la voiture.

— Ça me paraît très bien, répondit mollement Patrik, et il fit une marche arrière pour sortir du parking.

Vivianne ouvrit doucement la porte de la salle à manger et s'approcha d'Anders. Il ne leva pas les yeux et continua son pianotage frénétique sur le clavier.

— Qu'est-ce qu'ils voulaient ? demanda-t-elle en s'asseyant en face de lui sur la chaise que Paula avait chauffée.

— Ils m'ont posé des questions sur Mats et sur notre collaboration. Ils voulaient savoir si son ordinateur était resté ici.

Il gardait les yeux rivés sur l'écran.

— Qu'est-ce que tu leur as répondu ?

— Le strict minimum. Que notre collaboration avait bien fonctionné et que son portable ne se trouvait pas ici.

— Est-ce que ceci va… commença-t-elle en hésitant. Est-ce que ceci va nous retomber dessus d'une façon ou d'une autre ?

— Pas si on fait tout pour l'éviter. Il est venu ici vendredi dernier. On a parlé un moment, on a élucidé quelques points nébuleux. Puis il est reparti, et on ne l'a plus revu depuis, ni toi ni moi. C'est tout ce qu'ils ont besoin de savoir.

— Dit comme ça, ça paraît simple, dit Vivianne.

Elle sentit l'inquiétude poindre en elle. L'inquiétude, et des questions qu'elle n'osait pas poser.

— Parce que ça l'est.

Anders parlait sèchement, sans laisser sa voix trahir ses sentiments. Mais Vivianne connaissait trop bien son frère. Elle savait que malgré son regard bleu et ferme derrière ses lunettes, il était préoccupé. Il essayait juste de ne pas le lui montrer.

— Ça en vaut la peine ? finit-elle par demander.

Il la regarda, surpris.

— C'est de ça que j'ai essayé de te parler l'autre jour, mais tu n'as pas voulu m'écouter.

— Je sais, dit-elle en entortillant une mèche de ses cheveux blonds autour de son index. En fait, je n'ai pas vraiment de doute, mais je voudrais que tout soit déjà terminé pour qu'on puisse enfin être un peu en paix.

— Tu penses qu'on aura la paix un jour ? On est peut-être tellement esquintés qu'on ne trouvera jamais ce qu'on cherche…

— Ne parle pas comme ça, dit-elle brutalement.

Anders venait de traduire en mots les pensées interdites qu'elle avait elle-même nourries dans ses moments de faiblesse, celles qui surgissaient dans le noir juste avant qu'elle s'endorme.

— Il ne faut pas qu'on dise des choses comme ça, il ne faut même pas les penser, répéta-t-elle énergiquement. La chance ne nous a jamais souri, on a dû lutter pour tout, on n'a jamais rien eu gratuitement. On mérite largement de gagner à présent.

Elle se leva tellement brutalement que la chaise se renversa. Elle la laissa par terre et s'enfuit dans la cuisine. Là, il y avait des choses à faire, pour que le cerveau n'ait pas le temps de réfléchir. De ses mains tremblantes, elle commença à faire l'inventaire du congélateur et du réfrigérateur afin de s'assurer qu'il ne manquait rien pour l'avant-première du lendemain.

Ditte, dans l'appartement d'à côté, avait proposé de garder les enfants pendant quelques heures. Madeleine avait besoin d'un moment pour elle, même si elle n'avait aucune démarche spéciale à effectuer. Contrairement à la plupart des femmes, sa vie n'était pas remplie des tâches et des obligations quotidiennes qu'elle aurait tant voulu avoir.

Elle se baladait dans la Strøget en direction de la place Royale. Les boutiques cherchaient à l'appâter avec des articles d'été. Vêtements, maillots de bain, chapeaux de soleil, sandales, bijoux et jouets de plage. Des objets que les gens normaux, avec des vies normales, pouvaient se procurer sans réaliser leur chance. Elle n'était pas ingrate, elle était même infiniment heureuse de se trouver dans cette ville étrangère qui lui offrait ce qu'elle n'avait pas connu depuis tant d'années. La sécurité. La plupart du temps, cela lui suffisait, mais parfois, comme aujourd'hui, elle avait désespérément besoin d'être aussi une femme ordinaire. Elle ne cherchait pas le luxe, ne rêvait pas de s'acheter tout un tas d'articles inutiles et encombrants. Mais elle aurait voulu pouvoir s'offrir ces petits objets du quotidien, entrer dans une boutique et s'acheter un maillot de bain, puisqu'elle allait emmener les enfants à la piscine le week-end suivant. Ou acheter des draps Spiderman pour Kevin, parce qu'elle croyait qu'il dormirait mieux si son idole partageait son lit. Au lieu de cela, elle devait fouiller ses poches à la recherche de couronnes danoises pour le bus qui l'amènerait en ville. Cette situation n'avait rien de normal, mais au moins, elle était en sécurité. Pour le moment, seul son cerveau en avait conscience, pas son cœur.

Elle entra dans le grand magasin Illum et se dirigea tout droit vers le rayon pâtisserie. Une odeur de vanille et de chocolat flottait dans l'air, elle sentit l'eau lui venir à la bouche en voyant les viennoiseries garnies de chocolat. Ils n'avaient pas faim, les enfants et elle. Les voisins avaient sûrement compris sa situation, parfois ils lui apportaient des plats sous le prétexte qu'ils en avaient trop. Elle ne pouvait vraiment pas se plaindre, mais elle aurait tant voulu se présenter devant la vendeuse, montrer les viennoiseries et dire : "J'en voudrais trois au chocolat, s'il vous plaît." Ou mieux encore : "Six au chocolat, s'il vous plaît." Pour qu'ils puissent se goinfrer et engloutir sans retenue deux viennoiseries chacun avant de lécher leurs doigts, légèrement écœurés. Vilda surtout aurait adoré. Elle avait toujours été une morfale de chocolat. Elle aimait même le bonbon en chocolat noir rempli de liqueur de cerise qu'il y avait dans l'assortiment Aladdin. Celui dont personne ne voulait. Vilda le croquait avec un sourire béat, qui réchauffait chaque fois le cœur de Madeleine.

Il avait toujours pensé à apporter du chocolat à Vilda et Kevin.

Elle se força à ne pas y penser. Elle ne devait pas penser à lui. Si elle laissait les souvenirs refaire surface, l'angoisse suivrait, jusqu'à ce qu'elle en perde le souffle. Elle sortit rapidement du grand magasin et continua en direction de Nyhavn. En voyant l'eau du canal, elle sentit sa respiration s'apaiser. Le regard fixé à l'horizon, elle se promena dans ce vieux quartier pittoresque, où les terrasses étaient bondées et où de fiers propriétaires briquaient leurs bateaux amarrés. De l'autre côté de l'eau se trouvait la Suède et la ville de Malmö. Les ferries partaient toutes les heures et si on ne souhaitait pas prendre le bateau, on pouvait y aller par le train qui traversait le Sund sur le pont, ou en voiture. La Suède était si près, et pourtant si loin. Peut-être qu'ils ne pourraient jamais y retourner. Sa gorge se noua à cette éventualité. Son pays lui manquait plus qu'elle ne l'aurait cru. Il ne s'agissait pourtant pas d'un exil lointain, et le Danemark ressemblait à s'y méprendre à la Suède. Mais ce n'était pas pareil, ici elle n'avait ni sa famille ni ses amis. La question était de savoir si elle les reverrait un jour.

Elle tourna le dos à l'eau, courba le dos et retourna au centre-ville d'un pas lent. Elle était perdue dans ses réflexions quand elle sentit une main sur son épaule. La panique s'empara d'elle. L'avaient-ils trouvée ? Lui, l'avait-il trouvée ? Avec un cri, elle se retourna, prête à frapper, à griffer et à mordre, à faire tout ce qu'elle pourrait pour lui échapper. Elle se trouva face à un visage inconnu et effrayé.

— Désolée de vous avoir fait peur. Vous avez perdu votre châle, je vous ai appelée, mais vous ne m'avez pas entendu.

Le gros homme âgé avait lui-même l'air à deux doigts de l'infarctus. Il semblait complètement décontenancé.

— Pardon, pardon, bégaya-t-elle et, devant cet homme consterné, elle fondit en larmes.

Sans un mot de plus, elle s'enfuit et courut prendre le premier bus qui la ramènerait chez elle. Il fallait qu'elle soit auprès de ses enfants. Il fallait qu'elle sente leurs bras autour de son cou et leurs petits corps chauds contre le sien. Elle ne se sentait en sécurité qu'à leurs côtés.

— Le rapport de Torbjörn est arrivé, dit Annika à l'instant où Patrik et Martin franchirent la porte.

Patrik avait eu les yeux plus gros que le ventre chez *Lilla Berith*, il s'était gavé de pâtes et se sentait tout oppressé.

— Il est où ? dit-il en traversant rapidement l'accueil et en ouvrant d'un geste brusque la porte du couloir.

— Dans ton bureau.

Il s'y précipita, avec Martin sur ses talons.

— Assieds-toi, dit-il en se laissant tomber sur sa chaise derrière le bureau, puis il commença à lire les documents qu'Annika y avait déposés.

Martin semblait sur le point d'arracher les feuillets des mains de Patrik.

— Qu'est-ce que ça dit ? finit-il par demander.

Patrik se contenta d'agiter la main et continua de lire pendant encore un long moment avant de poser le rapport, la déception peinte sur son visage.

— Rien ? dit Martin.

— Eh bien, rien de nouveau en tout cas.

Patrik respira profondément, se pencha en arrière et noua les mains derrière sa tête. Ils observèrent un petit silence.

— Aucune piste d'aucune sorte ? demanda Martin tout en devinant quelle serait la réponse.

— Il semble que non, mais lis-le toi-même. C'est bizarre, les empreintes digitales dans l'appartement sont toutes de Mats Sverin. Sur la poignée de la porte d'entrée et sur la sonnette il y en a d'autres, dont deux qui sont probablement celles de Signe et Gunnar. Il y en a une autre sur la poignée côté intérieur, qui pourrait être celle de l'assassin. Dans ce cas, on peut l'utiliser pour lier un suspect au lieu du crime, mais comme elle ne figure pas dans les fichiers, elle ne nous sert à rien pour l'instant.

— Bon, ben voilà. On n'a plus qu'à espérer que Pedersen aura quelque chose pour nous mercredi, dit Martin.

— Et ça sera quoi, à ton avis ? Le cas semble assez simple. Quelqu'un a tiré une balle dans la tête de Mats, puis est parti. On dirait que le meurtrier n'est même pas entré dans l'appartement. Ou alors il est vraiment doué pour effacer ses traces.

— Est-ce que le rapport en parle ? Des poignées de porte essuyées ou ce genre de choses ? demanda Martin avec un peu d'espoir dans la voix.

— C'est bien raisonné, mais je pense que… dit Patrik sans terminer sa phrase, et il se remit à feuilleter le rapport, puis secoua la tête. Il semble que non. Les empreintes de Sverin se trouvaient bien là où on pouvait s'y attendre : poignées de porte, poignées de placard, plan de travail de la cuisine et ainsi de suite. Apparemment, rien n'a été essuyé.

— Ça laisse entendre que l'assassin n'est pas allé plus loin que l'entrée, suggéra Martin.

— Oui. Et ça signifie malheureusement que nous ne savons toujours pas si c'était une personne connue de Mats ou non. À ce stade, celui qui a sonné à sa porte peut tout aussi bien être un proche qu'un parfait étranger.

— Il s'est quand même senti suffisamment à l'aise pour lui tourner le dos après avoir ouvert.

— Eh bien, ça dépend de comment on voit les choses. Il a très bien pu essayer de lui échapper.

— Tu as raison, dit Martin et il se tut un petit moment avant de demander : Qu'est-ce qu'on fait maintenant ?

— Ça, c'est une bonne question, répondit Patrik en redressant le dos et en se passant la main dans les cheveux. L'examen de l'appartement n'a rien donné. Les interrogatoires n'ont rien donné. Le rapport technique n'a rien donné. Et il est plus que vraisemblable que Pedersen ne trouvera rien non plus. Alors, qu'est-ce qu'on fait ?

Ça ne ressemblait pas à Patrik de se laisser abattre à ce point, mais ils avaient si peu de pistes à suivre dans cette affaire, si peu d'éléments à creuser… Soudain, il s'en voulut terriblement. Il y avait forcément quelque chose qu'ils ignoraient au sujet de Mats Sverin, et qui était déterminant. Ce n'était quand même pas courant de se faire assassiner chez soi ! Patrik n'abandonnerait pas tant qu'il n'aurait pas déniché cet élément mystère.

— Tu viendras avec moi à Göteborg lundi. On retournera chez Refuge, dit-il.

Le visage de Martin s'illumina.

— Super. J'ai très envie de t'accompagner, tu sais.

Il se leva, recula vers la porte, et Patrik eut presque honte en voyant combien son collègue était heureux. Il avait sans doute négligé Martin ces temps-ci.

— Emporte le rapport chez toi. Ce serait bien que tu le lises aussi, au cas où j'aurais loupé quelque chose d'important.

— D'accord, dit Martin en s'emparant des documents.

Quand il eut quitté la pièce, Patrik esquissa un sourire. Au moins, il avait fait un heureux dans la journée.

Les heures s'égrenaient à la vitesse d'un escargot. À la maison, Signe et lui vivaient dans le silence. Ils n'avaient rien à se dire, osaient à peine ouvrir la bouche de crainte de laisser échapper le cri qui se dissimulait en eux.

Il avait essayé de lui faire avaler un peu de nourriture. D'habitude, c'était toujours Signe qui insistait pour qu'ils mangent, Matte et lui ; elle avait toujours peur qu'ils ne se nourrissent pas assez. À présent, c'était lui qui préparait des tartines et les coupait en tout petits bouts, puis essayait de la convaincre d'y goûter. Elle faisait de son mieux, mais il voyait les bouchées grandir dans sa bouche et lui donner des haut-le-cœur. Il finissait par craquer, ne supportant plus de voir le reflet de son propre regard dans celui de sa femme.

— Je descends au bateau un moment. Je ne serai pas long, dit-il.

Rien sur le visage de Signe ne montrait qu'elle l'avait entendu.

D'un geste lent, il enfila sa veste. On était déjà en fin d'après-midi, le soleil était bas dans le ciel. Il se demanda s'il pourrait un jour à nouveau se réjouir d'un coucher de soleil. S'il pourrait encore ressentir quoi que ce soit de joyeux.

Le chemin pour traverser Fjällbacka lui était parfaitement familier, et en même temps si étranger. Rien n'était comme avant. Le simple fait de marcher paraissait anormal. Ce qui auparavant était tout naturel prenait à présent un air artificiel et emprunté, comme s'il devait commander à son cerveau de mettre un pied devant l'autre. Il regretta de ne pas avoir pris la voiture. Le trajet depuis Mörhult était assez long, et il se rendit compte que les passants le fixaient du regard. Croyant qu'il ne les voyait pas, certains changeaient même de côté pour ne pas avoir à s'arrêter et à échanger quelques mots. Ils ne savaient sans doute pas quoi dire. Et comme Gunnar ne savait pas quoi répondre, c'était peut-être tout aussi bien qu'ils le traitent comme un lépreux.

Leur place de port était à Badholmen. Ils l'avaient depuis de nombreuses années, et il dirigea machinalement ses pas vers la droite pour traverser la petite jetée en pierre. Il était totalement plongé dans son monde et ne remarqua rien avant d'être arrivé juste devant l'emplacement. Le bateau n'était pas là. Désorienté, Gunnar regarda autour de lui. Il aurait dû se trouver là, il se trouvait toujours là. Une petite *snipa* en bois avec une bâche bleue. Il avança de quelques pas, jusqu'au bout du ponton flottant. Elle avait peut-être été amarrée à une mauvaise place pour une raison qu'il ignorait. Ou elle s'était détachée et avait dérivé quelque part parmi les autres bateaux. Mais le temps était calme ces jours-ci et Matte veillait toujours à l'attacher soigneusement. Il retourna devant la place vide. Puis il sortit son téléphone portable.

Patrik venait juste de rentrer chez lui quand Annika appela. Il tenait le téléphone coincé entre l'oreille et l'épaule droite pour pouvoir soulever en même temps Maja qui se précipitait vers lui, les bras tendus.

— Pardon ? Qu'est-ce que tu as dit ? Le bateau n'est pas là ? Oui, je viens d'arriver, mais je peux descendre jeter un coup d'œil. Non, pas de problème, je m'en occupe.

Il déposa Maja pour avoir les mains libres et couper la communication, puis il la prit par la main et passa dans la cuisine. Erica était en train de préparer deux biberons, vivement encouragée par les petits dans leurs transats, qu'elle avait posés sur la table. Patrik se pencha pour déposer un baiser sur chaque joue, puis il se tourna vers sa femme qu'il embrassa également.

— Salut, c'était qui ? demanda Erica en plaçant les biberons dans le four à micro-ondes.

— Annika. Il faut que je reparte, ça ne sera pas long. Il semble que le bateau de Gunnar et Signe ait été volé.

— Non, c'est pas vrai ! s'exclama Erica. Qui peut être assez salaud pour leur infliger ça avec tout ce qu'ils traversent ?

— Aucune idée. D'après Gunnar, c'est Mats qui l'a utilisé en dernier pour aller voir Annie sur Gråskär, si toutefois il y est allé. Mais c'est un peu bizarre que ce bateau-là précisément disparaisse.

— File alors, dit Erica en lui plantant un baiser sur la bouche.

— Ça ne prendra qu'une minute.

Sur le départ, il réalisa que Maja risquait de piquer une crise en le voyant repartir alors qu'il venait juste de rentrer. Avec une pointe de culpabilité, il essaya de se convaincre qu'Erica saurait régler le problème. Et il serait très vite de retour.

Gunnar l'attendait sur Badholmen, au bout de la jetée en pierre.

— Je n'arrive pas à comprendre ce qui a pu arriver à mon bateau, dit-il et il souleva sa casquette pour se gratter les cheveux.

— Il n'aurait pas tout simplement dérivé ? demanda Patrik en suivant Gunnar jusqu'à l'emplacement vide.

— Ben, tout ce que je peux dire, c'est que le bateau n'est plus là, dit Gunnar, puis il secoua la tête. Matte faisait toujours attention à bien l'amarrer, je le lui ai appris quand il était tout petit. Et il n'y a pas eu de vent notable non plus, alors j'ai du mal à croire qu'il ait pu se détacher. Quelqu'un l'a volé, dit-il en secouant de nouveau la tête. Mais je ne vois pas à quoi elle pourrait bien leur servir, cette vieille barcasse.

— Détrompez-vous, ces bateaux-là commencent à prendre de la valeur, dit Patrik en s'accroupissant et en laissant son regard balayer la zone d'amarrage.

Puis il se releva.

— Je vais faire un rapport dès mon retour au commissariat, mais on peut déjà aller voir au Sauvetage en mer s'il y a quelqu'un. On leur demandera d'ouvrir les yeux quand ils iront patrouiller dans les parages.

Gunnar ne répondit pas, mais suivit Patrik vers le petit pont en pierre. En silence, ils firent le court chemin contournant les cabanes de pêcheurs, jusqu'au quai où le Sauvetage en mer avait son bureau et ses bateaux. Il n'y avait personne et le bureau était fermé à clé. Mais Patrik vit quelqu'un bouger derrière les hublots de la plus petite vedette, *MinLouis*, et il s'approcha pour frapper au carreau. Un homme surgit à l'arrière, et Patrik reconnut Peter qui les avait assistés en mer ce jour funeste, après l'assassinat d'une participante à l'émission de téléréalité *Fucking Tanum*.

— Salut, en quoi puis-je t'être utile aujourd'hui ? sourit Peter en s'essuyant les mains sur un torchon.

— On est à la recherche d'un bateau qui a disparu, répondit Patrik avec un signe vers la zone d'amarrage. Celui de Gunnar. Il n'est plus à son emplacement et on ignore ce qu'il est devenu. On s'est dit que vous, au Sauvetage en mer, vous pourriez peut-être ouvrir un œil lors de vos patrouilles ?

— Je suis au courant de ce qui vous est arrivé, dit Peter lentement. Toutes mes condoléances. Et, oui, bien sûr qu'on va t'aider. Tu penses qu'il a pu partir à la dérive tout seul ? Dans ce cas, il ne doit pas être bien loin. Je dirais qu'il aurait plutôt pris la direction de la terre et de la ville, pas du large.

— En fait, on pencherait plutôt pour un vol, dit Patrik.

— Les gens sont de vrais salauds, dit Peter en secouant la tête. C'est bien une *snipa* que tu as, Gunnar ? Avec une bâche bleue ou verte ?

— Bleue, la bâche. Et c'est écrit *Sophia* à l'avant, dit Gunnar en se tournant vers Patrik. J'adorais Sophia Loren quand j'étais jeune. Et quand j'ai rencontré Signe, j'ai trouvé qu'elle lui ressemblait beaucoup. Alors j'ai baptisé le bateau *Sophia*.

— Me voilà renseigné. Je vais faire un tour en mer tout à l'heure, et je te promets que je guetterai *Sophia*.

— Merci, dit Patrik, puis il regarda Gunnar, pensif. Vous êtes sûr que c'est Mats qui l'a utilisé en dernier ?

— Non, je ne suis sûr de rien, dit Gunnar en laissant traîner les mots. Mais il avait dit qu'il irait voir Annie sur son île, alors j'ai supposé…

— S'il ne l'a pas emprunté, quand est-ce que vous l'avez vu pour la dernière fois ?

Peter était redescendu dans la cabine pour continuer son bricolage, et Gunnar et Patrik étaient seuls sur le quai.

— Eh bien, mercredi dernier. Mais il n'y a qu'à poser la question à Annie, non ? Vous n'êtes pas encore allés la voir ?

— C'est prévu, on y va demain. Je le lui demanderai.

— Très bien, dit Gunnar d'une voix atone, avant de sursauter. Mon Dieu, alors elle ne doit même pas être au courant. On n'a pas pensé à l'appeler. On n'a pas…

Patrik posa sa main sur l'épaule de Gunnar pour le rassurer.

— Vous avez eu des choses bien plus importantes à faire. Je le lui dirai demain. Ne vous inquiétez pas pour ça.

Gunnar acquiesça de la tête.

— Vous voulez que je vous raccompagne chez vous ? demanda Patrik.

— Oui, merci, je veux bien.

Gunnar soupira de soulagement et suivit Patrik à sa voiture. Ils gardèrent le silence pendant tout le trajet pour Mörhult.

FJÄLLBACKA 1871

La glace avait commencé à se rompre. Le soleil d'avril
faisait fondre lentement la neige, et sur l'île, de petites
touffes de verdure osaient se montrer dans les cre-
vasses. Le souvenir de ce qui s'était passé était flou
dans l'esprit d'Emelie. Mais par moments elle revivait
la peur de façon si intense qu'elle en perdait le souffle.

Personne n'en avait reparlé. Ce n'était pas nécessaire. Elle avait entendu Julian dire à Karl qu'avec
un peu de chance, son père serait satisfait maintenant.
Elle avait vite compris que tout était lié à la lettre,
mais cela ne diminuait en rien la honte et l'humiliation. Il fallait les menaces de son beau-père pour que
son mari se décide à accomplir son devoir conjugal.
Son beau-père avait sûrement commencé à se demander pourquoi Karl et elle n'avaient pas encore d'enfant.

Ce matin-là, elle s'était réveillée glacée. Elle gisait
par terre, l'épaisse jupe en lainage noir et les jupons
blancs remontés jusqu'à la taille. Elle les avait vivement baissés, mais la maison était vide. Il n'y avait
personne pour la voir. La bouche sèche et avec un
violent mal de tête, elle s'était relevée. Elle avait mal
entre les jambes, et un instant plus tard, quand elle
s'était rendue aux latrines, elle avait vu le sang séché
à l'intérieur de ses cuisses.

Le soir, quand Karl et Julian étaient revenus du phare, ils avaient fait comme si rien ne s'était passé. Emelie avait passé la journée à récurer frénétiquement la petite maison au savon noir. Personne ne l'avait dérangée. Les morts avaient été étrangement silencieux. Comme d'habitude, elle avait préparé le repas pour qu'il soit prêt à cinq heures, épluchant les pommes de terre et faisant frire le poisson d'un geste machinal. Seul un léger tremblement de la main, au bruit des pas de Karl et de Julian devant la porte, avait trahi ce qui l'animait. Mais elle n'en avait rien montré quand ils étaient apparus. Ils avaient suspendu leurs lourds manteaux dans le vestibule et s'étaient installés à table. Les jours d'hiver s'étaient écoulés ainsi. Avec de vagues souvenirs de ce qui s'était passé, et le froid qui avait posé une couverture blanche et gelée sur la mer.

Mais à présent la glace commençait à se fissurer. Il arrivait à Emelie de sortir s'asseoir sur le banc adossé à la maison et de laisser le soleil réchauffer son visage. Parfois, elle se surprenait à sourire, car elle savait maintenant. Au début elle n'avait pas été tout à fait sûre, elle ne connaissait pas très bien son corps, mais désormais il n'y avait plus aucun doute. Elle était enceinte. La soirée qui était devenue un cauchemar dans son souvenir avait apporté quelque chose de bon. Elle allait avoir un bébé. Quelqu'un à choyer et avec qui partager son existence sur l'île.

Elle ferma les yeux et posa la main sur son ventre, pendant que le soleil continuait à chauffer ses joues. Quelqu'un arriva et s'assit à côté d'elle, mais lorsqu'elle jeta un coup d'œil, elle trouva le banc vide. Emelie ferma de nouveau les yeux et sourit. C'était bien, de ne pas être seule.

Le soleil du matin venait juste de grimper au-dessus de l'horizon, mais Annie ne le voyait pas. Debout sur l'embarcadère, elle scrutait par-delà les îles en direction de Fjällbacka.

Elle ne tenait pas à avoir de visites. Elle ne voulait pas qu'on vienne s'immiscer dans leur univers, à Sam et à elle. C'était leur monde à eux, et à personne d'autre. Mais elle n'avait pas su dire non quand la police avait appelé. De plus, elle avait un problème qu'elle ne pouvait pas régler toute seule. Ils n'avaient pratiquement plus rien à manger, et elle n'arrivait pas à se résoudre à faire appel aux parents de Matte. Du coup, comme elle était malgré tout obligée d'accueillir des visiteurs, elle leur avait demandé de lui apporter quelques provisions. Cette requête auprès de quelqu'un qu'elle n'avait jamais rencontré l'avait embarrassée, mais elle n'avait pas le choix. Sam n'était pas suffisamment rétabli pour se déplacer jusqu'en ville, et si elle ne remplissait pas le réfrigérateur et le garde-manger, ils mourraient de faim. Mais elle n'avait pas l'intention de les laisser avancer plus loin que le ponton. L'île était à elle, l'île était à Sam et à elle.

Le seul qu'elle aurait aimé avoir ici était Matte. Elle continua de regarder la mer tandis que ses yeux se remplissaient de larmes. Elle pouvait encore sentir ses bras autour de son corps et ses baisers sur sa peau. Son odeur si familière et pourtant si différente, l'odeur d'un homme adulte, pas celle d'un adolescent. À ce moment-là, elle ne savait pas ce que l'avenir pourrait leur réserver, ni quelles seraient les conséquences de leur rencontre imprévue. Mais la visite de Matte avait apporté une possibilité, ouvert une fenêtre et fait entrer un peu de lumière dans l'obscurité où elle vivait depuis si longtemps.

Annie essuya ses larmes du revers de la main. Il lui manquait, mais elle ne pouvait pas se permettre de céder à cette douleur-là. Elle était agrippée à la vie de toutes ses forces, il ne fallait pas qu'elle lâche prise. Matte était parti, mais Sam était là. Et elle devait le protéger. Rien n'était plus important, pas même Matte. Protéger Sam était sa seule mission dans la vie. Et maintenant que des étrangers étaient en route, elle devait se concentrer sur ça.

Quelque chose avait changé. Ils ne la laissaient pas tranquille. Anna sentait en permanence un corps contre le sien, quelqu'un qui respirait à côté d'elle et lui transmettait chaleur et énergie. Elle ne voulait pas qu'on la touche, mais seulement disparaître dans le pays d'ombres désertique et rassurant où elle s'était réfugiée depuis si longtemps. Ce qu'il y avait à l'extérieur était trop douloureux, et à force de prendre des coups, son enveloppe corporelle et son âme étaient désormais trop fragiles. Elle avait eu son compte.

Et ils n'avaient pas besoin d'elle. Elle ne faisait qu'attirer le malheur sur son entourage. Emma et Adrian avaient subi des épreuves qu'aucun enfant ne devrait avoir à supporter, et le chagrin qu'elle lisait dans les yeux de Dan depuis la mort de son fils était insupportable.

Au début, ils semblaient avoir compris. Ils l'avaient laissée en paix, l'avaient laissée sur son lit. Parfois ils avaient essayé de lui parler, mais ils abandonnaient si facilement qu'elle s'était dit qu'ils en étaient convaincus eux aussi : la cause de leur malheur, c'était elle, et il était préférable qu'elle reste à l'écart, pour le bien de tous.

Mais après la dernière visite d'Erica, quelque chose avait changé. Anna avait senti le corps de sa sœur tout près du sien, elle avait senti sa présence la tirer des ombres, la traîner plus près de la réalité et s'efforcer de la faire revenir. Erica n'avait pas dit grand-chose. C'était son corps qui lui avait parlé, qui avait envoyé de la chaleur dans ses membres si gelés malgré la couette qui la recouvrait. Elle avait essayé de résister, s'était concentrée sur un point obscur au fond d'elle-même, un point qu'aucune chaleur ne pourrait atteindre.

Quand le corps d'Erica avait disparu, un autre était venu le remplacer. Le corps de Dan était celui auquel elle résistait le mieux. Son énergie était remplie de tant de chagrin qu'elle ne faisait que renforcer celui d'Anna, et elle n'avait aucun effort à faire pour rester parmi les ombres. La vitalité des enfants était la plus compliquée. Le petit corps souple d'Emma qui se serrait contre son dos, ses bras qu'elle enroulait autant qu'elle le pouvait autour de sa taille. Anna était obligée de mobiliser toutes ses forces pour s'en défendre. Puis Adrian, plus petit et moins assuré que sa sœur, mais possédant un dynamisme si puissant... Elle n'avait même pas besoin de regarder pour savoir qui s'allongeait près d'elle. Même si elle restait toujours couchée sur le côté, immobile, le regard fixé sur le ciel de l'autre côté de la fenêtre, elle reconnaissait de qui émanait la chaleur.

Elle voulait qu'ils la laissent tranquille. La peur monta en elle à l'idée qu'elle n'aurait peut-être pas assez de force pour leur résister.

En ce moment, c'était Emma qui était allongée contre elle. Son corps bougeait un peu. Elle s'était probablement endormie, car même depuis son pays d'ombres, Anna avait noté que la respiration de sa fille avait changé, s'était faite plus profonde. Elle changea de position, se serra encore plus près, comme un animal qui cherche du réconfort. Et Anna se sentit tirée des ombres de nouveau, tirée vers cette vitalité qui voulait envahir le moindre recoin de son corps. Le point, elle devait se concentrer sur le point sombre.

La porte de la chambre s'ouvrit. Anna sentit le lit bouger, quelqu'un montait dessus et se blottissait à ses pieds. De petits bras serrèrent ses jambes comme s'ils ne voulaient plus jamais les lâcher. La chaleur d'Adrian aussi se déplaçait vers elle, et rester parmi les ombres devenait terriblement difficile. Elle était capable de leur résister un par un, mais pas quand ils s'y mettaient à deux, quand leurs énergies se mélangeaient et s'en trouvaient renforcées. Lentement, elle se sentit lâcher prise. Elle était tirée vers les présences dans la chambre, vers la réalité.

Avec un profond soupir, Anna se retourna. Elle observa le visage de sa fille endormie, tous les traits familiers qu'elle n'avait pas eu la force de regarder pendant toutes ces semaines. Et pour la première fois depuis longtemps, elle s'endormit d'un vrai sommeil, la main courbée autour de la joue de sa fille et le bout du nez contre le sien. Aux pieds d'Anna, Adrian aussi s'endormit comme un petit chiot. Ses bras autour de ses jambes se relâchèrent. Ils dormaient.

Erica pleurait de rire quand ils montèrent dans le bateau.

— Tu veux dire que tu t'es allongé dans un bain d'algues ?

Elle s'essuya les yeux du dos de la main et eut encore un hoquet de rire en voyant Patrik piqué au vif.

— Et alors ? D'après toi, les hommes n'auraient pas le droit de s'offrir ce genre de choses ? À ma connaissance, tu as fait bien pire. Il n'y a pas si longtemps que ça, tu es allée dans une station balnéo je ne sais où te faire enduire de boue et enrouler dans du film plastique, je me trompe ou pas ?

Il alluma le moteur et s'éloigna du quai de Badholmen en marche arrière.

— C'est vrai, mais…

Une autre crise de rire empêcha Erica de terminer sa phrase.

— Je trouve que ça pue les préjugés par ici, dit Patrik avec un regard noir sur sa femme. Les bains d'algues sont particulièrement recommandés pour les hommes, tu ne savais pas ? Ils éliminent les toxines et les déchets du corps, et comme nous, les hommes, on a apparemment plus de mal à drainer ces trucs-là, on profite davantage des bienfaits des algues.

Erica se tenait les côtes, quasiment pliée en deux, et ne pouvait toujours pas parler. Patrik ne dit plus rien, il l'ignora ostensiblement et se concentra sur le pilotage du bateau pour sortir du port. Bien sûr, il en avait rajouté un peu pour faire marcher Erica, mais en vérité, ses collègues et lui avaient vraiment beaucoup apprécié les soins qu'on leur avait prodigués à Badis.

Au début, il s'était montré très réticent à l'idée de descendre dans une baignoire remplie d'algues marines. Puis il avait réalisé que ça ne sentait pas aussi mauvais qu'on aurait pu le croire, et que l'eau était juste à la bonne température. Quand on lui avait demandé de se pencher en avant et qu'on lui avait massé le dos avec des bouquets d'algues qui furent énergiquement frottés contre sa peau, toute sa résistance avait fondu. Après le traitement, sa peau était comme neuve. Plus douce, plus souple, avec un nouvel éclat. Mais quand il avait essayé de raconter tout ça à Erica, elle s'était mise à rire comme une folle. Même la mère de Patrik, qui était venue pour garder Maja et les jumeaux, avait pouffé en entendant son compte rendu enthousiaste.

Le vent forcit. Il ferma les yeux et lui présenta son visage. Il n'y avait pas encore beaucoup de bateaux sortis, mais dans quelques semaines ils seraient nombreux à sillonner l'archipel.

Erica avait cessé de rire, elle était sérieuse à présent. Elle entoura Patrik de ses bras, et appuya la tête contre son épaule.

— Tu l'as trouvée comment au téléphone?

— Pas spécialement emballée, répondit Patrik. Elle ne semblait pas vouloir de visites, mais quand je lui ai dit que si elle préférait venir sur la terre ferme, ce n'était pas un problème, elle a accepté qu'on vienne.

— Tu lui as dit que je venais, moi aussi?

Le ressac fit tanguer le bateau et Erica serra plus fort la taille de Patrik.

— Oui, je lui ai dit qu'on était mariés et que tu avais très envie de la rencontrer. Elle n'a pas réagi. Mais j'ai eu l'impression qu'elle était d'accord.

— Qu'est-ce que tu espères d'un entretien avec Annie? demanda Erica en lâchant Patrik et en s'asseyant sur le banc de nage.

— Franchement, je n'en ai aucune idée. Nous ne savons toujours pas si Matte est réellement allé la voir vendredi. Je suppose que c'est surtout ce point que je veux tirer au clair. Et puis, il faut bien qu'elle apprenne ce qui est arrivé.

Il corrigea son cap pour éviter un gros hors-bord qui arrivait sur eux à vive allure.

— Crétins, cracha-t-il quand le bateau passa un peu trop près d'eux.

— Tu n'aurais pas pu lui poser la question directement au téléphone ?

Erica aussi lorgna méchamment le hors-bord. Elle ne connaissait pas les occupants du bateau, une bande de grands ados. Bientôt Fjällbacka serait littéralement envahie par des hordes de vacanciers de ce genre.

— Si, bien sûr. Mais je préfère l'avoir devant moi. Le face-à-face donne toujours de meilleures réponses. En fait, je veux me faire une image plus précise de Mats. Pour l'instant, je le vois comme un personnage en carton grandeur nature mais sans relief. Personne ne semble savoir quoi que ce soit sur lui, même pas ses propres parents. Son appartement avait tout d'un meublé loué à la semaine. Il n'y avait pratiquement aucun objet personnel. Et puis cette agression… Il faut que j'en apprenne davantage sur lui.

— Mais j'avais cru comprendre que Matte et Annie n'avaient pas eu de contact depuis des années.

— C'est ce que disent ses parents. On n'en sait rien. Quoi qu'il en soit, elle a apparemment été quelqu'un d'important dans sa vie, et si en plus il est effectivement allé la voir, il lui aura peut-être raconté quelque chose qui nous sera utile. Elle est peut-être la dernière à l'avoir vu vivant.

— Oui, peut-être…

Erica était sceptique. Si elle avait insisté pour venir, c'était surtout par curiosité. Elle se demandait comment Annie avait traversé les années, quelle sorte de femme elle était devenue.

— Ça doit être Gråskär, dit Patrik en plissant les paupières.

Erica s'étira et scruta la mer.

— Oui, c'est ça. Le phare est magnifique, dit-elle en mettant ses mains en visière au-dessus de ses yeux pour mieux voir.

— Cette île me donne la chair de poule, répliqua Patrik, sans savoir exactement pourquoi.

Puis il dut se concentrer sur la manœuvre d'accostage.

Une femme grande et mince les attendait sur l'embarcadère, et elle attrapa l'amarre qu'Erica lui lança.

— Bonjour, dit Annie et elle leur tendit la main pour les aider à monter.

Elle est belle, mais beaucoup trop maigre, se dit Patrik en serrant sa main. Il pouvait nettement sentir les os sous la peau, et même si elle semblait être naturellement mince, elle avait dû perdre pas mal de kilos dernièrement : elle flottait dans son jean qui ne tenait que grâce à une ceinture bien serrée à la taille.

— Mon fils n'est pas très en forme. Il dort dans sa chambre, et je me suis dit qu'on pourrait rester ici sur le ponton et boire un café pendant qu'on discute.

Annie montra une couverture qu'elle avait étalée sur les planches.

— Bien sûr, pas de problèmes, dit Patrik. J'espère qu'il n'a rien de grave.

— Non, juste un petit rhume. Vous avez des enfants ?

Elle s'assit en face d'eux et commença à verser du café d'un thermos. L'endroit était fort agréable, à l'abri du vent, et le fond de l'air était doux.

— Oui, on peut le dire, rit Erica. On a Maja qui aura bientôt deux ans, et puis Noel et Anton qui vont avoir quatre mois. Ce sont des jumeaux.

— Holà, alors vous avez de quoi vous occuper.

Annie sourit, mais son sourire n'arrivait pas jusqu'à ses yeux. Elle leur tendit une assiette avec des Krisprolls.

— Je suis désolée, je n'ai que ça à vous proposer.

— Ah oui, c'est vrai, dit Patrik en se relevant. On vous a apporté les provisions.

— Merci, j'espère que ça ne vous a pas trop embêté. Comme Sam est malade, je ne tiens pas à l'emmener en ville pour faire des courses. Signe et Gunnar m'ont déjà donné un coup de main, mais ça me gêne de les solliciter encore une fois.

Patrik remonta du bateau deux sacs de supermarché bien remplis qu'il posa sur l'embarcadère.

— Je vous dois combien? demanda Annie en attrapant son sac à main.

— Ça a coûté mille couronnes, dit Patrik presque sur un ton d'excuse.

Annie tira deux billets de cinq cents de son portefeuille et les lui donna.

— Merci, dit-elle encore.

Patrik hocha simplement la tête et se rassit sur la couverture.

— Vous êtes un peu isolés ici, non?

Il regarda la petite île. Le phare se dressait au-dessus d'eux et jetait sa longue ombre sur les rochers.

— C'est plaisant, dit Annie en buvant une gorgée de café. Je n'étais pas venue ici depuis pas mal d'années, et Sam n'avait jamais vu l'île. J'ai pensé qu'il était temps.

— Et pourquoi maintenant? demanda Erica en espérant ne pas paraître trop curieuse.

Annie fixa son regard vers l'horizon. Les petits souffles de vent qui malgré tout les atteignaient de temps en temps s'emparèrent de ses longs cheveux blonds, et elle les écarta de son visage d'un geste d'impatience.

— Il y a quelques petites choses auxquelles je dois réfléchir, et ça m'a paru naturel de venir ici où il n'y a rien. Rien d'autre que des pensées, rien d'autre que du temps.

— Et des fantômes, d'après ce que j'ai entendu, dit Erica en prenant un Krisprolls.

Annie ne rit pas du tout.

— Tu penses au nom qu'ils lui donnent, l'île aux Esprits?

— Oui, j'imagine que tu aurais eu le temps de t'en rendre compte, s'il y avait une once de vérité dans ces histoires. Je me rappelle avoir passé la nuit ici, une fois, avec le lycée. On avait tous la chair de poule.

— C'est possible.

Apparemment, elle n'avait pas envie de s'étendre sur le sujet, et Patrik prit une grande inspiration avant de lui raconter ce qui ne pouvait plus être différé. Pendant qu'il expliquait calmement ce qui était arrivé, Annie se mit à trembler. Elle le regarda, sans comprendre et sans rien dire, seulement agitée de tremblements incontrôlables, comme si elle allait se casser en mille morceaux devant leurs yeux.

— Nous ne savons toujours pas exactement quand il a été tué, c'est pour ça que nous essayons d'en apprendre le plus possible sur ses derniers jours. Gunnar et Signe nous ont dit qu'il avait l'intention de venir ici le vendredi.

— Oui, il est venu.

Annie se retourna et regarda en direction de la maison, et Patrik eut le sentiment que c'était avant tout pour ne pas montrer l'expression de son visage. Quand elle se tourna de nouveau vers eux, son regard était toujours vitreux, mais elle ne tremblait plus. D'un geste spontané, Erica se pencha et posa sa main sur la sienne. Il y avait en elle quelque chose d'incroyablement fragile et vulnérable qui éveillait ses instincts de protection.

— Toi, tu as toujours été gentille, dit Annie, puis elle retira sa main, sans regarder Erica.

— Vendredi donc… dit Patrik avec circonspection.

Annie sursauta et une pellicule vint recouvrir ses yeux.

— Il est arrivé dans la soirée. Je ne savais pas qu'il allait venir. On ne s'était pas vus depuis des années.

— Depuis combien de temps exactement? demanda Erica.

Elle ne put s'empêcher de lorgner elle aussi vers la maison. Elle avait peur que le fils d'Annie ne se réveille, tout seul dans la maison. Depuis qu'elle avait des enfants, elle avait parfois l'impression d'être la maman de tous les enfants du monde.

— On s'est dit au revoir quand je suis partie pour Stockholm. J'avais dix-neuf ans, je crois. Ça fait une éternité, dit-elle avec un petit rire bref et amer.

— Vous étiez restés en contact pendant tout ce temps?

— Non. Si, peut-être une carte postale ou deux au début. Mais on savait tous les deux que ce n'était pas une bonne idée. Pourquoi prolonger le tourment en faisant semblant? dit Annie en écartant de nouveau quelques mèches de son visage.

— Qui de vous deux avait décidé de rompre?

Erica n'arriva pas à refréner sa curiosité. Elle les avait vus ensemble si souvent, avec cette lumière dorée dont ils rayonnaient en quelque sorte. Le couple doré.

— Je crois qu'on n'a jamais prononcé ce mot, rompre. Mais j'ai pris la décision d'aller vivre à Stockholm. Je ne pouvais pas rester ici. Il me fallait partir, découvrir le monde. Voir des choses, faire des choses, rencontrer des gens.

Elle rit du même rire amer que ni Erica ni Patrik ne comprenait.

— Mais Mats est venu ici vendredi. Quelle a été ta réaction?

Patrik continuait de poser des questions, sans trop savoir si ça mènerait quelque part. Annie paraissait si frêle, il avait l'impression qu'il pourrait la briser s'il choisissait mal ses mots. Et, en fin de compte, ce que dirait Annie n'aurait peut-être aucune importance.

— J'ai été surprise. Mais Signe m'avait annoncé qu'il était revenu vivre à Fjällbacka. Et je m'étais peut-être quand même dit qu'il allait me rendre visite.

— Était-ce une bonne surprise? demanda Erica en prenant le thermos pour se resservir du café.

— Pas au début. Ou plutôt, je ne sais pas. Je ne pense pas que ce soit bien de regarder en arrière. Matte faisait partie du passé. En même temps… dit-elle, et elle sembla emportée par ses pensées. En même temps, je ne l'ai peut-être jamais vraiment quitté. Je ne sais pas. Toujours est-il que je lui ai ouvert la porte.

— Est-ce que tu sais à peu près à quelle heure il est venu? demanda Patrik.

— Mm… vers six, sept heures, je crois. Je ne sais pas exactement. Le temps ne compte pas trop ici.

— Il est resté jusqu'à quand?

Patrik bougea un peu et fit une petite grimace. Son corps ne supportait pas de rester si longtemps sur un terrain dur. Il se surprit à rêver d'un bon bain d'algues chaudes.

— Il est reparti dans la nuit.

La douleur se dessina sur son visage aussi nettement que si elle avait hurlé son désespoir.

Subitement, Patrik se sentit mal à l'aise. De quel droit posait-il toutes ces questions ? De quel droit venait-il fouiner dans des affaires privées, dans ce qui s'était passé entre deux personnes qui un jour s'étaient aimées ? Il s'obligea néanmoins à continuer. Il revit le corps à plat ventre dans le vestibule, le trou béant à la tête, la flaque de sang par terre, le sang qui avait éclaboussé les murs. Tant qu'il n'avait pas trouvé le coupable, c'était son boulot, de fouiner. Les meurtres et la vie privée s'accordaient mal, c'était ainsi.

— Tu ne sais pas quelle heure il était ? demanda-t-il doucement.

Annie se mordit la lèvre et ses yeux devinrent luisants.

— Non, je dormais quand il est parti. J'ai cru que…

Elle déglutit plusieurs fois, elle avait l'air d'essayer de se maîtriser, comme si elle craignait de perdre le contrôle devant eux.

— Tu as essayé de l'appeler ? Ou Signe et Gunnar ? Tu ne les as pas appelés pour demander ? dit Patrik.

Le soleil s'était lentement déplacé pendant leur conversation et la longue ombre du phare s'approchait de plus en plus de l'embarcadère.

— Non, répondit-elle en tremblant à nouveau.

— Est-ce que Mats a dit quelque chose quand il était ici qui pourrait nous donner un indice sur le meurtrier ?

Annie secoua la tête.

— Non, et je n'arrive pas à me convaincre que quelqu'un ait voulu du mal à Matte. Il était… Ben, toi tu sais, Erica. Il était toujours le même. Gentil, prévenant, affectueux. Exactement le même.

Elle baissa les yeux et passa sa main sur la couverture.

— Oui, nous avons compris que Mats était une personne aimable et sympathique, dit Patrik. En même temps, il y a des choses dans sa vie qui nous intriguent. Il a par exemple été victime d'une agression peu avant de revenir vivre à Fjällbacka. Est-ce qu'il t'a parlé de ça ?

— Pas beaucoup, mais j'ai vu les cicatrices et je lui ai posé des questions. Il a seulement dit qu'il s'était trouvé au mauvais endroit au mauvais moment, et qu'une bande de jeunes s'en était pris à lui.

— A-t-il parlé de son travail à Göteborg ?

Patrik avait espéré apprendre quelque chose concernant l'agression qui aurait justifié le sentiment qui le rongeait à l'intérieur. Mais rien. Seulement des impasses.

— Il a dit qu'il s'y était beaucoup plu, mais aussi que c'était usant. De rencontrer toutes ces femmes exposées, qui étaient si abîmées…

Sa voix se cassa et elle tourna de nouveau son visage vers la maison.

— Il n'a rien mentionné d'autre qui pourrait nous être utile ? Une personne qui l'aurait menacé ?

— Non, rien. Il parlait seulement de l'importance que son travail avait eue pour lui. Et qu'à la fin, il s'était senti vidé, il n'en pouvait plus, et qu'après son séjour à l'hôpital il avait décidé de revenir ici.

— Pour de bon ou seulement pour quelque temps ?

— Je pense qu'il n'en savait rien. Il m'a dit qu'il prenait les jours comme ils venaient. Il essayait de guérir, son corps et son esprit.

Patrik hocha la tête et hésita avant de poser la question suivante :

— Est-ce qu'il a dit s'il y a eu une femme dans sa vie ? Ou des femmes ?

— Non, et je n'ai pas demandé. Et lui non plus, il n'a pas posé de questions sur moi et mon mari. Les personnes que nous aimons ou que nous avions aimées n'avaient aucune importance ce soir-là.

— Je comprends, dit Patrik.

Puis il ajouta, comme en passant :

— Par ailleurs, la *snipa* a disparu.

Annie eut l'air déboussolé.

— Quelle *snipa* ?

— Celle de Signe et Gunnar. Celle avec laquelle Mats est venu ici.

— Elle a disparu ? Tu veux dire qu'elle a été volée ?

— On n'en sait rien. Gunnar ne l'a pas trouvée à sa place au port.

— Matte l'a forcément ramenée à Fjällbacka, dit Annie. Autrement, comment aurait-il fait pour retourner sur le continent ?

— Ça veut dire qu'il est effectivement venu ici avec la *snipa* ? Il ne s'est pas fait déposer ?

— Par qui ? demanda Annie.

— Je ne sais pas. Le fait est que le bateau a disparu et qu'on ignore où il se trouve.

— En tout cas, il est venu ici avec la *snipa* et il est forcément reparti avec, affirma Annie en passant encore une fois sa main sur la couverture.

Patrik regarda Erica qui s'était tenue inhabituellement tranquille et silencieuse.

— Bon, alors je pense qu'il est temps pour nous de repartir, dit-il et il se releva. Merci de nous avoir accueillis, Annie. Et toutes mes condoléances.

Erica aussi se releva.

— J'ai été contente de te revoir, Annie.

— Moi aussi, répondit Annie et elle gratifia Erica d'une accolade maladroite.

— Occupe-toi bien de Sam et dis-nous si tu as besoin de quelque chose, ou si on peut t'aider autrement. S'il ne va pas mieux bientôt, on peut faire en sorte que le médecin de garde vienne l'examiner.

— J'y penserai, dit Annie en les raccompagnant jusqu'au bateau.

Patrik démarra le moteur, puis il s'arrêta net.

— Te souviens-tu si Mats est venu ici avec un attaché-case ?

Annie plissa le front, elle eut l'air de réfléchir, puis son visage s'illumina.

— Marron ? En cuir ?

— Oui, c'est ça, dit Patrik. Il a disparu aussi.

— Attendez !

Elle tourna les talons et partit au petit trot vers la maison. Quelques instants plus tard, elle réapparut, tenant quelque chose à la main. Quand elle arriva plus près de l'embarcadère, Patrik vit ce que c'était. L'attaché-case. Son cœur se mit à battre plus fort.

— Il l'a oublié ici, et moi, je l'ai juste laissé là où il était. J'espère que je n'ai pas fait une bêtise.

Elle se mit à genoux sur le ponton pour tendre la mallette à Patrik.

— Non, je suis simplement très content de l'avoir retrouvé. Merci !

Les spéculations sur le contenu du disque dur fusaient déjà en tous sens dans la tête de Patrik.

Quand il eut fait la manœuvre pour prendre la direction de Fjällbacka, tous deux se retournèrent et agitèrent la main vers Annie en signe d'au revoir. Elle agita sa main en retour. L'ombre du phare arrivait maintenant jusqu'au ponton. On aurait dit qu'elle était sur le point de dévorer la mince silhouette d'Annie.

— Tu crois qu'on pourrait sortir faire un tour, voir si on le trouve ?

Sur le quai, Gunnar avait du mal à garder une voix ferme. Peter leva la tête et sembla sur le point de dire non. Puis il se laissa fléchir.

— D'accord, un tout petit tour alors. Mais attention, on est dimanche, je rentre tôt aujourd'hui.

Gunnar ne dit rien, ses yeux étaient comme deux puits sombres. Avec un soupir, Peter entra dans la cabine pour démarrer le moteur. Il aida Gunnar à descendre dans le bateau et à enfiler un gilet de sauvetage, puis il sortit adroitement du port. Quand ils eurent laissé Fjällbacka derrière eux, il accéléra.

— Où veux-tu qu'on commence les recherches ? On a ouvert l'œil en patrouillant mais on n'a rien vu.

— Je ne sais pas.

Gunnar scruta la mer à travers le pare-brise. Il était incapable de rester à attendre à la maison, avec Signe assise, immobile sur une chaise dans la cuisine. Elle avait arrêté de cuisiner et de préparer des gâteaux, elle ne faisait plus le ménage, elle avait cessé de faire tout ce qui était Signe. Et lui, qui était-il sans Matte ? Il n'en avait aucune idée. Tout ce qu'il savait, c'est qu'il lui fallait un but dans une existence qui avait perdu son sens.

Retrouver le bateau. C'était quelque chose qu'il pouvait faire, quelque chose qui l'obligeait à sortir, qui l'éloignait du silence et de tout ce qui lui rappelait Matte dans cette maison où il avait grandi. Les empreintes de ses pieds dans le béton de l'allée d'accès que Gunnar avait coulé quand Matte avait cinq ans. La marque de dents sur la commode de l'entrée depuis le jour où Matte était arrivé en courant beaucoup trop vite. Il avait glissé sur le tapis et s'était cogné contre la commode, si violemment que ses incisives avaient laissé deux empreintes très nettes. Toutes les petites choses qui révélaient que Matte avait été là, que Matte avait été à eux.

— Mets le cap sur Dannholmen, dit Gunnar.

En réalité, il n'avait aucune idée de l'endroit où il fallait chercher. Rien ne disait que le bateau serait là plutôt qu'ailleurs. Mais c'était un lieu qui en valait un autre pour commencer les recherches.

— Comment ça se passe à la maison ? demanda Peter doucement.

Tout en restant concentré sur le pilotage, il jetait, lui aussi, des coups d'œil à droite et à gauche pour voir si la petite embarcation n'aurait pas dérivé vers une île.

— Ça va, répondit Gunnar.

C'était un mensonge, parce que ça n'allait pas du tout. Mais que dire d'autre ? Comment expliquer le vide qui s'abattait sur une famille après la perte d'un enfant ? Parfois il s'étonnait de respirer encore. Comment pouvait-il continuer à vivre alors que Matte n'était plus ?

— Ça va, répéta-t-il.

Peter hocha la tête, comme tout le monde. Les gens étaient désemparés. Ils disaient le minimum, ce qu'ils étaient censés dire, et ils essayaient de montrer de la sympathie tout en remerciant leur bonne étoile de les avoir épargnés. D'avoir laissé leurs enfants, leurs proches en vie. C'était comme ça, et c'était humain.

— Elle n'a tout de même pas pu se détacher? dit Gunnar, ne sachant pas s'il s'adressait à Peter ou à lui-même.

— Je ne pense pas, elle serait allée se coincer parmi les autres bateaux. Non, on a dû te la voler. Ces vieilles barques en bois ont pris de la valeur, c'est peut-être un boulot de commande. Si c'est le cas, c'est sûr qu'on ne la retrouvera pas ici. En général, ils les amènent quelque part où ils peuvent les sortir de l'eau, et ensuite ils les transportent sur des remorques.

Peter vira légèrement à droite, devant les Småsvinningarna.

— On va aller jusqu'à Dannholmen, et puis on fera demi-tour et on rentrera. Sinon ma famille va s'inquiéter.

— D'accord, dit Gunnar. Tu penses qu'on pourra sortir demain aussi?

Peter le regarda.

— Pas de problème. Descends dans la matinée vers dix heures, on fera un tour. À condition qu'il n'y ait pas eu d'appels de détresse, évidemment.

— Bien. J'y serai.

Le regard de Gunnar continua d'errer parmi les îles.

Ditte les avait invités à dîner. Elle le faisait souvent, en prétendant que c'était son tour, comme si Madeleine avait déjà rendu sa dernière invitation. Madeleine jouait le jeu, même si c'était humiliant. Son rêve, c'était de pouvoir lancer à Ditte, comme ça, en passant : "Ça te dit de venir manger chez nous ce soir avec les enfants? Je ferai un truc simple." Mais c'était impossible. Elle n'avait pas les moyens d'inviter à dîner son amie et ses trois enfants. Elle avait à peine de quoi nourrir Kevin, Vilda et elle-même.

— Tu es sûre que ça ne pose pas de problème ? dit-elle quand ils furent tous installés dans l'agréable cuisine de Ditte.

— Aucun. De toute façon, j'ai trois goinfres à nourrir, alors trois bouches de plus, ça ne change pas grand-chose.

Avec amour, elle ébouriffa les cheveux de Thomas, son fils du milieu.

— Arrête, maman, dit-il, énervé, avant de filer devant la télé, mais Madeleine vit qu'en réalité, ça ne lui déplaisait pas tant que ça.

— Tu veux du vin ?

Ditte lui servit un verre de vin rouge d'un bag-in-box, sans attendre sa réponse.

— Ça va avec les petits ? cria Ditte vers le salon et elle reçut deux "oui" en réponse.

Sa fille de dix ans et Thomas, qui en avait treize, agissaient comme des aimants sur Kevin et Vilda. L'aîné, un garçon de dix-sept ans, était rarement à la maison.

— Le risque serait plutôt qu'ils martyrisent les tiens, dit Madeleine en buvant une gorgée de vin.

— Pfff, ils les adorent, tu le sais bien.

Ditte s'essuya les mains sur un torchon, se servit aussi un verre de vin et s'assit en face de Madeleine.

Physiquement, on aurait difficilement pu imaginer deux femmes plus dissemblables, se dit Madeleine qui, l'espace d'un instant, les vit toutes les deux avec les yeux d'une observatrice extérieure. Elle-même était petite et blonde, avec la constitution fragile d'un enfant plutôt que celle d'une femme. Ditte rappelait à Madeleine une célèbre statue en pierre qu'ils avaient étudiée en arts plastiques à l'école, représentant une femme opulente. Grande et plantureuse, avec une imposante chevelure rousse qui semblait vivre sa propre vie. Des yeux verts toujours scintillants, bien qu'elle aussi ait pris des coups dans la vie qui auraient dû éteindre leur éclat depuis belle lurette. La faiblesse de Ditte était de choisir des hommes passifs qui se rendaient rapidement dépendants d'elle pour ensuite devenir aussi exigeants que des oisillons au bec grand ouvert. En général, elle finissait par en avoir assez. Mais il ne fallait jamais longtemps avant que l'oisillon suivant emménage dans son lit. C'est pourquoi ses enfants avaient trois pères différents, et s'ils n'avaient pas hérité des cheveux roux de leur mère, on n'aurait jamais pu deviner qu'ils étaient frères et sœurs.

— Comment tu vas, ma belle ? demanda Ditte en faisant tourner son verre entre ses doigts.

Madeleine se figea. Ditte lui avait tout raconté, elle lui avait fait part de sa vie et de ses échecs avec sincérité, mais Madeleine, elle, n'avait jamais osé se livrer. Elle était habituée à vivre dans une terreur perpétuelle, avait toujours peur d'en dire trop. Elle n'avait laissé approcher personne. Presque personne.

Mais ce soir-là, un dimanche dans la cuisine de Ditte, pendant que le ragoût mijotait sur le feu et que le vin la réchauffait de l'intérieur, elle n'eut plus la force de résister. Elle commença à raconter son histoire. Quand les larmes arrivèrent, Ditte déplaça sa chaise à côté de la sienne et la serra contre elle. Et dans les bras rassurants de son amie, Madeleine raconta tout. Elle parla même de lui. Elle avait beau se trouver dans un autre pays, vivre une autre vie, il était encore terriblement présent.

FJÄLLBACKA 1871

La haine de Karl à son égard semblait grandir au même rythme que l'enfant dans son ventre. Car elle avait fini par comprendre que c'était bel et bien de la haine, même si elle en ignorait la raison. Qu'avait-elle fait ? Quand il la regardait, ses yeux étaient emplis de dégoût. En même temps, elle avait l'impression d'y lire du désespoir, comme chez un animal en cage. On aurait dit qu'il était pris au piège sans moyen de se libérer, comme s'il était prisonnier tout autant qu'elle. Pour une raison incompréhensible, il avait retourné son amertume contre elle, la rendant responsable de sa captivité. Julian ne faisait rien pour améliorer les choses. Son humeur maussade paraissait peser sur Karl, dont l'indifférence du début, qui aurait pu passer pour de l'amabilité distraite, s'était totalement envolée. Elle était l'ennemie.

Les mots durs ne lui faisaient plus grand-chose. Karl et Julian se plaignaient de tout ce qu'elle faisait. Les plats qu'elle servait étaient soit trop chauds, soit trop froids. Les portions, trop petites ou trop grandes. La maison n'était jamais assez propre, leurs vêtements jamais suffisamment bien lavés. Rien n'était jamais à leur goût. Mais elle pouvait supporter les mots, elle s'était composé une cuirasse pour se protéger. Les coups, en revanche, étaient plus difficiles à encaisser. Karl ne l'avait jamais battue auparavant, mais après qu'elle lui eut révélé qu'elle était enceinte, son existence sur l'île avait changé. Elle avait appris à vivre avec la douleur que laissaient les gifles et les raclées. Karl laissait aussi Julian lever la main sur elle. Cela la déconcertait. Après tout, n'était-ce pas exactement ça qu'ils avaient cherché à faire, la mettre enceinte ?

S'il n'y avait pas eu le bébé dans son ventre, elle se serait sûrement laissé prendre par la mer. La glace avait fondu depuis longtemps, et l'été tirait sur sa fin. Sans les coups de pied dans son utérus pour l'éperonner et lui donner de la force, elle aurait quitté la petite plage et serait entrée tout droit dans la mer, vers l'horizon et les courants dangereux, jusqu'à ce qu'ils l'emportent. Mais l'enfant lui procurait déjà tant de joie ! À chaque injure, chaque coup, elle pouvait se tourner vers l'être qui poussait en elle. L'enfant était sa corde de sécurité. Elle repoussa loin dans son esprit le souvenir de la soirée où il avait été conçu. Ça n'avait plus aucune importance. L'enfant bougeait dans son ventre, et il était à elle.

Elle se releva péniblement après avoir récuré le plancher au savon noir. Elle avait sorti tous les tapis pour les aérer. En fait, elle aurait dû les laver au printemps. Tout au long de l'hiver, elle avait collecté de la cendre fine du poêle pour la lessive des lirettes. Mais son gros ventre et la fatigue l'en avaient empêchée, et elle avait dû se contenter de les aérer. La naissance était prévue pour le mois de novembre. Elle aurait peut-être la force de les lessiver vers Noël, si tout allait bien.

Emelie étira son dos douloureux et ouvrit grande la porte d'entrée. Elle contourna la maison et s'offrit une petite pause. Sur le petit côté se trouvait sa grande fierté : le parterre de plantes qu'elle avait péniblement réussi à faire pousser dans cette terre ingrate. Aneth, persil et ciboulette côtoyaient des roses trémières et des cœurs-de-Marie. Sa petite platebande était jolie à vous fendre l'âme, ici, parmi les rochers gris et stériles. Chaque fois qu'elle tournait au coin de la maison et qu'elle l'apercevait, elle sentait sa gorge se nouer. Ces plantes étaient à elle, c'était quelque chose qu'elle avait créé sur cette île. Tout le reste appartenait à Karl et à Julian. Ils étaient toujours sur la brèche. Quand ils n'étaient pas de quart dans le phare, ils réparaient toujours quelque chose, maniant la scie et le marteau. Ils n'étaient pas fainéants, il fallait l'admettre, mais leur façon d'être toujours occupés confinait à l'obsession, cette manière de serrer les dents face au vent et aux embruns qui détruisaient impitoyablement tout ce qu'ils s'appliquaient à remettre en état.

— Tu as laissé la porte d'entrée ouverte. Combien de fois je t'ai déjà dit de la fermer ? C'est si difficile à comprendre ?

Karl arriva au coin de la maison, et elle sursauta et posa les mains sur son ventre. Il avait l'air tendu. Elle savait qu'il avait été de quart de nuit au phare, et la fatigue assombrissait encore ses yeux. Face à son regard, elle se recroquevilla, terrifiée.

— Pardon, je croyais que...

— Tu croyais ! Femme stupide, tu ne sais même pas fermer une porte. Au lieu de faire ton travail, tu te tournes les pouces. Julian et moi, on trime jour et nuit pendant que toi, tu t'amuses à ça !

Il fit un pas vers la platebande et avant qu'elle n'ait eu le temps de réagir, il arracha avec les racines une rose trémière prête à éclore.

— Non, Karl. Non !

Elle ne réfléchit pas, vit seulement la tige qui pendait dans sa main fermée. On aurait dit qu'il l'étranglait lentement. Elle s'accrocha à son bras et essaya de se saisir de la plante.

— Qu'est-ce que tu fais ?

Livide, avec cet étrange mélange de haine et de désespoir dans le regard, il leva l'autre main pour frapper. C'était comme s'il attendait que les coups apaisent sa propre détresse, et que chaque fois ses espoirs étaient déçus. Elle aurait tant voulu comprendre en quoi consistait ce tourment dont elle semblait être l'origine.

Cette fois, elle n'essaya pas d'esquiver, elle se blinda et présenta son visage aux gifles cinglantes qui ne tarderaient pas à s'abattre sur elle. Mais la main s'arrêta en l'air. Surprise, elle suivit son regard qui fixait la mer, en direction de Fjällbacka.

— Quelqu'un vient, dit-elle et elle lâcha le bras de Karl.

Cela faisait bientôt un an qu'elle vivait sur cette petite île, et c'était la première fois qu'ils recevaient de la visite. À part Karl et Julian, elle n'avait vu aucun être humain depuis le jour où elle était descendue dans le bateau qui les conduirait à Gråskär.

— On dirait le pasteur.

Karl baissa lentement la main qui tenait la rose trémière. Il regarda la plante comme s'il se demandait comment elle s'était retrouvée là. Puis il la lâcha et s'essuya nerveusement les mains sur son pantalon.

— Qu'est-ce qui peut bien l'amener ici ?

Emelie vit l'inquiétude dans ses yeux, et pendant une brève seconde, elle ne put s'empêcher de s'en réjouir avant de se sermonner. Karl était son mari, et la Bible disait qu'on devait honorer son époux. Quoi qu'il fasse, quelle que soit la façon dont il la traitait, elle devait obéir à ce commandement.

Le bateau avec le pasteur à bord s'approcha. Quand il ne fut qu'à une centaine de mètres de l'embarcadère, Karl salua le visiteur de la main puis descendit l'accueillir. Le cœur d'Emelie battait fort dans sa poitrine. Était-ce bon ou mauvais signe que le pasteur débarque ainsi à l'improviste ? Elle posa une main protectrice sur son ventre. Elle aussi sentait l'inquiétude l'envahir.

Patrik était frustré de ne pas avoir pu faire grand-chose la veille, dimanche. Il s'était quand même rendu au commissariat pour écrire un rapport sur la disparition du bateau et s'assurer qu'il n'était pas proposé à la vente sur les petites annonces d'Internet, mais sans rien trouver. Il avait ouvert l'attaché-case et constaté que l'ordinateur s'y trouvait, avec une liasse de papiers, et il avait demandé à Paula d'examiner tout ça. Pour une fois dans cette enquête, la chance leur avait souri. Dans la mallette, se trouvait également un téléphone portable.

Il était parti à Göteborg tôt ce matin avec Martin. Ils avaient du pain sur la planche.

— On commence par quoi? demanda Martin.

Comme d'habitude, il occupait le siège passager, bien qu'il ait tout essayé pour convaincre Patrik de lui laisser le volant.

— Les services sociaux. Je les ai appelés vendredi, je leur ai dit qu'on y serait vers dix heures.

— Et ensuite Refuge? On a autre chose à leur demander?

— Ça dépend de ce que nous diront les services sociaux. J'espère qu'ils nous fourniront de quoi avancer.

— Et l'ex-copine de Sverin, elle ne savait rien? Il ne lui avait rien confié?

Martin avait les yeux braqués sur la route et s'agrippa instinctivement à la poignée au-dessus de la portière quand Patrik entreprit le dépassement beaucoup trop téméraire d'un poids lourd.

— Non, ça n'a pas donné grand-chose. À part l'attaché-case, évidemment. Il va peut-être nous révéler des trésors, mais on ne le saura que quand Paula aura tout examiné. Et on ne va pas s'amuser à toucher à l'ordinateur, on ne sait pas craquer les codes d'accès et ces trucs-là, il faut l'envoyer au labo.

— Et Annie, comment elle a réagi à l'annonce de sa mort?

— Elle a paru assez secouée. De façon générale, c'est une fille qui a l'air très fragile et difficile à cerner.

— Dis, c'est pas là que tu dois sortir?

Martin montra la bretelle de sortie et Patrik jura tout en donnant un coup de volant tellement brusque que la voiture derrière eux faillit les percuter.

— Putain, Patrik! dit Martin, le visage blême.

Dix minutes plus tard, ils arrivaient aux services sociaux, où ils furent immédiatement accueillis par le directeur, Sven Barkman. Une fois expédiées les phrases de politesse, ils s'installèrent autour d'une petite table de conférence. Sven Barkman était un homme petit et mince au visage étroit dont le menton pointu était accentué par une fine barbiche. Patrik imagina tout de suite le professeur Tournesol. La ressemblance était vraiment frappante, mais la voix ne correspondait pas au physique, et Martin et Patrik en furent tous deux ébahis. Ce petit homme avait une voix basse et puissante qui remplissait la pièce, et sans doute un timbre digne d'un excellent chanteur. En regardant autour de lui, Patrik eut la confirmation de cette hypothèse : des photos, des diplômes et des prix témoignaient que Sven

Barkman chantait dans une chorale. Patrik n'en reconnaissait pas le nom, mais elle était de toute évidence couronnée de succès.

— Vous avez donc des questions au sujet de Refuge, leur dit Sven en se penchant en avant. Puis-je vous demander pourquoi ? Nous prenons grand soin de contrôler ceux qui collaborent avec nous dans ces affaires, et nous avons été un peu troublés par une telle demande de la part de la police. Refuge est une organisation un peu spéciale, comme vous le savez probablement, et nous sommes particulièrement vigilants à son égard.

— Vous voulez parler du fait que l'association emploie aussi bien des hommes que des femmes ? demanda Patrik.

— Oui, en général ça ne se passe pas comme ça. Leila Sundgren a fait preuve de beaucoup d'audace avec ce projet, mais nous la soutenons.

— Ne vous inquiétez pas. Un de leurs anciens employés a été assassiné et nous essayons de cartographier sa vie. Il a travaillé chez Refuge pendant plusieurs années, il a démissionné il y a trois mois seulement, et vu leur domaine d'activité, nous souhaitons simplement y regarder d'un peu plus près. Mais nous n'avons aucune raison de penser qu'ils ne mènent pas leur travail comme il faut.

— Tant mieux. Bon, voyons voir... dit Sven et il commença à parcourir les papiers devant lui en marmonnant tout bas. Oui, voilà... hum, oui.

Patrik et Martin attendirent patiemment pendant qu'il parlait tout seul.

— OK, ça y est, j'y vois plus clair maintenant. Il y avait quelques détails qui m'échappaient. Nous collaborons avec Refuge depuis cinq ans, cinq ans et demi pour être tout à fait exact. Et je suppose qu'il faut l'être dans une enquête pour meurtre, dit-il en riant bruyamment. Le nombre de cas que nous leur avons transmis a suivi une courbe ascendante. Évidemment, nous avons commencé avec prudence, pour voir si la collaboration fonctionnait. Cette dernière année, nous leur avons confié quatre femmes issues de nos services. En tout, je dirais que Refuge s'occupe d'une trentaine de femmes par an.

Il les regarda, dans l'attente d'une question corollaire.

— Quel est le processus ? Quelles sont les affaires que vous transmettez à Refuge ? La mesure paraît assez radicale, je suppose que vous tentez d'abord d'autres solutions, dit Martin.

— Absolument. Nous travaillons beaucoup sur ces cas, et les organisations telles que Refuge n'interviennent qu'en dernier recours. Mais on fait appel à nos services à des stades tellement divers… Parfois nous savons très tôt qu'il y a des problèmes dans une famille, d'autres fois la situation a dégénéré sans que les signaux d'alarme soient parvenus jusqu'à nous.

— À quoi ressemble un cas type ?

— Difficile à dire. Je vais vous donner un exemple. Une école nous informe qu'un enfant semble ne pas aller bien. Nous vérifions, et en rendant visite à la famille, nous nous faisons assez rapidement une idée du contexte. Il peut aussi y avoir des documents, ou des pièces auxquelles nous n'avons pas prêté attention auparavant.

— Quel type de documents ? demanda Patrik.

— Des consultations médicales. En recoupant avec les rapports de l'école, nous arrivons alors à distinguer un schéma. Nous collectons tout simplement le plus d'informations possible. En premier lieu, nous nous efforçons de travailler avec la famille, telle qu'elle est, avec des résultats plus ou moins satisfaisants. Aider la femme, et les enfants s'il y en a, à s'enfuir est toujours un dernier recours. Malheureusement, il n'est pas aussi rare que nous le souhaiterions.

— Comment ça se passe d'un point de vue pratique quand vous êtes obligés de solliciter des organisations telles que Refuge ?

— Nous les contactons pour leur rendre compte oralement de la situation dans laquelle se trouve la femme, de son histoire. Chez Refuge, notre principale interlocutrice, c'est Leila Sundgren.

— Arrive-t-il à Refuge de refuser un dossier ? demanda Patrik en changeant de position sur la chaise inconfortable.

— Non, ce n'est jamais arrivé. Comme il y a des enfants qui séjournent dans leur foyer, ils n'accueillent pas de femmes qui font usage de drogues ou d'alcool ou celles qui ont de lourds problèmes psychiques. Nous le savons, si bien que nous ne leur confions pas ces cas-là. Il existe d'autres solutions pour ces femmes. Donc, non, ils n'ont jamais refusé d'accueillir quelqu'un.

— Et que se passe-t-il quand ils prennent le relais ?

— Nous informons la femme, établissons le contact en veillant à ce que tout se passe dans la plus grande discrétion. Le but, c'est qu'elles se sentent en sécurité, et qu'il soit impossible de les retrouver.

— Et ensuite ? Vous avez déjà rencontré des problèmes ici, dans vos bureaux ? J'imagine que certains hommes viennent décharger leur colère sur vous, quand leur femme et leurs enfants disparaissent, dit Martin.

— Oui, bon, ils ne disparaissent pas totalement. Ce serait illégal. Nous ne pouvons pas prendre un enfant et le cacher à son père. Il dispose de ressources juridiques pour contester de tels agissements. Mais vous avez raison, nous recevons notre dose de menaces, et nous devons régulièrement faire appel à la police. Il n'y a jamais eu d'incidents graves, cependant. Je touche du bois.

— Et le suivi? insista Martin.

— Le dossier reste chez nous et nous gardons un contact continu avec toutes nos organisations partenaires. L'objectif est de trouver une solution pacifique. Dans la plupart des cas, ce n'est pas possible, mais nous avons quelques exemples de réussite.

— J'ai entendu parler de cas où certaines victimes ont reçu l'aide de ces organisations pour fuir à l'étranger. Vous êtes au courant de ça? Ça arrive, que des femmes dont vous traitez le dossier disparaissent totalement? demanda Patrik.

Sven se tortilla sur sa chaise.

— Je sais à quoi vous faites allusion. Moi aussi, je lis les tabloïdes. Il est arrivé à quelques reprises que des femmes sous notre responsabilité se volatilisent, mais nous n'avons aucun moyen de prouver qu'elles ont été aidées. Nous ne pouvons que supposer qu'elles sont parties de leur propre initiative.

— Mais, entre nous?

— Entre nous, je pense qu'elles sont pas mal aidées par certaines de ces organisations. Mais sans preuve, nous ne pouvons rien faire.

— Est-ce que des femmes confiées à Refuge ont disparu de cette manière?

Sven garda le silence pendant un instant, puis il respira à fond.

— Oui.

Patrik décida d'abandonner le sujet. Ce serait probablement plus fructueux de poser les questions directement à Refuge. Les services sociaux semblaient adopter le principe "moins on en sait, mieux on se porte", et il ne pensait pas pouvoir en apprendre davantage ici.

— Alors il ne nous reste qu'à vous remercier. À moins que tu n'aies autre chose à demander? dit-il en regardant Martin, qui secoua la tête négativement.

En regagnant la voiture, Patrik sentit le découragement l'envahir. Il ignorait totalement que tant de femmes étaient forcées d'abandonner leur domicile. Et encore, il ne s'agissait là que des cas traités par Refuge. Martin et lui s'étaient tout juste contentés de gratter la surface.

Erica n'arriva pas à chasser Annie de ses pensées. Elle l'avait trouvée égale à elle-même, et en même temps différente. Une copie plus pâle et terriblement absente en quelque sorte. L'aura qui l'entourait à l'époque du lycée n'y était plus, même si elle était toujours aussi belle, aussi inaccessible. Comme si quelque chose en elle s'était éteint. Erica avait du mal à le décrire. Tout ce qu'elle savait, c'est que la rencontre avec Annie l'avait rendue triste.

Elle monta la côte de Galärbacken avec la poussette et dut s'arrêter plusieurs fois pour reprendre son souffle.

— Maman fatiguée? dit Maja.

Elle était toute contente d'être debout sur le marchepied de la poussette. Ses petits frères venaient de s'endormir et avec un peu de chance ils en avaient pour un bon moment.

— Oui, maman fatiguée, répondit Erica.

Sa respiration était lourde et ça sifflait dans sa poitrine.

— Je t'aide, maman, dit Maja en faisant un petit saut sur le marchepied. Hop là !

— Merci ma puce. Hop là ! répéta Erica et elle mobilisa toutes ses forces pour le dernier tronçon devant le magasin de tissus.

Quand Maja fut déposée à la crèche et qu'Erica eut entamé le chemin de retour, une pensée la frappa. C'était sur Gråskär que sa curiosité s'était éveillée. La longue ombre du phare l'avait intriguée, tout comme le regard d'Annie quand ils parlaient des fantômes. Pourquoi ne pas se renseigner un peu sur l'histoire de cette île ?

Elle fit demi-tour avec la poussette et se dirigea vers la bibliothèque. Elle avait toute la journée devant elle et pouvait tout aussi bien passer un moment là-bas pendant que les jumeaux dormaient. Ça paraissait plus profitable en tout cas que de traîner dans le canapé devant Oprah et Rachael Ray.

— Tiens, bonjour, sourit May en la voyant arriver.

Erica rangea la poussette juste à l'entrée, contre le mur, pour qu'elle ne gêne pas un éventuel visiteur. La bibliothèque était vide pour l'instant, et il y avait peu de chance qu'elle ait à partager l'espace.

— Et les petits choux, dit May en se penchant sur la poussette. Ils sont adorables, j'espère qu'ils ne te mènent pas la vie dure.

— Ce sont des anges, répondit Erica sincèrement.

Elle ne pouvait vraiment pas se plaindre. Sa propre attitude avait changé, et elle n'avait pas eu à souffrir des mêmes difficultés qu'à la naissance de Maja. Quand les jumeaux pleuraient la nuit, elle ne ressentait aucune angoisse, seulement une immense gratitude. Et puis, ils rouspétaient rarement et ne se réveillaient qu'une fois par nuit, pour le biberon.

— Je sais qu'en général tu trouves ce que tu cherches ici toute seule, mais dis-moi si tu veux de l'aide. Tu démarres un nouveau livre ? demanda May en l'observant attentivement.

À la grande joie d'Erica, toute la région était immensément fière de ses succès et suivait sa carrière d'écrivain avec un intérêt réel.

— Non, je n'ai encore rien commencé. J'ai juste envie de faire un peu de recherches pour le plaisir.

— Ah bon, des recherches sur quoi ?

Erica rit. Les habitants de Fjällbacka n'étaient pas connus pour leur timidité. Celui qui ne demandait pas restait dans l'ignorance. Elle n'avait rien à y redire, elle était elle-même encore plus curieuse que la plupart, et Patrik ne manquait pas une occasion de le lui faire remarquer.

— Je voulais voir s'il y a des livres qui parlent de l'archipel. Je voudrais trouver quelque chose sur l'histoire de Gråskär.

— L'île aux Esprits ? dit May et elle se dirigea vers une des étagères du fond. Je suppose que ce sont les histoires de revenants qui t'intéressent ? Tu devrais parler avec Stellan à Nolhotten dans ce cas. Et puis, il y a aussi Karl-Allan Nordblom qui en connaît un rayon sur l'archipel.

— Merci, mais pour commencer je vais voir ce que vous avez ici. Les fantômes, l'histoire du phare, toutes ces choses-là m'intéressent. Tu aurais quelque chose pour moi, tu crois ?

— Mmm…

May se concentra sur la recherche. Sortit un livre, le feuilleta un peu, le remit en place sur l'étagère. En prit un autre, le regarda, le glissa sous son bras. Finalement, elle tendit quatre livres à Erica.

— Je pense que ceux-ci te plairont, mais tu auras du mal à trouver des livres qui parlent précisément de Gråskär. Tu pourrais aussi en toucher un mot aux employés du musée du Bohuslän, dit-elle en s'installant de nouveau derrière son comptoir.

— Je vais commencer avec ça, dit Erica.

Après avoir vérifié que les jumeaux dormaient encore, elle s'installa pour lire.

— Qu'est-ce que c'est?

Les copains s'agglutinèrent autour d'eux dans la cour de récréation, et Jon fut envahi par la douce impression d'être le centre de l'univers.

— Un truc que j'ai trouvé, c'est de la poudre magique, je crois, comme dans les soucoupes volantes, dit-il en montrant fièrement le sachet.

Melker lui donna un coup de coude.

— Comment ça, tu l'as trouvé? On l'a trouvé tous les trois.

— Et vous l'avez sorti d'une poubelle? Beurk, c'est dégueu! Faut le jeter, Jon, dit Lisa et elle s'en alla en fronçant le nez.

— Ça va, c'est dans un plastique, dit Jon en l'ouvrant précautionneusement. Et puis, on l'a trouvé dans une poubelle à papier, pas dans une benne à ordures.

Les nanas, c'étaient des vraies cloches. Plus petit, il jouait aussi avec les filles, mais depuis qu'ils allaient à l'école, il s'était passé quelque chose, on aurait dit qu'elles avaient muté. Comme si des aliens avaient pris possession d'elles. Elles ne faisaient que pouffer et faire des manières.

— Pfff, quelle cruche… dit-il à voix haute.

Les garçons attroupés autour de lui étaient tous de son avis. Ils comprenaient parfaitement ce qu'il voulait dire. Toute sucrerie était bonne à prendre, même si elle sortait d'une poubelle dans la rue.

— Après tout, c'est emballé, fit Melker en écho, et tous les garçons hochèrent la tête.

Ils avaient attendu la pause de midi pour sortir le sachet. Les bonbons étaient interdits à l'école, et ce truc-là était vraiment excitant. Le contenu du sachet ressemblait à de la poudre qui pétille, ils se sentaient comme des aventuriers, comme Indiana Jones après la découverte d'un trésor. Jon allait être le héros du jour – ou plutôt Melker, Jack et Jon. Restait à savoir combien de poudre à bonbon ils seraient obligés de donner aux autres pour ne pas perdre leur statut de demi-dieux. S'ils ne partageaient pas, les autres leur en voudraient. Et s'ils leur en donnaient trop, il n'en resterait pas assez à se répartir entre eux.

— On vous laisse goûter. Vous tremperez le doigt trois fois chacun, finit-il par dire. Mais comme on l'a trouvé en premier, on goûtera en premier.

L'air grave, Melker et Jack mouillèrent l'index sur la langue et le plongèrent dans le sachet. Le doigt se retrouva couvert de poudre blanche et, d'une mine friande, ils le mirent dans leur bouche. Est-ce que ça serait salé, comme la poudre au goût de réglisse ? Ou acidulé, comme la poudre des soucoupes volantes ? La déception fut grande.

— Ça n'a pas de goût. C'est de la farine ou quoi ? dit Melker et, dégoûté, il s'en alla.

Jon regarda le sachet, dépité. Il humidifia son index comme les autres l'avaient fait et le plongea dans la poudre. En espérant que Melker se trompe, il mit le doigt dans sa bouche et le lécha. Mais ça n'avait aucun goût, absolument aucun. Il ressentit seulement un petit picotement sur la langue. Énervé, il balança le sachet dans une poubelle sans se soucier des copains qui attendaient leur tour, et il commença à se diriger vers l'école. Ça faisait tout bizarre dans sa bouche. Il tira la langue et l'essuya contre la manche de son pull, mais ça ne servait à rien. Son cœur se mit à battre plus fort. Il transpira et ses jambes refusèrent de lui obéir. Du coin de l'œil, il vit Melker et Jack s'effondrer. Ils avaient dû trébucher sur quelque chose, ou alors ils faisaient les imbéciles. Puis il sentit le sol se précipiter vers lui. Tout devint noir avant qu'il s'écroule sur le bitume.

Elle aurait bien aimé accompagner Patrik à Göteborg à la place de Martin. Mais d'un autre côté, ça lui permettait d'analyser en toute tranquillité le contenu de l'attaché-case de Mats Sverin. Elle avait tout de suite envoyé l'ordinateur portable à la brigade technique, où officiaient des personnes bien plus compétentes qu'elle en matière d'informatique.

— J'ai appris que la serviette de Sverin a été retrouvée, dit Gösta en pointant la tête dans son bureau.

— Ouaip, je l'ai ici, répondit-elle en montrant la mallette marron sur son bureau.

— Tu as pu l'examiner ?

Gösta entra, tira une chaise et s'assit à côté d'elle.

— Ben, j'ai juste eu le temps de sortir le portable et de l'envoyer aux techniciens.

— Oui, ils sauront comment s'y prendre. Mais ça risque d'être long avant qu'on ait de leurs nouvelles, soupira Gösta.

Paula hocha la tête, d'accord avec lui.

— Je sais, mais on ne peut pas faire autrement. Moi, en tout cas, je n'ose pas m'y atteler, je risquerais de faire des bêtises. Cela dit, j'ai vérifié son téléphone mobile. Ça a été vite vu. Il avait très peu de numéros dans son répertoire, et les seules communications enregistrées, c'est avec son boulot ou avec ses parents. Pas de photos, pas de SMS conservés.

— Quel homme étrange, dit Gösta, puis il montra le porte-documents. On regarde le reste ?

Paula prit l'attaché-case et commença à le vider avec précaution. Elle répartit les objets sur la table devant eux, et après s'être assurée qu'il était vide, elle le posa par terre. Sur son bureau, se trouvaient maintenant quelques stylos, une calculette, des trombones, un paquet de chewing-gum et une épaisse liasse de papiers.

— On partage ? demanda Paula. Je prends une moitié, tu prends l'autre ?

— Mmm, dit Gösta et il posa les documents sur ses genoux puis se mit à les feuilleter tout en émettant de petits bruits sourds.

— Tu peux peut-être les emporter dans ton bureau ?

— Ah oui, hum, bien sûr, dit Gösta.

Il se leva et fila dans son bureau, qui jouxtait celui de Paula.

Dès qu'elle fut seule, elle s'attaqua aux papiers devant elle. Les plis sur son front se creusaient à chaque feuillet qu'elle tournait. Après une demi-heure de lecture intense, elle alla voir Gösta.

— Tu y comprends quelque chose, toi ?

— Non, que dalle. Je ne vois qu'un tas de chiffres et des notions qui m'échappent complètement. Il faudrait demander de l'aide. Mais à qui ?

— Je n'en sais rien, dit Paula.

Elle avait espéré pouvoir présenter du nouveau à Patrik quand il reviendrait de Göteborg. Mais les termes techniques d'économie dans ces documents lui étaient incompréhensibles.

— On ne peut pas demander à quelqu'un de la mairie. Ils ont des intérêts dans le projet. Il faut trouver une personne extérieure qui nous expliquerait ce que tout ça signifie. On pourrait l'envoyer à la brigade financière, mais on n'aurait pas de réponse de sitôt.

— Dommage, je ne connais pas d'économistes.

— Moi non plus, dit Paula en tambourinant des doigts sur le montant de la porte.

— Lennart? dit subitement Gösta en s'illuminant.

— Qui ça, Lennart?

— Le mari d'Annika. Il est économiste, non?

— Oui, c'est vrai, dit Paula, et ses doigts se calmèrent. Viens, on va lui demander.

Elle partit, les papiers serrés contre sa poitrine, et Gösta lui emboîta le pas. Elle frappa un coup léger sur la porte ouverte d'Annika, qui pivota sur sa chaise et sourit en la voyant.

— Je peux t'aider?

— Ton mari, il est bien économiste?

— Oui, répondit Annika, déconcertée. Il travaille à Extra-Film.

— Tu penses qu'il voudrait bien nous aider sur un truc? dit Paula en secouant la liasse de documents. On a trouvé ça dans l'attaché-case de Mats Sverin, ce sont des documents comptables. Pour Gösta et moi, c'est du chinois, on aurait besoin d'aide pour comprendre, savoir si ça a un quelconque intérêt pour l'enquête. Tu crois qu'on pourrait demander ça à Lennart?

— Je peux toujours lui en parler. Ça serait pour quand?

— Pour aujourd'hui, répondirent Gösta et Paula en même temps, et Annika rit.

— Je l'appelle tout de suite. Si vous lui transmettez les documents, ça ne devrait pas poser de problèmes.

— Je peux y aller maintenant, dit Paula.

Ils attendirent pendant qu'Annika discutait avec son mari. Ils avaient rencontré Lennart de nombreuses fois quand il venait voir sa femme au commissariat, et il était impossible de ne pas l'aimer. Avec ses deux mètres de haut, c'était l'homme le plus gentil qu'on puisse imaginer. Après plusieurs années à essayer d'avoir un enfant, Annika et lui venaient d'apprendre qu'ils allaient pouvoir adopter une petite fille de Chine et leurs yeux avaient pris un nouvel éclat.

— Tu peux y aller. C'est assez calme en ce moment à son boulot, il m'a promis d'y jeter un coup d'œil.

— Super ! Merci !

Paula afficha un grand sourire et même Gösta en esquissa un, qui illumina son visage habituellement si morne.

Elle sauta dans la voiture, et il ne lui fallut que quelques minutes pour déposer les documents à Extra-Film. Elle sifflota gaiement pendant tout le chemin du retour, mais s'arrêta net en arrivant au commissariat. Gösta l'attendait devant la porte. Et à son expression, elle comprit que quelque chose était arrivé.

Leila ouvrit la porte, vêtue du même jean usé que la dernière fois, et d'un pull tout aussi informe, gris cette fois, au lieu du blanc. Autour de son cou, pendait une longue chaîne en argent, avec un pendentif en forme de cœur.

— Entrez, dit-elle.

Elle les précéda jusqu'à son bureau qui était toujours aussi bien rangé, et Patrik se demanda comment faisaient les gens pour maintenir un tel ordre dans leurs affaires. Il avait beau essayer, c'était comme si de petits gnomes entraient chez lui pour mettre le bazar dès qu'il avait le dos tourné.

Elle tendit la main à Martin et se présenta avant qu'ils s'asseyent. Martin regarda avec curiosité tous les dessins d'enfants affichés au mur.

— Vous en savez plus maintenant sur l'assassin de Matte ? demanda Leila.

— L'enquête suit son cours, c'est tout ce que nous pouvons vous dire, répondit Patrik, évasif.

— Mais vous pensez apparemment que nous sommes mêlés au meurtre puisque vous revenez nous voir ? dit Leila en jouant avec son collier, seul signe de son inquiétude.

— Nous n'en sommes pas encore là, comme je viens de le dire. Nous suivons plusieurs pistes qui paraissent plausibles.

La voix de Patrik était calme. Il était habitué à ce que les gens deviennent nerveux quand il leur rendait visite. Cela ne signifiait pas nécessairement qu'ils avaient quelque chose à cacher. La présence d'un agent de police peut suffire à engendrer de l'angoisse.

— On aimerait seulement poser quelques questions supplémentaires et aussi consulter vos documents concernant les femmes que vous avez accueillies quand Mats travaillait ici.

— Je ne sais pas si je peux vous accorder ça. Ce sont des données sensibles qu'on ne peut pas divulguer inconsidérément. Ces femmes ont beaucoup souffert.

— Je comprends, mais avec nous, vous n'avez évidemment rien à craindre. Et il s'agit d'une enquête pour meurtre. La loi nous autorise à les consulter.

Leila eut l'air de réfléchir un moment.

— D'accord, finit-elle par dire. Mais je préfère que ces documents ne quittent pas mon bureau. Si vous vous contentez de les examiner ici, je vais vous donner ce que nous avons.

— Ça nous va. Merci beaucoup, glissa Martin.

— Nous venons de rencontrer Sven Barkman, précisa Patrik.

Leila se mit immédiatement à tirer plus fort sur sa chaîne. Elle se pencha vers eux.

— Nous sommes entièrement dépendants d'une bonne collaboration avec les services sociaux. J'espère que vous n'avez pas laissé entendre que notre activité ne serait pas en règle. Comme je vous l'ai dit, nous sommes déjà assez exposés comme ça… On nous considère comme peu orthodoxes.

— Rassurez-vous. Nous avons bien pris soin de lui expliquer la raison de notre visite, en précisant qu'il n'y avait aucune ombre au tableau concernant Refuge.

— Tant mieux, dit Leila, mais elle ne paraissait pas entièrement convaincue.

— Sven a estimé qu'il y a environ trente affaires qui atterrissent chez vous chaque année *via* les différents services sociaux. Vous confirmez? demanda Patrik.

— Oui, je crois que c'est le chiffre que je vous ai donné la dernière fois qu'on s'est vus.

La voix se fit plus formelle et elle croisa les mains devant elle sur le bureau.

— Dans combien de ces cas estimez-vous que vous rencontrez des… problèmes?

Martin semblait presque impatient de poser sa question, et Patrik se dit qu'il devait lui laisser plus de place.

— Quand vous dites problèmes, je suppose que vous voulez parler d'hommes qui font irruption ici ?

— Oui.

— Alors, aucun, je dois dire. La plupart des hommes qui battent leur femme ou leurs enfants ne comprennent pas qu'ils agissent mal. À leurs yeux, c'est la femme qui est en tort. Il s'agit de pouvoir et de contrôle. Et s'ils menacent quelqu'un, ce sont les femmes, pas les structures d'accueil.

— Mais il y a aussi des exceptions, c'est ça ?

— Oui, bien sûr. Quelques-unes chaque année. Mais nous en entendons parler surtout par les services sociaux.

Le regard de Patrik s'attarda sur l'un des dessins sur le mur derrière Leila, au-dessus de sa tête. Un énorme personnage à côté de deux plus petits. Le grand avait de longues dents pointues et il paraissait très en colère. Les petits pleuraient de grosses larmes qui tombaient par terre. Il déglutit. De quelle espèce fallait-il être pour frapper une femme, et pire encore, pour frapper un enfant ? Il sentit la rage monter en lui rien qu'à l'idée qu'on puisse s'en prendre à Erica ou à leurs enfants.

— Comment les cas sont-ils pris en charge ? Ce serait peut-être bien de commencer par là.

— Les services sociaux nous appellent et nous font un court exposé. Il arrive que la femme vienne faire une première visite avant d'emménager. Souvent, elle est accompagnée par une assistante sociale. Sinon elles arrivent en taxi, ou en voiture avec une amie.

— Et ensuite, que se passe-t-il ? demanda Martin.

— Ça dépend. Parfois il suffit qu'elles restent quelques semaines, jusqu'à ce que les choses se tassent, et ensuite on peut résoudre les problèmes en suivant le protocole. Parfois nous sommes obligés de les placer dans une autre structure d'accueil, si nous estimons qu'elles sont en danger en restant dans le secteur. Il peut aussi être question d'intervenir sur le plan juridique, de les aider dans leurs démarches afin de les rendre invisibles dans le système social. On parle ici de femmes qui ont souvent vécu dans une terreur permanente pendant des années, qui présentent parfois des symptômes qu'on constate chez des prisonniers de guerre, comme le fait de devenir complètement apathiques et incapables d'agir. Nous, nous sommes là pour les aider avec le côté pratique.

— Et le côté psychique? demanda Patrik, les yeux rivés sur le dessin avec le gros personnage aux dents acérées. Vous pouvez fournir une aide pour ça aussi?

— Pas autant que nous aimerions. C'est une question de ressources. Mais nous avons une bonne collaboration avec quelques psychologues qui travaillent bénévolement pour nous. Nous essayons surtout d'obtenir ce genre d'aide pour les enfants.

— On a pu lire dans les journaux des articles sur des femmes qu'on a aidées à fuir à l'étranger et qui ont ensuite été accusées d'enlèvement d'enfants. Vous connaissez des cas de ce type?

Patrik observa attentivement Leila, mais rien sur son visage ne trahit que la question la mettait mal à l'aise.

— Nous sommes tributaires d'une bonne entente avec les services sociaux, nous ne pouvons pas nous permettre d'agir ainsi. L'aide que nous proposons reste dans le cadre légal. Après, il y a évidemment des femmes qui partent par leurs propres moyens et se terrent. Mais Refuge n'est en aucun cas responsable de ce genre de démarches, et nous ne les favorisons nullement.

Patrik décida d'abandonner le sujet. Elle était assez convaincante, et ça ne servait à rien de la braquer.

— Dans les quelques cas où il y a de gros problèmes, c'est à vous qu'il incombe de déplacer les femmes vers un autre lieu de résidence? demanda Martin.

— Oui, on peut dire ça, fit Leila en hochant la tête.

— Et ces gros problèmes, de quel ordre sont-ils?

Patrik sentit son téléphone portable vibrer dans sa poche. Qui que ce soit, il ou elle attendrait.

— Il est arrivé que des hommes retrouvent une adresse confidentielle, en suivant notre personnel par exemple. Chaque fois ça nous a servi de leçon, et nous avons renforcé la sécurité. Il ne faut pas sous-estimer le désespoir de ces hommes, ils peuvent être comme possédés par le démon.

Le téléphone portable continua de vibrer dans la poche de Patrik et il posa la main dessus pour atténuer les tremblements.

— Mats était-il impliqué dans ces incidents?

— Non, nous veillons particulièrement à ce qu'aucun de nos employés ne s'investisse personnellement. Nous fonctionnons par roulement, de façon que la femme change de référent au bout d'un certain temps.

— Mais ça n'augmente pas leur sentiment d'insécurité?

Le téléphone sonna encore une fois et Patrik commença à s'agacer. Était-ce si difficile à comprendre qu'il ne pouvait pas répondre?

— Si, vous avez raison, mais il est important de travailler de cette façon pour maintenir une distance. Des relations personnelles et un engagement trop intime ne feraient qu'augmenter le risque pour ces femmes. C'est pour leur bien.

— Comment vous assurez-vous qu'elles sont en sûreté là où vous les installez ? demanda Martin pour changer l'orientation de l'entretien après un regard interrogateur à Patrik.

— Malheureusement, il n'y a pas assez de moyens en Suède aujourd'hui pour donner à ces femmes la sécurité dont elles ont besoin, soupira Leila. Comme je l'ai dit, nous sommes souvent obligées de les déplacer dans une autre ville, pour les confier à un autre centre d'accueil, en maintenant leurs données personnelles aussi secrètes que possible. Ensuite, nous les munissons d'une alarme, avec le concours de la police.

— Comment fonctionnent ces alarmes ? Nous n'avons pas une grande expérience de ce genre de choses à Tanumshede.

— Elles sont reliées au centre de coordination de la police. Lorsqu'on appuie sur le bouton de détresse, l'alarme avertit directement la police. Au même instant, un microphone se déclenche automatiquement afin qu'on puisse entendre ce qui se passe dans l'appartement.

— Et d'un point de vue juridique, pour les questions de garde d'enfant entre autres… Les femmes sont obligées de se présenter au tribunal, non ? demanda Patrik.

— Elles peuvent se faire représenter. Nous pouvons nous charger de cet aspect-là, répondit Leila en glissant ses cheveux derrière l'oreille.

— Nous aimerions regarder de plus près les affaires problématiques que vous avez eues quand Mats travaillait ici, dit Patrik.

— D'accord. Mais nous n'avons pas classé ces affaires à part et je ne suis pas sûre que tout soit encore là. La plupart des dossiers sont envoyés aux services sociaux quand les femmes déménagent et nous ne conservons rien au-delà d'un an. Je vais vous sortir ce que j'ai, vous verrez vous-mêmes ce que vous pouvez en tirer, dit Leila, puis elle leva un doigt. Rien ne doit sortir d'ici, mais vous pouvez prendre des notes.

Elle se leva et s'approcha d'une armoire d'archivage.

— Tenez, dit-elle en posant une vingtaine de dossiers devant eux. Je pars déjeuner, comme ça vous aurez la paix. Je serai de retour dans une heure, si vous avez des questions.

— Merci, dit Patrik.

Découragé, il regarda le tas de documents. Ça risquait d'être long. Et ils ne savaient même pas ce qu'ils cherchaient.

Elle n'eut pas le temps de faire grand-chose à la bibliothèque, les jumeaux ayant décidé d'un commun accord de faire une toute petite sieste, mais c'était malgré tout un début. Quand elle écrivait sur d'authentiques cas criminels, elle était obligée de consacrer de nombreuses heures à une documentation approfondie, ce qu'elle trouvait au moins aussi plaisant que l'écriture proprement dite. Et à présent, elle avait envie de se plonger dans les légendes de l'île aux Esprits.

Elle n'eut plus vraiment le loisir de penser à Gråskär, car au moment où elle arriva à la maison, les jumeaux se mirent à hurler de faim. Elle se précipita dans la cuisine et prépara deux biberons, contente d'être débarrassée de l'allaitement, mais avec quand même une pointe de mauvaise conscience.

— Allons, calme-toi, dit-elle à Noel.

Comme d'habitude, il était le plus vorace. Parfois, il avalait tellement vite qu'il s'étouffait presque. Anton en revanche buvait lentement et avait en général besoin du double de temps pour vider un biberon. Erica avait l'impression d'être une maman prodigieuse, un biberon dans chaque main, en train de nourrir deux bébés simultanément. Leur regard était rivé sur elle et elle se sentit loucher à force d'essayer de les regarder tous les deux en même temps.

— Voilà, ça va mieux ? Vous pensez que maman peut enlever sa veste maintenant ? rit-elle.

Elle les installa chacun dans un cosy, se débarrassa de sa veste et de ses chaussures et porta les petits dans le salon. Puis elle se laissa tomber sur le canapé et posa les jambes sur la table basse.

— Votre maman va bientôt se rendre utile. Mais il faut d'abord qu'elle ait sa dose d'Oprah.

Les bébés semblaient l'ignorer.

— C'est ça, vous vous ennuyez quand la frangine n'est pas là ?

Au début, elle avait fait en sorte que Maja reste à la maison le plus possible, mais au bout d'un moment, elle avait remarqué que ça la perturbait. Sa fille avait besoin de voir d'autres enfants et la crèche lui manquait. Quel contraste frappant avec l'horrible période où ça virait au drame tous les matins quand il fallait l'y déposer !

— On pourrait aller la chercher plus tôt aujourd'hui. Ça vous dit ? demanda-t-elle et elle interpréta leur silence comme un accord. Votre maman n'a pas encore eu son café, dit-elle en se levant. Et vous savez comment elle est, maman, quand elle n'a pas son café. *Un poco loca*, comme dit papa. Mais on n'est pas obligé de toujours écouter ce que dit papa.

Elle rit et alla dans la cuisine pour mettre en route la cafetière. Le répondeur téléphonique affichait un appel en absence qu'elle n'avait pas vu. Quelqu'un s'était donné la peine de laisser un message, et elle appuya sur le bouton pour l'écouter. En entendant la voix dans le haut-parleur, elle lâcha la mesurette à café et se plaqua la main sur la bouche.

"Salut, sœurette. C'est moi. Anna. À moins que tu n'aies d'autres sœurs, bien sûr. Je suis un peu cabossée et j'ai une coupe de cheveux immonde. Mais je suis là. Je crois. Presque, en tout cas. Je sais que tu es venue, que tu t'es inquiétée. Je ne peux pas promettre de…" La voix partait à la dérive, râpeuse et bizarre, avec un écho de douleur, puis elle reprenait : "Je voulais juste te le dire, je suis de retour maintenant."

Clic.

Erica resta tout à fait immobile pendant quelques secondes. Puis elle se laissa lentement glisser par terre et se mit à pleurer, la boîte de café toujours serrée entre les mains.

— Ce n'est pas l'heure d'aller au boulot ? demanda Rita avec un regard sévère pour Mellberg pendant qu'elle changeait Leo.

— Je bosse à la maison jusqu'à cet après-midi.

— Tiens donc, du travail à domicile…

Rita jeta un regard éloquent sur la télé, où était diffusé un programme consacré à de doux dingues qui construisaient des machines en ferraille pour ensuite participer à des concours.

— Je rassemble mes forces. C'est important, tu sais. En tant que policier, on peut facilement faire un burn-out.

Mellberg attrapa Leo, le souleva haut dans les airs et le petit garçon hoqueta de rire.

Rita s'adoucit. Elle ne pouvait pas rester longtemps en colère contre lui. Bien sûr, qu'elle voyait ce que les autres voyaient : que c'était un mufle, qu'il pouvait se montrer terriblement maladroit et que parfois il ne réfléchissait pas plus loin que le bout de son nez. Et qu'en plus, il ne tenait pas à lever le petit doigt plus haut que nécessaire. Mais elle voyait aussi l'autre aspect de cet homme-là. Elle voyait comment son visage s'illuminait dès que Leo était dans les parages, qu'il n'hésitait jamais à changer une couche ou à se lever la nuit si Leo pleurait, qu'il la traitait comme une reine et la considérait comme un don de Dieu. Il s'était même laissé entraîner à apprendre la salsa, la grande passion de Rita. Il ne serait jamais un roi de la piste, mais il savait maintenant bouger à peu près convenablement sans causer trop de dégâts aux pieds de sa partenaire. Elle savait aussi qu'il aimait sincèrement son fils Simon. Celui-ci, qui avait maintenant dix-sept ans, n'était apparu dans la vie de Mellberg que quelques années auparavant, mais chaque fois que son nom était mentionné, la fierté brillait dans les yeux de son père, et il prenait toujours soin de donner de ses nouvelles et de montrer qu'il était là pour lui. Tout cela faisait qu'elle aimait Bertil Mellberg tellement fort que parfois elle avait l'impression que son cœur allait éclater.

Pendant qu'elle préparait le déjeuner, elle se mit à penser aux filles. Elle se rendait bien compte que quelque chose n'allait pas. Ça lui faisait mal de voir l'expression malheureuse de sa fille. Elle devinait que Paula non plus ne comprenait pas ce qui clochait. Johanna s'était fermée et s'était éloignée d'eux tous, pas seulement de Paula. Ce n'était peut-être pas bien de vivre ainsi les uns sur les autres. Elle pouvait comprendre que Johanna n'apprécie pas spécialement d'avoir à cohabiter avec la mère de Paula et son compagnon, plus deux chiens. En même temps, c'était commode de les avoir, Bertil et elle, pour garder Leo dans la journée quand toutes les deux travaillaient.

Évidemment, elle se doutait que cette cohabitation mettait les filles à rude épreuve, et qu'elle devrait les encourager à déménager. Elle touilla son ragoût de viande et sentit son cœur se serrer à l'idée de ne plus pouvoir sortir Leo de son petit lit le matin quand il lui lançait un sourire encore plein de sommeil. Rita essuya ses larmes avec la main. Ça devait être à cause des oignons, parce qu'elle n'était pas du genre à pleurer si facilement. En ravalant ses larmes, elle se dit que c'était aux filles de régler le problème toutes seules. Elle goûta son ragoût et ajouta un peu de piment. Il fallait que ça brûle agréablement dans tout le corps, sinon c'est qu'elle n'en avait pas mis assez.

Le portable de Bertil sur la table se mit à sonner, et elle alla regarder l'écran. Le commissariat. Eh oui, ils doivent se demander ce qu'il fabrique, se dit-elle et elle s'apprêta à porter le téléphone à Bertil dans le salon. Mais, arrivée devant la porte, elle s'arrêta. Bertil dormait sur le canapé, la tête en arrière contre le dossier et la bouche grande ouverte. Leo était blotti sur son gros ventre. Sa petite menotte était nouée sous sa joue et il dormait tranquillement, sa respiration ayant pris le même rythme que celle de papi Bertil. Rita reposa le téléphone. Le commissariat attendrait. Bertil Mellberg avait des choses bien plus importantes à faire.

— C'était réussi samedi, tu ne trouves pas ? dit Anders en scrutant Vivianne.

Elle paraissait fatiguée, et il se demanda si elle était consciente que tout ça l'épuisait. Peut-être leur passé avait-il fini par les rattraper, malgré tout. Il savait cependant que ça ne servait à rien de l'évoquer, elle ne l'entendait pas de cette oreille. Elle était têtue et déterminée, et c'était grâce à cela qu'ils avaient survécu, tous les deux. Il avait toujours été dépendant de sa sœur. Elle s'était occupée de lui, avait tout fait pour lui. Mais il se demandait si ce n'était pas en train de changer, si les rôles ne s'inversaient pas peu à peu.

— Comment ça se passe avec Erling? demanda-t-il, et sa sœur fit une grimace.

— Eh bien, s'il ne s'endormait pas comme un bébé tous les soirs, je ne sais pas comment je tiendrais le coup, répondit-elle avec un rire dépourvu de joie.

— On n'est pas loin du but maintenant, dit-il pour lui remonter le moral.

Il se rendit compte cependant qu'il parlait dans le vide. Vivianne avait toujours brillé d'un éclat particulier, et même si personne d'autre ne le remarquait, lui pouvait voir que cet éclat était en train de s'éteindre.

— Tu penses qu'ils vont retrouver l'ordinateur?

Vivianne sursauta.

— Non, ce serait déjà fait.

— Tu as raison.

Le silence s'installa entre eux.

— J'ai cherché à te joindre hier, finit par dire Vivianne avec précaution.

Anders sentit son corps se tendre.

— Ah oui?

— Tu n'as pas répondu de toute la soirée.

— J'avais coupé mon téléphone, dit-il évasivement.

— Toute la soirée?

— J'étais fatigué, je me suis fait couler un bain et j'ai lu un peu. Je me suis aussi penché sur les rapports pendant un petit moment.

— Ah bon, dit-elle, mais il put entendre qu'elle ne le croyait pas.

Ils n'avaient jamais gardé de secrets l'un pour l'autre auparavant, mais cela aussi, c'était en train de changer. Et en même temps, ils étaient plus proches que jamais. Il ne savait pas comment remettre tout ça à l'endroit. Maintenant que le but était à portée de la main, ça ne paraissait plus aussi évident, et les questionnements l'empêchaient de dormir. Il passait ses nuits à se tordre dans tous les sens dans le lit. Ce qui auparavant avait été si simple était devenu réellement difficile désormais.

Comment pourrait-il le lui dire? Les mots lui étaient venus sur le bout de la langue plus d'une fois, mais quand il ouvrait la bouche, seul le silence en sortait. Il en était incapable. Il lui devait tant de choses. Il pouvait encore sentir l'odeur de cigarette et d'alcool, entendre le cliquetis de verres et les gémissements bestiaux des gens. Vivianne et lui étaient restés blottis sous son lit, étroitement serrés. Elle l'avait tenu dans ses bras et, bien qu'elle ne fût pas beaucoup plus grande que lui, elle lui avait fait l'effet d'une géante qui le protégerait du mal.

— On a fait un tabac samedi, si j'ai bien compris! s'exclama Erling qui sortait des toilettes en essuyant ses mains mouillées sur les jambes de son pantalon. Je viens de parler avec Bertil, il était euphorique. Tu es fantastique, tu sais?

Il s'assit à côté de Vivianne et entoura ses épaules de son bras avec un air satisfait de propriétaire. Puis il lui fit un gros poutou mouillé sur la joue, et Anders vit qu'elle prenait sur elle pour ne pas battre en retraite.

Elle parvint à afficher un sourire ingénu et avala une gorgée de thé.

— La seule chose qui a posé problème, apparemment, c'est la nourriture, dit Erling en plissant les sourcils d'un air soucieux. Bertil n'a pas spécialement apprécié ce qu'on a servi. Je ne sais pas si les autres partagent son avis, mais c'est lui qui donne le ton, et on doit écouter les clients, hein?

— Qu'est-ce qui n'allait pas, exactement?

La voix de Vivianne était froide, ce qui sembla totalement échapper à Erling.

— Si j'ai bien compris, il y avait beaucoup trop de légumes, et des trucs bizarres aussi. Et ça manquait de sauce. Bertil a proposé qu'on ait un menu plus traditionnel qui parle au peuple, de la bonne bouffe familiale quoi.

L'enthousiasme rendit Erling presque lumineux et il eut l'air de s'attendre à une ovation debout.

Vivianne, en revanche, en avait assez. Elle se leva et le fixa droit dans les yeux.

— Je constate que ton séjour à La Lumière a été un gaspillage complet. Je croyais que tu avais compris ma philosophie, ma vision de ce qui est important pour le corps et l'esprit. Ici, c'est l'antre de la santé, et nous servirons des plats qui apportent des ondes positives et de l'énergie, pas des saloperies qui mènent à l'infarctus et au cancer.

Elle tourna les talons et s'en alla, en colère. Dans son dos, sa natte se balançait au rythme de ses pas.

— Oups, dit Erling, manifestement surpris par l'accueil qu'avaient reçu ses propositions. On dirait que j'ai touché à un point sensible.

— Oui, en effet, répliqua Anders sèchement.

Il se fichait du comportement d'Erling. Tout ça n'aurait bientôt plus aucune importance. Puis l'angoisse le frappa de nouveau. Il était obligé de parler à Vivianne. Il était obligé de lui raconter.

— On cherche quoi ? demanda Martin en lançant un regard incertain à Patrik, qui secoua lentement la tête.

— Je ne sais pas trop. Je crois qu'il faut y aller au feeling, lire les dossiers et voir s'il y a quelque chose qui paraît intéressant à creuser.

Il y eut un petit silence pendant qu'ils feuilletaient les papiers.

— Quelle merde, finit par dire Patrik, et Martin hocha la tête.

— Et encore, ça ne concerne que cette année. Même pas. Et Refuge n'en est qu'un parmi tous les centres qui accueillent les femmes en difficulté. On vit vraiment dans notre petite bulle protégée, dit Martin en refermant un dossier pour en prendre un autre.

— Ça dépasse l'entendement, ajouta Patrik, qui prononçait ainsi à voix haute la pensée qui le tenaillait depuis leur arrivée à Refuge.

— Putains de lâches, renchérit Martin. Et on dirait bien que ça peut tomber sur n'importe qui. Je ne connais pas beaucoup Anna, mais elle ne semble pas être quelqu'un qui se laisse marcher sur les pieds, et pourtant elle est tombée entre les mains de son ex-mari.

— C'est vrai. Et on se contente d'affirmer qu'on ne comprend pas comment une femme peut rester avec un homme qui la frappe.

Patrik s'assombrit en pensant à Lucas. Cette époque était derrière eux maintenant, heureusement, mais cet homme avait eu le temps de faire beaucoup de dégâts dans sa famille avant de mourir.

Martin posa encore un dossier sur la table et respira profondément.

— Je me demande comment ça se passe, pour ceux qui travaillent ici et qui voient ça quotidiennement. Ce n'est pas vraiment étonnant que Sverin en ait eu assez et qu'il soit reparti à Fjällbacka.

— Oui, c'est sans doute une bonne règle, de changer régulièrement de référent. Sinon comment veux-tu ne pas t'impliquer personnellement?

— Donc, d'après toi, ce n'est pas ça qui est arrivé à Sverin, dit Martin. Tu ne crois pas que son agression ait quelque chose à voir avec son travail ici… Leila a quand même parlé d'hommes "possédés par le démon". Et si l'un d'eux s'était mis en tête que Sverin était devenu plus qu'un simple référent et avait décidé de lui donner un avertissement?

— Bien sûr, j'y ai pensé. Mais qui dans ce cas? dit-il en montrant la pile de dossiers sur le bureau. Leila affirme qu'elle n'est au courant d'aucun cas de ce genre, et je pense qu'on n'arrivera à rien en la harcelant.

— On pourrait entendre les employés, et voir si on ne peut pas rencontrer une de ces femmes. J'imagine que les ragots circulent, tout le monde aurait vite été au courant si un truc dans ce genre s'était produit.

— Hm, tu as raison, dit Patrik. Mais j'aimerais avoir quelque chose de plus solide avant de commencer à creuser cette piste.

— Que tu obtiendrais comment?

Impatient, Martin passa les mains dans ses cheveux roux qui n'en furent que plus hérissés.

— On pourrait discuter avec les voisins de Mats à Göteborg. Après tout, l'agression a eu lieu devant l'immeuble, quelqu'un a peut-être vu quelque chose sans l'avoir dit. Maintenant on a les noms des femmes pour qui Mats était référent, ça peut nous servir.

— D'accord, dit Martin et il se replongea dans sa lecture.

Ils refermaient les derniers dossiers au moment où Leila réapparut.

— Vous avez découvert quelque chose ?

— Eh bien, c'est difficile à dire à ce stade. Mais on a au moins les noms des femmes avec qui Mats a été en contact. Merci de nous avoir laissés consulter vos dossiers.

Patrik rassembla les classeurs en un tas bien droit que Leila remit dans l'armoire d'archivage.

— De rien. J'espère vraiment que vous comprenez que nous faisons de notre mieux pour collaborer avec vous, souligna Leila.

— Nous en sommes conscients, dit Patrik et il se leva.

— Nous aimions beaucoup Matte. C'était le genre d'homme qui n'aurait pas fait de mal à une mouche. Gardez cela en tête en menant votre enquête.

— On y pensera, dit Patrik en lui tendant la main. Croyez-moi. On y pensera.

— Pourquoi personne ne décroche, merde alors, fulmina Paula.

— Mellberg ne répond pas ? dit Gösta.

— Non, et Patrik non plus. Le téléphone de Martin doit être coupé, je tombe directement sur son répondeur.

— Mellberg, ça ne m'étonne pas, il est sûrement en train de faire une sieste à la maison. Mais Hedström, en général, on réussit à le joindre.

— Patrik est sûrement occupé. On va essayer de gérer ça tout seuls et on les briefera quand on leur mettra la main dessus, dit-elle en s'engageant sur le parking de l'hôpital d'Uddevalla où elle se gara. Ils sont aux soins intensifs, lança-t-elle en se précipitant vers l'entrée, laissant Gösta loin derrière.

Ils trouvèrent le bon ascenseur, s'y engouffrèrent et s'impatientèrent de le voir monter si lentement.

— Ça fait peur, non ? dit Gösta.

— Oui… Imagine dans quel état doivent être les parents ! Où est-ce qu'ils ont pu trouver cette saleté ? Ils n'ont que sept ans !

— C'est pas croyable, dit Gösta en secouant la tête.

— On va bien voir ce qu'ils nous disent.

En arrivant dans le service, Paula se jeta sur le premier médecin en vue.

— Bonjour, nous sommes là pour les garçons de l'école de Fjällbacka.

L'homme en blouse blanche fit oui de la tête.

— C'est moi qui m'en occupe. Venez !

Il partit à pas de géant, et ils durent presque courir pour le suivre.

Paula essaya de respirer par la bouche. Elle détestait l'odeur et l'ambiance des hôpitaux. Elle faisait de son mieux pour éviter d'y mettre les pieds, mais avec son métier, elle était obligée de s'y rendre bien plus souvent qu'elle ne l'aurait souhaité.

— Ils sont hors de danger, dit le médecin par-dessus son épaule. L'école a réagi vite et nous avions une ambulance dans le secteur, si bien que nous avons pu prendre les choses en main relativement rapidement.

— Ils sont réveillés ? demanda Paula.

La petite course dans le couloir la fit souffler bruyamment, et elle se dit qu'elle devrait reprendre le sport.

Ces temps-ci, elle s'était un peu laissée aller. Les bons petits plats de Rita y étaient sûrement pour quelque chose, eux aussi.

— Ils sont réveillés, et si les parents sont d'accord, vous pouvez leur parler.

Il s'arrêta devant une chambre située presque au bout du couloir.

— Laissez-moi voir avec eux d'abord. Médicalement, il n'y a rien qui s'oppose à un entretien avec les garçons. J'imagine que vous tenez à savoir où ils ont dégoté cette cocaïne.

— Vous êtes sûr que c'est de la cocaïne?

— Oui, les prises de sang sont formelles.

Le médecin poussa la porte pour pénétrer dans la chambre, et Paula et Gösta arpentèrent le couloir en attendant. Après quelques minutes, la porte se rouvrit et quelques adultes aux mines graves et aux visages rougis par les pleurs s'approchèrent d'eux.

— Bonjour, nous sommes de la police de Tanum, dit Paula et elle serra la main de chacun.

Gösta fit de même, il semblait connaître deux des parents. Encore une fois, Paula était confrontée à l'inconvénient d'être nouvelle dans la région. Elle s'était bien fait quelques relations, mais ça avait pris du temps.

— Vous savez où ils ont trouvé ça? dit l'une des mamans en s'essuyant les yeux avec un mouchoir. Et dire qu'on les imagine en sécurité à l'école…

Sa voix se mit à trembler et elle s'appuya contre son mari qui l'entoura de son bras.

— Ils n'ont rien dit?

— Non, je pense qu'ils ont honte. On a essayé de les rassurer, de leur promettre qu'il ne leur arriverait rien, mais on n'a pas encore réussi à les faire parler.

D'un autre côté, on ne voulait pas non plus les bombarder de questions, dit un père.

Même s'il paraissait maître de lui, ses yeux étaient encore rouges.

— Vous accepteriez qu'on leur parle en dehors de votre présence ? Je vous promets qu'on ne leur fera pas peur.

Paula afficha un sourire de guingois. Elle était bien consciente de ne rien avoir de menaçant, et Gösta ressemblait plutôt à un gentil chien un peu triste. Elle avait du mal à imaginer comment ils pourraient faire peur à qui que ce soit, et les parents étaient apparemment du même avis, car ils hochèrent la tête.

— On va prendre un café en attendant ? dit le père aux yeux rouges, et ils furent tous d'accord. On sera dans la salle d'attente là-bas, dit-il à l'adresse de Paula et Gösta. Soyez gentils de venir nous informer si vous apprenez quoi que ce soit.

— Évidemment, dit Gösta en lui tapotant l'épaule.

Ils entrèrent dans la chambre. On avait placé les lits côte à côte, et c'étaient trois petits garçons misérables qui se cachaient sous les couvertures.

— Bonjour, dit Paula et elle reçut trois faibles "bonjour" en retour.

Elle se demanda auprès de qui s'asseoir, et après avoir remarqué les regards rapides que deux des garçons jetèrent au troisième, un gamin aux cheveux châtains bouclés, elle décida de commencer par lui.

— Je m'appelle Paula, dit-elle en tirant une chaise près du lit et en faisant signe à Gösta de faire pareil. Et toi, tu t'appelles comment ?

— Jon, dit-il faiblement, sans oser la regarder dans les yeux.

— Tu te sens comment ?

— Moyen, répondit-il en tripotant nerveusement la couverture.

— Sacrée histoire, hein ?

Elle se concentra entièrement sur Jon, mais vit du coin de l'œil que les deux autres gamins écoutaient attentivement.

— Oui… dit-il en levant enfin les yeux sur elle. Tu es un vrai policier ?

Paula rit à gorge déployée.

— Bien sûr. Je n'en ai pas l'air ?

— Ben, pas vraiment. Je sais bien qu'il y a des policiers femmes, mais toi tu es tellement petite, dit-il avec un sourire embarrassé.

— Il faut qu'il y ait des policiers petits aussi. Imagine par exemple qu'on ait besoin d'entrer dans un endroit tout petit minuscule ? dit-elle, et Jon acquiesça de la tête comme si c'était tout à fait évident.

— Tu veux voir ma plaque ?

Il hocha la tête de nouveau, très enthousiaste, et les deux autres tendirent le cou.

— Tu peux peut-être leur montrer la tienne, Gösta, pour qu'ils en voient une, eux aussi.

Gösta sourit, se leva et s'approcha du lit le plus proche.

— Waouh, c'est comme les plaques qu'ils ont à la télé, dit Jon.

Il l'observa un moment, puis la rendit à Paula.

— Ce sont des substances dangereuses que vous avez trouvées. J'espère que vous l'avez compris, dit Paula en s'efforçant de ne pas paraître sévère.

— Mmm… fit Jon en baissant les yeux, et il recommença son tripotage de couverture.

— Mais personne ne vous en veut, bien sûr. Ni vos parents, ni vos instituteurs, ni nous.

— On croyait que c'était de la poudre qui pétille.

— C'est vrai que ça ressemble un peu à la poudre dans les soucoupes volantes, dit Gösta. Je me serais sûrement fait avoir, moi aussi.

Il s'était rassis et Paula attendit qu'il glisse une question, mais il parut préférer la laisser mener l'interrogatoire, ce qui lui convenait parfaitement. Elle avait toujours bien su s'y prendre avec les enfants.

— Papa dit que c'était de la drogue, dit Jon en tirant un fil de la couverture.

— Oui, et tu sais ce que c'est, la drogue?

— C'est comme un poison, mais on ne meurt pas.

— On peut en mourir. Mais tu as raison, c'est comme un poison. C'est pour ça que c'est important que vous nous disiez d'où ça vient, pour qu'on puisse empêcher d'autres personnes de s'empoisonner.

Elle parlait calmement et gentiment et Jon se détendait de plus en plus.

— C'est sûr que vous n'êtes pas fâchés? dit-il en la regardant dans les yeux, sa lèvre inférieure tremblant un peu.

— Tout à fait sûr. Croix de bois, croix de fer, dit-elle en espérant que l'expression n'était pas totalement obsolète. Et vos parents ne sont pas fâchés non plus. Ils sont seulement inquiets.

— C'était hier, là où il y a les immeubles, dit Jon. On faisait du tennis contre le mur. Il y a une usine, enfin je crois que c'en est une, avec des grands murs et pas de fenêtres qu'on pourrait casser. C'est là qu'on va toujours pour jouer. En rentrant, on a cherché des bouteilles consignées dans les poubelles devant les immeubles et on a trouvé le sachet. On croyait que c'était de la poudre à soucoupes.

Le fil de la couverture se défit entièrement et laissa une petite trace dans le tissu.

— Pourquoi vous n'y avez pas goûté tout de suite? demanda Gösta.

— On trouvait que c'était cool d'en trouver autant, et on voulait l'apporter à l'école pour la montrer aux autres. C'était plus sympa d'y goûter quand tout le monde était là. On avait décidé de leur en donner juste un petit peu, et de garder le reste pour nous.

— C'était quelle poubelle? dit Paula.

Elle savait de quel bâtiment industriel Jon parlait, mais elle voulait en avoir la confirmation.

— Celle près du parking. La première quand on sort de la cour où on jouait.

— Avec la forêt et les collines juste à droite?

— Oui, c'est ça.

Paula regarda Gösta. La poubelle où les garçons avaient trouvé la cocaïne était placée juste devant l'immeuble de Mats Sverin.

— Merci les petits loups, vous nous avez vraiment été très utiles, dit-elle en se levant.

Elle sentit un petit frétillement au ventre. Peut-être venaient-ils enfin de faire la percée tant attendue dans cette enquête.

FJÄLLBACKA 1871

Le pasteur était grand et gros et il accepta avec gratitude la main tendue de Karl pour l'aider à monter sur le ponton. Timidement, Emelie fit une petite révérence. Elle n'avait jamais fréquenté l'église en ville, et maintenant elle se tenait, les joues en feu, devant le pasteur, espérant qu'il n'irait pas croire que c'était par manque de volonté et de foi en Dieu de sa part.

— Eh bien, c'est désert ici. Mais beau, ajouta le pasteur. Il me semble qu'il y en a un troisième qui vit sur l'île ?

— Julian, dit Karl. Il est en train de s'occuper du phare. Mais je peux aller le chercher, si vous voulez.

— Oui, vous serez gentil, dit le pasteur et, de sa propre initiative, il se mit en route vers la maison. Du moment que je suis venu jusqu'ici, autant rencontrer tous ceux qui y vivent.

Il rit et tint la porte ouverte à Emelie, tandis que Karl dirigeait ses pas vers le phare.

— Vous avez un intérieur bien propre, très joli, dit le pasteur en regardant la pièce.

— Notre simple foyer ne peut tout de même pas vous impressionner.

Emelie se prit sur le fait de dissimuler ses mains dans son tablier. Elles étaient en piteux état après tout le lessivage et le récurage au savon noir, mais *elle ne put nier que les mots encourageants du pasteur lui firent plaisir.*

— On ne doit pas mépriser la simplicité. D'après ce que je vois, Karl peut s'estimer heureux d'avoir une épouse comme vous, dit-il en s'asseyant sur la banquette.

Emelie fut si embarrassée qu'elle ne sut quoi répondre, et pour s'en tirer elle se mit à préparer du café.

— Vous prendrez bien une tasse de café, j'espère ?

Elle se demanda si elle avait quelque chose à servir en accompagnement. Il n'y avait que les petits pains grillés qu'elle avait préparés, et le pasteur devrait s'en contenter puisqu'il était arrivé à l'improviste.

— Quand on me propose du café, je ne dis jamais non, sourit le pasteur.

Emelie commença à se détendre. Il n'avait pas l'air sévère, comme le pasteur Berg dans son ancienne paroisse. L'idée même d'être obligée de s'asseoir à la même table que Berg lui donna la chair de poule.

La porte s'ouvrit et Karl entra. Derrière lui arriva Julian, qui semblait se tenir sur ses gardes. Il évita le regard du pasteur.

— Vous êtes donc Julian ?

Le pasteur sourit toujours, mais Julian se borna à hocher la tête et serra mollement la main qui lui fut tendue. Karl et Julian s'installèrent en face du pasteur, pendant qu'Emelie préparait la collation.

— J'espère que vous ne laissez pas votre épouse s'épuiser maintenant qu'elle est enceinte. Elle soigne bien votre foyer. Vous êtes sans doute très fier d'elle ?

Pour commencer, Karl ne répondit pas, puis il dit :

— Oui, Emelie se débrouille bien.

— Allez, venez vous asseoir, dit le pasteur en tapotant la banquette à côté de lui.

Emelie obéit, les yeux fixés malgré elle sur la soutane noire et le col blanc. Jamais elle ne s'était trouvée aussi près d'un pasteur. Rester ainsi à bavarder en prenant le café aurait été impensable pour le vieux Berg. Elle servit le café de ses mains tremblantes, remplissant sa propre tasse en dernier.

— Ainsi vos affaires vous mènent jusque chez nous, dit Karl.

Il se demandait ce que le pasteur pouvait bien leur vouloir.

— C'est-à-dire, je ne vous vois pas très souvent à l'office.

Le pasteur sirota bruyamment son café. Il y avait mis trois morceaux de sucre et Emelie se dit que ça devait être franchement trop sirupeux.

— Oui, c'est vrai, mais ce n'est pas facile pour nous de quitter le poste. Nous ne sommes que deux à garder le phare, et le temps nous manque pour le reste.

— Vous en avez assez cependant pour aller chez Abela, à ce que j'ai compris.

Karl eut subitement l'air tout petit et maladroit, et Emelie ne comprit plus pourquoi elle avait si peur de lui. Puis elle se rappela ce soir-là, et sa main vint spontanément se poser sur son gros ventre.

— Nous ne sommes sans doute pas allés à l'église aussi souvent que nous l'aurions dû, dit Julian la tête baissée, évitant toujours de regarder le pasteur dans les yeux. Mais Emelie nous lit des passages de la Bible presque tous les soirs, si bien que cette maison est tout à fait chrétienne.

Emelie le regarda, effarée. Il était en train de mentir effrontément au pasteur. Certes, on lisait la Bible dans cette maison, mais c'était elle qui lisait toute seule quand elle avait un moment de libre. Ni Julian ni Karl n'avaient jamais montré le moindre intérêt pour les saintes Écritures, bien au contraire, ils l'avaient même raillée à plusieurs occasions.

Mais le pasteur hocha la tête.

— C'est bien, c'est bien. Dans un endroit aussi aride et isolé, loin de la maison de Dieu, chacun doit prendre soin de chercher une consolation et une voie à suivre dans la Bible par ses propres moyens. Cela me réjouit. Et cela me réjouirait encore davantage si je vous voyais plus souvent à l'église, surtout vous, chère Emelie.

Il lui tapota le genou et Emelie sursauta. La proximité du pasteur la rendait nerveuse, et le contact direct de sa main fut presque trop pour elle. Elle dut se maîtriser pour ne pas céder à la frayeur et se lever précipitamment de la banquette.

— J'ai aussi vu votre tante. Elle s'inquiétait un peu de ne pas avoir eu de vos nouvelles. Et maintenant qu'Emelie est enceinte, il serait sans doute utile qu'un docteur la voie et s'assure que tout se passe bien.

Il regarda sévèrement Karl, qui lui aussi détourna les yeux.

— Oui, murmura-t-il en fixant la table.

— Bien, alors c'est réglé. La prochaine fois que vous irez à Fjällbacka, vous emmènerez notre petite Emelie et vous laisserez le docteur l'examiner. Et votre chère tante apprécierait une visite aussi, dit-il avec un clin d'œil, en prenant un autre petit pain. Très bons, ajouta-t-il, et les miettes volaient autour de sa bouche.

— Merci.

Emelie ne le remerciait pas seulement pour son compliment. Elle allait pouvoir retourner à Fjällbacka et voir d'autres gens. Peut-être que Karl la laisserait aussi aller à l'église de temps en temps désormais. Cela l'aiderait à supporter la vie ici, la faciliterait infiniment.

— Bon, je pense que Karlsson va bientôt se lasser de m'attendre. Il a eu la gentillesse de me conduire ici, mais il veut sans doute rentrer chez lui maintenant. Merci bien pour le café et pour vos savoureux petits pains.

Le pasteur se leva et Emelie fit de même pour le laisser passer.

— Tiens, nos ventres sont presque aussi gros, dit-il.

Emelie fut tellement embarrassée qu'elle se sentit devenir écarlate. Puis elle ne put réprimer un sourire. Elle aimait bien le pasteur. Elle aurait pu tomber à genoux et embrasser ses pieds tant elle lui était reconnaissante d'avoir fait en sorte qu'elle puisse aller à Fjällbacka.

— Vous êtes au courant de ce qui se raconte à propos de cette île ? dit le pasteur avec un rire quand Karl et Emelie le raccompagnèrent à l'embarcadère.

— Qu'est-ce que vous voulez dire ? demanda Karl en aidant l'homme d'Église à descendre dans le bateau.

— Que l'endroit est hanté. Mais les gens débitent tant de balivernes. À moins que vous n'ayez vu des fantômes ?

Il rit encore à en faire trembler ses bajoues.

— Des bêtises, tout ça, nous n'y croyons pas, dit Karl et il lança dans le bateau l'amarre qu'il venait de défaire.

Emelie se taisait. Mais en agitant la main en signe d'adieu, elle pensa à ceux qui représentaient sa seule véritable compagnie sur l'île. Elle n'aurait jamais pu confier des choses pareilles au pasteur, il ne la croirait sans doute pas.

En remontant vers la maison, elle les aperçut du coin de l'œil. Elle n'avait pas peur d'eux. Même pas à présent qu'ils commençaient à se montrer à elle. Ils ne lui voulaient aucun mal.

— Salut Annika. Paula a essayé de me joindre plusieurs fois, et c'est elle qui ne répond plus maintenant.

Devant l'immeuble de Refuge, Patrik serrait son téléphone portable contre une oreille tout en se bouchant l'autre avec un doigt. Le vacarme de la circulation était tel qu'il avait du mal à comprendre ce que disait Annika.

— Pardon? L'école? Attends, je n'ai pas entendu... Cocaïne. D'accord, compris. À l'hôpital d'Uddevalla, donc.

— Qu'est-ce qui se passe? demanda Martin.

— Des gamins à l'école primaire à Fjällbacka ont trouvé un sachet de cocaïne et ils ont goûté à cette saloperie.

Patrik avait une mine sévère quand ils rejoignirent la voiture.

— Merde. Comment ils vont?

— Ils sont à l'hôpital, apparemment hors de danger. Gösta et Paula sont avec eux.

Patrik s'installa derrière le volant et Martin monta côté passager.

— En primaire, dit Martin, perplexe, en regardant par la vitre. On se dit que rien ne peut leur arriver à l'école, surtout à Fjällbacka. On n'est pas dans un quartier difficile, ni dans une grande ville. Mais même là, les mômes courent des risques. Ça fout vraiment la trouille.

— Je sais. Rien à voir avec quand on était petits… Enfin, je parle pour moi, dit-il avec un sourire narquois, car il y avait tout de même plusieurs années de différence entre Martin et lui.

— Je pense que c'était pareil à mon époque, dit Martin. Sauf qu'on avait remplacé les bouliers par des calculettes.

— Ha, ha, très drôle.

— On jouait aux billes et au foot à la récré. On était des enfants. Tout était simple. Aujourd'hui, tout le monde est tellement pressé d'être adulte. Il faut fumer, baiser, picoler et je ne sais pas quoi d'autre encore avant même d'entrer au collège.

— Eh oui, dit Patrik.

Il sentit l'angoisse dans sa poitrine. Avant qu'il ait le temps de dire ouf, Maja allait commencer l'école, et il savait que Martin avait raison. Ce n'était plus comme du temps de leur enfance. Il ne voulait pas y penser. Il voulait qu'elle reste petite le plus longtemps possible, qu'elle ne sorte plus de la maison jusqu'à ce qu'elle ait quarante ans.

— Cela dit, je ne pense pas que la coke soit si répandue, ajouta-t-il, surtout pour se rassurer lui-même.

— Non, là, ils ont vraiment pas eu de chance. Ça aurait pu se terminer en drame. Mais ils semblent être tirés d'affaire.

Patrik acquiesça de la tête.

— On ne va pas les voir? demanda Martin quand Patrik tourna en direction de la ville plutôt que de prendre l'autoroute.

— Je suppose que Paula et Gösta peuvent gérer ça tout seuls. Je vais appeler Paula pour voir ce qu'elle en pense. Ce que j'ai envie de faire, maintenant, c'est de parler avec le locataire de Mats et les autres voisins, puisqu'on est là. Ce serait dommage de devoir refaire le trajet.

Paula répondit enfin sur son portable et Martin écouta attentivement les réactions de Patrik.

— Ils contrôlent la situation, lui annonça-t-il après avoir raccroché. On fait comme on a dit, mais on s'arrêtera peut-être à l'hôpital au retour.

— Bien. Elle a appris où ils ont trouvé la coke ?

— Dans une poubelle devant l'immeuble où habitait Mats Sverin.

Martin observa un petit silence avant de dire :

— Tu crois qu'il y a un lien ?

— Va savoir, dit Patrik avec un haussement d'épaules. On sait bien que ces immeubles abritent un certain nombre d'usagers de cocaïne. Mais qu'elle ait été trouvée juste devant la porte de l'immeuble de Mats, ça fait réfléchir.

Martin s'était penché en avant pour lire les noms des rues.

— Tourne ici. Erik Dahlbergsgatan. Quel numéro tu as ?

— Quarante-huit.

Patrik pila devant une vieille dame qui traversait la rue sur le passage piéton sans se presser. Il attendit avec impatience qu'elle soit arrivée de l'autre côté avant de repartir sur les chapeaux de roues.

— Hé, vas-y mollo ! s'écria Martin, plaqué contre la portière.

— C'est là, dit Patrik sans se laisser troubler. Le quarante-huit.

— J'espère qu'il y aura quelqu'un. On aurait peut-être dû appeler avant.

— On va sonner. Avec un peu de chance…

Ils descendirent de la voiture et s'approchèrent de la porte. C'était un bel immeuble ancien en pierre de taille, dont les appartements avaient probablement des plafonds en stuc et des parquets cirés.

— Il s'appelle comment ? demanda Martin.

— Jonsson. Rasmus Jonsson, répondit Patrik en sortant un bout de papier de sa poche. C'est au premier étage.

Martin sonna à l'interphone, où le nom de Sverin était toujours affiché à côté de la sonnette. Il fut presque immédiatement récompensé par un crépitement :

— Oui ?

— Bonjour, nous sommes de la police. Nous aimerions vous parler. Est-ce que vous pouvez nous ouvrir ? annonça Martin en articulant distinctement devant le microphone.

— Pourquoi ?

— Nous vous l'expliquerons quand nous serons entrés. Pouvez-vous ouvrir la porte, s'il vous plaît ?

Ils entendirent un clic dans l'interphone, puis le bruit de la serrure qui s'ouvrait. Ils montèrent l'escalier et scrutèrent les noms sur les portes. Martin montra celle de gauche.

— C'est là.

Il sonna et, au bruit des pas à l'intérieur, ils reculèrent un peu sur le palier. Un jeune homme d'une vingtaine d'années entrouvrit la porte sans ôter la chaîne de sûreté, et les regarda avec méfiance par l'entrebâillement.

— Vous êtes Rasmus Jonsson ? demanda Patrik.

— Qui le demande ?

— La police. On voudrait vous parler de Mats Sverin, qui vous loue cet appartement.

— Ah ouais ?

Le ton était à la limite de l'insolence, et la chaîne ne fut pas retirée. Patrik sentit l'énervement l'envahir tout doucement et il braqua les yeux sur le jeune homme.

— Soit vous nous faites entrer pour qu'on puisse parler tranquillement comme des gens bien élevés, soit je passe quelques coups de fil, et bientôt votre appartement sera passé au crible pendant que vous, vous passerez le reste de la journée, et peut-être aussi une partie du jour suivant, au commissariat.

Martin le regarda, interloqué. Ça ne ressemblait pas à Patrik de lancer des menaces à la légère. Ils n'avaient aucune raison d'inspecter l'appartement ni d'emmener Jonsson pour interrogatoire.

Il y eut quelques secondes de silence. Puis la chaîne de sûreté fut enlevée.

— Putains de fascistes, dit Rasmus Jonsson en reculant dans le vestibule.

— Sage décision, dit Patrik.

Il sentit une lourde odeur de cannabis planer dans l'air et comprit pourquoi le jeune homme avait été réticent à les laisser pénétrer chez lui. En arrivant dans le salon et en voyant les piles de littérature anarchiste et les affiches épinglées qui défendaient la même cause, il comprit encore mieux. Ils étaient manifestement en terrain ennemi.

— Ne vous installez pas trop confortablement. Je bûche, j'ai pas le temps pour ce genre de conneries, dit Rasmus et il s'assit devant un petit bureau encombré de livres et de carnets de notes.

— Vous faites quoi comme études ? demanda Martin.

Les anarchistes étaient rares à Tanumshede et il était réellement curieux.

— Sciences po, répondit Rasmus. Pour mieux comprendre comment on s'est retrouvés dans cette merde, et comment faire pour changer la société.

On aurait dit qu'il donnait un cours à des écoliers du primaire, et Patrik le regarda, amusé. Les idéaux de ce jeune homme allaient-ils résister à l'influence du temps et du réel?

— C'est Mats Sverin qui vous loue cet appartement?

— Pourquoi vous voulez le savoir?

Rasmus se tenait au soleil qui se déversait par la fenêtre du salon, et Patrik réalisa que c'était la première fois qu'il rencontrait quelqu'un dont les cheveux avaient exactement la même nuance rousse que Martin. Il s'était laissé pousser la barbe, ce qui rendait l'effet plus saisissant encore.

— Je répète : est-ce que c'est Mats Sverin qui vous loue cet appartement?

La voix de Patrik était calme pour l'instant, mais il serait très vite à bout de patience.

— Oui, c'est exact, répondit Rasmus à contrecœur.

— Je suis désolé d'avoir à vous annoncer que Mats Sverin est mort. Il a été assassiné.

Rasmus ouvrit de grands yeux.

— Assassiné? C'est quoi, cette connerie? Et qu'est-ce que ça a à voir avec moi?

— Rien, espérons-le. Nous essayons simplement d'en apprendre plus sur Mats et sur sa vie.

— Je ne le connais pas, je ne peux pas vous aider.

— Laissez-nous en juger par nous-mêmes, dit Patrik. Vous louez l'appartement meublé?

— Oui, tout est à lui ici.

— Il n'a rien emporté quand il a déménagé?

— Je ne pense pas, dit Rasmus en haussant les épaules. Il a mis dans des cartons tout un tas de trucs personnels, des photos, des bidules dans ce genre, mais pour les porter à la déchetterie. Il disait qu'il voulait s'en débarrasser.

Patrik regarda la pièce et put constater qu'il y avait aussi peu d'objets personnels ici que dans l'appartement de Fjällbacka. Il ne savait pas encore pourquoi, mais quelque chose avait poussé Mats Sverin à recommencer de zéro. Il se tourna de nouveau vers Rasmus.

— Comment avez-vous trouvé cet appartement ?

— Par petite annonce. Il voulait s'en séparer rapidement. J'ai compris qu'on lui avait cassé la gueule et qu'il voulait quitter la ville.

— Il a dit autre chose à ce sujet ? glissa Martin.

— Au sujet de quoi ?

— Du fait qu'on lui avait cassé la gueule, dit Martin patiemment.

L'origine de l'odeur douceâtre qui planait dans l'appartement ne rendait pas ce jeune étudiant particulièrement vif.

— Ben, je crois pas, dit Rasmus en hésitant un peu, et Patrik sentit son intérêt s'éveiller.

— Mais ?

— Mais quoi ?

Avec des mouvements saccadés, Rasmus se mit à faire pivoter sa chaise de bureau d'un côté puis de l'autre.

— Si vous êtes au courant de quoi que ce soit sur l'agression de Mats, c'est le moment de nous le dire.

— Je collabore pas avec les flics.

Les yeux de Rasmus s'étrécirent en deux fentes. Patrik respira profondément pour se calmer. Ce mec commençait vraiment à lui taper sur les nerfs.

— L'offre persiste. Un entretien calme et civilisé avec nous, ou le grand jeu, avec perquisition et un tour au poste.

Rasmus s'immobilisa sur sa chaise. Il soupira.

— Moi, je n'ai rien vu, et ça ne vous avancera à rien de continuer à m'emmerder. Mais allez voir le vieux Pettersson à l'étage au-dessus. Il paraît que lui, il a vu des trucs.

— Pourquoi ne l'a-t-il pas raconté à la police dans ce cas?

— Vous n'avez qu'à le lui demander vous-même. Tout ce que je sais, c'est que la rumeur circule dans l'immeuble que le vieux saurait quelque chose.

Rasmus serra les lèvres et ils comprirent qu'il ne dirait rien de plus.

— Merci de votre aide, dit Patrik. Voici ma carte si quelque chose d'autre vous vient à l'esprit.

Rasmus regarda la carte que Patrik lui tendait. Il la prit entre le pouce et l'index comme si elle sentait mauvais. Puis il la laissa ostensiblement tomber dans la corbeille à papier.

Ce fut avec soulagement que Patrik et Martin se retrouvèrent dans la cage d'escalier, laissant derrière eux l'odeur entêtante de cannabis.

— Quel drôle de numéro, celui-là, dit Martin en secouant la tête.

— La vie finira par le rattraper, lui aussi, tu sais, dit Patrik en espérant ne pas être devenu aussi cynique que le laissaient entendre ses propos.

Ils montèrent à l'étage du dessus et sonnèrent à la porte marquée F. Pettersson. Un homme âgé vint ouvrir.

— Qu'est-ce que vous voulez?

Il était aussi peu aimable que le jeune Rasmus. Patrik se dit que quelque chose dans l'eau courante de cet immeuble devait agir sur l'humeur des gens. Tout le monde semblait s'être levé du pied gauche.

— Nous sommes de la police et nous aimerions vous poser quelques questions au sujet de Mats Sverin qui a occupé l'appartement en dessous du vôtre.

Patrik sentit s'épuiser sa patience face aux vieux grincheux et aux anarchistes grognons, et il dut faire un effort pour garder son calme.

— Mats, c'est un garçon sympathique, dit l'homme sans esquisser le moindre geste d'hospitalité.

— Il a été agressé et roué de coups en bas de cet immeuble avant de déménager.

— La police est déjà venue me poser des questions là-dessus.

L'homme tapa le sol avec sa canne. Mais son visage eut un trait d'hésitation et Patrik fit un pas en avant.

— Nous avons des raisons de croire que vous en savez plus que ce que vous avez dit à la police.

Pettersson baissa les yeux et fit un signe de la tête vers l'intérieur.

— Entrez, dit-il et il les précéda au salon d'un pas traînant.

L'appartement était non seulement plus lumineux que celui du premier étage, mais aussi agréablement décoré, avec des meubles de style et des tableaux aux murs.

— Asseyez-vous, dit le vieux en pointant sa canne sur le canapé.

Une fois installés, Patrik et Martin se présentèrent. Puis ils apprirent que le F. correspondait à Folke.

— Je n'ai rien à vous offrir, dit Folke, sur un ton plus doux désormais.

— Ce n'est pas grave, de toute façon nous sommes assez pressés, dit Martin.

— Donc, commença Patrik en se raclant la gorge. Nous avons compris que vous en savez pas mal sur ce qui s'est passé lors de l'agression de Mats Sverin.

— Ben, non, je ne sais rien, dit Folke.

— Il est important de dire la vérité maintenant. Mats Sverin a été assassiné, déclara Patrik et il ressentit une satisfaction mesquine en voyant la mine effarée de l'homme.

— C'est une blague?

— Non, malheureusement, et si vous avez la moindre information à nous révéler sur son agression, j'aimerais bien l'entendre.

— Je ne veux pas me mêler des affaires des autres, vous comprenez. On ne sait jamais ce qu'ils peuvent faire, ces types-là, grommela Folke.

Il posa la canne par terre devant lui et croisa les mains sur ses genoux. Il eut tout à coup l'air très vieux et décrépit.

— Qu'est-ce que vous entendez par "ces types-là"? D'après Mats, c'était une bande de jeunes qui s'était attaquée à lui.

— Des jeunes, siffla Folke. Pas du tout. Non, c'était des gens qu'il vaut mieux éviter, je vous le dis. Je ne comprends pas comment un garçon aussi gentil que Mats a pu se retrouver lié à eux.

— Vous parlez de qui? dit Patrik.

— De ces gars à moto.

— Des gars à moto? répéta Martin avec un regard interloqué à Patrik.

— Les journaux parlent d'eux régulièrement. Les Hells Angels, les Bandits ou je ne sais quoi encore.

— Bandidos, corrigea Patrik machinalement, le cerveau en effervescence. Ce ne sont donc pas des jeunes qui ont tabassé Mats, mais une bande de motards.

— C'est ce que je viens de dire. T'as un problème aux oreilles, mon garçon?

— Pourquoi avez-vous menti à la police en disant

que vous n'aviez rien vu ? Le rapport indique qu'aucun des voisins n'a été témoin de ce qui s'est passé.

Patrik sentit la frustration monter. Si seulement ils avaient été au courant depuis le début.

— Il ne faut surtout pas frayer avec des gens comme eux, persista Folke. Ça ne me regardait pas. Mieux vaut éviter de se mêler des affaires des autres.

— Et c'est pour ça que vous avez prétendu n'avoir rien vu ?

Patrik ne put dissimuler le mépris dans sa voix. C'était une des choses qu'il avait le plus de mal à accepter : les gens qui assistaient en spectateurs et ensuite écartaient les bras pour signifier que ce n'était pas leur problème.

— Il ne faut pas frayer avec ces gens-là, répéta Folke, mais il ne les regarda pas dans les yeux.

— Avez-vous vu quelque chose qui pourrait nous aider à les retrouver ? dit Martin.

— Ils avaient un aigle dans le dos. Un gros aigle jaune.

— Merci beaucoup, dit Martin et il se leva pour serrer la main de Folke.

Après une petite hésitation, Patrik fit de même.

Pendant tout le trajet vers Uddevalla, tous deux restèrent plongés dans leurs pensées.

Erica n'avait pas pu attendre. Après avoir rassemblé ses esprits, elle avait appelé Kristina. Dès qu'elle entendit sa voiture s'arrêter devant la maison, elle enfila sa veste, se précipita dehors, sauta derrière le volant de sa propre voiture et fonça à Falkeliden.

Arrivée chez Anna et Dan, elle resta assise un moment dans la voiture. Peut-être devrait-elle se faire petite pendant quelque temps et les laisser tranquilles.

Le bref message qu'Anna avait laissé ne disait peut-être pas tout.

Erica avait coupé le moteur et elle serra fort le volant. Elle ne voulait pas mettre les pieds dans le plat. Anna l'avait accusée de ça plus d'une fois, de n'avoir aucun égard pour les autres et de se mêler de tout. Souvent, à juste titre. Pendant leur jeunesse, Erica avait voulu compenser ce qu'elle croyait être un manque d'amour de la part de leur mère. Aujourd'hui, elle comprenait mieux, et Anna aussi. Leur mère les avait aimées, mais avait été incapable de le montrer. Et Erica et Anna étaient devenues plus proches ces dernières années, surtout après la disparition de Lucas.

Mais à présent, elle hésitait. Anna avait sa propre famille, Dan et les enfants. Ils avaient peut-être besoin de se retrouver entre eux. Soudain, elle aperçut la silhouette d'Anna par la fenêtre de la cuisine. Elle passa devant, floue comme un fantôme, s'arrêta et vit Erica dehors, dans la voiture. Elle leva une main pour lui faire signe d'entrer.

Erica monta les marches en courant, mais Dan fut plus rapide qu'elle, et il ouvrit la porte avant même qu'elle ait le temps de sonner.

— Entre, dit-il, et elle vit des milliers de sentiments différents animer son visage.

— Merci.

Elle franchit lentement la porte, se débarrassa de sa veste et rejoignit la cuisine, se sentant gagnée par une étrange solennité.

Anna était assise à la table de la cuisine. Elle n'avait pas passé absolument tout son temps allongée depuis l'accident, Erica l'avait vue debout parfois, mais elle avait toujours paru absente. Maintenant elle était là, et bien là.

— J'ai eu ton message, dit Erica en s'installant en face de sa sœur.

Dan leur servit un café, puis il se retira discrètement dans le salon où les enfants faisaient les fous, pour que les deux sœurs puissent parler tranquillement.

La main d'Anna trembla un peu quand elle porta la tasse de café à sa bouche. Elle paraissait si transparente. Frêle. Mais son regard était résolu.

— J'avais tellement peur, dit Erica et elle sentit les larmes lui monter aux yeux.

— Je sais. Moi aussi, j'avais peur. Peur de revenir.

— Pourquoi ? Je veux dire, je comprends, je sais…

Elle s'ingénia à trouver les mots justes. Comment faire pour parler du deuil d'Anna alors qu'en réalité elle ne comprenait rien, ne savait rien ?

— Il faisait sombre. Et ça faisait moins mal de rester dans cette obscurité-là que d'être avec vous.

— Mais maintenant, dit Erica, et sa voix chancelait, maintenant tu es là ?

Anna hocha lentement la tête et but une gorgée de café.

— Où sont les jumeaux ?

Erica ne sut quoi répondre, mais Anna parut comprendre son trouble. Elle sourit.

— J'ai hâte de les voir. À qui ils ressemblent ? Est-ce qu'ils sont pareils tous les deux ?

Erica la regarda, toujours attentive à la moindre de ses réactions.

— En fait, ils ne se ressemblent pas tant que ça. Même pas dans leur comportement. Noel est plus bruyant, on comprend vite quand il veut quelque chose, il est très déterminé, voire têtu. Anton est presque son contraire. Il ne s'énerve jamais, tout lui va. Il est heureux de vivre, tout simplement. Mais je ne sais pas à qui ils ressemblent.

Le sourire d'Anna se fit plus large.

— Tu me fais marcher là ? En gros, tu viens de vous décrire, Patrik et toi. Et celui qui ne s'énerve jamais, excuse-moi mais ce n'est pas vraiment à toi qu'il me fait penser…

— Non, mais… commença Erica, puis elle se tut.

Anna avait raison. Elle venait de les décrire, Patrik et elle, même si elle savait que son mari n'était pas aussi calme au boulot qu'à la maison.

— J'aimerais tellement les voir, dit Anna de nouveau et son visage était serein. Je ne fais pas de parallèles, tu sais. Vos fils n'ont pas survécu aux dépens du mien.

Erica ne put retenir ses larmes plus longtemps. La culpabilité qu'elle avait portée ces derniers mois allait pouvoir l'abandonner. Elle conservait toutefois quelques doutes quant à la sincérité d'Anna, il faudrait du temps avant qu'elle puisse se sentir entièrement rassurée.

— Je peux te les amener quand tu veux. Dès que tu te sentiras assez forte.

— Tu ne peux pas aller les chercher tout de suite ? S'il te plaît ? dit Anna, et ses joues prirent un peu de couleur.

— Je vais demander à Kristina de les amener.

Quelques minutes plus tard, Erica avait tout réglé, sa belle-mère allait venir avec les petits.

— C'est encore difficile, dit Anna. L'horreur est toujours là, tout près.

— Oui, mais maintenant tu es revenue parmi nous, répondit Erica en posant sa main sur celle de sa sœur. Je venais te voir quand tu étais allongée là-haut, c'était tellement horrible. Comme s'il y avait une coquille vide sur le lit. Ce n'était pas toi.

— C'était exactement ça. Ce n'est pas complètement fini, je m'en rends compte, et ça me fait presque paniquer par moments. Je me sens comme une coquille et je ne sais pas comment me remplir. C'est si vide. Ici.

Elle passa lentement sa main sur son ventre.

— Tu as gardé des souvenirs de l'enterrement ?

— Non. Je me rappelle qu'il était important qu'il y ait un enterrement, ça paraissait impératif. Mais je n'ai aucun souvenir de la cérémonie.

— C'était beau, dit Erica en se levant pour remplir leurs tasses.

— Cette idée de venir à tour de rôle vous allonger près de moi, Dan m'a dit qu'elle était de toi.

— Ben, ce n'est pas tout à fait ça, dit Erica et elle lui parla de Vivianne.

— Remercie-la de ma part. Je crois que sans ça, je serais encore dans le noir, peut-être même au-delà. Tellement loin que je n'aurais pas su revenir.

— Je le lui dirai.

On sonna à la porte et Dan alla ouvrir. Erica se pencha en arrière et tendit le cou pour regarder dans le vestibule.

— Ça doit être Kristina et les jumeaux.

Effectivement, c'était bien eux. Erica se leva pour aller donner un coup de main, et elle fut contente de constater que ses deux fils étaient réveillés.

— Ils ont été de vrais petits anges, dit Kristina avec un regard interrogateur vers la cuisine.

— Tu ne veux pas entrer ? demanda Dan, mais Kristina secoua la tête.

— Non, je vais regagner mes pénates. Vous avez besoin de passer un moment entre vous.

— Merci, dit Erica en serrant Kristina dans ses bras.

Des attentions de ce genre n'étaient pas le fort de sa belle-mère, même si elle avait fait des progrès.

— Ce n'est rien. Ça me fait toujours plaisir de donner un coup de main, tu le sais.

Elle partit, et Erica prit un siège bébé dans chaque main et porta les jumeaux dans la cuisine.

— Je vous présente tatie Anna, dit-elle en les posant doucement par terre près de la chaise d'Anna. Et voici Noel et Anton.

— Au moins, il n'y a pas de doute sur l'identité du père.

Anna s'accroupit à côté d'eux et Erica suivit son exemple.

— Oui, les gens disent qu'ils ressemblent à Patrik. Mais on a du mal à s'en rendre compte, soi-même.

— Ils sont beaux, dit Anna.

Sa voix tremblait et Erica eut un doute tout à coup. Avait-elle bien fait de les faire venir ? N'était-ce pas trop tôt ? Elle aurait peut-être dû refuser.

— Ça va, rassure-toi, dit Anna, comme si elle avait lu dans les pensées d'Erica. Je peux les prendre ?

— Bien sûr que tu peux.

Elle sentit la présence de Dan, derrière, sans le voir. Il retenait probablement sa respiration autant qu'elle, tout aussi incertain quant à ce qu'il était bon de faire ou non.

— Alors je vais commencer par petite Erica, dit Anna avec un sourire et elle souleva Noel. Aussi têtu que ta mère, c'est ça ? Un jour ou l'autre, ta maman va avoir du boulot avec toi !

Elle le serra contre elle, renifla le petit creux entre son cou et son menton. Puis elle posa Noel, prit Anton, et répéta la même procédure avec lui. Il resta ensuite dans ses bras.

— Ils sont merveilleux, Erica, dit Anna en regardant sa sœur par-dessus le crâne chauve d'Anton. Tout simplement merveilleux.

— Merci, dit Erica. Merci.

— Alors, vous avez appris quoi ?

Patrik bouillait d'impatience de tout savoir quand Martin et lui arrivèrent dans la salle d'attente de l'hôpital.

— Ben, on t'a pratiquement tout dit au téléphone, répondit Paula. Les garçons ont trouvé un sachet avec de la poudre blanche dans une poubelle devant les immeubles, ceux qui donnent sur l'usine Tetra Pak.

— D'accord, et on a pu le récupérer ? demanda Patrik en s'asseyant.

— Je l'ai ici, dit Paula en montrant un sac en papier kraft sur la table. Et avant que tu le demandes : oui, on l'a manipulé avec précaution. Mais malheureusement, il est passé entre de nombreuses mains avant qu'on le récupère. Les enfants, les instits, le personnel de l'hôpital.

— On fera une liste détaillée. Fais en sorte qu'il parte vite au labo. On prendra les empreintes digitales de tous ceux qui ont pu le toucher. Demande tout de suite l'accord des parents pour les empreintes des gamins.

— Je m'en occupe, dit Gösta.

— Ils vont comment, les mômes ? demanda Martin.

— D'après les médecins, ils ont eu une sacrée chance. Ça aurait pu se terminer vraiment mal… Heureusement, ils n'en ont pas ingurgité de grosses quantités, ils y ont à peine goûté. Sinon ce n'est pas à l'hôpital qu'on se serait retrouvés, mais à la morgue.

Il y eut un long silence. La perspective était effroyable.

— Vous pensez que le meurtre a un rapport avec la drogue ? demanda Paula. Vous avez appris quelque chose à Göteborg qui irait dans ce sens ?

Elle se renversa dans le canapé dur, sans trouver de position confortable, et se redressa de nouveau.

— Non, on ne peut pas vraiment dire ça. On a quelques nouvelles informations, mais je me suis dit qu'on les passerait en revue tous ensemble pendant le débriefing au commissariat, dit Patrik en se levant. Martin et moi, on file à Fjällbacka pour essayer de trouver un instituteur ou deux. Tu t'occupes d'envoyer le sachet, Paula ? Dis-leur que c'est urgent.

— Ils s'en douteront, puisque c'est de ta part, sourit Paula.

Annie avait ressenti une pointe d'inquiétude après la visite d'Erica et Patrik. Elle devrait peut-être demander au médecin de venir ? Sam n'avait toujours pas proféré le moindre son depuis leur arrivée sur l'île. D'un autre côté, elle avait envie de se fier à son instinct. Tout ce qu'il lui fallait, c'était du temps. Du temps pour guérir l'esprit, pas le corps, et le médecin n'examinerait que le corps.

Elle n'arrivait toujours pas à repenser à cette nuit-là. C'était comme si son cerveau se débranchait quand les souvenirs terrifiants, épouvantables essayaient de percer. Alors comment pourrait-elle demander à la petite âme de Sam d'y arriver ? Ils avaient partagé la même peur, tous les deux. Elle se demandait s'ils partageaient aussi la crainte que l'horreur ne les rattrape sur l'île. Elle avait essayé de lui dire les mots qui apaisent, de lui assurer qu'ils étaient en sécurité ici. Que les méchants ne pouvaient pas les trouver. Mais elle n'était pas sûre que le ton de sa voix n'ait pas contredit ses mots. Car elle-même n'en était pas entièrement convaincue.

Si seulement Matte… Sa main trembla à cette pensée. Il aurait pu les protéger, lui. Elle n'avait pas voulu tout lui raconter pendant ces instants qu'ils avaient partagés, elle avait juste confessé des bribes, pour qu'il comprenne pourquoi elle n'était plus la même. Elle lui aurait raconté le reste aussi, si seulement ils avaient eu davantage de temps. Elle aurait pu se confier à lui.

Annie sanglota et inspira profondément pour essayer de se maîtriser. Elle ne voulait pas que Sam se rende compte qu'elle était à cran. Il avait besoin de sécurité. C'était la seule chose qui pourrait effacer le bruit des coups de feu de sa mémoire, supprimer toutes les images de sang, les images de son père, et sa mission à elle était de faire en sorte que tout rentre dans l'ordre. Matte ne pouvait plus l'aider.

Relever toutes les empreintes dont ils avaient besoin prit un certain temps. Il leur en manquait toujours deux. Les ambulanciers étaient en intervention, ils ne seraient pas de retour avant un moment. Paula avait cependant l'impression que tout ce travail était du temps perdu. Il lui semblait plus important de faire vérifier au plus vite si les empreintes de Mats se trouvaient sur le sachet.

Paula frappa doucement à la porte.

— Entrez, dit Torbjörn Ruud et il leva les yeux quand elle poussa la porte.

— Bonjour, Paula Morales de la police de Tanum. On s'est déjà rencontrés une ou deux fois.

Tout à coup, elle se sentit intimidée. Elle connaissait parfaitement la procédure, et pourtant elle s'apprêtait à lui demander d'oublier tout ce qui était règles et protocoles. Ce n'était pas dans ses habitudes. Les règles étaient là pour qu'on les suive. Mais il fallait aussi se montrer capable d'un peu de souplesse, surtout dans un cas comme celui-ci.

— Oui, on s'est déjà vus, je m'en souviens, dit Torbjörn avec un geste l'invitant à s'asseoir. Comment ça se passe pour vous ? Vous avez eu des nouvelles de Pedersen ?

— Non, on aura son rapport mercredi. À part ça, les pistes sont maigres, et on ne peut pas vraiment parler de progrès dans l'enquête.

Elle se tut, reprit sa respiration et se demanda comment formuler sa requête.

— Aujourd'hui il s'est passé quelque chose… seulement on ne sait pas encore si ça a un rapport avec le meurtre, finit-elle par dire en posant le sachet sur la table.

— C'est quoi ? dit Torbjörn.

— De la coke.

— Et ça vient d'où ?

Paula relata brièvement les événements de la journée et ce que les gamins leur avaient raconté.

— C'est rare qu'on vienne me déposer un sachet de cocaïne comme ça, directement sur mon bureau, observa Torbjörn en posant un regard franc sur Paula.

— Oui, évidemment, dit-elle et elle sentit qu'elle devenait toute rouge. Mais tu sais comment ça se passe : si on l'envoie au labo central, on va devoir attendre une éternité avant d'avoir les résultats. J'ai l'intuition que c'est important, et je m'étais dit qu'on pourrait se montrer un peu plus souples sur la procédure. Je voudrais vérifier quelque chose, et si tu m'aides, je m'occuperai des formalités ensuite. Et j'endosse bien entendu l'entière responsabilité de la démarche.

Torbjörn garda le silence un long moment.

— Qu'est-ce que tu veux que je fasse? finit-il par dire, sans avoir l'air totalement convaincu.

Paula lui expliqua sa requête et Torbjörn hocha lentement la tête.

— D'accord pour cette fois-ci. Mais s'il y a le moindre problème, c'est à ta charge. Tu t'arrangeras pour que tout paraisse conforme.

— Je te le promets.

Paula sentit son corps frétiller d'impatience. Elle avait raison, elle savait qu'elle avait raison. Ne restait plus qu'à l'établir.

— OK, alors suis-moi, dit Torbjörn.

Il se leva et Paula lui emboîta le pas. Elle lui devrait une fière chandelle quand cette affaire serait résolue.

— J'espère que tu ne l'as pas mal pris tout à l'heure, dit Erling.

Il n'osait pas croiser son regard.

Vivianne mangeait du bout des lèvres et ne répondit pas. Comme toujours quand il était en disgrâce, tout son corps était noué de contrariété. Il avait eu tort d'évoquer les propos de Bertil. Il ne comprenait pas ce qui lui était passé par la tête. Vivianne savait très bien ce qu'elle faisait, et il n'aurait pas dû y mettre son grain de sel.

— Chérie, tu ne m'en veux pas, quand même? dit-il en caressant sa main.

Il n'obtint aucune réaction et ne sut plus quoi faire. D'habitude, il parvenait à l'amadouer, mais depuis leur conversation désastreuse, elle était d'une humeur exécrable.

— Tu sais, il va y avoir du monde à l'inauguration samedi. Toute la jet-set de Göteborg sera là. Des vrais people, pas des tocards comme ce Martin de l'*Expédition Robinson*. Et j'ai réussi à avoir Arvingarna.

Vivianne plissa le front.

— Je croyais que c'était Garage qui jouerait ?

— Ils seront en première partie. On ne peut tout de même pas dire non à Arvingarna, tu comprends, n'est-ce pas ? Un groupe comme ça, ça déplace les foules.

Erling oubliait progressivement la mauvaise humeur de Vivianne. Le projet Badis avait souvent cet effet-là sur lui.

— Le versement des fonds ne se fera que mercredi prochain. J'espère que tu l'as bien compris ? dit Vivianne en levant les yeux de son assiette, plus détendue à présent.

Ravi de la piste proposée, Erling s'y engouffra :

— Aucun problème. La commune avance l'argent en attendant, et la plupart des fournisseurs sont d'accord pour un paiement différé, puisque nous nous portons garants. Tu n'as aucun souci à te faire pour ça.

— Tant mieux. Cela dit, c'est Anders qui s'occupe de ces choses-là, je suppose qu'il est au courant.

Un petit sourire apparut sur ses lèvres, et Erling sentit des papillons dans son ventre. Après sa gaffe pendant le déjeuner, quand l'angoisse l'avait envahi, un plan avait commencé à prendre forme dans son esprit. Il s'étonnait de ne pas y avoir pensé plus tôt. Mais c'était un fonceur, heureusement, et il savait comment arriver à ses fins sans trop de préparatifs.

— Ma chérie, dit-il.

— Mmm, fit Vivianne en continuant à manger le sauté de tofu qu'elle avait préparé.

— Il y a une chose que je voulais te demander…

Vivianne s'arrêta de mâcher et leva lentement les yeux vers lui. Un instant, Erling eut l'impression d'y voir un éclat de peur, mais qui disparut rapidement. Il devait se faire des idées. Le trac, sans doute.

Il tomba péniblement à genoux devant elle et sortit un écrin de la poche intérieure de sa veste. Sur le couvercle, était écrit Horlogerie & Joaillerie Nordholm. Pas besoin de beaucoup d'imagination pour deviner son contenu.

Erling se racla la gorge. L'instant était grave. Il saisit la main de Vivianne et, d'une voix puissante, il dit :

— Je te demande solennellement de me faire l'honneur de devenir ma femme.

La phrase, qui dans son esprit avait sonné si juste, paraissait parfaitement ridicule prononcée à voix haute. Il recommença :

— Bon, donc, je me disais qu'on pourrait peut-être se marier.

Ce n'était guère mieux, et il entendit son cœur marteler dans sa cage thoracique pendant qu'il attendait sa réponse. En fait, il ne doutait pas un instant de sa réaction, mais les femmes pouvaient se montrer si capricieuses.

Vivianne garda le silence un peu trop longtemps, et Erling commençait à avoir mal aux genoux. L'écrin tremblait dans sa main, et il sentit aussi un tiraillement désagréable dans le creux des reins.

Finalement, elle respira profondément et dit :

— Oui, bien sûr qu'on va se marier, Erling.

Avec soulagement, il sortit la bague de sa boîte et la glissa au doigt de Vivianne. Ce n'était pas un bijou coûteux, mais Vivianne ne raffolait pas de ce genre de futilités, alors pourquoi dépenser une fortune pour une bague ? Et on lui avait fait un prix, pensa-t-il satisfait. De plus, ce soir il comptait bien rentabiliser son investissement. Ça commençait à faire un bail maintenant depuis la dernière fois, mais ce soir, ce serait la fête !

Il se releva, le dos en compote, et reprit place sur sa chaise. D'un geste triomphant, il approcha son verre de celui de Vivianne pour trinquer. Pendant une seconde, il eut l'impression de voir à nouveau cette expression bizarre dans ses yeux, mais il chassa cette pensée et but une gorgée de vin. Ce soir, il n'avait vraiment pas l'intention de s'endormir.

— Tout le monde est là ? demanda Patrik.

La question était rhétorique. Ils n'étaient pas nombreux au point qu'il ne puisse facilement les compter, il essayait simplement d'attirer leur attention.

— On est tous là, dit Annika.

— Alors on a quelques questions à voir ensemble, dit Patrik en avançant le chevalet de conférence qu'ils utilisaient pour leurs réunions. Tout d'abord : les gamins vont bien, ils ne garderont aucune séquelle.

— Dieu soit loué, dit Annika, l'air soulagé.

— On va attendre un peu pour parler de la cocaïne, et commencer par les autres événements de la journée. Où en êtes-vous avec le contenu de l'attaché-case ?

— Pour l'instant, rien de concret, dit Paula. Mais on devrait rapidement en savoir plus.

— La mallette contenait tout un tas de documents de comptabilité, précisa Gösta avec un regard sur Paula. Comme on n'y connaît rien, on a laissé ça à Lennart, le mari d'Annika. Il va y jeter un coup d'œil, avant qu'on les transmette à la brigade technique, si besoin est.

— Bien, dit Patrik. Lennart pense pouvoir nous renseigner quand ?

— Après-demain, dit Paula. En ce qui concerne le téléphone portable, il ne contient rien d'intéressant. J'ai envoyé l'ordinateur à la brigade technique, mais va savoir dans combien de temps on aura de leurs nouvelles.

— C'est rageant, mais on n'y peut rien.

Patrik croisa ses bras sur sa poitrine. Lennart mercredi, avait-il écrit sur l'immense feuille blanche du bloc.

— Et l'ancienne amoureuse de Sverin, qu'est-ce qu'elle a dit ? Elle savait quelque chose ? demanda Mellberg.

Tout le monde sursauta et Patrik le dévisagea, tout surpris. Il était persuadé que Mellberg ignorait tout du déroulement de l'enquête.

— Mats est allé la voir vendredi soir, puis il est reparti dans la nuit, dit-il en notant ces faits sur le bloc. Du coup, la fourchette horaire du meurtre rétrécit. Mats a pu être tué, au plus tôt, dans la nuit de vendredi à samedi, ce qui correspond effectivement au bruit que le voisin a entendu. J'espère que les données de Pedersen vont nous permettre d'établir l'heure exacte.

— Elle paraissait louche ? Tu n'as pas flairé de dispute entre ex-amants ? poursuivit Mellberg.

Ernst réagit au ton de son maître et, curieux, leva la tête des pieds de Mellberg.

— Louche n'est pas le mot que j'utiliserais pour décrire Annie, mais un peu absente peut-être. Elle séjourne sur l'île avec son fils en ce moment. J'ai compris que Mats et elle n'avaient plus eu de contact depuis de nombreuses années, ce que nous ont confirmé les parents de Mats. Je suppose qu'ils ont ressuscité de vieux souvenirs ce soir-là.

— Pourquoi est-il reparti en pleine nuit ? demanda Annika.

Elle se tourna machinalement vers Martin qui lui rendit un regard offusqué. À une certaine époque, il avait mené une vie amoureuse débridée, ce qui lui valait encore quelques piques de temps à autre. Mais depuis que Pia était entrée dans sa vie, il avait totalement changé de comportement et s'était transformé en père de famille rangé, sans jamais regretter sa vie de célibataire.

— Qu'est-ce que ça a d'étrange ? Une fois qu'on a obtenu ce qu'on voulait, on préfère parfois échapper à la cérémonie du petit-déjeuner, dit-il.

Tout le monde le regarda d'un air amusé et il haussa les épaules :

— Quoi ? Tous les mecs font ça, non ? ajouta-t-il en devenant écarlate.

Patrik ne put s'empêcher de sourire, puis il s'efforça de retrouver son sérieux.

— Quelle qu'en soit la raison, il est rentré chez lui dans la nuit de vendredi à samedi. Alors on peut se demander : où est passé son bateau ? Il est forcément rentré avec.

— Vous avez vérifié sur le Bon Coin ? glissa Gösta en prenant un biscuit qu'il trempa dans son café.

— J'ai vérifié hier sur quelques sites de petites annonces, mais il n'y a rien pour le moment, dit Patrik. Une plainte pour vol a été déposée, et j'ai aussi briefé le Sauvetage en mer, ils ont promis d'ouvrir l'œil.

— C'est quand même une drôle de coïncidence que le bateau disparaisse précisément maintenant.

— Et sa voiture, est-ce qu'on l'a examinée ? dit Paula en se redressant sur sa chaise.

Patrik fit oui de la tête.

— Torbjörn et ses hommes ont passé la voiture au peigne fin. Elle était garée sur le parking devant l'immeuble de Mats. Ils n'ont rien trouvé.

— Ah…

Paula se laissa retomber contre le dossier de sa chaise, déçue. Elle avait pensé qu'ils avaient peut-être loupé quelque chose, mais Patrik avait apparemment la situation en main.

— Qu'avez-vous dégoté à Göteborg ? demanda Mellberg en glissant un biscuit à Ernst.

Patrik et Martin se consultèrent du regard.

— Eh bien, ce fut une excursion assez fructueuse. Tu peux faire un résumé de notre visite aux services sociaux, Martin ?

Sa décision de laisser plus de place à son jeune collègue eut un effet immédiat. Martin s'illumina. Avec une grande clarté, il rendit compte des informations que leur avait données Sven Barkman sur Refuge et sur le fonctionnement de leur collaboration. Après avoir interrogé Patrik du regard, il continua et raconta leur visite aux bureaux de Refuge.

— On ne sait toujours pas si Mats a pu recevoir des menaces liées à ses activités chez Refuge. La directrice déclare qu'elle n'en a pas connaissance. Elle nous a laissés examiner les dossiers des femmes qu'ils ont aidées durant la dernière année de Mats chez eux. Une vingtaine de cas.

Patrik hocha la tête pour confirmer, et Martin poursuivit :

— Sans autres informations, il est impossible de savoir si un cas, ou plusieurs, mériteraient qu'on y regarde de plus près. On a noté les noms de celles qui ont eu Mats comme référent, et on va continuer à travailler là-dessus. Mais je peux vous dire qu'il y a de quoi être démoralisé quand on ouvre ces dossiers. Beaucoup de femmes ont vécu un enfer que vous ne pouvez même pas imaginer… Impossible à décrire.

Martin se tut, l'air embarrassé, mais Patrik comprenait exactement ce qu'il voulait dire. Lui aussi avait été touché par les destins dont ils avaient brièvement pris connaissance.

— On se demande si on ne devrait pas parler avec les autres employés. Et peut-être même contacter une ou deux femmes qui ont été aidées par Refuge durant cette période. Mais peut-être que ça ne sera pas nécessaire. On a recueilli un témoignage qui pourrait nous aider à avancer, dit-il, puis il fit une petite pause et nota qu'il avait l'entière attention de chacun. L'agression de Mats m'a toujours paru un peu étrange. Si bien qu'à tout hasard, on est allés voir l'immeuble où il habitait quand il s'est fait agresser. Ça s'est passé juste en bas de chez lui, et il nous a suffi de parler avec un voisin pour en avoir la confirmation. Rien à voir avec une bande de jeunes, comme Mats l'avait déclaré. D'après ce voisin, qui a été témoin du passage à tabac, il s'agissait de types bien plus âgés. Des mecs à motos, selon sa description.

— Sans blague, dit Gösta. Mais pourquoi Sverin a-t-il menti là-dessus ? Et pourquoi le voisin n'a-t-il rien dit auparavant ?

— En ce qui concerne le voisin, c'est une histoire classique. Il ne voulait pas être mêlé à cette histoire, il a eu peur. Manque de courage civique, autrement dit.

— Et Sverin ? Pourquoi n'a-t-il pas dit la vérité ? insista Gösta.

— Je ne sais pas, répondit Patrik en secouant la tête. Peut-être tout simplement parce que lui aussi avait peur. Mais ces gangs, ils n'ont pas la réputation de s'attaquer aux quidams dans la rue, il doit y avoir autre chose derrière.

— Vous avez pu identifier le gang en question ? demanda Paula.

— Un aigle, dit Martin. Le voisin a dit qu'ils avaient un aigle dans le dos. Avec ça, on devrait facilement les trouver.

— Voyez ça avec les collègues de Göteborg, je suis sûr qu'ils peuvent nous aider, suggéra Mellberg. C'est ce que je dis depuis le début. Un vilain monsieur, ce Sverin. S'il s'était embarqué dans des affaires avec ce genre de types, il ne faut pas s'étonner qu'il se soit retrouvé à la morgue, la tête truffée de plomb.

— Je n'irais pas jusque-là, dit Patrik. Nous ignorons totalement si Mats avait des liens avec eux, et dans ce cas en quoi ils consistaient. Pour l'instant, rien n'indique qu'il se soit livré à des actes criminels. On va commencer par demander à Refuge s'ils connaissent ce gang et s'ils ont eu des contacts avec un de leurs membres. Et on va suivre le conseil de Bertil et appeler nos collègues à Göteborg. Oui, Paula ?

Paula agita la main.

— Eh bien, dit-elle en hésitant. Il se trouve que j'ai un peu hâté les choses aujourd'hui. Je n'ai pas envoyé le sachet de cocaïne au labo central, je l'ai apporté à Torbjörn Ruud. Vous savez comme c'est long, avant d'avoir le moindre début de réponse, quand on envoie des pièces qui se retrouvent en bas dans la pile et…

— Je sais. Continue, dit Patrik.

— J'ai parlé un peu avec Torbjörn et je lui ai demandé un petit service, dit Paula en se tortillant, incertaine de l'accueil que recevrait son initiative. Je lui ai demandé de faire une rapide comparaison entre les empreintes digitales du sachet et les empreintes de Mats.

Elle inspira profondément.

— Continue, dit Patrik.

— Elles correspondent. Il y avait les empreintes de Mats sur le sachet de cocaïne.

— J'en étais sûr ! s'exclama Mellberg en faisant le V de la victoire en l'air. Drogues et association de malfaiteurs ! Je savais bien qu'il n'était pas très catholique !

— Ne nous emballons pas, dit Patrik, mais il parut songeur.

Les dernières informations tournaient dans sa tête, il cherchait un fil conducteur. Il était en partie obligé de donner raison à Mellberg, mais quelque chose en lui refusait cette description de Mats Severin si éloignée de celle que lui avaient fournie Annie, ses parents, ses collègues… Même s'il avait toujours eu le sentiment que quelque chose clochait, il n'arrivait pas à cautionner ce nouveau portrait de Mats.

— Torbjörn était sûr à cent pour cent ?

— Oui, tout à fait. Le matériel sera bien entendu envoyé au labo, pour une confirmation formelle. Mais Torbjörn m'a garanti que Mats Severin a tenu ce sachet dans ses mains.

— Ça change légèrement la donne. Il faudra qu'on voie avec les toxicos du coin s'ils ont eu affaire à Mats. Mais je dois dire que tout ça me paraît complètement…

— Sornette, renifla Mellberg. Je suis convaincu que si on commence à creuser de ce côté-là, on mettra bientôt la main sur le coupable. Un bon vieux meurtre lié à la drogue. Ça ne devrait pas être bien compliqué. Il a probablement essayé d'entuber quelqu'un.

— Mmm… fit Patrik. Mais pourquoi aurait-il jeté le sachet devant son immeuble ? À moins que ce ne soit quelqu'un d'autre qui l'ait jeté ? Quoi qu'il en soit, il faut explorer la piste. Martin et Paula, est-ce que vous pouvez aller secouer les usagers réguliers demain ?

Paula acquiesça de la tête et Patrik écrivit. Il savait qu'Annika prenait toujours des notes pendant leurs réunions, mais de mettre lui-même noir sur blanc tout ce qui se disait lui donnait l'impression d'avoir une vue d'ensemble.

— Gösta, toi et moi on va s'entretenir avec les collègues de Mats, et on posera des questions plus spécifiques cette fois.

— Spécifiques ?

— Oui, s'ils ont entendu ou remarqué quelque chose qui pourrait expliquer pourquoi Mats a touché un sachet de cocaïne.

— Tu veux dire qu'on va leur demander s'ils savaient que Matts se droguait ?

Gösta ne parut pas emballé par la mission.

— Ça, on n'en sait encore rien, dit Patrik. On n'aura le rapport de Pedersen qu'après-demain, et d'ici là, on ignore totalement quelles substances Mats avait dans le corps.

— Et les parents ? dit Paula.

Patrik déglutit. Il était réticent, mais elle avait raison.

— Il faut qu'on leur demande aussi. Je m'en charge, avec Gösta.

— Et moi, qu'est-ce que je fais ? demanda Mellberg.

— Ce serait bien si, en ta qualité de chef, tu restais ici pour défendre la forteresse, dit Patrik.

— Oui, ça me paraît indispensable, renchérit Mellberg en se relevant, manifestement soulagé, et Ernst lui emboîta le pas. Allons dormir maintenant, on a tous besoin de sommeil. Demain, il va y avoir du boulot, mais tout sera résolu en moins de deux. Je le sens jusqu'au bout des doigts.

Mellberg se frotta les mains, mais la réaction de ses subalternes se fit attendre.

— Vous avez entendu ce qu'a dit Bertil. On rentre dormir, comme ça demain on sera frais et dispos.

— Et la piste de Göteborg ? demanda Martin.

— Ça attendra. On fait d'abord comme on a dit, et on en reparle quand on en sait un peu plus. Et, si ce n'est pas demain, on fera probablement un tour à Göteborg mercredi.

Ils terminèrent la réunion et Patrik alla retrouver sa voiture. Tout au long du trajet jusque chez lui, il resta profondément plongé dans ses réflexions.

FJÄLLBACKA 1871

L'automne venait de faire son entrée quand on lui permit de quitter Gråskär pour la première fois. Le trajet en bateau réveilla l'angoisse qui l'avait étreinte à l'aller, sans toutefois que la panique s'empare d'elle. Elle avait vécu si près de la mer qu'elle savait à présent interpréter ses sons et ses couleurs, et si la mer ne l'avait pas rendue captive de l'île, elle aurait sûrement pu s'en accommoder. À présent, la mer la conduisait à bon port.

L'eau était comme un miroir et Emelie ne sut résister à la tentation d'y plonger sa main et d'y tracer un sillon le long du bateau. Elle se pencha vers le plat-bord pour l'atteindre, gardant l'autre main en un geste protecteur sur son ventre. Karl était à la barre. Il avait tout à coup l'air si différent maintenant qu'il avait quitté Gråskär et l'ombre du phare. Il était beau, le regard dirigé droit devant lui. Elle n'y avait pas pensé depuis longtemps. La lueur cruelle dans ses yeux avait enlaidi son visage. Mais en l'observant, là, elle se remémora tout ce qu'elle avait un jour trouvé si attirant. C'était peut-être l'île qui l'avait changé. Il y avait peut-être quelque chose sur cette île qui avait déclenché le mal en lui. Elle écarta tout de suite cette pensée. Quelle sotte elle était ! Cependant, les avertissements d'Edith résonnaient toujours dans sa mémoire.

Aujourd'hui, elle allait en tout cas être débarrassée de l'île, même si ce n'était que pour quelques heures. Elle verrait du monde, pourrait faire des courses et prendrait le café chez la tante de Karl qui les avait invités. Et elle irait voir le docteur. Elle n'était pas inquiète. Elle savait que l'enfant qui donnait des coups de pied si impatients dans son ventre se portait bien. Mais ce serait malgré tout une bonne chose d'en avoir la confirmation.

Elle ferma les yeux et sourit. Le vent caressait sa peau.

— Ne te penche pas comme ça, dit Karl, et elle sursauta.

Elle se rappela de nouveau le premier voyage en bateau. Elle venait de se marier, elle était pleine d'attentes. Karl était encore aimable avec elle.

— Pardon, dit-elle en baissant les yeux.

Elle ne savait pas trop pourquoi elle s'excusait.

— Et pas de bavardage inutile.

La voix était froide. De nouveau, c'était le Karl de l'île. Laid, avec ses yeux méchants.

— D'accord, Karl.

Elle garda les yeux baissés, rivés au fond du bateau. L'enfant dans son ventre donna subitement un coup de pied si violent qu'elle haleta.

Julian se leva subitement de sa place et vint s'asseoir tout près d'elle, trop près. Il l'attrapa brutalement par le bras.

— Tu as entendu ce qu'il a dit ? Pas de bavardage inutile. Tu ne parles pas de l'île ni de ce qui ne regarde que nous.

Ses doigts s'enfoncèrent dans son bras, et elle fit une vilaine grimace.

— Non, dit-elle tandis que la douleur lui faisait monter les larmes aux yeux.

— Tiens-toi tranquille dans le bateau. On a vite fait de tomber par-dessus bord, dit Julian à voix basse, puis il lâcha son bras et alla reprendre sa place, la tête tournée en direction de Fjällbacka qui se dessinait devant eux.

En tremblant, Emelie posa de nouveau ses mains sur son ventre. Tout à coup, elle se rendit compte qu'ils lui manquaient, ceux qu'elle avait laissés là-bas, sur l'île. Ceux qui y étaient restés et ne pourraient jamais en partir. Elle se promit de prier pour eux. Dieu entendrait peut-être sa prière et aurait pitié de ces âmes égarées.

Quand ils accostèrent à l'embarcadère près de la place, elle cilla pour chasser les larmes et sentit un sourire apparaître sur ses lèvres. Enfin elle était de retour parmi les êtres humains. Il était encore possible de quitter Gråskär.

Mellberg sifflotait en se rendant au travail. Il sentait que la journée serait bonne. Il avait passé quelques coups de fil la veille au soir, et il lui restait une demi-heure pour se préparer.

— Annika! cria-t-il tout de suite en arrivant devant la réception.

— Je suis là, pas besoin de crier.

— Prépare la salle de conférences, tu seras gentille.

— La salle de conférences? Ça fait chic, je ne savais pas qu'on avait ça chez nous.

Elle ôta ses lunettes et les laissa pendre autour de son cou.

— Oui, enfin, tu comprends ce que je veux dire. La seule pièce où il y a de la place pour des chaises supplémentaires.

— Des chaises?

Annika sentit l'inquiétude monter en elle. Ça n'augurait rien de bon que Mellberg arrive si tôt et de si bonne humeur.

— Quelques rangées de chaises en plus. Pour la presse.

— La presse? répéta Annika.

L'inquiétude se transforma en boule à l'estomac. Qu'était-il encore allé inventer?

— Oui, tu sais, des journalistes. Purée de chez purée,

ça ne rentre pas vite aujourd'hui. Je vais tenir une conférence de presse ici, il faut bien que les journalistes aient un endroit où poser leurs fesses.

Il articulait bien chaque mot, comme s'il s'adressait à un enfant.

— Patrik est au courant? demanda-t-elle en lorgnant le téléphone.

— Hedström le saura quand il se donnera la peine de venir au boulot. Il est huit heures passées de deux minutes, dit Mellberg, oubliant totalement qu'il se montrait lui-même rarement avant dix heures. Il y aura une conférence de presse à huit heures et demie. Dans moins d'une demi-heure. Et nous avons donc besoin d'un local.

Annika jeta encore un coup d'œil vers le téléphone, mais comprit que Mellberg n'abandonnerait pas tant qu'elle n'aurait pas commencé à préparer la seule pièce qui ferait l'affaire. Avec un peu de chance, il irait ensuite dans son bureau, et alors elle pourrait appeler Patrik pour le prévenir de ce qui se tramait.

— C'est quoi, ce branle-bas de combat?

La voix de Gösta se fit entendre à la porte tandis qu'Annika disposait les chaises.

— Apparemment, Mellberg va tenir une conférence de presse.

— Hedström est au courant? demanda Gösta en se grattant la tête.

— C'est exactement ce que je lui ai demandé. Et, non, de toute évidence il ne le sait pas. C'est encore une de ses bonnes idées, et je n'ai pas pu appeler Patrik pour le prévenir.

— Me prévenir de quoi? demanda Patrik qui surgit derrière Gösta. Tu fais quoi, là?

— On va avoir une conférence de presse ici dans… dit Annika en consultant sa montre. Dans dix minutes.

— C'est une blague ?

La mine d'Annika montrait clairement que non.

— Ce putain de…

Patrik tourna les talons et partit à grandes enjambées en direction du bureau de Mellberg. Ils entendirent une porte s'ouvrir à la volée, des voix nerveuses puis une porte qui claquait.

— Aïe, aïe, aïe, dit Gösta. Bon, je serai dans mon bureau.

Il se sauva tellement vite qu'Annika se demanda s'il avait réellement été là un instant plus tôt.

En grommelant, elle continua à disposer des chaises, mais elle aurait donné cher pour être une petite souris dans le bureau de Mellberg. Le ton derrière la porte montait et descendait, sans qu'elle puisse distinguer ce qui se disait. Puis on sonna à la porte, et elle dut aller ouvrir à la presse.

Un quart d'heure plus tard, tous les journalistes étaient sur place, soulevant un relatif brouhaha. Certains se connaissaient : les reporters du *Bohusläningen*, du *Strömstads Tidning* et des autres journaux régionaux. La radio locale était là aussi, et des représentants des tabloïdes nationaux à gros tirage, qu'on voyait rarement à Tanumshede. Annika se mordit nerveusement la lèvre. Mellberg et Patrik ne s'étaient pas encore montrés. Devait-elle dire quelques mots ou se contenter d'attendre et de voir ce qui allait arriver ? Elle choisit cette dernière option, sans cesser de scruter le bureau de Mellberg. Pour finir, la porte s'ouvrit et Mellberg sortit, écarlate et les cheveux en désordre. Patrik resta dans l'embrasure, les mains sur les hanches, et malgré la distance elle put distinguer la fureur dans ses yeux. Tandis que Mellberg s'approchait à grandes enjambées, Patrik regagna son bureau et claqua la porte derrière lui tellement fort que les tableaux accrochés aux murs du couloir en tremblèrent.

— Blanc-bec de mes deux, marmonna Mellberg en passant devant Annika. Quel culot, venir se mêler de ma façon de gérer les choses !

Il s'arrêta, prit une grande respiration et arrangea ses cheveux. Puis il entra dans la salle.

— Tout le monde est là ? demanda-t-il avec un grand sourire, et il perçut un murmure d'acquiescement. Bien, alors on va démarrer. Comme je vous l'ai dit hier, l'enquête sur le meurtre de Mats Sverin a pris un nouveau tournant.

Il fit une pause, mais personne n'avait encore de questions à poser, si bien qu'il poursuivit :

— Ceux qui sont de la presse locale ont sans doute déjà appris que nous avons eu un incident ici hier. Trois gamins ont été hospitalisés en urgence à Uddevalla.

Certains des journalistes hochèrent la tête.

— Les gosses ont trouvé un sachet contenant une poudre blanche. Ils ont pensé que c'était une poudre à bonbon et l'ont goûtée. Il s'avère que c'était de la cocaïne, et qu'ils ont dû être transportés à l'hôpital.

Mellberg fit encore une pause et s'étira. Il était dans son élément. Il adorait les conférences de presse.

Le reporter du *Bohusläningen* leva la main et, princier, Mellberg lui fit un signe de tête.

— Où ont-ils trouvé ce sachet ?

— À Fjällbacka, dans une poubelle devant les immeubles près de Tetra Pak.

— Est-ce qu'ils vont garder des séquelles ? demanda un reporter d'un journal du soir, sans attendre son tour.

— D'après les médecins, ils seront très vite rétablis. Heureusement, ils n'ont pas eu le temps d'en absorber beaucoup.

— Pensez-vous que ce soit un toxico de la ville qui ait perdu ce sachet ? Est-ce que ça a un rapport avec le meurtre ? Vous l'avez laissé entendre dans votre introduction, glissa le reporter du *Strömstads Tidning*.

Mellberg se délecta de voir l'ambiance monter. Les journalistes avaient senti qu'il avait une annonce intéressante à leur faire, et il avait l'intention d'en jouir un maximum. Après un petit silence, il dit :

— La poubelle en question se situe devant l'immeuble de Mats Sverin.

Il les regarda lentement, l'un après l'autre. Tous les yeux étaient rivés sur lui.

— Et nous avons identifié les empreintes digitales de Sverin sur le sachet.

Un bruissement traversa la pièce.

— Ça alors, dit le reporter du *Bohusläningen*.

Quelques mains se levèrent.

— Pensez-vous qu'il s'agisse d'une histoire de drogue qui aurait mal tourné ?

Le journaliste du *GT* notait frénétiquement, pendant que le photographe mitraillait. Mellberg se souvint de rentrer le ventre.

— Nous ne pouvons évidemment pas faire de révélations à ce stade, mais c'est une de nos hypothèses.

Il se délecta du son de sa voix. S'il avait pu choisir un autre métier, il aurait été porte-parole de la police de Stockholm devant la presse ou quelque chose comme ça. Il serait apparu à la télé quand Anna Lindh avait été tuée, aurait participé aux émissions matinales pour donner son avis sur le meurtre d'Olof Palme.

— Y a-t-il autre chose dans l'enquête qui indique que des drogues soient mêlées à l'affaire ? demanda le reporter du *GT*.

— Je ne peux pas me prononcer là-dessus, répondit Mellberg.

Il fallait leur donner tout juste la quantité convenable de renseignements à se mettre sous la dent. Ni trop ni trop peu.

— Vous avez fouillé dans le passé de Mats Sverin ? Il a été fait mention d'usage de drogues ?

— Je ne peux pas me prononcer là-dessus non plus.

— Que dit l'autopsie ? poursuivit le reporter du *GT*, et les journalistes plus timorés lui lancèrent des regards furieux.

— Nous n'avons pas encore reçu les résultats.

— Vous avez un suspect ? demanda le représentant du *Göteborgs-Posten*, content de pouvoir enfin placer une question.

— Pas encore. Nous ne pouvons pas vous en dire beaucoup plus pour le moment. Je vous ai donné les informations dont nous disposons, et nous vous tiendrons informés des progrès de l'enquête. Mais j'estime que nous venons de faire une grande avancée.

Sa déclaration fut accueillie par une avalanche de questions, mais Mellberg secoua la tête. Qu'ils se contentent donc de ces quelques os à ronger. Il retourna dans son bureau d'un pas léger, tout en se félicitant de sa formidable performance. La porte de Patrik était fermée. Quel râleur, celui-là, pensa Mellberg et il s'assombrit. Il serait temps que Hedström comprenne que le chef dans ce commissariat, c'était lui, et qu'il avait une plus grande expérience de la presse. Si ça ne lui allait pas, il n'avait qu'à se trouver un autre boulot.

Mellberg se laissa tomber dans son fauteuil, posa les jambes sur le bureau et croisa ses mains derrière la nuque. Maintenant, il allait s'offrir un petit roupillon bien mérité.

— On commence par qui ? demanda Martin en descendant de la voiture sur le parking situé devant les immeubles.

— Rolle, qu'est-ce que tu en dis ?

Martin hocha la tête.

— Oui, ça fait un moment qu'on n'a pas bavardé avec lui. Ce serait bien de lui montrer qu'on ne l'a pas oublié.

— J'espère seulement qu'il sera en état de parler.

Ils montèrent l'escalier et, arrivés devant l'appartement de Rolle, Paula sonna à la porte. Personne ne vint leur ouvrir et elle appuya une seconde fois sur la sonnette. Un chien se mit à aboyer.

— Merde, son berger allemand. Je l'avais oublié, celui-là.

Martin frissonna de malaise. Il n'aimait pas les gros chiens, et ceux qu'avaient souvent les toxicomanes lui paraissaient particulièrement peu fiables.

— Il n'est pas méchant. Je l'ai déjà croisé plein de fois, lui assura Paula.

Elle sonna encore une fois et ils entendirent des pas à l'intérieur. La porte s'ouvrit tout doucement.

— Oui ?

Le visage de Rolle trahissait la méfiance et Paula fit un pas en arrière pour qu'il puisse bien la voir. Entre les jambes de l'homme, le chien aboyait furieusement et tentait visiblement de sortir par la mince ouverture. Martin monta prudemment sur la première marche d'escalier qui menait à l'étage supérieur, sans vraiment s'expliquer pourquoi il y serait plus en sécurité.

— Je suis Paula, de la police de Tanum. Nous nous sommes déjà rencontrés à quelques occasions.

— Ouais, je te reconnais, dit Rolle, en restant bien à l'abri derrière sa chaîne de sûreté.

— On aimerait entrer un petit moment. Causer un peu.

— Causer un peu, tu parles. Vous dites toujours ça.

— Si je dis causer, je veux dire causer. On n'est pas là pour te coincer, dit Paula d'une voix calme.

— Bon, ben, entrez alors, dit-il et il leur ouvrit la porte.

Martin fixa le berger allemand que Rolle retenait par le collier.

— Salut le toutou, fit Paula.

Elle s'accroupit et gratta le chien derrière l'oreille. Il s'arrêta immédiatement d'aboyer et se laissa volontiers caresser.

— T'es une bonne fille, toi. Mmm, c'est bon ça, tu aimes, pas vrai ? gazouilla Paula en continuant à caresser la chienne qui avait l'air ravi.

— Ouais, elle est chouette, Nikki, dit Rolle en lâchant le chien.

— N'aie pas peur, Martin. Laisse-la te dire bonjour. Elle est gentille, tu verras.

Paula lui fit signe de venir. Sans être convaincu, Martin descendit de l'escalier et s'approcha de Paula et Nikki. Il suivit avec prudence le conseil de Paula et se mit à caresser le gros berger allemand. En récompense, le chien lui lécha la main.

— Tu vois, elle t'aime bien, rigola Paula.

— Hum, fit Martin.

Il était un peu honteux : de près le chien ne paraissait pas si dangereux que ça.

— Maintenant, il faut qu'on bavarde un peu avec ton maître, dit Paula, et Nikki inclina la tête avant de filer à l'intérieur.

— C'est sympa chez toi, dit Paula en regardant autour d'elle.

Il s'agissait d'un studio avec cuisine séparée, et de toute évidence, la décoration n'était pas une priorité pour Rolle. La pièce à vivre était meublée en tout et pour tout d'un lit simple en bois avec de la literie dépareillée, d'un vieux poste de télévision énorme, posé à même le sol, d'un canapé marron bouloché et d'une table basse bancale. L'ensemble paraissait tout droit sorti d'une benne à ordures, ce qui était vraisemblablement le cas.

— On peut se mettre dans la cuisine, dit Rolle en les précédant.

Martin savait qu'il avait trente et un ans, il l'avait lu dans les dossiers, mais on lui en donnait facilement dix de plus. Grand, un peu voûté, avec des cheveux gras qui couvraient le col de sa chemise à carreaux délavée. Son jean était constellé de vieilles taches et d'accrocs difficilement imputables à une mode quelconque, qui témoignaient juste qu'il avait été mis à rude épreuve.

— Je n'ai rien à vous offrir, dit Rolle avec sarcasme et il claqua des doigts à l'attention de Nikki pour qu'elle vienne se coucher à côté de lui.

— Ce n'est pas grave, dit Paula.

De toute façon, vu les piles de vaisselle sale dans l'évier et partout sur le plan de travail, il ne fallait même pas compter sur des tasses propres.

— Qu'est-ce que vous voulez alors ?

Rolle laissa échapper un profond soupir et se mit à grignoter l'ongle de son pouce avec beaucoup d'application. Il avait les ongles tellement rongés que la peau était entamée au bout de certains doigts.

— Qu'est-ce que tu sais du mec dans l'escalier d'à côté ? demanda Paula en le regardant droit dans les yeux.

— Quel mec ?

— À ton avis ? dit Martin, qui se surprit à faire signe à Nikki de venir se coucher à ses pieds.

— Le mec qui a pris une balle dans le crâne, je suppose ?

— Exactement. Alors ?

— Quoi ? J'ai rien à voir là-dedans. Je l'ai déjà dit la première fois que vous êtes venus.

Du regard, Paula interrogea Martin qui hocha la tête. Il avait en effet vu Rolle lors de l'opération porte-à-porte, juste après le meurtre.

— Oui, mais depuis on dispose de nouveaux éléments.

La voix de Paula se fit soudain tranchante et Martin se dit qu'il n'aimerait pas être en conflit avec elle. Elle avait beau être petite, elle pouvait se montrer plus dure que la plupart des hommes qu'il connaissait.

— Ah bon ?

Le ton était nonchalant, mais Martin vit que Rolle écoutait attentivement.

— Tu es au courant que quelques gamins ont trouvé un sachet de cocaïne devant l'immeuble, ici ? dit Paula, et Rolle cessa de ronger son ongle.

— De la coke ? Où ça ?

— Dans la poubelle publique là, juste devant l'entrée, dit Paula en hochant la tête en direction de la corbeille métallique verte qu'on apercevait depuis la fenêtre.

— De la coke dans la poubelle ? répéta Rolle, une lueur gourmande dans les yeux.

Le rêve pour un toxicomane, pensa Martin. Trouver un sachet dans une poubelle. Comme gagner au loto sans avoir joué.

— Oui, et les mômes y ont goûté. Ils se sont retrouvés aux urgences, ils ont failli y passer, dit Paula.

Troublé, Rolle se passa la main sur ses cheveux gras.

— Putain! C'est pas pour les mômes, ces trucs-là.

— Ils ont sept ans. Ils croyaient que c'était une sorte de sucrerie.

— Mais ils sont tirés d'affaire?

— Oui, ils vont bien. Et on peut même espérer qu'ils ne seront plus jamais tentés par cette merde. Le genre de merde que tu vends.

— J'en vendrais jamais à des mômes. Putain, vous me connaissez. Jamais j'en filerais à des enfants.

— Non, on ne le pense pas non plus. Ils l'ont trouvée dans la poubelle, je viens de le dire, dit Paula d'une voix plus douce. Mais il y a certaines connexions entre l'homme qui s'est fait descendre et ce sachet de cocaïne.

— Comment ça, des connexions?

— Peu importe, répondit Paula en agitant la main pour éluder la question. On aimerait savoir si tu le croisais des fois, si tu sais quelque chose… Et, non, on ne va pas t'arrêter pour ça, poursuivit-elle avant que Rolle ait eu le temps de parler. On enquête sur un meurtre, et c'est autrement plus important. En revanche, si tu nous aides maintenant, ça pourra jouer en ta faveur plus tard.

Rolle eut l'air de réfléchir intensément. Puis il haussa les épaules et soupira.

— Désolé. Je voyais votre mec de temps en temps, en passant, mais j'ai jamais parlé avec lui. J'avais pas l'impression qu'on avait grand-chose en commun. Mais si ce que vous dites est vrai, on aurait peut-être pu être potes, dit-il en rigolant.

— Et tu n'as rien entendu à son sujet par le biais de tes contacts divers? glissa Martin.

Nikki s'était déplacée à côté de lui et il lui grattait le cou.

— Non, dit Rolle à contrecœur.

Ramasser quelques points de crédit ne lui aurait sans doute pas déplu, mais de toute évidence, il ne savait rien.

— Si tu entends parler de quelque chose, passe-nous un coup de fil.

Paula donna sa carte à Rolle qui haussa les épaules et la glissa dans la poche arrière de son jean taché.

— Sûr. Vous retrouverez le chemin ?

Il se marra. Comme il tendit le bras pour prendre une boîte de tabac à priser sur la table, la manche de chemise remonta sur son bras et révéla un tas de traces d'aiguille au pli du coude. Rolle était accro à l'héroïne, pas à la cocaïne.

Relayant son maître, Nikki les accompagna vers la sortie, et Martin lui fit un gros câlin avant de refermer la porte.

— Ça en fait un. Il n'en reste plus que trois, constata Paula en descendant l'escalier.

— Je me réjouis de passer la journée dans des piaules de junkies, ironisa Martin.

— Avec un peu de chance, tu tomberas sur d'autres toutous. Je n'ai jamais vu quelqu'un passer aussi vite de la terreur totale à l'amour fou.

— Bah, il était super, ce chien, marmonna Martin. N'empêche, j'aime toujours pas les gros clebs.

Erica avait l'impression qu'un poids lui avait été ôté des épaules. Au fond d'elle, elle était consciente que le chemin serait encore long, et qu'Anna pouvait facilement rebasculer du côté obscur. Rien n'était acquis. En même temps, elle savait que sa sœur était une combattante. Elle s'était déjà relevée par la force de sa volonté, et elle en ferait de même cette fois-ci, Erica en était persuadée.

Patrik s'était réjoui la veille au soir quand elle avait raconté les progrès d'Anna. Il était parti au boulot en sifflant ce matin, et elle espérait que son enthousiasme durerait. Depuis qu'il avait été hospitalisé d'urgence, elle surveillait de près son humeur, d'un peu trop près même. L'idée que quelque chose arrive à Patrik lui était insupportable. Il était son ami, son amour et le père de ses trois merveilleux enfants. Il n'avait pas le droit de tout risquer en travaillant comme un fou. Elle ne le lui pardonnerait pas.

— Salut, c'est encore nous, lança-t-elle en entrant dans la bibliothèque avec la poussette.

— Salut, dit May joyeusement. Je suppose que tu n'as pas eu le temps de finir hier?

— Exactement! J'ai encore des choses à chercher dans le rayon des références. Je me suis dit que j'allais le faire pendant que les petits dorment.

— Tu n'as qu'à m'appeler si tu as besoin d'aide, d'accord?

— Merci, dit Erica et elle s'installa à une table de travail.

C'était une tâche épineuse. Elle nota avec zèle toutes les références qui renvoyaient à d'autres ouvrages. La plupart des renvois se révélaient infructueux et menaient seulement à un tas d'informations sur d'autres îles et régions. Mais elle dénicha quelques pépites qui la firent avancer. Comme dans n'importe quelle autre recherche, autrement dit.

Erica jeta un coup d'œil dans la poussette, mais les jumeaux dormaient paisiblement, et elle s'étira les jambes avant de poursuivre sa lecture. Elle se découvrit une passion pour les histoires de fantômes. Ça faisait un bail qu'elle n'en avait pas lu. Quand elle était petite, elle dévorait des livres plus horribles les uns que les autres, depuis Edgar Allan Poe jusqu'aux contes populaires nordiques. C'était peut-être pour ça qu'adulte, elle s'était mise à écrire sur des meurtres réels, comme une continuation des récits d'épouvante de son enfance.

— Tu peux faire des photocopies de ce qui t'intéresse, dit May, attentionnée.

Erica acquiesça de la tête et se leva. Il y avait effectivement un certain nombre de pages qu'elle voulait lire plus consciencieusement à la maison. Une excitation familière monta en elle. Elle adorait fouiller, fouiner, recomposer le puzzle, morceau après morceau. Après plusieurs mois où elle n'avait eu que les bébés en tête, elle était contente de retrouver une activité plus adulte. Elle avait annoncé à son éditeur qu'elle ne commencerait à écrire son prochain livre que dans six mois, et elle voulait s'en tenir à cette décision. En attendant, elle avait juste besoin d'occuper son cerveau, et cet exercice lui semblait un démarrage en douceur.

Avec une liasse de copies glissée dans le sac à langer, elle rentra tranquillement à la maison. Les petits dormaient toujours. La vie était belle.

— Quel putain de connard, celui-là…

D'ordinaire, le langage de Patrik n'était pas aussi grossier, mais Gösta pouvait le comprendre. Cette fois, Mellberg s'était vraiment surpassé.

Patrik frappa du poing le tableau de bord tellement fort que Gösta sursauta.

— Pense à ton cœur, Patrik.

— Oui, oui, maugréa Patrik, et il se força à inspirer profondément et à se calmer.

— Là, dit Gösta en montrant une place de parking libre. Comment on va présenter la chose ? demanda-t-il alors qu'ils restaient assis dans la voiture.

— Il n'y a aucune raison de prendre des gants, dit Patrik. De toute façon, tout sera dans les journaux dès ce soir.

— Oui, je sais. Mais il vaut quand même mieux gérer la situation correctement, malgré les conneries de Mellberg.

Le regard que lança Patrik à Gösta était à la fois surpris et un peu honteux.

— Tu as raison. Ce qui est fait est fait, et le boulot continue pour nous. Je propose qu'on commence par Erling, puis on parlera avec les autres collègues de Mats. On essayera de savoir s'ils ont remarqué quoi que ce soit relatif aux drogues ou aux abus.

— Comme quoi ?

Gösta espérait ne pas paraître trop à la masse, mais il ne comprenait réellement pas ce que Patrik entendait par là.

— Eh bien, s'il a eu un comportement bizarre ou anormal. Tout le monde l'a décrit comme un homme terriblement sérieux, mais ils se souviendront peut-être de quelque chose qui sortait du schéma.

Patrik descendit de la voiture et Gösta le suivit. Ils eurent de la chance : tous les employés étaient présents.

— Est-ce qu'Erling peut nous recevoir ? demanda Patrik à la jeune réceptionniste, et il réussit à donner à sa question le ton d'un ordre.

— Je ne vois pas de réunion inscrite dans son agenda, répondit l'employée, l'air terrorisé, et elle indiqua le couloir où se trouvait le bureau d'Erling.

— Bonjour ! lança Patrik devant la porte ouverte.

— Tiens, bonjour! répondit Erling et il se leva pour les accueillir. Entrez! Comment ça se passe? Vous avancez? J'ai appris pour les mômes hier. Bon sang, mais où va le monde?

Il se rassit. Patrik et Gösta échangèrent un regard, puis Patrik prit la parole.

— Il semblerait qu'il y ait un lien avec notre affaire, dit-il, puis il se racla la gorge, ne sachant pas trop comment continuer. On a des raisons de croire que Mats Sverin était lié à la cocaïne que les gamins ont trouvée.

Un ange passa. Erling les dévisagea, et ils attendirent calmement qu'il retrouve ses esprits. Sa surprise paraissait réelle.

— Je… mais… comment… bégaya-t-il avant de se contenter de secouer la tête.

— Tu n'avais rien soupçonné de tel? demanda Gösta pour lui venir en aide.

— Non, absolument pas. Jamais on n'aurait pu imaginer une telle chose… Jamais!

Son verbiage habituel était comme envolé.

— Aucun signe d'un truc qui n'allait pas chez Mats? Des changements d'humeur? Des retards au bureau le matin, des problèmes pour respecter les horaires de façon générale, un comportement changeant? dit Patrik en le fixant, mais Erling paraissait sincèrement décontenancé.

— Non, comme je viens de le dire, Mats était d'une constance remarquable. Un peu secret peut-être sur certains plans, mais c'est bien tout, dit Erling, puis il tressaillit. C'était pour ça, vous croyez? Ça aurait quelque chose à voir avec la drogue? Pas étonnant alors, qu'il nous ait caché sa vie privée.

— Nous n'avons encore aucune certitude. Mais ça peut effectivement avoir un lien.

— Quelle horreur. Si ça devait filtrer, qu'on ait pu embaucher ce genre de personne, ce serait une catastrophe.

— Il faut que je t'informe d'une chose, annonça Patrik et il jura de nouveau mentalement. Il se trouve que Bertil Mellberg a tenu une conférence de presse ce matin à ce sujet… je suppose que l'information sera divulguée au cours de la journée.

Comme si c'était orchestré, la réceptionniste apparut subitement à la porte, les joues en feu et le regard affolé.

— Je ne sais pas ce qu'il se passe, Erling, mais le standard est en train d'imploser. Un tas de journaux cherchent à te joindre, *Aftonbladet* et *GT* te réclament tout de suite.

— Mon Dieu, s'exclama Erling et il s'essuya le front où s'étaient formées de petites gouttes de transpiration.

— On ne peut que te conseiller d'en dire le moins possible, recommanda Patrik. Je regrette vraiment que la presse y ait été mêlée si tôt, mais je n'ai malheureusement rien pu faire pour l'empêcher.

Son ton était incisif, mais Erling ne semblait conscient que de sa propre situation de crise.

— Il faut évidemment que je prenne ces communications, dit-il en faisant tourner son fauteuil à droite et à gauche, déstabilisé. Ça doit pouvoir se gérer, une tuile pareille… Mais quand même, un camé à la mairie… qu'est-ce que je vais bien pouvoir dire ?

Patrik et Gösta comprirent qu'ils ne tireraient plus rien de lui, et ils se levèrent.

— On aimerait parler avec les autres employés, si c'est possible, dit Patrik.

Erling leva la tête, mais sans vraiment parvenir à focaliser son regard.

— Oui, bien entendu. Allez-y, parlez tant qu'il vous plaira. Si vous voulez bien m'excuser maintenant, je dois prendre ces communications, dit-il et il passa un mouchoir sur son crâne d'œuf.

Ils quittèrent le bureau et frappèrent à la porte d'à côté.

— Entrez, gazouilla Gunilla, manifestement dans l'ignorance de ce qui se déroulait hors de son bureau.

— On peut vous déranger quelques minutes ? demanda Patrik.

Gunilla hocha joyeusement la tête. Puis elle s'assombrit.

— Ce n'est vraiment pas le moment de rigoler, hein ? Vous êtes ici au sujet de Mats, je suppose ? Vous avez progressé dans votre enquête ?

Hésitant sur la meilleure façon de présenter l'affaire, Patrik et Gösta se regardèrent de nouveau, puis prirent place.

— On a quelques nouvelles questions au sujet de Mats.

Gösta balança nerveusement son pied. En fait, ils en savaient trop peu pour être en mesure de formuler des questions intelligentes.

— Allez-y, posez-les-moi, dit Gunilla, et elle sourit de nouveau.

Elle était probablement de ces personnes insupportablement positives et joyeuses, se dit Gösta. Le genre qu'il ne voulait pas près de lui à sept heures du matin avant d'avoir bu sa première tasse de café. Sa défunte femme chérie avait heureusement partagé sa mauvaise humeur matinale tout au long de leur vie commune, si bien qu'à chaque petit-déjeuner, ils avaient pu ronchonner à loisir chacun dans son coin.

— Hier quelques gamins ont été hospitalisés après

avoir trouvé de la cocaïne et l'avoir goûtée, dit Patrik. Vous en avez peut-être entendu parler?

— Oui, c'est terrible. Mais ça s'est bien terminé, je crois.

— Oui, les enfants vont se remettre. En revanche, on a découvert plusieurs connexions avec notre enquête.

— Des connexions? dit Gunilla et son regard vif d'écureuil allait et venait entre Patrik et Gösta.

— Oui, on a trouvé un lien entre Mats Sverin et cette cocaïne.

Son ton était un peu trop formel, Patrik en était conscient c'était toujours le cas quand il se sentait embarrassé. Cet exercice ne lui convenait pas du tout. Mais mieux valait que les anciens collègues de Mats l'apprennent ainsi plutôt qu'en lisant les journaux.

— Je ne comprends pas.

— Eh bien, nous pensons que Mats a eu ce sachet entre les mains, dit Gösta, le regard rivé au sol.

— Mats? fit Gunilla, et sa voix partit légèrement dans les aigus. Non, vous ne prétendez tout de même pas que Mats…?

— Nous ne connaissons pas les circonstances, expliqua Patrik. C'est pour ça que nous sommes ici. Pour savoir si vous avez remarqué quoi que ce soit de bizarre chez Mats. Quelque chose qui vous viendrait à l'esprit maintenant…

— Quelque chose de bizarre? répéta Gunilla, et Patrik vit qu'elle commençait à s'énerver. Mats était l'homme le plus adorable qu'on puisse trouver, et je ne peux certainement pas croire qu'il… Non, c'est impossible.

— Rien dans son comportement qui vous ait surprise? Qui vous aurait fait réagir?

Patrik sentit qu'il cherchait désespérément une réponse.

— Mats était un homme incroyablement bon et gentil. C'est impensable qu'il ait pu toucher à de la drogue.

À chaque syllabe, elle tapotait le bureau avec un crayon pour donner du poids à ses mots.

— Je suis désolé, mais on est obligés de poser ces questions, dit Gösta pour calmer le jeu, et Patrik confirma en hochant la tête.

Gunilla leur lança un regard offusqué quand ils quittèrent son bureau.

Une heure plus tard, ils en avaient fini avec la mairie. Ils avaient parlé avec tous les anciens collègues de Mats, et la réaction avait été la même, chaque fois. Personne ne pouvait imaginer Mats Sverin mêlé de près ou de loin à des histoires de drogue.

— Ça confirme ce que je ressens moi-même. Et pourtant je ne l'ai jamais rencontré, précisa Patrik quand ils remontèrent en voiture.

— Oui, et il nous reste le plus difficile à faire.

— Je sais, dit Patrik et il s'engagea sur la route en direction de Fjällbacka.

Il les avait retrouvés. Elle le savait aussi sûrement qu'elle savait que désormais elle n'avait nulle part où se réfugier. Toutes ses possibilités de fuite étaient épuisées. Tout avait volé en éclats avec une facilité déconcertante. Une simple carte postale avait suffi à briser ses espoirs d'avenir. Une carte sans rien d'écrit dessus, sans indication d'expéditeur, mais avec un timbre suédois.

La main de Madeleine trembla quand elle retourna la carte après avoir étudié le verso blanc qui ne comportait que son nom et sa nouvelle adresse. Pas besoin de mots, le motif de la carte était suffisamment éloquent. Le message ne pouvait être plus clair.

Elle s'approcha de la fenêtre. Dehors, dans la cour, Kevin et Vilda jouaient, ignorant totalement que leur vie allait à nouveau changer. La moiteur de sa main ramollissait la carte, qu'elle tenait serrée entre ses doigts. Elle essaya de guider ses pensées vers un semblant de décision. Les petits avaient l'air si heureux. Ils jouaient avec les autres enfants. L'expression de désespoir dans leurs yeux commençait enfin à s'estomper, malgré l'éclat de peur qui mettait du temps à disparaître. Ils avaient vu beaucoup trop de choses qu'elle ne pouvait effacer, quelle que soit la quantité d'amour dont elle les inondait. Et maintenant, tout cela était détruit. Quitter la Suède, le quitter, lui, et tout abandonner, cela lui avait paru la seule issue possible, sa dernière chance d'avoir une vie normale. Comment pourrait-elle les mettre à l'abri alors que son dernier joker était grillé ?

Madeleine appuya sa tête contre la vitre et sentit la fraîcheur du verre sur son front. Elle vit Kevin aider sa sœur à monter l'échelle du toboggan. Il calait ses mains sous les fesses de Vilda et la soutenait tout en la poussant. Peut-être avait-elle eu tort de le laisser devenir l'homme de la famille. Il n'avait que huit ans. Mais il avait endossé le rôle si naturellement, pour s'occuper de ses nanas, comme il les appelait, tout fier. Il avait grandi avec cette responsabilité et y avait puisé une certaine force. Kevin leva la main et écarta les cheveux de ses yeux. Physiquement, il ressemblait énormément à son père, mais il avait son cœur à elle. Sa faiblesse à elle, c'est ce qu'*il* disait toujours quand les coups pleuvaient.

Lentement, elle tapa son front contre la vitre. Le désespoir envahit son corps. Il ne restait plus rien de l'avenir qu'elle avait planifié. Elle tapait son front contre la fenêtre de plus en plus fort, et la douleur familière lui procurait un calme étrange. Elle lâcha la carte postale et l'image de l'aigle aux ailes déployées tournoya dans l'air. Dans la cour, Vilda glissait sur le toboggan, un sourire heureux aux lèvres.

FJÄLLBACKA 1871

— *Comment ça va là-bas sur l'île ? Vous devez vous sentir bien seuls ?*

Dagmar scruta Emelie et Karl, assis tout raides sur le petit canapé en face d'elle. La tasse à café en porcelaine frêle ne paraissait pas à sa place dans la grosse main de Karl, alors qu'Emelie tenait la sienne avec délicatesse et sirotait doucement le breuvage brûlant.

— *C'est comme ça, on fait avec,* répondit Karl sans regarder Emelie. *Les phares sont toujours loin de tout, mais on se débrouille. Vous devriez le savoir !*

Emelie eut honte. Karl employait un ton beaucoup trop brusque. Après tout Dagmar était sa tante. Emelie avait appris à montrer du respect pour les personnes âgées, et elle avait senti instinctivement, dès l'instant où elle avait vu Dagmar, qu'elle l'aimait bien. Si quelqu'un pouvait la comprendre, ce serait bien cette femme, qui avait aussi été l'épouse d'un gardien de phare. Son mari avait exercé ce métier pendant de nombreuses années. Tandis que le père de Karl était destiné à gérer la ferme familiale dont il était l'héritier, son frère cadet avait été libre de choisir sa voie. Karl en avait fait son héros et c'était lui qui l'avait incité à se rapprocher de la mer et des phares. Karl l'avait lui-même raconté à Emelie, à l'époque où il lui parlait encore. Allan était mort maintenant, et

Dagmar vivait seule dans une petite maison à côté de Brandparken, à Fjällbacka.

— Oh oui, je sais ce que c'est, dit Dagmar. Toi, tu étais conscient de ce qui t'attendait après avoir entendu toutes les histoires d'Allan. Je suis moins sûre qu'Emelie était au courant.

— Elle est ma femme et doit s'en accommoder.

De nouveau, Emelie eut honte du comportement de son mari et sentit les larmes lui piquer les yeux. Mais Dagmar se contenta de lever les sourcils.

— Le pasteur m'a dit que tu t'occupes bien de ta maison, dit-elle en se tournant vers Emelie.

— Merci, ça fait plaisir à entendre, répondit Emelie à voix basse et elle inclina la tête pour ne pas montrer qu'elle rougissait.

Elle prit une autre gorgée de café et savoura son arôme. Elle ne buvait pas souvent du vrai café. Karl et Julian en achetaient toujours trop peu quand ils venaient à Fjällbacka. Ils préféraient sans doute dépenser l'argent chez Abela, pensa-t-elle amèrement.

— Ça se passe bien avec celui qui vous assiste là-bas ? Est-ce que c'est un homme solide qui travaille correctement ? Vous n'imaginez pas tout ce qu'on a connu, Allan et moi. Certains ne valaient pas un clou.

— Il travaille très bien, dit Karl et il posa sa tasse sur la soucoupe tellement fort que la porcelaine résonna. N'est-ce pas, Emelie ?

— Oui, murmura-t-elle, sans pouvoir se résoudre à regarder Dagmar.

— Comment tu l'as trouvé, Karl ? Par quelqu'un qui te l'a recommandé, j'espère, parce que ces petites annonces qu'ils font maintenant, on ne peut pas leur faire confiance.

— Julian avait des lettres de recommandation élogieuses, et j'ai tout de suite vu qu'il était à la hauteur.

Emelie le dévisagea, toute surprise. Karl et Julian avaient travaillé ensemble sur le bateau-phare. Elle l'avait compris en écoutant leurs conversations. Pourquoi ne le disait-il pas ? Elle eut des visions des yeux noirs de Julian, de sa haine qui n'avait fait que s'accroître, et elle tressaillit. Tout à coup, elle sentit que Dagmar l'observait.

— Tu as rendez-vous avec le docteur Albrektson aujourd'hui, c'est ça ?

— J'y vais dans un petit moment, il va vérifier que tout va bien avec le petit. Ou la petite, répondit Emelie.

— Il me semble bien que c'est un ventre de garçon que tu as là, dit Dagmar et son regard était chaleureux quand il enveloppa le ventre rond d'Emelie.

— Vous avez des enfants ? demanda Emelie. Karl ne m'a rien raconté.

Elle n'était pas habituée à ce qu'on s'intéresse à elle et elle brûlait d'impatience de parler du miracle dans son corps avec quelqu'un qui aurait vécu la même chose. Mais elle reçut tout de suite un coup de coude dans les côtes.

— Arrête de poser des questions, c'est indiscret, siffla Karl.

Dagmar éluda la remarque en agitant la main. Mais ses yeux étaient tristes quand elle répondit.

— Trois fois j'ai porté le même bonheur que toi en ce moment. Mais autant de fois, le Seigneur a voulu autre chose pour moi. Mes petits sont là-haut maintenant, dit-elle en levant les yeux vers le ciel, et malgré le chagrin, elle paraissait rassurée dans sa certitude que le Seigneur avait bien agi.

— Pardon, je...

Emelie ne sut pas quoi dire. Elle était malheureuse de ne s'être doutée de rien.

— Ça ne fait rien, ma chère enfant, dédramatisa Dagmar, et elle se pencha en avant pour poser sa main sur celle d'Emelie.

Ce geste aimable, le premier depuis bien longtemps, faillit la faire éclater en sanglots. Mais le mépris manifeste de Karl l'aida à se maîtriser. Le silence plana un instant et Emelie sentit que la vieille dame la scrutait, comme si elle devinait le chaos et l'obscurité en elle. La main était toujours posée sur la sienne, fine et musclée, marquée par de nombreuses années de travail. Mais elle était belle, aussi belle que le visage mince, où les rides et sillons racontaient une vie remplie d'amour. Les cheveux gris étaient relevés en un chignon, et Emelie se dit qu'ils devaient encore tomber, épais, jusqu'à la taille quand Dagmar les détachait.

— Je sais que tu ne connais pas bien la ville, alors je me suis dit que j'allais t'accompagner chez le docteur, finit par dire Dagmar en retirant sa main.

Karl protesta immédiatement.

— Je peux le faire. Je connais la ville, ne vous dérangez pas, ma tante.

— Ça ne me dérange pas.

Dagmar affronta fermement le regard de Karl. Emelie comprit qu'une sorte de lutte de pouvoir se livrait entre eux, et pour finir, Karl céda.

— Bon, si vous y tenez, ma tante, je ne vais pas insister, dit-il en posant la petite tasse de porcelaine. Je vais en profiter pour faire des choses plus utiles.

— C'est ça, dit Dagmar et elle continua à le regarder sans ciller. Nous serons absentes une bonne heure, vous pouvez vous retrouver ici ensuite. Parce que je suppose que tu n'as pas l'intention d'aller faire des courses sans ta femme?

C'était formulé comme une question, mais Karl entendit l'ordre sous-jacent et hocha faiblement la tête.

— Parfait.

Dagmar se leva et fit signe à Emelie de la suivre.

— Allons, partons toutes les deux, sinon nous serons en retard. Comme ça, Karl réglera ce qu'il a à régler.

Emelie n'osa pas croiser le regard de son mari. Il avait perdu, et elle savait qu'elle devrait le payer plus tard. Mais en sortant dans la rue avec Dagmar, elle chassa ces pensées. Elle avait l'intention de profiter de cet instant, quel qu'en fût le prix. Elle trébucha sur un pavé du trottoir et la main de Dagmar fut tout de suite là, sous son bras. Dans une confiance totale, Emelie s'appuya contre elle.

— Tu as eu des nouvelles de Patrik et Gösta? demanda Paula en s'arrêtant devant la porte ouverte d'Annika.

— Non, pas encore.

Annika semblait avoir autre chose à dire, mais Paula était déjà en route pour la cuisine, poussée par l'envie frénétique d'un café dans une tasse propre après ces heures passées avec des junkies cradingues. Par précaution, elle alla d'abord se laver les mains aux toilettes. En se retournant, elle vit Martin qui attendait son tour.

— Deux esprits, une même pensée, rit-il.

Paula s'essuya les mains et lui céda la place.

— Je te sers une tasse aussi? lui demanda-t-elle par-dessus son épaule.

— Oui merci, cria-t-il pour couvrir le bruit du robinet.

L'appareil était resté allumé alors que la cafetière était vide. Paula jura, l'éteignit et commença à récurer le dépôt noir au fond de la verseuse.

— Ça sent le brûlé ici, dit Martin en arrivant.

— Il y a un crétin qui a remis la cafetière en place sans éteindre l'appareil. Mais attends quelques minutes, et tu auras un bon café.

— Moi aussi, j'en prendrais bien un, dit Annika derrière eux, en prenant place à table.

— Qu'est-ce qui t'arrive ? demanda Martin qui s'installait à côté d'Annika.

— Vous n'êtes pas au courant ?

— Au courant de quoi ?

— Il y a eu un sacré raffut ici ce matin.

— Qu'est-ce qu'il s'est passé ? demanda Paula en se retournant.

— Mellberg a tenu une conférence de presse.

Martin et Paula se regardèrent comme pour vérifier s'ils avaient réellement entendu la même chose.

— Une conférence de presse ? dit Martin et il se renversa sur sa chaise. C'est une blague ?

— Non, apparemment il a eu une idée de génie hier soir et il a téléphoné à toute la presse et à la radio. Et ils ont tous répondu présent. Il y avait foule ici, même *GT* et *Aftonbladet* sont venus.

D'un geste brusque, Paula remit en place le porte-filtre de la cafetière.

— Mais il est complètement cinglé ! Merde, il a quoi à la place du cerveau ? s'écria-t-elle.

Son sang se mit à bouillir, mais elle se força à respirer calmement.

— Patrik est au courant ?

— Oh oui, c'est le moins qu'on puisse dire. Ils se sont enfermés tous les deux dans le bureau de Mellberg pendant un bon moment. Je n'ai pas tout entendu, mais je peux te dire que ça n'était pas destiné aux oreilles d'un enfant.

— Je comprends Patrik, dit Martin. Quel enfoiré, ce Mellberg ! Qu'est-ce qui lui a pris d'aller divulguer ça juste maintenant ? Je suppose que c'est ça qu'il leur a livré, la piste de la cocaïne ?

Annika fit oui de la tête.

— Mais c'est beaucoup trop tôt ! On n'a aucune

certitude pour le moment, dit Paula, avec une pointe de désespoir dans la voix.

— J'imagine que c'est ce que Patrik a essayé de lui faire comprendre, répliqua Annika.

— Et la conférence de presse, elle s'est passée comment ?

Paula put enfin démarrer la machine, le café se mit à couler et elle s'assit en attendant qu'il soit prêt.

— Eh bien, c'était l'habituel cirque de Mellberg. Ça ne m'étonnerait pas que les journaux en fassent leur une demain.

— Merde alors, s'exclama Martin.

Ils restèrent en silence un moment.

— Et vous, comment ça s'est passé ? demanda Annika pour changer de sujet.

Elle en avait par-dessus la tête de Bertil Mellberg.

— Pas top, répondit Paula et elle servit trois mugs de café. On est allés voir quelques-uns des dealers notoires du secteur, mais on n'a pu établir aucun lien avec Mats.

— Il paraît assez peu probable qu'il ait traîné avec Rolle et ses potes, précisa Martin en prenant la tasse que Paula lui tendait.

— Moi aussi, j'ai du mal à l'imaginer, dit-elle. Mais ça valait le coup d'essayer. D'ailleurs, il n'y a pas tellement de cocaïne qui circule par ici. C'est plutôt de l'héro et des amphètes.

— Tu n'as toujours pas eu de nouvelles de Lennart ? demanda Martin.

Annika secoua la tête.

— Pas encore, mais je vous tiendrai au courant. Je sais qu'il y a consacré quelques heures hier soir, il doit avoir avancé un peu. De toute façon, il avait dit mercredi.

— Bien, dit Paula en sirotant son café.

— Patrik et Gösta étaient censés revenir quand? demanda Martin.

— Je ne sais pas, répondit Annika. Ils allaient à la mairie pour commencer, puis chez les parents de Mats à Fjällbacka. Ça peut prendre un moment.

— J'espère qu'ils auront le temps de voir les parents avant que les journaux se mettent à les harceler, dit Paula.

— Faut pas trop y compter, répliqua Martin d'un air morne.

— Putain de Mellberg, lâcha Annika.

— Oui, putain de Mellberg, marmonna Paula.

Ils restèrent là, à fixer la table.

Après quelques heures de lecture et de recherches fructueuses sur Internet, Erica sentit qu'elle avait besoin de bouger. Elle avait trouvé pas mal d'informations sur Gråskär, sur son histoire, sur les gens qui y avaient habité. Et sur ceux qui, selon la légende, n'avaient jamais quitté l'île. Qu'elle ne croie pas un instant aux histoires de fantômes n'avait aucune importance. Les récits la fascinaient et, dans une certaine mesure, elle avait envie d'y croire.

— On a besoin de prendre l'air, vous ne trouvez pas? dit-elle aux jumeaux qui étaient couchés l'un contre l'autre sur une couverture, par terre.

Habiller deux bébés plus elle-même n'était jamais une mince affaire, mais la manœuvre s'avérait un peu plus aisée maintenant que des vêtements légers suffisaient. Il pouvait cependant y avoir beaucoup de vent par intermittence, et elle leur mit un bonnet au cas où. L'instant d'après, ils étaient en route. Elle avait hâte d'être débarrassée de la poussette pour jumeaux, qui n'était pas du tout commode à manier, même si elle lui procurait l'exercice physique qui lui manquait tant. Elle savait qu'il était ridicule de se tracasser pour les kilos superflus dus à la grossesse, mais elle n'avait jamais appris à aimer son corps. Elle s'en voulait d'être si superficielle, de céder aux préoccupations de toutes les nanas, mais la petite voix dans sa tête qui lui chuchotait qu'elle n'était bonne à rien semblait impossible à déloger.

Elle accéléra le pas et se mit tout de suite à transpirer. Il y avait peu de gens dans les rues. Elle adressait un bonjour à tous ceux qu'elle connaissait et échangeait quelques paroles de temps en temps. Beaucoup demandaient des nouvelles d'Anna, mais Erica répondait de manière évasive. C'était trop personnel, elle ne pouvait pas parler de la santé de sa sœur avec n'importe qui. Elle ne voulait pas encore partager avec autrui la chaude sensation d'espoir dans sa poitrine. Tout était encore trop fragile.

Après avoir dépassé le collier de perles rouges que constituaient les cabanes de pêcheurs, elle resta à contempler Badis. Elle aurait bien aimé parler un peu avec Vivianne, la remercier du conseil pour Anna, mais grimper l'escalier lui paraissait inenvisageable. Mais elle pouvait toujours emprunter l'autre entrée, qui était plus loin mais plus accessible que l'escalier. D'un mouvement déterminé, elle fit demi-tour et se dirigea avec la poussette vers la rue suivante. Parvenue enfin en haut de la pente raide, elle soufflait tellement qu'elle avait l'impression que ses poumons allaient éclater. Mais elle était montée, et elle pouvait maintenant entrer dans Badis.

— Ohé ?

Elle fit quelques pas dans le local. Les jumeaux étaient toujours installés dans la poussette qu'elle avait laissée juste devant l'entrée. Inutile de se donner la peine de les sortir avant de savoir si Vivianne était là.

— Salut ! Tu passais par là ?

Vivianne déboula dans la pièce et s'illumina en voyant Erica.

— Je ne veux pas te déranger, tu me le dis si c'est le cas. On est juste sortis faire un tour, les petits et moi.

— Tu ne me déranges pas du tout. Entre, c'est l'heure du goûter. Ils sont où, tes petits ? demanda Vivianne en regardant autour d'elle, et Erica montra la poussette.

— Je les ai laissés dedans. Je n'étais pas sûre que tu sois là.

— J'ai l'impression de passer toute ma vie ici en ce moment, rit Vivianne. Tu arrives à les sortir tous les deux en même temps ? Je vais voir ce que j'ai à te proposer.

— Oui, tu sais, je n'ai pas trop le choix, sourit Erica et elle alla récupérer ses bébés.

Vivianne avait quelque chose qui mettait les gens à l'aise. Erica ne savait pas exactement quoi, mais elle se sentait plus forte en sa compagnie.

Elle posa les sièges d'Anton et de Noel sur la table et s'assit.

— Je me suis dit que je ne te ferais jamais avaler du thé vert, alors je t'ai préparé un petit caoua bien fort.

Vivianne lui fit un clin d'œil et posa une tasse devant Erica, qui contempla le breuvage d'un noir d'encre avec délectation. Le contenu pâle de la tasse de Vivianne lui inspirait plus de méfiance.

— On s'y fait, crois-moi, dit Vivianne et elle but une gorgée. Il y a un tas d'antioxydants dedans. Ils aident à lutter contre le cancer. Entre autres.

— Ah, dit Erica en sirotant son café.

Le thé vert avait beau posséder toutes les vertus du monde, jamais elle ne pourrait se passer de caféine.

— Comment va ta petite sœur? demanda Vivianne.

— Elle va mieux, merci. C'est un peu pour ça que je suis passée. Je voulais te remercier de ton conseil. Je crois que ça l'a aidée.

— Oui, il y a beaucoup d'études qui démontrent l'effet cicatrisant du contact physique.

Noel commença à gémir, et après avoir interrogé Erica du regard, Vivianne le souleva dans ses bras. Le bébé se tut immédiatement et Vivianne fut aux anges.

— Il t'aime bien, dit Erica. Il n'accorde pas sa confiance à tout le monde.

— Ils sont vraiment merveilleux, dit Vivianne en frottant son nez contre celui de Noel, et il essaya de saisir ses cheveux avec ses petites menottes dodues. Et te voilà en train de réfléchir au meilleur moyen de me demander pourquoi je n'ai pas d'enfants.

Honteuse, Erica hocha la tête.

— Ça ne s'est jamais fait, dit Vivianne tout en caressant le dos de Noel.

Un reflet de lumière fusa et le regard d'Erica tomba sur sa main.

— Oh, mais vous vous êtes fiancés? C'est chouette. Félicitations!

— Merci. Oui, c'est sympa, sourit Vivianne en détournant les yeux.

— Je ne sais pas si je peux me permettre de te dire ça, mais tu n'as pas l'air très emballée.

— Je suis fatiguée, c'est tout, dit Vivianne et elle ramena sa tresse sur l'épaule pour que Noel puisse l'atteindre. On se démène ici jour et nuit, alors c'est difficile de montrer de l'enthousiasme pour quoi que ce soit en ce moment. Mais bien sûr que c'est chouette.

— Peut-être que… ? dit Erica en jetant un regard insistant sur Noel.

Elle se montrait trop familière, elle en était consciente, mais impossible de s'en empêcher. Il y avait tant d'envie dans les yeux de Vivianne quand elle regardait les jumeaux.

— On verra, dit Vivianne. Allez, raconte-moi ce que tu fais en ce moment ! Je sais bien que tu es en congé maternité et que ça doit t'occuper à plein temps, mais tu as peut-être un nouveau projet en tête ?

— Pas encore. Je m'amuse simplement à faire quelques recherches, en attendant. Pour rester opérationnelle et ne pas alimenter mon cerveau seulement de gazouillis.

— Des recherches sur quoi ?

Vivianne faisait doucement sauter Noel sur ses genoux et il avait l'air de bien aimer le rythme. Erica raconta sa visite à Gråskär, elle parla d'Annie et du nom populaire de l'île.

— L'île aux Esprits, dit Vivianne, pensive. Ce genre de vieilles histoires reposent souvent sur un soupçon de vérité.

— Ben, je ne sais pas trop si j'y crois, moi, aux fantômes et aux revenants, rit Erica, mais Vivianne la regarda avec sérieux.

— Il y a beaucoup de choses que nous ne voyons pas mais qui existent quand même.

— Tu veux dire que tu crois aux fantômes ?

— Fantômes n'est pas le mot qui convient. Mais en travaillant dans le domaine de la santé et du bien-être pendant toutes ces années, j'ai acquis la certitude qu'il existe autre chose que le corps physique visible. L'être humain est constitué d'énergie, et l'énergie ne disparaît pas, elle se transforme.

— Tu as vécu ça toi-même ? Un truc avec des fantômes, ou quel que soit le mot que tu préfères leur donner ?

— Plusieurs fois, répondit Vivianne. C'est une part naturelle de notre existence. Alors si Gråskär a cette réputation, ce n'est sûrement pas pour rien. Tu devrais en parler avec Annie. Je suis sûre qu'elle a dû voir ou sentir des choses là-bas. Enfin, si elle est réceptive.

— C'est-à-dire ?

Le sujet fascinait Erica et elle dévorait les paroles de Vivianne.

— Eh bien, certaines personnes sont plus réceptives à ce que nous ne pouvons percevoir avec nos sens habituels. C'est exactement pareil que de voir ou d'entendre mieux que les autres. Mais tout le monde peut se perfectionner à partir de ses dispositions initiales.

— Je reste sceptique. Mais j'aimerais bien qu'on me prouve que j'ai tort.

— Retourne à Gråskär, dit Vivianne avec un clin d'œil. D'après ce que tu m'as raconté, ils sont nombreux là-bas.

— En tout cas, l'île a une histoire intéressante. J'aimerais bien en discuter avec Annie, qu'elle me raconte ce qu'elle sait. Et elle est peut-être curieuse elle aussi. Je lui parlerais volontiers de ce que j'ai déniché.

— Je vois que le congé maternité à temps complet, ce n'est pas trop ton truc, sourit Vivianne.

Erica ne put que lui donner raison. Ce n'était vraiment pas son fort. Quoi qu'il en soit, ça ferait sûrement plaisir à Annie d'en apprendre plus sur l'île et son histoire. Et sur ses fantômes.

Gunnar regardait le téléphone qui sonnait. C'était un appareil ancien, avec un cadran rond et un lourd combiné qui tenait bien dans la main. Matte les avait encouragés à le remplacer par un sans fil. Il leur en avait même offert un pour Noël il y avait deux ans, mais il se trouvait toujours dans son emballage quelque part à la cave. Ils aimaient bien leur vieux téléphone, Signe et lui. Désormais, tout ça n'avait plus d'importance.

Il fixait toujours l'appareil. Lentement son cerveau assimila ce que les sonneries stridentes signifiaient. Il devait soulever le combiné et répondre.

— Allô ? dit-il, puis il écouta attentivement la voix à l'autre bout du fil. Vous devez vous tromper. C'est quoi, ces bêtises ? Comment pouvez-vous appeler ici et…

Il n'eut pas la force d'en dire plus et raccrocha, tout simplement.

L'instant après, on sonna à la porte. Tremblant toujours de ce qu'il venait d'entendre, il alla ouvrir. Un flash d'appareil photo crépita, et une cascade de questions se déversa sur lui. Il claqua vivement la porte, tourna la clé et s'adossa au mur. Que se passait-il au juste ? Il jeta un regard en haut de l'escalier. Signe faisait la sieste dans la chambre et Gunnar se demanda si tout ce bruit l'avait réveillée et ce qu'il lui dirait si elle descendait. Il ne comprenait pas lui-même de quoi tous ces gens parlaient. C'était complètement absurde.

On sonna à la porte de nouveau, et il ferma les yeux. On aurait dit qu'une altercation se déroulait sur le perron, mais derrière le ton braillard et furieux, il ne put distinguer les mots. Puis il reconnut une voix familière.

— Gunnar, c'est Patrik et Gösta de la police. Vous pouvez nous faire entrer ?

L'image de Matte se dressa devant Gunnar. D'abord vivant, puis gisant sur le parquet de l'entrée dans la flaque de sang, la tête déchiquetée. Il rouvrit les yeux, se retourna et déverrouilla la porte. Patrik et Gösta se glissèrent dans le vestibule.

— Qu'est-ce qu'il se passe? demanda-t-il d'une voix bizarre et lointaine.

— On peut s'asseoir? dit Patrik, puis il se dirigea vers la cuisine sans attendre de réponse.

La sonnette retentit de nouveau, tout comme le téléphone. Les deux sonneries produisaient une certaine cacophonie. Patrik souleva le combiné, le raccrocha puis le souleva de nouveau et le posa à côté de l'appareil.

— Je ne peux pas arrêter la sonnerie de la porte, dit Gunnar, déconcerté.

Gösta et Patrik échangèrent un regard au-dessus de sa tête, puis Gösta retourna à la porte, l'ouvrit, sortit sur le perron, et referma derrière lui. De nouveau Gunnar entendit des voix irritées s'élever. Gösta ne tarda pas à revenir.

— Ils vont se tenir tranquilles un moment maintenant, dit-il en emmenant doucement Gunnar dans la cuisine.

— On aurait aimé que Signe soit là aussi, dit Patrik.

L'embarras se lisait nettement sur son visage, et Gunnar sentit l'inquiétude monter. Si seulement il savait, si seulement il pouvait comprendre ce qui se passait.

— Je vais la chercher, dit-il en faisant demi-tour.

— Je suis là, dit Signe.

Elle descendait l'escalier, et tout indiquait qu'elle venait de se réveiller. Elle avait enfilé une robe de chambre qu'elle serrait autour de son corps, et ses cheveux étaient tout ébouriffés d'un côté de sa tête.

— Pourquoi ça sonne tout le temps? Et qu'est-ce que vous faites là? Vous avez du nouveau?

— Venez vous asseoir, dit Patrik.

Signe eut immédiatement dans les yeux la même inquiétude que Gunnar.

— Qu'est-ce qui s'est passé? demanda-t-elle en descendant les dernières marches, puis elle les suivit dans la cuisine.

— Installez-vous, répéta Patrik.

Gösta tira une chaise pour Signe avant de s'asseoir. Patrik se racla la gorge et Gunnar eut envie de se boucher les oreilles, n'ayant pas la force d'entendre ce que la voix au téléphone avait insinué. Il ne voulait pas entendre, mais Patrik parla quand même. Gunnar fixait la table. C'étaient des mensonges, d'inconcevables mensonges. Mais il devinait parfaitement ce qui allait se passer. Les mensonges seraient imprimés noir sur blanc et se transformeraient en vérités. Il regarda Signe et vit qu'elle n'avait pas compris. Plus les policiers parlaient, plus son regard se faisait vide. Il n'avait jamais vu quelqu'un mourir avant, mais c'était l'impression qu'il avait à cet instant. Et il ne pouvait rien faire. De la même façon qu'il avait été incapable de protéger Matte, il restait paralysé, à regarder sa femme disparaître.

Ça sifflait dans sa tête. Un bruissement remplissait ses oreilles, et il trouvait bizarre que personne d'autre ne réagisse. Le bruit se faisait de plus en plus fort à chaque minute, jusqu'à ce qu'il n'entende plus les voix des agents de police. Il voyait seulement les mouvements de leurs lèvres. Il sentit sa propre bouche remuer, former une phrase, il devait aller aux toilettes, puis ses jambes le menèrent vers le vestibule. C'était comme si quelqu'un d'autre avait pris les commandes et guidait son corps, et il obéissait pour fuir les mots qu'il ne voulait pas entendre, pour fuir le vide dans les yeux de Signe.

Derrière lui, ils continuaient à parler. Il tituba dans le vestibule, dépassa les toilettes jusqu'à la porte de la cave. Sa main fut soulevée comme par une force étrangère, la poignée abaissée et la porte ouverte. Il faillit trébucher dans l'escalier, mais retrouva son équilibre et, marche par marche, il descendit.

La cave était plongée dans le noir, mais il n'avait aucune intention d'allumer. L'obscurité se mariait bien avec le bruissement, elle le poussa à continuer. En tâtant, il ouvrit l'armoire à côté de la chaudière. Elle n'était pas fermée à clé comme elle aurait dû l'être, mais peu importait. Si elle avait été verrouillée, il aurait cassé la serrure.

La crosse était familière à sa main depuis toutes les chasses à l'élan d'autrefois. Machinalement, il prit une cartouche dans la boîte. Il n'en faudrait qu'une, il n'y avait pas de raison de gaspiller. Il l'inséra dans la chambre, entendit le clic qui bizarrement traversa le bruissement qui ne faisait que s'amplifier.

Puis il s'assit sur la chaise devant l'établi. Il n'eut aucune hésitation. Son doigt toucha la détente. Il tressaillit quand l'acier du canon racla contre ses dents, mais ensuite une seule pensée le submergea : c'était nécessaire, il fallait le faire.

Gunnar appuya sur la détente. Le bruissement cessa.

Mellberg ressentait un poids étrange dans la poitrine. Ça ne ressemblait à aucune autre sensation connue. Le phénomène s'était manifesté à l'instant même où Patrik avait téléphoné de Fjällbacka. Une oppression intolérable qui refusait de disparaître.

Ernst geignit dans son panier. À la manière des chiens, il perçut l'humeur de son maître et se releva, secoua un peu son grand corps pour aller se coucher lourdement sur les pieds de Mellberg. Ça aidait un peu, mais la sensation désagréable dans son corps demeurait. Comment aurait-il pu savoir qu'une telle chose allait se produire, que l'homme allait descendre dans sa cave, glisser le canon de son fusil de chasse dans sa bouche et se faire sauter la cervelle ? Humainement parlant, on ne pouvait tout de même pas lui reprocher de ne pas avoir prévu une telle chose ?

Les tentatives de justification eurent beau tourner dans son crâne, elles ne trouvèrent aucun ancrage. Mellberg se leva brusquement et Ernst sursauta lorsque son oreiller disparut.

— Viens, mon bonhomme, on rentre.

Il arracha la laisse du crochet sur le mur et l'attacha au collier du chien.

Le couloir était désert et silencieux. Tout le monde s'était enfermé dans son bureau, mais il pouvait sentir les accusations à travers les murs. Il l'avait vu dans leurs yeux. Et, peut-être pour la première fois de sa vie, il dut se livrer à une introspection. Une voix en lui susurrait qu'ils avaient peut-être raison.

Ernst tira sur sa laisse et Mellberg se dépêcha de rejoindre l'air libre. Il refoula l'image de Gunnar sur une civière en inox à la morgue, dans l'attente de l'autopsie. Il essaya aussi de refouler l'image de son épouse, ou sa veuve faudrait-il dire désormais. Hedström avait dit qu'elle paraissait totalement absente, qu'elle n'avait pas réagi quand le coup avait retenti dans la cave. Patrik et Gösta s'y étaient précipités, et à leur retour dans la cuisine, elle n'avait toujours pas bougé. On l'avait hospitalisée pour la mettre en observation, mais dans ses yeux Hedström avait lu qu'elle ne serait plus jamais elle-même. Mellberg en avait croisé, lui aussi, à quelques rares occasions au cours de sa carrière, de ces gens qui avaient l'air de vivre, qui respiraient, bougeaient, mais étaient complètement vides à l'intérieur.

Il inspira profondément avant d'ouvrir la porte de l'appartement. La panique n'était pas loin, et il aurait aimé que ce poids dans la poitrine disparaisse, que tout redevienne normal. Il ne voulait pas penser à ce qu'il avait fait ou pas fait. Assumer les conséquences de ses actes n'avait jamais été son fort, et il ne s'était jamais laissé embarrasser par les choses qui allaient de travers. Jusqu'à aujourd'hui.

— Il y a quelqu'un ?

Il eut subitement une envie désespérée d'entendre la voix de Rita et de sentir son calme qui le rassurait toujours.

— Salut mon chéri, je suis là, dans la cuisine !

Mellberg défit la laisse d'Ernst, ôta ses chaussures et suivit le chien qui se précipitait dans la cuisine en remuant la queue. Señorita, la chienne de Rita, l'accueillit en remuant la queue avec autant d'enthousiasme, et ils se reniflèrent, tout contents.

— On mange dans une heure, dit Rita, lui tournant le dos.

Ça sentait bon. Bertil repoussa les chiens qui faisaient toujours de leur mieux pour occuper un maximum d'espace et alla prendre Rita dans ses bras. Son corps dodu était chaud et familier, il la serra fort.

— Eh bien, que me vaut l'honneur d'un tel assaut ? rigola Rita et elle se retourna pour passer ses bras autour de son cou.

Bertil ferma les yeux, comprenant l'étendue de sa chance, et il réalisa qu'il n'y pensait pas assez souvent. La femme dans ses bras était tout ce dont il avait jamais rêvé. Comment avait-il pu un seul instant trouver que la vie de célibataire était le top du top ?

— Mais qu'est-ce que tu as ? demanda Rita en se dégageant de ses bras pour le regarder. Raconte-moi, qu'est-ce qu'il s'est passé ?

Il s'assit à table et vida son sac. Sans oser la regarder.

— Oh Bertil ! dit Rita et elle s'accroupit à côté de lui. Tu n'as pas trop réfléchi, là…

Étrangement, il était soulagé qu'elle ne cherche pas à le consoler avec des phrases toutes faites. Elle avait entièrement raison. Il n'avait pas réfléchi avant de convoquer la presse. Mais comment aurait-il pu imaginer qu'une telle chose se produirait ?

— Qu'est-ce que tu vois en moi ? finit-il par demander.

Il la regarda droit dans les yeux, comme s'il tenait non seulement à entendre sa réponse mais aussi à la voir. Faire un pas en arrière pour se contempler à travers les yeux d'un autre était un geste désagréable et peu habituel chez lui. Il avait toujours fait son possible pour l'éviter, mais ça ne pouvait plus continuer. Ce n'était pas souhaitable. Pour Rita, il voulait devenir un homme meilleur.

Elle l'observa un long moment. Puis lui caressa la joue.

— Je vois un homme qui me regarde comme si j'étais la huitième merveille du monde. Qui est si plein d'amour qu'il ferait tout pour moi. Je vois un homme qui a aidé mon petit-fils à naître, qui était là quand on a eu besoin de lui. Qui donnerait sa vie pour un petit garçon qui trouve que son papi Bertil est le meilleur papi du monde. Je vois quelqu'un qui a plus de préjugés que tous les hommes que j'ai connus, mais qui est toujours prêt à lâcher du lest quand la réalité lui prouve qu'il se trompe. Et je vois quelqu'un qui a ses défauts et ses faiblesses, qui a peut-être même une trop haute idée de lui, mais qui a mal à l'âme maintenant parce qu'il sait qu'il a fait une très grosse bêtise. Quoi qu'il en soit, tu es celui avec qui je veux me réveiller le matin, et pour moi tu ne peux pas être plus parfait.

Elle prit sa main et la serra.

Sur la cuisinière, l'eau des pâtes déborda, mais Rita ne s'en soucia pas. Mellberg sentit l'étau autour de sa poitrine se desserrer. À la place un tout nouveau sentiment émergea : Bertil Mellberg éprouvait une profonde gratitude.

L'attrait était toujours là. Serait-elle un jour débarrassée de cette envie impérieuse de ce à quoi elle ne pourrait plus jamais toucher ? Annie se tortilla sous la couverture. Il était tôt le soir, pas encore l'heure d'aller se coucher, mais Sam dormait et elle avait essayé de passer un moment au lit avec un livre. Au bout d'une demi-heure, elle n'avait tourné qu'une seule page, et elle se souvenait à peine du titre.

Fredrik n'aimait pas qu'elle lise, il trouvait que c'était une perte de temps. Quand il la surprenait le nez dans un bouquin, il le lui arrachait des mains et le balançait à travers la pièce. Mais elle savait quel était le véritable problème. Il n'aimait pas se sentir bête et inculte. Il n'avait jamais lu un livre de toute sa vie, et ne supportait pas l'idée qu'elle en sache plus que lui, qu'elle ait accès à d'autres mondes que lui. Il était censé être le plus malin. Elle devait donc se contenter d'être belle et de fermer sa gueule, de préférence ne pas poser de questions ni exprimer d'opinions. Pendant un dîner qu'ils avaient donné, elle avait commis l'erreur de se mêler à la discussion des hommes sur la politique étrangère des États-Unis. Quand par-dessus le marché ses points de vue étaient apparus comme pertinents et réfléchis, c'en avait été trop pour Fredrik. Il avait fait bonne figure jusqu'à ce que les invités soient partis. Ensuite, elle l'avait payé cher. Elle était enceinte de trois mois.

Il lui avait volé tant de choses. Pas seulement la lecture. Lentement, mais sûrement, il avait confisqué ses pensées, son corps, sa dignité. Elle ne pouvait pas le laisser prendre Sam aussi. Son fils était sa vie, sans lui elle n'était rien.

Elle posa le livre sur la couverture et se tourna sur le côté, le visage contre le mur. Presque immédiatement, elle eut l'impression que quelqu'un s'asseyait sur le bord du lit et posait une main sur son épaule. Elle sourit et ferma les yeux. Quelqu'un fredonnait une berceuse et la voix était belle mais assourdie, chuchotante. Un rire d'enfant retentit. Un petit garçon qui semblait jouer par terre à côté de sa mère. Elle aurait voulu pouvoir rester avec eux pour toujours. Ils étaient en sécurité ici, Sam et elle. La main sur son épaule était si douce, si rassurante. La voix continua à chanter et elle eut envie de se retourner pour regarder l'enfant. Mais elle sentit ses paupières se faire lourdes.

La dernière chose qu'elle vit, dans ce no man's land entre rêve et réalité, fut le sang sur ses mains.

— Erling t'a laissée partir sans rechigner ?

Anders lui fit la bise quand elle arriva.

— Le bureau est en crise, dit Vivianne et elle prit le verre de vin que son frère lui tendait. Et il sait qu'on a beaucoup à faire avant l'ouverture.

— Oui, tu veux qu'on épluche tout ça d'abord? demanda Anders en s'installant à la table de cuisine, couverte de feuilles volantes.

— Par moments, ça me semble tellement inutile, avoua Vivianne en s'asseyant en face de lui.

— Mais tu sais pourquoi on le fait, n'est-ce pas?

— Je sais, oui, répondit-elle en fixant son verre.

Le regard d'Anders fut attiré par la bague sur son annulaire.

— C'est quoi, ça?

— Erling m'a demandée en mariage, annonça Vivianne en buvant une bonne rasade de vin.

— Tiens donc.

— Oui.

Que pouvait-elle dire d'autre?

— On sait combien de gens viennent? demanda Anders, conscient qu'il valait mieux changer de sujet, et il attrapa quelques feuilles agrafées comportant des colonnes avec des noms.

— Oui, il fallait donner sa réponse avant vendredi.

— Bien, ça veut dire qu'on est au point pour le nombre d'invités. Et le buffet?

— Tout est acheté, le cuisinier me paraît très bien et on a suffisamment de personnel pour le service.

— Tu ne trouves pas que ça ne rime à rien, tout ça? dit subitement Anders et il reposa la liste des invités sur la table.

— Pourquoi? dit Vivianne, un petit sourire jouant au coin de sa bouche. Ça ne fait pas de mal de s'amuser un peu aussi.

— Oui, mais c'est un putain de travail, répliqua-t-il en montrant tous les papiers.

— Et le résultat sera une soirée magnifique. Un merveilleux final.

Elle leva son verre en direction de son frère et but une gorgée. Tout à coup, le goût et l'odeur du vin lui donnèrent la nausée. Les images fixées dans sa mémoire étaient toujours claires et nettes, même après tant de chemin parcouru.

— Tu as réfléchi à ce que je t'ai dit?

Anders la scruta du regard.

— À quoi? demanda-t-elle comme si elle ne comprenait pas.

— À propos d'Olof.

— Je ne veux pas parler de lui, je te l'ai déjà dit.

— On ne peut pas continuer comme ça.

La voix d'Anders se fit suppliante, et elle ne saisit pas bien pourquoi. Qu'est-ce qu'il cherchait? Ils ne connaissaient que cette façon de faire. Elle et lui. Continuer la route, toujours. C'était ainsi qu'ils avaient vécu depuis qu'ils s'étaient libérés de lui, des relents de vin, de la fumée de cigarettes et des odeurs bizarres. Ils avaient tout fait ensemble et elle ne comprenait pas ce qu'il voulait dire en prétendant qu'ils ne pouvaient pas continuer.

— Tu as écouté les informations aujourd'hui?

— Oui.

Anders se leva et commença à mettre la table pour le dîner. Il avait rassemblé tous les documents en un tas ordonné, qu'il avait placé sur une chaise.

— Qu'est-ce que tu en penses?

— Je n'en pense rien, répondit-il.

— Je suis venue chez toi tard ce vendredi-là après le passage de Matte à Badis. Erling dormait et j'avais besoin de te parler. Mais tu n'étais pas là.

Voilà, c'était dit, elle avait enfin évacué ce qui la rongeait depuis ce soir-là. Elle scruta Anders en espérant une réaction, n'importe quoi qui pourrait la tranquilliser. Mais il n'eut pas la force de la regarder. Il resta simplement immobile, les yeux rivés sur la table.

— Je ne m'en souviens pas trop. J'étais peut-être sorti faire une promenade.

— Il était minuit passé. Qui va se promener si tard ?

— Toi, par exemple.

Vivianne sentit des larmes piquer ses yeux. Anders n'avait jamais eu de secrets pour elle. Ils n'avaient jamais eu de secrets l'un pour l'autre. Pas jusqu'à ce jour. Et cela fit germer en elle une peur croissante.

Patrik enfouit son visage dans les cheveux d'Erica et ils restèrent ainsi un long moment dans le vestibule.

— J'ai appris la nouvelle, dit-elle.

Les téléphones s'étaient mis à sonner dans tout Fjällbacka dès que l'événement eut filtré, et à cette heure, tout le monde était au courant. Gunnar Sverin était descendu dans sa cave et s'était tiré une balle dans la tête.

— Mon amour.

Elle sentit combien la respiration de Patrik était saccadée, et quand il finit par se dégager, elle vit les larmes dans ses yeux.

— Qu'est-ce qui s'est passé ?

Elle le prit par la main et l'emmena dans la cuisine. Les enfants dormaient, le seul bruit perceptible était le faible bourdonnement de la télé au salon. Elle le fit s'asseoir devant la table, puis elle lui prépara ses tartines préférées : du pain croquant avec du beurre, du fromage et de la pâte aux œufs de poisson, à tremper dans du chocolat chaud.

— Je ne peux rien avaler, dit Patrik d'une voix épaisse.

— Si, il faut que tu manges un peu.

Erica avait pris sa voix autoritaire de maman et elle continua à s'affairer devant le plan de travail.

— Putain de Mellberg. C'est lui qui a tout déclenché, finit-il par dire et il s'essuya les yeux avec sa manche de chemise.

— J'ai écouté les informations. Alors c'est Mellberg qui… ?

— Oui.

— Il a vraiment fait fort cette fois.

Elle mélangea du chocolat instantané avec du lait dans une casserole. Puis une cuillérée de sucre, alors que ce n'était pas vraiment nécessaire.

— Quand on a entendu le coup de feu dans la cave, on a tout de suite compris, Gösta et moi. Il nous a dit qu'il allait aux toilettes, mais on ne l'a pas surveillé. On aurait dû y penser…

Sa gorge se noua, et il dut de nouveau s'essuyer les yeux avec la manche.

— Tiens, dit Erica en lui donnant un bout d'essuie-tout.

Ça lui faisait mal de voir Patrik pleurer, elle aurait voulu l'aider à retrouver sa bonne humeur. Elle versa le chocolat chaud et fumant dans une grande tasse qu'elle posa devant lui sur la table, avec les tartines.

— Voilà, mange.

Patrik savait quand ce n'était pas la peine de s'opposer à sa femme. À contrecœur, il trempa une tartine dans le chocolat jusqu'à ce que le pain croquant commence à ramollir, puis il en engloutit bruyamment une grande bouchée.

— Comment va Signe ?

— Je m'inquiétais pour elle déjà avant, dit Patrik en faisant de son mieux pour avaler une deuxième bouchée. Mais maintenant… je ne sais pas. Ils lui ont donné des calmants et l'ont mise en observation. Je ne pense pas qu'elle s'en remettra un jour. Il ne lui reste plus rien.

Ses larmes recommencèrent à couler et Erica lui tendit un autre bout d'essuie-tout.

— Qu'est-ce que vous allez faire ?

— On continue. Demain, on va à Göteborg, avec Gösta, vérifier une piste. On aura aussi les résultats de l'autopsie demain. Il faut qu'on bosse comme d'habitude. Encore plus, même.

— Et les journaux ?

— On ne peut pas les empêcher d'écrire. Mais je peux te garantir que personne au commissariat n'acceptera de parler aux journalistes désormais. Même pas Mellberg. S'il s'avise de recommencer ses conneries, je ferai un rapport aux autorités à Göteborg. Je ne vais pas lâcher le morceau. Et on peut en ressortir d'autres, des bavures.

— Oui, effectivement, dit Erica. Tu veux attendre un peu ou tu veux qu'on aille se coucher ?

— On se couche. Je veux te tenir dans mes bras et rester tout près de toi. Ça peut se faire ? demanda Patrik et il entoura sa taille de son bras.

— Ça peut se faire, absolument.

FJÄLLBACKA 1871

Ce fut une expérience étrange, de se faire examiner par le docteur. Elle n'avait jamais été malade de toute sa vie, et la sensation des mains d'un étranger sur son corps lui était totalement inconnue. Mais la présence de Dagmar l'avait rassurée, et une fois l'examen terminé, le docteur avait déclaré que sa grossesse se présentait bien et qu'Emelie allait très certainement mettre au monde un enfant en bonne santé.

En sortant du cabinet du médecin, elle sentit le bonheur l'envahir.

— D'après toi, c'est une fille ou un garçon ? demanda Dagmar.

Elles s'arrêtèrent un instant pour reprendre leur souffle et elle posa tendrement une main sur le ventre d'Emelie.

— Un garçon, répondit-elle.

Sa réponse était catégorique. Elle ne pouvait pas expliquer comment elle savait que c'était un petit garçon qui lui donnait ces puissants coups de pied. Elle le savait, tout simplement.

— Un petit garçon. Oui, je te l'ai dit tout à l'heure, c'est un ventre de garçon.

— J'espère seulement qu'il ne… commença Emelie, mais elle ne termina pas sa phrase.

— Tu espères qu'il ne sera pas comme son père.

— Oui, chuchota Emelie.

Elle sentit toute sa joie s'envoler. Rien que l'idée de s'asseoir dans le bateau avec Karl et Julian et de retourner sur l'île lui donnait envie de s'enfuir.

— Ça n'a pas été facile pour Karl. Son père était terrible avec lui.

Emelie voulut demander ce qu'elle entendait par là, mais sa timidité l'en empêcha. Au lieu de cela, ses larmes commencèrent à couler, et elle eut honte quand d'un geste vif elle les essuya avec sa manche. Dagmar la dévisagea avec gravité.

— Ça ne s'est pas très bien passé chez le médecin, dit-elle.

Décontenancée, Emelie croisa son regard.

— Mais il a pourtant dit que tout allait bien ?

— Non, pas bien du tout. Ça va tellement mal que tu dois rester alitée jusqu'à l'accouchement, et rester à proximité du docteur au cas où tu aurais besoin d'aide. Il est hors de question d'entreprendre la traversée en bateau.

— Oui, non, dit Emelie qui commençait à comprendre où Dagmar voulait en venir, sans oser vraiment y croire. Non, effectivement, ça ne se présente pas bien. Mais où vais-je...

— J'ai une chambre qui ne sert à rien. Le docteur a trouvé que c'était une bonne solution que tu t'installes chez moi, comme ça tu auras quelqu'un pour veiller sur toi.

— Oui, dit Emelie, et les larmes lui montèrent de nouveau aux yeux. Mais ça vous donnera beaucoup de travail. Nous n'avons pas les moyens de vous dédommager.

— Ça ne sera pas nécessaire. Je suis une vieille dame qui vit seule dans une grande maison, je serai ravie d'avoir de la compagnie. Et de pouvoir aider un bébé à venir au monde. Ça serait une grande joie pour moi.

— Donc, ça ne s'est pas très bien passé chez le docteur, répéta doucement Emelie quand elles arrivèrent près de la place.

— Non, pas bien du tout. Directement au lit, voilà ce qu'il nous a dit. Autrement, ça pourrait très mal se terminer.

— Oui, c'est ça, dit Emelie, mais elle sentit son cœur s'emballer quand elle aperçut Karl un peu plus loin.

Il les vit aussi et s'approcha d'elles, l'air impatient.

— Ça en a pris du temps. On a un tas de choses à faire, et il faut qu'on parte bientôt.

Les autres fois, il n'était pas pressé de repartir, se dit Emelie. Quand ils faisaient le détour par chez Abela, ça ne lui posait pas de problème de rentrer tard. Subitement Julian surgit derrière lui, et elle fut saisie d'une telle panique qu'elle crut tomber raide morte. Puis elle sentit un bras qui se glissait sous le sien.

— Il n'en est pas question, dit Dagmar d'une voix calme et assurée. Le docteur a recommandé du repos pour notre petite Emelie. Et il ne plaisantait pas.

Karl fut comme sidéré. Il regarda Emelie et elle put voir ses pensées filer en tout sens comme des rats dans sa tête. Elle savait qu'il ne s'agissait pas d'inquiétude à son sujet, il tentait juste d'évaluer les conséquences de ce que sa tante venait de dire. Emelie resta silencieuse. Elle se balança légèrement sur les bouts des orteils, la promenade lui avait donné mal aux reins et aux pieds.

— Mais c'est impossible, dit Karl finalement, et elle vit les rats continuer à courir. Qui va s'occuper du ménage?

— Bah, vous y arriverez très bien, répliqua Dagmar.
Et vous saurez très bien faire bouillir des pommes de
terre et cuire quelques harengs. Je ne pense pas que
vous allez mourir de faim.

— Mais ma tante, elle ira où, Emelie ? Nous, on doit
s'occuper du phare, je ne peux pas venir sur le continent. Et on n'a pas les moyens de lui louer une chambre.
Où est-ce que je trouverais l'argent ?

Son visage s'enflammait, et Julian le regardait fixement.

— Emelie pourra habiter chez moi. Je me réjouis
d'avoir de la compagnie, et je ne veux pas un centime
pour ça. Je suis sûre que ton père trouvera cet arrangement à son goût, mais je peux lui parler si tu veux.

Karl la scruta pendant quelques secondes. Puis il
détourna les yeux.

— Non, ça ira comme ça, murmura-t-il. Je vous remercie, vous êtes bien aimable.

— C'est un plaisir pour moi. Et vous vous débrouil-
lerez sûrement très bien là-bas sur l'île, vous verrez.

Emelie n'osa pas lever les yeux vers son mari. Elle
ne put dissimuler le sourire sur ses lèvres. Dieu soit
loué, elle n'était pas obligée de retourner sur l'île.

— Toi non plus, tu n'as pas réussi à dormir cette nuit ?

Gösta observait les cernes sous les yeux de Patrik. Ils valaient les siens.

— Non.

— Tu vas bientôt connaître ce trajet par cœur, non ? dit Gösta en regardant la localité de Torp sur le chemin de Göteborg.

— Eh oui.

Gösta comprit le message et il se pencha pour allumer la radio. Ils passèrent une heure à écouter de la musique pop insipide.

— Il t'a paru prêt à coopérer au téléphone ? demanda Gösta.

Il savait par expérience que la collaboration entre les différents districts de police dépendait largement de la personne qu'on avait en face. Si on tombait sur un mauvais coucheur, il pouvait s'avérer quasi impossible d'obtenir des informations.

— Il m'a semblé sympa, répondit Patrik en se dirigeant vers l'accueil. Patrik Hedström et Gösta Flygare. Nous avons rendez-vous avec Ulf Karlgren.

— C'est moi, fit une grosse voix derrière eux, et un homme très grand en blouson de cuir noir et chaussé de bottes de cowboy vint à leur rencontre. Je me suis dit qu'on pourrait s'installer à la cafétéria. On serait à l'étroit dans mon bureau, et le café est meilleur là-bas.

— Bien sûr.

Patrik ne put s'empêcher d'examiner des pieds à la tête ce personnage invraisemblable. Quand le blouson de cuir s'ouvrit sur un tee-shirt délavé portant l'inscription AC/DC sur la poitrine, il comprit que l'idée de "tenue réglementaire" n'entrait pas dans les préoccupations d'Ulf Karlgren.

— Par ici.

Ulf partit à grandes enjambées en direction de la cafétéria, et Patrik et Gösta le suivirent de leur mieux. Ils purent constater que les rares cheveux en haut de son crâne étaient compensés par une longue queue de cheval dans la nuque. Dans sa poche arrière, on devinait très nettement la forme circulaire d'une boîte de tabac à chiquer.

— Salut les filles ! Plus belles que jamais aujourd'hui ! lança Ulf avec un clin d'œil aux serveuses derrière le comptoir, qui pouffaient de rire. Qu'est-ce que vous avez de bon à nous proposer ? Il faut que j'entretienne ma ligne, vous comprenez !

Ulf tapa sur le bon bidon qui tendait son tee-shirt, et tout naturellement, Patrik pensa à Mellberg. Mais la ressemblance s'arrêtait là. Ulf dégageait quelque chose de bien plus sympathique.

— On va prendre un gâteau princesse chacun, dit Ulf en montrant quelques énormes créations vertes.

Patrik essaya de protester, mais Ulf balaya ses objections et chargea le plateau de gâteaux.

— Tu as besoin de te remplumer un peu. Avec trois cafés, et ce sera tout.

— Tu n'es pas obligé de… dit Patrik en voyant Ulf sortir une carte bancaire d'un portefeuille qui avait vécu.

— Pfff, je vous invite. Allez, venez, on va s'asseoir.

Ils le suivirent et s'installèrent à une table. Le visage si joyeux d'Ulf se fit subitement sérieux.

— Vous avez des questions sur l'un des gangs de bikers, c'est ça?

Patrik hocha la tête. Il fit un bref résumé des événements et de ce qu'ils avaient trouvé. Un témoin avait vu Mats Sverin se faire tabasser par des mecs qui étaient probablement des bikers, avec un aigle dans le dos.

— C'est probable, dit Ulf. Ça pourrait très bien être les IE.

— Les IE? demanda Gösta qui avait déjà eu le temps d'engloutir son gâteau.

Patrik ne comprenait pas ce qu'il faisait de tout ce qu'il mangeait. Il était maigre comme un coucou.

— Illegal Eagles, dit Ulf en mettant quatre morceaux de sucre dans sa tasse avant de remuer lentement. Le numéro un parmi les gangs de la région. Plus méchants, plus laids et plus impitoyables que tous les autres bikers.

— Oh putain!

— S'ils sont mêlés à votre affaire, je vous conseille d'y aller sur la pointe des pieds. On a eu quelques confrontations assez désastreuses avec eux.

— C'est quoi, leur spécialité?

— Ils trempent dans pratiquement tout. Drogue, prostitution, racket, chantage. C'est sans doute plus simple d'énumérer ce dont ils ne font pas commerce.

— De la coke?

— Oui, bien sûr. Mais aussi de l'héro, des amphètes, parfois des anabolisants.

— Tu as pu vérifier si Mats Sverin figure dans vos registres? demanda Patrik.

— Il est inconnu chez nous, dit Ulf en secouant la tête. Ce qui ne veut pas forcément dire qu'il n'est pas mouillé d'une façon ou d'une autre… Mais nous, on n'a pas eu affaire à lui.

— Il ne colle pas particulièrement avec ce profil-là. Voyou à moto, je veux dire, dit Gösta en se renversant contre le dossier, la panse bien remplie.

— Le noyau est constitué de bikers, mais autour d'eux on trouve de tout, surtout quand il est question de drogues. Certaines enquêtes nous ont menés jusque dans la haute.

— Tu crois qu'on va pouvoir entrer en contact avec eux ? demanda Patrik.

Il but la dernière lichette de café qui restait dans sa tasse, et Ulf se leva tout de suite pour chercher la cafetière et le resservir.

— La deuxième tasse est offerte, dit-il en se rasseyant. Non, je ne vous recommande pas de contact direct avec ces messieurs. Comme je vous l'ai dit, on a eu quelques mauvaises expériences. Il vaudrait mieux commencer par un autre bout, peut-être voir avec l'entourage de ce Sverin.

— Je comprends, dit Patrik. Leur leader s'appelle comment ?

— Stefan Ljungberg. Néonazi, il a créé les IE il y a une dizaine d'années. Il fait régulièrement des séjours en prison depuis ses dix-huit ans, et avant ça il était en centre fermé pour mineurs. Tu vois le genre.

Patrik fit oui de la tête, même s'il n'était pas spécialement habitué à croiser ce type de personnage. Ses voyous à lui paraissaient vraiment inoffensifs en comparaison.

— Qu'est-ce qui pourrait les amener à se rendre à Fjällbacka et tirer une balle dans la tête de quelqu'un ? demanda Gösta.

— Il y a un tas de scénarios possibles. Vouloir quitter le gang est une des premières raisons de se faire éclater le crâne. Mais, d'après ce que vous dites, ce n'est pas ça, alors tout est envisageable. Ils ont pu se faire avoir dans une affaire de drogue, ils ont pu avoir peur que quelqu'un cafte. Dans ce cas, on peut interpréter le passage à tabac comme un premier avertissement. Tout est possible. Je veux bien vérifier avec mes collègues s'ils ont entendu parler de quelque chose. Mais je vous recommande vraiment d'interroger les gens dans l'entourage de Sverin. Ils en savent en général plus qu'ils ne l'imaginent.

Patrik était sceptique. C'était là que résidait leur plus grand problème dans cette enquête. Personne ne savait grand-chose sur Mats Sverin.

— Un grand merci pour ton aide, dit-il en se levant.

Ulf prit sa main tendue et sourit.

— Pas de problème. Ça fait plaisir de pouvoir filer un coup de main. Si besoin est, n'hésitez pas à me recontacter.

— Ce n'est pas impossible, dit Patrik.

Tant de choses devenaient logiques avec cette piste. Et en même temps, beaucoup ne collaient pas du tout. Il n'arrivait tout simplement pas à cerner l'affaire. Il n'arrivait pas à saisir la personnalité de Mats. Et dans sa tête résonnait encore le coup de fusil de la veille.

— Qu'est-ce qu'on va faire alors ?

Martin se tenait devant la porte ouverte du bureau de Paula.

— Je ne sais pas, répondit-elle, se sentant aussi découragée que lui.

Les événements de la veille les avaient tous durement affectés. Ils n'avaient pas vu l'ombre de Mellberg. Il s'était enfermé dans son bureau, et c'était peut-être tout aussi bien. Tels qu'ils se sentaient en ce moment, ils auraient du mal à ne pas montrer leur hostilité. Paula ne l'avait heureusement pas croisé à la maison non plus. Quand elle était rentrée la veille au soir, il était déjà au lit, et quand elle était partie ce matin, il dormait toujours. Au petit-déjeuner, Rita avait essayé d'évoquer ce qui s'était passé, mais Paula avait clairement signifié qu'elle n'était pas d'humeur à en parler. Johanna était restée totalement étrangère à l'événement. Elle s'était carrément tournée de l'autre côté quand Paula s'était glissée dans le lit. Le mur entre elles devenait de plus en plus haut.

Paula sentit sa bouche devenir toute sèche, comme si la panique n'était pas loin, et elle but une gorgée d'eau. Elle n'avait pas le courage de penser à Johanna à cet instant.

— On ne peut vraiment rien faire en les attendant ? dit Martin, qui entra et s'assit.

— Lennart doit se manifester aujourd'hui, dit Paula.

Elle avait mal dormi, et même si elle comprenait l'impatience de Martin, elle était trop fatiguée pour prendre des initiatives personnelles, avoir des pensées claires. Mais le regard de Martin la pressait de répondre.

— On pourrait l'appeler, proposa-t-il en sortant son téléphone portable.

— Non, non, il nous contactera dès qu'il aura fini. J'en suis convaincue.

— D'accord, répondit Martin en glissant le téléphone dans sa poche. Et quoi d'autre ? Patrik n'a rien dit avant de partir. On ne va quand même pas rester là, à se tourner les pouces ?

— Je ne sais pas.

Paula sentit l'irritation monter. Pourquoi était-ce à elle de donner des ordres ? Ils avaient le même âge et

Martin avait passé davantage de temps dans ce commissariat, même si de son côté, elle avait son expérience à Stockholm. Elle respira un grand coup. De quel droit reporterait-elle sa frustration sur Martin ?

— Pedersen devait nous envoyer le rapport d'autopsie aujourd'hui. On pourrait commencer par ça, je vais l'appeler. Si ça se trouve, il a des résultats à nous communiquer dès maintenant.

— Très bien, on aurait de quoi avancer.

Martin avait l'air d'un chiot joyeux qui vient de recevoir une caresse sur la tête, et elle ne put s'empêcher d'esquisser un sourire. On ne pouvait pas rester fâché longtemps avec Martin.

— Je l'appelle tout de suite.

Il la regarda fixement quand elle composa le numéro. Pedersen devait être tout près du téléphone, car il répondit à la première sonnerie.

— Salut, c'est Paula Morales à Tanumshede. Ah, tu l'as ? Excellent.

Elle leva le pouce en direction de Martin avant de reprendre :

— C'est ça, on attend le fax, mais tu peux peut-être nous faire un petit résumé du rapport, là, au téléphone ?

Elle prit quelques notes sur un bloc tout en hochant la tête. Martin tendit le cou pour essayer de lire, mais abandonna rapidement.

— Hm… ah… d'accord.

Elle écrivait tout en écoutant. Puis elle raccrocha lentement. Martin la fixa.

— Qu'est-ce qu'il a dit ? Il y a du neuf ?

— Mouais, pas vraiment. Il a surtout confirmé ce qu'on savait déjà, dit-elle avec un regard sur ses notes. Mats Sverin a été tué d'une balle dans l'arrière du crâne provenant d'une arme à feu de neuf millimètres. Une seule balle. La mort a dû être instantanée.

— Et l'heure ?

— Il a pu établir que Mats est mort dans la nuit de vendredi à samedi.

— Très bien. Quoi d'autre ?

— Il n'avait aucune trace de substances psychotropes dans le sang.

— Aucune ?

— Non, même pas de nicotine, confirma Paula en secouant la tête.

— Ça n'empêche pas qu'il ait pu en vendre.

— Bien sûr, mais je commence à me poser des questions. L'urgence maintenant, c'est de comparer la balle avec les armes qu'on a dans nos registres. S'il y a un lien avec un autre crime, ce sera un jeu d'enfant d'identifier l'arme qui a servi. Et, avec un peu de chance, le meurtrier.

Soudain, Annika apparut à la porte.

— Le Sauvetage en mer vient d'appeler. Ils ont retrouvé le bateau.

Paula et Martin se regardèrent. Ils n'avaient pas besoin de demander de quel bateau Annika voulait parler.

Leurs bagages étaient bouclés. À la seconde où elle avait reçu la carte postale, elle avait su ce qu'elle avait à faire. La fuite, c'était terminé. Elle était consciente des dangers qui l'attendaient, mais c'était tout aussi dangereux de rester. Il était même possible qu'ils aient de meilleures chances de s'en tirer, les enfants et elle, si elle revenait de son plein gré.

Madeleine s'assit sur la valise prête à exploser. Elle ne pouvait en emporter qu'une seule. Une vie entière y avait trouvé place. Pourtant, elle avait ressenti de l'espoir ce jour-là en montant dans le train pour Copenhague avec les enfants et la valise. Du chagrin et de la douleur de quitter ce qui avait été sa vie, mais aussi du bonheur à l'idée d'en reconstruire une autre.

Elle regarda la petite pièce. L'appartement était défraîchi, avec un seul lit que les enfants se partageaient et un matelas par terre où elle dormait. Il n'y avait là rien de coquet, mais pendant quelque temps, cet endroit avait été un paradis. Leur paradis, leur refuge. Maintenant, il se transformait lui aussi en piège. Impossible de rester ici. Ditte lui avait prêté de l'argent pour le billet sans poser de questions. Peut-être était-ce un billet pour la mort qu'elle achetait, mais avait-elle le choix ?

Elle prit la carte postale et la glissa dans son sac à main élimé avant de se rasseoir. Même si elle avait surtout envie de la déchirer en mille morceaux et de la jeter ainsi dans la cuvette des W.-C., elle savait qu'il lui fallait l'emporter, comme un rappel. Pour ne pas changer d'avis.

Les enfants étaient chez Ditte. Ils y étaient allés après avoir joué dans la cour, et elle était soulagée d'avoir encore un moment pour elle avant de devoir leur annoncer qu'ils allaient rentrer à la maison. Pour eux, cela n'aurait rien de réconfortant. De ce qu'on appelait foyer, ils n'avaient conservé que des cicatrices, visibles comme invisibles. Elle espérait qu'ils comprendraient qu'elle les aimait, qu'elle ne ferait jamais rien pour les blesser, mais qu'elle n'avait pas d'autres options. S'ils étaient rattrapés alors qu'ils étaient en fuite, capturés comme des lapins dans leur terrier, aucun d'eux ne serait épargné. C'était sa seule certitude. L'unique solution, c'était que les lapins retournent auprès du renard de leur plein gré.

Sur des jambes raides, elle se releva. Il fallait partir bientôt, elle ne pouvait plus reporter l'inévitable. Les enfants allaient comprendre. Elle aurait simplement aimé y croire elle-même.

— J'ai entendu pour Gunnar, dit Anna.

Elle ressemblait toujours à un petit oiseau fragile et Erica tenta un sourire.

— Ne pense pas à des choses comme ça maintenant. Tu as assez de soucis.

Anna plissa le front.

— Je ne sais pas. C'est bizarre, mais parfois ça fait du bien d'avoir pitié de quelqu'un d'autre que soi.

— En tout cas, ça doit être dur pour Signe. Elle se retrouve toute seule.

— Patrik l'a pris comment ?

Anna monta ses jambes sur le canapé. Les enfants étaient à l'école et à la crèche, et les jumeaux faisaient leur sieste matinale dans la poussette à l'air libre sur le perron.

— Il était HS hier, dit Erica en tendant la main pour prendre un petit pain à la cannelle.

Belinda, la fille aînée de Dan, avait fait de la pâtisserie. Elle s'y était mise à l'époque où elle avait un petit ami qui aimait bien les filles douées pour la cuisine. Il était rapidement passé au stade d'ex, mais Belinda continuait à faire des gâteaux et elle avait de toute évidence un talent naturel en la matière.

— Mon Dieu, c'est divin, dit Erica en roulant les yeux.

— Oui, elle se débrouille bien, Belinda. Et Dan dit qu'elle a été merveilleuse avec les petits.

— Oui, toujours là quand il le fallait, c'est vrai.

Belinda avait certes une apparence sauvage avec ses cheveux teints en noir, ses ongles peints en noir et son maquillage criard. Mais quand Anna dépérissait dans sa chambre, elle avait pris ses petits frère et sœurs sous son aile.

— Ce n'est pas la faute de Patrik, dit Anna.

— Non, je le sais, j'ai essayé de lui dire. C'est Mellberg qu'il faut blâmer, mais d'une façon ou d'une autre, Patrik endosse toujours la responsabilité. Gösta et lui étaient chez Gunnar quand il s'est tué, et il estime qu'il aurait dû se rendre compte de quelque chose.

— Comment ça ? s'indigna Anna. Tu as déjà vu quelqu'un prévenir son entourage avant de se suicider ? Moi-même, plus d'une fois j'ai pensé que…

Elle s'arrêta et regarda Erica.

— Tu ne l'aurais jamais fait, Anna, dit Erica et elle se pencha vers sa sœur et la regarda droit dans les yeux. Tu as vécu tant de drames que le pire aurait déjà pu arriver. Mais tu n'es pas comme ça.

— Comment peut-on le savoir ?

— On le sait, parce que tu n'es pas descendue dans la cave pour introduire le canon d'un fusil dans ta bouche et appuyer sur la détente.

— On n'a pas de fusil, répondit Anna.

— Ne joue pas à l'idiote. Tu vois très bien ce que je veux dire. Tu ne t'es pas jetée sous une voiture, tu ne t'es pas tailladé les veines ni gavée de somnifères. Tu n'as rien fait de tout ça, parce que tu es forte.

— Je ne sais pas si c'est une question de force, murmura Anna. J'ai l'impression qu'il faut pas mal de courage pour tirer ce coup de feu.

— Tu te trompes. Tout ce qu'il faut, c'est *un* instant de courage. Ensuite c'est fini et ce sont les autres qui doivent ramasser les restes, si tu me passes l'expression. Pour moi, ça, ce n'est pas du courage. Tu crois que Gunnar a pensé à Signe au moment de passer à l'acte? Il aurait vraiment fait preuve de courage en restant auprès d'elle, en l'épaulant. Le reste, c'est de la lâcheté, et ce n'est pas ce que tu as choisi.

— D'après elle, là, tout s'arrange si on fait du yoga, si on arrête de manger de la viande et si on pratique la respiration complète cinq minutes par jour.

Anna montra la télévision où une papesse de la santé exubérante expliquait la seule voie vers le bonheur et le bien-être.

— Comment peut-on trouver le bonheur sans viande? demanda Erica.

Anna ne put s'empêcher de rire.

— Tu n'es qu'une abrutie, dit-elle en donnant un petit coup de coude à Erica.

— Et c'est toi qui dis ça, avec ton air d'évadée de l'HP?

— Oh, ça, c'est petit, dit Anna en envoyant un coussin de toutes ses forces sur sa sœur.

— N'importe quoi qui te fasse rire, dit Erica à voix basse.

— Je suppose que ce n'était qu'une question de temps, constata Petra Janssen.

Elle réprima un haut-le-cœur, bien qu'en tant que mère de cinq enfants elle ait progressivement développé une tolérance aux odeurs nauséabondes.

— Oui, ce n'est pas une grande surprise.

Konrad Spetz, le collègue de Petra depuis de nombreuses années, paraissait avoir plus de mal à maîtriser son envie de vomir.

— Les mecs des stups seront là d'un moment à l'autre.

Ils sortirent de la chambre. L'odeur les suivit, mais dans le salon, au rez-de-chaussée, il fut plus aisé de respirer. Assise sur une chaise, une femme d'une cinquantaine d'années était en train de pleurer à chaudes larmes, tandis qu'un de leurs collègues la consolait.

— C'est elle qui l'a découvert ? demanda Petra avec un signe de tête en direction de la femme.

— Oui, c'est la femme de ménage des Wester. Elle vient habituellement une fois par semaine, mais comme ils étaient en voyage, elle ne devait venir qu'une semaine sur deux. C'est en arrivant aujourd'hui qu'elle a trouvé le… enfin, le… dit Konrad en se raclant la gorge.

— Est-ce qu'on sait où sont la femme et l'enfant ?

Petra était arrivée en dernier. En fait, c'était son jour de congé, et elle se trouvait avec sa famille à Gröna Lund quand elle avait reçu l'appel. Ses enfants adoraient ce parc d'attractions.

— Non. Ils avaient fait leurs bagages pour partir en Italie, d'après la femme de ménage. Ils devaient y rester tout l'été.

— On vérifiera avec l'aéroport. Si on a de la chance, ils sont à la plage en train de bronzer en ce moment, dit Petra, mais sa mine était sombre.

Elle savait très bien qui était l'homme sur le lit, là-haut, dans la chambre. Et elle savait quelles étaient ses fréquentations. La probabilité que sa femme et son enfant profitent du soleil était bien mince. On allait plus vraisemblablement les retrouver morts dans une forêt quelque part. Ou au fond de la baie de Nybro.

— J'ai déjà mis quelqu'un dessus.

Petra hocha la tête, satisfaite. Konrad et elle travaillaient ensemble depuis plus de quinze ans, et leur relation fonctionnait mieux que beaucoup de mariages. Vus de l'extérieur, cependant, ils formaient pour le moins un couple dépareillé. Avec son quasi-mètre quatre-vingts et sa silhouette imposante, résultat de ses nombreuses grossesses, Petra dominait d'une bonne tête Konrad, qui était non seulement petit mais aussi fluet. Quelque chose d'étrangement asexué dans son apparence poussait même Petra à se demander s'il savait comment on fabrique des enfants. Durant toutes ces années où ils avaient travaillé ensemble, elle n'avait en tout cas jamais entendu parler d'une quelconque vie amoureuse, que ce soit avec des hommes ou avec des femmes. Elle n'avait jamais posé de questions non plus. Ce qu'ils avaient en commun, c'était une intelligence acérée, un humour pince-sans-rire et un engagement dans leur métier qui n'avait pas faibli malgré toutes les restructurations, tous les chefs crétins nommés sur décision politique et toutes les résolutions policières absurdes.

— Il faut émettre un avis de recherche, et parler avec les mecs des stups, ajouta-t-il.

— Les mecs et les nanas, le corrigea Petra.

Konrad soupira.

— Oui Petra, les mecs *et* les nanas.

Petra avait donné naissance à cinq filles et les droits des femmes étaient toujours un sujet sensible. Il savait que Petra trouvait les femmes supérieures aux hommes, et s'il avait été un tant soit peu téméraire, il lui aurait demandé si ce jugement n'était pas tout aussi discriminatoire. Mais il était plus avisé que ça et gardait ses idées pour lui.

— Quelle putain de bouillie là-haut, dit Petra en secouant la tête.

— Le tireur a dû vider son chargeur. Le lit est plein de trous, et Wester aussi.

— Comment peut-on trouver que ça en vaille la peine ? dit Petra en laissant son regard parcourir le beau salon lumineux, puis elle secoua de nouveau la tête : Bien sûr, c'est une des plus belles maisons que j'aie jamais vues, et leur vie était sans doute extraordinaire à bien des points de vue, mais ils savent eux-mêmes qu'un jour ou l'autre, ça part en couille. Et on les retrouve là, dans leur propre chambre, entre des draps en soie, à se décomposer, le corps criblé de balles.

— Ce sont des choses que des tâcherons ordinaires comme toi et moi ne peuvent pas comprendre.

Konrad se leva du profond canapé blanc où il s'était installé et se dirigea vers le vestibule, l'oreille tendue :

— La brigade des stups arrive.

— Bien, répondit Petra. Allons voir ce que les mecs auront à nous dire.

— Et les nanas, ajouta Konrad sans réussir à dissimuler un petit sourire.

— On fait quoi alors ? dit Gösta d'un ton résigné. Apparemment, ça ne sert à rien d'essayer de discuter directement avec ces types.

Ils venaient de quitter Ulf Karlgren et étaient remontés dans la voiture, quelque peu perplexes.

— Non, reconnut Patrik. On gardera ça comme dernier recours.

— Mais comment on va s'y prendre ? On pense que les Eagles sont coupables de l'agression contre Sverin et peut-être aussi du meurtre, mais on n'ose pas aller les voir. Comme policiers, on ne vaut pas un clou, constata Gösta en secouant la tête.

— Retournons à l'association Refuge. Jusqu'ici, on n'a parlé qu'avec Leila, mais on va voir ce que les autres employés ont à nous dire. À mon avis, c'est le seul chemin à suivre.

Il démarra et prit la direction de l'île de Hisingen. Leila leur ouvrit la porte tout de suite, mais un voile de lassitude passa sur ses yeux en les faisant entrer dans son bureau.

— Je voudrais vous aider, bien sûr, mais qu'est-ce que vous pensez trouver en venant sans arrêt ici ? dit-elle en ouvrant grandes les mains. Je vous ai montré toutes nos archives et j'ai répondu à toutes vos questions. Je ne sais rien de plus, tout simplement.

— J'aimerais parler avec vos employés. À part vous il y a deux autres personnes ici, c'est ça ?

La voix de Patrik était douce mais ferme. Il comprenait que c'était gênant de les avoir dans les pattes à tout bout de champ, mais Refuge était le seul endroit où ils étaient susceptibles de trouver davantage de renseignements sur Mats. L'homme restait une page vierge, et ceux qui travaillaient pour cette organisation, qui lui avait manifestement tenu à cœur, étaient peut-être en mesure de la remplir.

— D'accord, installez-vous dans la cuisine, dit Leila avec un soupir tout en indiquant une porte à droite. Je vous envoie Thomas, et quand vous aurez terminé avec lui, il ira chercher Marie. Ensuite, j'apprécierais de pouvoir travailler en paix. Je comprends parfaitement que la police veuille résoudre ce meurtre, et je connais la famille de Matte. Mais c'est une action importante que nous menons, et nous n'avons pas grand-chose de plus à ajouter. Matte a travaillé ici pendant quatre ans, mais nous ne savons rien de sa vie privée et personne ici n'a la moindre idée de qui a pu l'assassiner. Par ailleurs, quand ça s'est passé, il ne travaillait plus ici et n'habitait plus à Göteborg.

— Je comprends, dit Patrik. Dès que nous aurons parlé avec les employés, nous essayerons de nous tenir à l'écart.

— Je vous en remercie. Et désolée de me montrer désagréable.

Leila s'en alla, et Patrik et Gösta prirent place dans la cuisine. Peu après, un homme grand et brun d'une trentaine d'années entra. Patrik l'avait déjà vu en passant lors des visites précédentes, il lui avait même dit bonjour, mais ils n'avaient échangé que quelques mots.

— Vous avez travaillé avec Mats? lui demanda Patrik et il se pencha en avant, les coudes sur les genoux et les mains croisées.

— Oui, j'ai commencé à travailler ici peu après Matte, si bien qu'on a passé presque quatre années ensemble.

— Est-ce que vous vous voyiez en dehors du travail?

— Non, Matte était très discret, répondit Thomas. En fait, je ne sais pas qui il fréquentait, à part le neveu de Leila. Mais j'ai l'impression qu'ils ont perdu le contact par la suite.

Ses yeux bruns étaient calmes, et il répondait spontanément, sans se creuser la tête. Patrik soupira intérieurement. Thomas disait exactement la même chose que tout l'entourage de Mats.

— Est-ce que vous étiez au courant de problèmes qu'il pouvait avoir? Dans sa vie privée ou au boulot? glissa Gösta.

— Non, rien, répondit Thomas immédiatement. Matte était toujours… Matte. Incroyablement paisible et solide, il ne s'emportait jamais. Je l'aurais remarqué s'il y avait eu quoi que ce soit.

Il croisa le regard de Patrik sans ciller.

— Comment gérait-il les situations que vous rencontrez ici ?

— Nous sommes évidemment tous très touchés par les destins que nous croisons. En même temps, il est important de garder une certaine distance, sinon on serait vite démolis. Matte était très bon pour ça. Il était chaleureux et généreux sans pour autant s'engager outre mesure.

— Comment avez-vous atterri ici ? J'ai compris que parmi les organisations qui s'occupent de femmes battues, Refuge est la seule à employer des hommes, et Leila a bien souligné qu'elle ne recrute pas n'importe qui, dit Patrik.

— Oui, Leila a encaissé pas mal de vacheries à cause de Matte et moi. Matte est arrivé par l'intermédiaire du neveu de Leila, comme vous le savez sans doute. Ma mère est la meilleure amie de Leila, je la connais depuis tout petit. J'avais fait de l'humanitaire en Tanzanie, et après mon retour en Suède, elle m'a demandé si ça m'intéressait de travailler ici. Je ne l'ai pas regretté une seule seconde. Mais c'est une lourde responsabilité. La moindre erreur amènerait de l'eau au moulin de ceux qui ne veulent pas d'hommes dans les centres d'accueil pour femmes battues.

— Est-ce que Mats avait un contact particulier avec quelqu'un ?

Patrik observait le visage de Thomas pour déceler si quelque chose se cachait derrière ses réponses. Mais il y vit seulement le même calme qu'avant.

— Non, c'est strictement interdit, surtout à cause de ce que je viens de dire. Nous devons avoir une relation professionnelle avec les femmes et leur famille. C'est la règle numéro un.

— Et Mats s'y tenait ? demanda Gösta.

— Comme nous tous, dit Thomas avec une mine légèrement froissée. Ce genre d'activité repose sur une réputation solide. Le moindre faux pas peut se révéler désastreux. Par exemple, les services sociaux peuvent décider de rompre immédiatement toute collaboration avec nous. Ce qui au bout du compte condamne surtout celles que nous essayons d'aider.

Le ton de Thomas s'était fait acéré.

— Nous étions obligés de poser la question, s'excusa Patrik.

— Oui, je sais. Désolé si je m'emporte un peu. Il est terriblement important pour nous de rester irréprochables et je sais que Leila se fait beaucoup de souci pour les conséquences que cette histoire peut avoir. Tôt ou tard, quelqu'un se dira qu'il n'y a pas de fumée sans feu, et tout s'écroulera. Elle a pris énormément de risques pour Refuge, surtout en introduisant ce nouveau fonctionnement.

— Nous comprenons tout ça. En même temps, certaines questions désagréables sont inévitables. Comme celle-ci, par exemple, dit Patrik avant de se lancer : Avez-vous jamais vu des signes indiquant que Mats usait de drogues ou peut-être en vendait ?

— Des drogues ? C'est vrai, j'ai lu ça dans le journal ce matin. Ça nous a vraiment mis en colère, toutes ces saloperies qu'ils écrivent. C'est complètement fou. Rien que la pensée que Matte aurait été mêlé à des choses pareilles est absurde.

— Connaissez-vous les IE ?

Patrik se força à continuer, même s'il avait de plus en plus l'impression de retourner le couteau dans la plaie.

— Vous voulez dire les Illegal Eagles ? Oui, à mon grand regret, je les connais.

— Nous avons un témoin qui affirme que ce sont des membres des IE qui ont envoyé Mats à l'hôpital. Pas une bande de jeunes, comme il le prétendait.

— Ça alors, ce serait les Eagles?

— Ce sont les renseignements qu'on nous a donnés, dit Gösta. Vous avez déjà eu affaire à eux, donc?

Thomas haussa les épaules.

— C'est arrivé qu'une de leurs femmes passe ici. Mais nous n'avons pas eu plus de problèmes avec eux qu'avec d'autres abrutis de maris ou petits amis.

— Et Mats n'était pas référent pour une de ces femmes?

— Non, pas à ma connaissance. Son agression est sûrement une explosion de violence gratuite. Il se trouvait au mauvais endroit au mauvais moment.

— Oui, c'était sa version. Au mauvais endroit au mauvais moment.

Patrik entendit lui-même qu'il paraissait sceptique. Thomas devait bien savoir que ces gangs criminels ne passaient pas leur temps à assommer des gens au hasard dans la rue. Pourquoi cherchait-il à les convaincre du contraire?

— Ça sera tout pour le moment. Avez-vous un numéro de téléphone où on peut vous joindre si on a d'autres questions? Pour éviter de faire du sit-in ici, dit Patrik avec un sourire de guingois.

— Tout à fait, dit Thomas et il nota rapidement un numéro de téléphone sur un bout de papier qu'il tendit à Patrik. Vous voulez que je vous envoie Marie?

— Oui, ce serait gentil.

Ils parlaient à voix basse en attendant. Gösta avait apparemment gobé la moindre phrase de Thomas et le jugeait totalement crédible, tandis que Patrik nourrissait des doutes. Certes, il paraissait honnête et sincère, et avait répondu à toutes leurs questions sans le moindre tremblement dans la voix. Pourtant, à quelques reprises, Patrik avait eu l'impression de capter une hésitation. Mais ce n'était qu'une impression.

— Bonjour.

Une jeune femme entra et leur serra la main. Sa paume était légèrement froide et humide, et elle avait des plaques rouges sur le cou. Contrairement à Thomas, elle était visiblement nerveuse.

— Ça fait combien de temps que vous travaillez ici ? demanda Patrik pour commencer.

Marie tripota sa jupe. Elle était mignonne à la manière d'une poupée, un petit nez retroussé, de longs cheveux blonds qui lui tombaient sans arrêt devant les yeux, un visage en forme de cœur et des yeux bleus. Patrik estima qu'elle devait avoir vingt-cinq ans, mais il n'était pas sûr. Plus il prenait de l'âge, plus il avait du mal à évaluer celui des gens plus jeunes que lui. C'était peut-être une forme d'instinct de conservation, pour pouvoir continuer à se faire croire qu'il était encore jeune.

— J'ai commencé il y a un peu plus d'un an.

Les plaques sur son cou s'enflammèrent, et Patrik nota qu'elle avalait frénétiquement sa salive.

— Vous vous plaisez ici ? demanda-t-il pour la détendre et lui faire oublier sa méfiance.

Gösta écoutait, penché en arrière, il semblait lui avoir abandonné le gouvernail.

— Oui, énormément. C'est un travail très gratifiant, ou plutôt, ça peut être assez éprouvant, mais d'une façon gratifiante, si vous voyez ce que je veux dire.

Elle avait du mal à s'exprimer et trébuchait sur les mots.

— Comment trouviez-vous Mats en tant que collègue ?

412

— Ah, Matte, il était adorable. Tout le monde l'aimait. Nous, ses collègues, bien sûr, mais aussi les femmes qui venaient ici. Elles se sentaient en sécurité avec lui.

— Est-ce qu'il avait noué un lien particulier avec l'une de ces femmes ?

— Non, c'est la première règle ici, ne pas s'engager personnellement, dit Marie en secouant la tête tellement fort que ses cheveux blonds volèrent d'un côté à l'autre.

Patrik jeta un coup d'œil à Gösta pour voir s'il sentait lui aussi que le sujet était brûlant. Mais Gösta s'était figé subitement, et Patrik le dévisagea. Qu'est-ce qui lui prenait ? Il était tout blême.

— Écoute… il faut que je… Je voudrais te parler. En privé, dit-il en tirant sur la manche de Patrik.

— Bien sûr, tu veux qu'on… répondit Patrik avec un geste en direction de la porte, et Gösta hocha la tête.

— Vous nous excusez un instant ? dit Patrik, et Marie parut soulagée de l'interruption.

— Qu'est-ce qui te prend ? Juste au moment où on commençait à avancer ? s'emporta Patrik quand ils furent seuls dans le couloir.

Gösta étudia ses chaussures. Après s'être raclé la gorge un certain nombre de fois, il regarda Patrik, affolé.

— Je crois que j'ai fait une grosse bêtise.

FJÄLLBACKA 1871

Ce fut la période la plus merveilleuse de sa vie. Au moment où le bateau quittait Fjällbacka, avec Karl et Julian à bord, pour retourner à Gråskär, elle comprit ce que l'île avait fait d'elle. Elle eut l'impression de pouvoir respirer pour la première fois depuis longtemps.

Dagmar la gâtait. Emelie était gênée d'être choyée à ce point-là, et d'avoir si peu de choses à faire. Elle essayait d'aider avec le ménage, la vaisselle et la cuisine, parce qu'elle voulait se rendre utile, ne pas être un fardeau. Mais Dagmar lui disait de se reposer, et finalement elle devait se plier à une volonté plus forte que la sienne. Et c'était effectivement bon de se reposer, elle ne pouvait pas le nier. Elle avait mal au dos et aux articulations, et le bébé lui donnait continuellement des coups de pied dans le ventre. La fatigue la minait parfois. Il lui arrivait de dormir douze heures par nuit et ensuite de faire une sieste dans l'après-midi, sans pour autant se sentir particulièrement remplie d'énergie.

C'était bon d'avoir quelqu'un qui s'occupait d'elle. Dagmar lui faisait du thé et des breuvages étranges censés lui donner des forces, et elle l'obligeait à manger les choses les plus bizarres pour fortifier son corps. Cela ne semblait pas avoir beaucoup d'effet, la fatigue était toujours là, mais Emelie voyait que ça faisait l'affaire de Dagmar de se sentir utile. Si bien qu'elle mangeait et buvait docilement tout ce qui lui était servi.

Les soirées étaient les meilleurs moments. Elles s'installaient dans le salon et parlaient, tout en tricotant et en faisant du crochet et de la couture pour le bébé. Emelie n'était pas très douée pour les travaux d'aiguille avant son séjour chez Dagmar. Une fille de ferme avait d'autres tâches à accomplir. Mais Dagmar était habile avec du fil et des aiguilles et elle enseignait son savoir à Emelie. Les piles de couvertures et de vêtements de bébé grandissaient. De jolis petits bonnets, des chemises, des chaussons et tout ce dont un petit pouvait avoir besoin au début de sa vie. La couverture en patchwork était magnifique, elles y consacraient un moment tous les soirs. Sur chaque morceau de tissu, elles brodaient librement ce qui leur venait à l'esprit. Emelie aimait particulièrement le carré avec les roses trémières. En les regardant, elle avait toujours un petit pincement au cœur. Car, si étrange que cela puisse paraître, Gråskär lui manquait parfois. Pas Karl et Julian, qu'elle ne regrettait pas un seul instant. Mais l'île, qui était en quelque sorte devenue une partie d'elle-même.

Un soir elle avait essayé de parler de l'île à Dagmar, de sa particularité et de la raison pour laquelle elle ne s'y sentait jamais seule. Mais ce fut l'unique fois où Dagmar et elle n'avaient pas pu communiquer normalement. La bouche de la vieille femme s'était ornée de ridules sévères, et elle avait détourné le visage, indiquant ainsi à Emelie qu'elle ne voulait rien entendre. Il n'y avait là rien de bien étonnant. Elle trouvait elle-même tout cela terriblement bizarre, quand elle essayait de décrire le phénomène, alors que sur l'île, parmi eux, c'était si naturel et évident... Il y avait un autre sujet qu'elles n'abordaient jamais. Emelie avait essayé de poser des questions sur Karl, sur son père et sa jeunesse. Mais alors la même expression apparaissait sur la figure de Dagmar. Elle se bornait à dire que le père de Karl avait toujours été très exigeant avec ses fils, et que Karl l'avait beaucoup déçu. Elle prétendait ne pas connaître les détails, et ne pas vouloir parler de choses dont elle ignorait pratiquement tout. Emelie n'insistait pas. Elle se contentait de se laisser envelopper par le calme dans la maison de Dagmar et de tricoter des petits chaussons pour le bébé qui ne tarderait pas à naître. Gråskär et Karl attendraient. Ils appartenaient à un autre monde, un autre temps. Le bruit des aiguilles à tricoter et la laine qui brillait à la lueur des lampes à pétrole étaient les seules choses qui existaient en cet instant. Mais un jour, il lui faudrait quitter ce rêve éphémère.

— Comment l'avez-vous trouvé? demanda Paula en prenant la main tendue de Peter pour monter à bord du *Min-Louis*.

— On nous a avertis par téléphone qu'il y avait un bateau échoué dans une baie.

— Comment ça se fait que vous ne l'ayez pas trouvé plus tôt? Vous avez pourtant sillonné le secteur, non? demanda Martin.

Il était ravi de se trouver là. Cette vedette pouvait atteindre les trente nœuds, il le savait. Peut-être pourrait-il convaincre Peter de mettre la gomme quand ils seraient un peu plus loin de la côte.

— Il y a tellement d'îles et de baies par ici, répondit Peter tout en quittant habilement le quai. Il faut une sacrée chance pour retrouver quoi que ce soit.

— Et vous êtes sûrs que c'est le bon bateau?

— Je sais reconnaître le bateau de Gunnar.

— On le ramène comment? demanda Paula.

Elle regarda par le pare-brise. C'était beau à couper le souffle et elle se dit qu'elle devrait sortir en mer plus souvent. Puis elle se retourna et regarda Fjällbacka derrière eux qui s'éloignait de plus en plus.

— On va le prendre en remorque. J'avais pensé le ramener tout de suite quand on a vu que c'était le bon bateau. Puis je me suis dit que vous voudriez peut-être l'examiner sur place d'abord.

— Je ne pense pas qu'on trouvera grand-chose, dit Martin. En revanche, je suis bien content de faire un tour en mer.

Il lorgna la manette des gaz mais n'osa pas demander. Beaucoup de bateaux étaient de sortie, c'était peut-être imprudent de vouloir foncer, même si ça le démangeait.

— Si tu veux, tu pourras venir pour une sortie plus longue un autre jour, tu verras ce qu'il a dans le ventre, proposa Peter avec un sourire amusé, comme s'il avait lu les pensées de Martin.

— Avec plaisir !

Le visage pâle de Martin s'illumina et Paula secoua la tête. Ah ces garçons et leurs joujoux !

— Par là, regardez ! s'exclama Peter en virant à droite.

Effectivement, dans une petite crevasse, ils virent une barque en bois roofée. Elle avait l'air intacte mais coincée parmi les rochers.

— C'est la *snipa* de Gunnar, j'en suis certain, dit Peter. Qui veut jouer au moussaillon et sauter à terre ?

Martin regarda Paula qui fit semblant de ne même pas comprendre la question. Elle avait grandi sur le bitume à Stockholm, et elle laissait sans problème à Martin le plaisir de sauter sur des rochers glissants. Il alla à l'avant, saisit l'amarre et attendit le bon moment. Peter coupa le moteur, puis aida Paula à descendre de la vedette. Elle faillit déraper sur quelques algues vertes, mais retrouva heureusement son équilibre. Martin n'aurait pas manqué de se moquer d'elle pendant une éternité si elle était tombée à l'eau.

Ils s'approchèrent du petit bateau échoué. Même de près, il avait l'air en parfait état.

— Comment a-t-il pu se retrouver là? dit Martin en se grattant la tête.

— On dirait qu'il a dérivé, constata Peter.

— Depuis le port? demanda Paula, mais en voyant la mine de Peter, elle comprit que c'était une question idiote.

— Non, dit-il laconiquement.

— Elle vient de Stockholm, dit Martin en guise d'explication, et Paula le foudroya du regard.

— Stockholm aussi a un archipel.

Martin et Peter froncèrent tous les deux les sourcils.

— De la forêt inondée, oui, dirent-ils en même temps.

— Pfff, fit Paula.

Les habitants de la côte ouest pouvaient se montrer d'une étroitesse d'esprit confondante. Si elle entendait encore une fois quelqu'un dire : "Stockholm? Ah, tu veux dire le petit bled là-bas de l'autre côté de la Suède?", elle n'hésiterait pas à lui coller une droite.

Elle fit le tour du bateau, tandis que Peter remontait dans la vedette et que Martin attachait une amarre à la *snipa* d'un geste d'habitué. Puis il fit signe à Paula d'approcher.

— Viens par là m'aider à pousser, dit-il et il commença à essayer de sortir la barque des rochers.

Paula marcha prudemment sur les dalles mouillées pour aller lui donner un coup de main. Après pas mal d'efforts, ils réussirent à dégager le bateau, qui glissa sur l'eau, très élégamment.

— Et voilà le travail, dit Paula et elle partit rejoindre la vedette du Sauvetage en mer.

Tout à coup, elle sentit ses jambes disparaître dans l'eau et se retrouva mouillée de la tête aux pieds. Merde. Ses collègues n'en finiraient plus de se payer sa tête.

Ils étaient avec elle constamment désormais. C'était rassurant en quelque sorte, même si elle les voyait rarement en face, plutôt du coin de l'œil. Par moments, le petit garçon lui rappelait Sam, avec ses cheveux bouclés et une lueur espiègle dans les yeux. Mais il était aussi blond que Sam était brun. Lui aussi suivait perpétuellement sa mère du regard.

Annie ne voyait pas réellement la femme, elle la sentait plutôt. Et elle entendait : la jupe qui balayait le sol, les petits mots d'encouragement au garçon, les avertissements quand elle voyait un danger. Elle était une mère quelque peu surprotectrice, comme Annie elle-même. La femme essayait parfois de lui parler. Elle cherchait à lui dire quelque chose, mais Annie ne voulait pas écouter.

Le garçon aimait bien être avec Sam dans la chambre. Parfois elle avait l'impression que Sam lui répondait, mais elle n'en était pas certaine. Elle n'osait pas s'approcher pour écouter, elle ne voulait pas les déranger si tel était le cas. Cela lui donna de l'espoir. En temps voulu, Sam finirait bien par lui parler, à elle, aussi. Même si elle représentait la sécurité pour lui, il l'associait sans doute encore à toutes les mauvaises expériences de sa vie.

Soudain, elle eut froid, bien qu'il fasse chaud dans la maison. Ils n'étaient peut-être pas tant que ça à l'abri ici ? Peut-être qu'ils verraient un bateau s'approcher un jour, comme elle le craignait. Un bateau rempli du même mal qu'ils avaient essayé de laisser derrière eux.

Mais oui, elle entendait bel et bien des voix dans la chambre de Sam. Sa peur disparut aussi vite qu'elle était apparue. Le petit garçon blond parlait avec Sam, et Sam semblait lui répondre. Son cœur frémit de bonheur dans sa poitrine. C'était si difficile de savoir comment s'y prendre. Elle ne pouvait que suivre son instinct, qui était fondé sur son amour pour Sam et lui conseillait d'accorder du temps à son fils. De le laisser se rétablir complètement ici au calme.

Aucun bateau ne viendrait. Elle se le répéta comme un mantra, assise là devant la table de la cuisine, à regarder par la fenêtre. Aucun bateau ne viendrait. Sam parlait, et ça signifiait qu'il allait bientôt lui revenir. Elle entendit de nouveau la voix du petit garçon. Elle sourit. Elle était heureuse que Sam se soit trouvé un ami.

Patrik observa Gösta qui fouillait dans sa poche arrière.

— Peux-tu, s'il te plaît, me dire ce qui se passe?

Gösta finit par trouver ce qu'il cherchait et tendit une photo à Patrik.

— C'est quoi? Ou plutôt c'est qui? demanda Patrik.

— Je ne sais pas. Je l'ai trouvée chez Sverin.

— Où ça?

— Dans sa chambre, dit Gösta en avalant.

— Explique-moi comment ça se fait que cette photo se trouve dans ta poche?

— Je pensais qu'elle pouvait nous intéresser, alors je l'ai emportée. Et puis je l'ai oubliée, dit Gösta piteusement.

— Tu l'as oubliée?! cria Patrik, tellement furieux qu'il sentit sa vue se brouiller. Comment peut-on oublier une telle chose? On ne parle que de ça, qu'on ne sait pratiquement rien sur Mats et qu'on n'a aucune idée de qui il fréquentait!

Gösta rétrécissait à vue d'œil.

— Oui, mais je te la montre maintenant. Mieux vaut tard que jamais, pas vrai? dit-il en tentant un sourire.

— Et tu ne sais pas du tout qui c'est ? demanda Patrik en examinant minutieusement la photo.

— Aucune idée. Mais c'est forcément une personne importante pour Sverin, et la pensée m'a frappé que… j'y ai pensé quand on… dit-il en hochant la tête en direction de la cuisine où Marie les attendait.

— Ça vaut le coup d'essayer. Mais on n'a pas fini d'en parler, que ce soit clair.

— Je comprends, dit Gösta, le regard rivé au sol, mais il semblait soulagé d'avoir obtenu un répit provisoire.

Ils retournèrent auprès de Marie. Elle paraissait aussi nerveuse que quand ils l'avaient quittée tout à l'heure.

Patrik alla droit au but.

— Qui est cette femme ?

Il posa la photographie sur la table, devant Marie, qui écarquilla les yeux.

— Madeleine, s'exclama-t-elle en plaquant sa main sur sa bouche.

— Qui est Madeleine ?

Patrik tapota la photo du doigt pour que Marie continue à la regarder. Elle ne répondait pas, se tortillant en tous sens sur sa chaise.

— Il s'agit d'une enquête pour meurtre, et les informations que vous possédez pourraient nous aider à trouver l'assassin de Mats. C'est bien ce que vous souhaitez ?

Marie les regarda d'un air malheureux. Ses mains tremblaient et sa voix était chevrotante quand elle finit par parler. De Madeleine.

Les techniciens étaient arrivés pour faire un examen complet du bateau, et Paula et Martin retournèrent au commissariat. On avait prêté à Paula un pantalon ciré gigantesque et une laine polaire orange que le Sauvetage en mer avait en stock dans son bureau, et elle fusilla du regard tous ceux qui auraient l'idée de lui faire une remarque. De mauvaise humeur, elle monta le chauffage de la voiture. L'eau était glacée et elle avait encore froid.

Le son de la radio était poussé à fond et Martin entendit tout juste la sonnerie de son téléphone portable. Il baissa le volume et répondit.

— Super ! On peut y aller, là ? On est en route pour le poste, on peut s'arrêter en chemin, dit-il, puis il raccrocha et se tourna vers Paula. C'était Annika, Lennart a regardé la paperasse, on peut y faire un saut maintenant, si on veut.

— Parfait, répondit Paula, l'air un peu plus détendu.

Un quart d'heure plus tard, ils s'arrêtaient devant les bureaux d'Extra-Film. Ils trouvèrent Lennart en train de manger, mais il repoussa tout de suite son sandwich et s'essuya les mains sur une serviette. Il jeta un regard curieux sur l'étrange accoutrement de Paula, mais eut la sagesse de ne pas faire de commentaire.

— C'est bien que vous ayez pu venir.

Lennart dégageait autant de chaleur que sa femme, et Paula eut une pensée pour leur petite fille adoptive. Elle ne savait pas la chance qu'elle aurait de se retrouver chez eux.

— Qu'est-ce qu'elle est mignonne ! s'exclama-t-elle en regardant la photo de la petite fille que Lennart avait punaisée sur son panneau d'affichage.

— Oui, c'est vrai, dit Lennart avec un large sourire, puis il montra les deux chaises devant le bureau. Je ne sais même pas si ça vaut la peine de vous inviter à vous asseoir. J'ai tout vérifié aussi minutieusement que j'ai pu, mais il n'y a pas grand-chose à dire. La comptabilité semble en ordre, rien de particulier ne m'a sauté aux yeux. D'un autre côté, je ne savais pas trop non plus ce que je devais chercher. La commune a investi une belle somme dans ce projet, c'est écrit là, noir sur blanc, et elle a aussi réussi à négocier des délais de paiement particulièrement longs. Mais je me fie beaucoup à l'intuition, et il n'y a rien qui m'ait choqué.

Martin s'apprêtait à parler, mais Lennart n'avait pas fini :

— Les Berkelin frère et sœur assurent une partie du financement, et la plus grande partie de leur apport sera versée lundi, d'après les documents. Je suis vraiment désolé de ne pas vous être d'une plus grande aide.

— Si, si, tu nous as aidés. C'est agréable d'entendre que la commune s'occupe bien de notre argent, dit Martin en se levant.

— Oui, pour l'instant, c'est bien engagé. Mais vont-ils réussir à attirer des clients ? Tout est là. Autrement, ça coûtera cher aux contribuables.

— En tout cas, nous, on a bien aimé l'endroit.

— Oui, Annika m'a dit que c'était très réussi. Et si j'ai bien compris, Mellberg a eu droit à des soins particulièrement poussés.

Paula et Martin rirent.

— On aurait bien aimé voir ça. La rumeur parle de peeling aux coquilles d'huîtres. Mais on devra se contenter de l'imaginer recouvert de coquilles, dit Paula.

— En tout cas, voici tout le matériel, dit Lennart en lui tendant la pile de dossiers. Encore une fois, désolé de ne pas pouvoir vous donner plus d'informations.

— Tu n'y es pour rien. On cherchera ailleurs.

Le découragement se lisait sur la figure de Paula. Le bateau retrouvé lui avait donné une décharge d'adrénaline, mais qui fut de courte durée, et la probabilité qu'il leur fournisse des pistes n'était pas grande.

— Je te dépose et je file me changer à la maison, dit-elle en route vers le commissariat, et elle lança un regard d'avertissement à Martin.

Il hocha la tête, mais elle savait pertinemment qu'aussitôt la porte franchie, il raconterait à tous l'histoire de sa trempette involontaire dans la mer et ne se gênerait pas pour en rajouter une couche.

Une fois qu'elle se fut garée devant l'immeuble, elle monta l'escalier au pas de course. Elle était toujours gelée, comme si l'eau froide l'avait pénétrée jusqu'aux os, et ses doigts tremblèrent quand elle glissa la clé dans la serrure.

— Y a quelqu'un ? lança-t-elle en s'attendant à entendre la voix joyeuse de sa mère dans la cuisine.

— Salut, lui répondit une autre voix dans la chambre.

Toute surprise, elle alla voir. Normalement, Johanna était au travail à cette heure-ci.

Depuis quelque temps, elle savait que quelque chose n'allait pas, quelque chose qui l'empêchait de dormir la nuit. Même si la respiration de Johanna lui indiquait qu'elle aussi était réveillée, elle n'osait pas lui parler. Elle n'était pas certaine de vouloir entendre ce que Johanna avait à lui dire.

Elle trouva son amie assise sur leur lit, une expression si désespérée dans les yeux que Paula eut envie de faire demi-tour et de prendre ses jambes à son cou. Les pensées tourbillonnaient dans sa tête. Toutes sortes de scénarios se déroulèrent, mais aucun qu'elle eût envie de suivre jusqu'au bout. Cependant, elles se trouvaient maintenant toutes les deux face à face dans un appartement vide et silencieux, sans l'habituel branle-bas de combat derrière lequel se cacher. Pas de chiens dans les pattes. Pas de Rita qui chantait à tue-tête dans la cuisine et chahutait avec Leo. Pas de Mellberg qui lançait des obscénités à l'adresse de la télé. Pas de Leo à cajoler. Seulement le silence, Johanna et elle.

— C'est quoi, ces frusques? demanda finalement Johanna en examinant Paula des pieds à la tête.

— Je suis tombée à l'eau, répondit Paula en regardant l'horrible pull en laine polaire qui lui arrivait presque aux genoux. Je suis juste rentrée me changer en vitesse.

— Vas-y, change-toi. Il faut qu'on parle. Je ne peux pas avoir une conversation sérieuse avec toi si tu es habillée comme ça.

Elle tenta un sourire, et le ventre de Paula se noua. Elle adorait le sourire de Johanna, mais il était bien trop rare ces temps-ci.

— Tu nous prépares du thé pendant que je me change?

Johanna hocha la tête et laissa Paula seule dans la chambre. Avec des doigts raidis par le froid et la peur, elle enfila un jean et un tee-shirt blanc. Puis elle respira un bon coup et rejoignit Johanna dans la cuisine. Elle ne tenait pas à avoir cette conversation, mais elle n'avait pas le choix. Il ne lui restait plus qu'à fermer les yeux et se lancer dans la descente.

Il détestait lui mentir. Pendant si longtemps, elle avait été tout pour lui, et maintenant, il était prêt, pour la première fois, à sacrifier leur complicité. Cela le tourmentait. Anders haleta légèrement sous l'effort.

La montée vers Mörhult était raide et pentue. Il avait été obligé de sortir prendre l'air un moment, d'échapper à Vivianne.

Parfois, le passé semblait si proche. Parfois, il avait de nouveau cinq ans et se cachait sous le lit, dans les bras de Vivianne, les mains sur les oreilles. Ils avaient beaucoup appris sur l'art de survivre, là, sous le lit. Mais à présent, il ne voulait plus se contenter de survivre, il voulait vivre, et il se demandait si Vivianne l'y aidait ou bien l'en empêchait.

Une voiture arriva en roulant trop vite et il dut sauter sur le bas-côté de la route. Badis était derrière lui. Leur grand projet, l'apothéose finale. Erling était celui qui rendait tout cela possible. Ce pauvre diable qui avait demandé Vivianne en mariage.

Erling avait appelé pour l'inviter à dîner ce soir et fêter les fiançailles. Mais Anders n'était pas sûr que Vivianne soit au parfum. Surtout que le petit commissaire grassouillet et sa compagne étaient invités aussi. Pour sa part, il avait décliné l'invitation avec une excuse bidon. La combinaison Erling-Bertil Mellberg ne lui paraissait pas la meilleure garantie d'une soirée réussie. Et dans les circonstances actuelles, il n'avait pas envie de fêter quoi que ce soit.

Il ne savait pas exactement où il allait, il aurait pu partir dans n'importe quelle direction, mais là, le chemin descendait. Anders donna un coup de pied dans un caillou qui roula en bas de la pente et disparut dans le fossé. Il se sentait un peu comme ce caillou : il roulait de plus en plus vite dans la descente, et la question était de savoir dans quel fossé il se retrouverait. Ça ne pouvait que mal se terminer, aucune des alternatives qui se présentaient à lui n'était acceptable. Il était resté éveillé toute la nuit à réfléchir à une solution, un compromis. Mais il n'y en avait pas. Pas plus qu'il n'y avait eu de juste milieu pour eux quand ils étaient blottis sous le lit, la tête collée contre les lattes de bois.

Il s'arrêta sur l'embarcadère juste avant le petit pont en pierre. Les cygnes n'y étaient pas. Chaque année ils faisaient leur nid juste à droite du pont, lui avait-on dit, et leur nichée était obligée de vivre dangereusement près de la route. Il avait entendu que le mâle et la femelle restaient ensemble toute leur vie. C'était ça qu'il aurait voulu connaître lui aussi. Jusque-là, il n'avait eu que sa sœur. Pas comme partenaire amoureuse évidemment. Mais elle avait été sa compagne, celle avec qui il passerait sa vie.

Tout avait changé désormais. Il avait une décision à prendre, mais il ne savait pas comment il pourrait y parvenir. Pas tant qu'il sentait les lattes du lit contre sa tête et le bras rassurant de Vivianne autour de son corps. Pas en se souvenant à chaque instant qu'elle avait toujours été sa protectrice et sa meilleure amie.

Ils avaient failli ne pas survivre, il s'en était fallu de si peu. L'alcool et les odeurs étaient déjà là quand leur mère était en vie, mais accompagnés de petits îlots d'amour, de moments auxquels ils s'accrochaient. Quand elle avait choisi la fuite et qu'Olof l'avait trouvée dans la chambre, un flacon de médicaments vide par terre, les derniers restes de leur enfance s'en étaient allés. Il avait rejeté la faute sur eux et la punition avait été terrible. À chaque visite des assistantes sociales, il faisait un effort et les charmait avec ses yeux bleus. Il leur montrait l'appartement, et Vivianne et Anders qui fixaient leurs pieds en silence, pendant que ces dames le complimentaient obséquieusement. D'une façon ou d'une autre, il avait toujours vent de leur venue, et l'appartement était propre et rangé quand elles faisaient leurs visites soi-disant spontanées. Pourquoi ne les avait-il pas simplement abandonnés, s'il les haïssait tant ? Vivianne et Anders avaient passé de nombreuses heures à imaginer les nouveaux parents qu'ils pourraient avoir si Olof acceptait de les laisser partir.

Il tenait probablement à les avoir près de lui, à contempler leur tourment. Mais ils finiraient par le vaincre. Bien qu'il soit mort depuis de nombreuses années, il était encore leur moteur, celui à qui ils voulaient montrer leur succès. Et ce succès était à leur portée aujourd'hui. Ils ne pouvaient pas abandonner et donner raison à Olof qui avait toujours prétendu qu'ils étaient des bons à rien et qu'ils ne réussiraient jamais dans la vie.

Au loin, il vit la famille de cygnes arriver. Les petits nageaient derrière leurs parents majestueux. Ils étaient adorables avec leur duvet gris, mais bien loin encore des oiseaux magnifiques qu'ils étaient destinés à devenir. Vivianne et lui avaient grandi et étaient devenus de beaux cygnes… à moins qu'ils ne soient encore que de petits oisillons gris attendant leur métamorphose ?

Il fit demi-tour et remonta lentement la route. Quelle que soit sa décision, il devait la prendre rapidement.

— Voilà, nous sommes au courant pour Madeleine.

Patrik s'assit face au bureau de Leila sans attendre d'y être invité. Gösta, lui, se laissa tomber sur la chaise voisine, les yeux rivés au sol.

— Pardon ?

— Nous sommes au courant pour Madeleine, répéta Patrik calmement.

— Ah bon, et… commença Leila, et il y eut quelques tressaillements autour de sa bouche.

— Vous avez clamé haut et fort avoir collaboré avec nous et nous avoir dit tout ce que vous saviez. Nous venons de comprendre que ce n'est pas tout à fait exact et nous aimerions avoir une explication.

Patrik mit autant d'autorité dans sa voix qu'il le put, et cela sembla faire son effet.

— Je ne pensais pas que… dit Leila en avalant. Je ne voyais pas le rapport.

— D'une part je ne vous crois pas, d'autre part ce n'est pas à vous de le déterminer, dit Patrik puis il fit une courte pause avant de poursuivre : Qu'avez-vous à nous dire sur Madeleine ?

Leila se tut un instant. Brusquement, elle se leva et s'approcha d'une des étagères. Elle glissa la main derrière une rangée de livres et en sortit une clé. Puis elle se pencha et ouvrit un tiroir de son bureau.

— Tenez, dit-elle entre ses dents et elle posa un dossier devant eux.

— C'est quoi ? demanda Patrik en survolant les documents et Gösta leva la tête, réveillé par sa curiosité.

— C'est le dossier de Madeleine. Elle fait partie des femmes qui ont eu besoin d'une aide au-delà de ce que la société peut offrir.

— Ce qui veut dire ?

— Ce qui veut dire que nous l'avons aidée au-delà de ce que la loi autorise.

Leila les regarda, le visage sévère. Sa nervosité du début avait disparu et elle eut l'air de les défier.

— Certaines des femmes qui arrivent chez nous ont tout essayé. Mais elles et leurs enfants sont menacés par des hommes qui ne font même pas semblant de respecter les lois de la société, et nous n'avons rien pour les contrer. Nous n'avons aucune possibilité de protéger ces femmes, alors nous les aidons à fuir. À l'étranger.

— Et quelles étaient les relations entre Madeleine et Mats?

— Je ne le savais pas à l'époque, mais j'ai appris par la suite qu'ils avaient une relation amoureuse. Nous avons travaillé longtemps pour essayer de dénouer la situation de Madeleine et de ses enfants. Ils ont dû tomber amoureux pendant cette période, ce qui naturellement est totalement interdit. Mais je ne le savais pas à l'époque… répéta-t-elle pour se justifier en ouvrant grandes les mains. Quand je l'ai appris, j'ai été terriblement déçue. Matte savait combien c'était important pour moi de montrer que les hommes sont nécessaires dans ce type d'activité. Et il savait que tous les regards étaient tournés vers Refuge et que beaucoup de gens espéraient me voir échouer. Je n'ai pas compris comment il a pu nous trahir ainsi.

— Que s'est-il passé? demanda Gösta en prenant le dossier des mains de Patrik.

Leila s'était un peu calmée.

— Les choses n'ont fait qu'empirer. Le mari de Madeleine les retrouvait chaque fois, elle et les enfants. La police suivait l'affaire, mais ça n'a pas suffi. Pour finir, Madeleine n'en pouvait plus, et nous avons compris que la situation était intenable. S'ils voulaient rester en vie, ils devaient quitter la Suède. Quitter leur maison, leur famille, leurs amis, tout.

— Quand avez-vous pris cette décision? demanda Patrik.

— Madeleine est venue me voir peu après l'agression de Matte, pour nous demander de l'aide. Et je suppose que nous étions déjà plus ou moins arrivés à la même conclusion.

— Et Mats, qu'en pensait-il?

Leila regarda la table.

— Nous ne lui avons rien demandé. Tout s'est passé pendant son hospitalisation. Quand il est revenu, elle était déjà partie.

— C'est à ce moment-là que vous avez appris qu'ils avaient une relation ? demanda Gösta en posant le dossier sur le bureau.

— Oui. Matte était inconsolable. Il m'a suppliée de lui révéler où ils s'étaient réfugiés. Mais je ne pouvais pas, je n'en avais pas le droit. Ça les aurait mis en danger, elle et les enfants, si quelqu'un avait appris où ils se trouvaient.

— Vous n'avez pas pensé qu'il pouvait y avoir un lien entre ça et l'agression de Mats ? dit Patrik et il ouvrit le dossier et pointa le doigt sur un nom.

Avant de répondre, Leila tripota un trombone un petit moment.

— Bien sûr que j'y ai pensé. Le contraire aurait été surprenant. Mais Mats soutenait qu'il n'en était rien. Du coup, nous n'avons pas pu faire grand-chose.

— Nous aurions besoin de parler avec elle.

— Impossible, dit Leila vivement en secouant la tête. Ce serait beaucoup trop dangereux.

— Nous mettrons en œuvre toutes les mesures de sécurité. Mais nous devons absolument lui parler.

— C'est impossible, je vous dis.

— Je comprends que vous souhaitiez protéger Madeleine, et je promets de ne rien faire qui la mettrait en danger. J'avais espéré qu'on pourrait s'entendre, et faire en sorte que ça reste entre nous. Autrement, je vais devoir passer par la voie officielle.

Les mâchoires de Leila se crispèrent, mais elle savait qu'elle n'avait pas le choix. En un seul coup de fil, Patrik et Gösta pourraient faire s'écrouler toute l'activité de Refuge.

— Je vais voir ce que je peux faire. Ça prendra un moment. Peut-être jusqu'à demain.

— Aucune importance. Faites-nous signe dès que vous êtes prête.

— D'accord. Mais c'est à une condition : on fera les choses à notre façon. Le sort de nombreuses personnes est en jeu, pas seulement celui de Madeleine et de ses enfants.

— Nous comprenons parfaitement, dit Patrik.

Ils se levèrent et partirent pour reprendre encore une fois la route pour Fjällbacka.

— Bonsoir, soyez les bienvenus !

Erling se tenait à la porte, un grand sourire aux lèvres. Il était content que Bertil Mellberg et sa compagne Rita aient pu venir fêter l'événement avec eux, car il appréciait vraiment Mellberg. Son attitude pragmatique à l'égard de la vie était proche de la sienne et c'était fort agréable de côtoyer une personne aussi sensée.

Il serra la main de Mellberg avec enthousiasme et fit la bise à Rita, sur les deux joues pour être sûr de ne pas se tromper. Il ne savait pas trop quel était l'usage dans les pays du Sud, mais deux bises, c'était forcément mieux qu'une seule. Vivianne arriva dans le vestibule et aida les invités à se débarrasser de leurs manteaux. Ils lui tendirent un bouquet de fleurs et une bouteille de vin, et elle remercia avec autant de chaleur que l'exigeait l'étiquette, puis elle porta les cadeaux dans la cuisine.

— Entrez, dit Erling en agitant la main.

Comme toujours, il se réjouit de montrer son intérieur. Il avait dû lutter avec acharnement pour conserver la maison lors du divorce, mais elle en valait la peine.

— Comme c'est beau, dit Rita en regardant autour d'elle.

— Dis donc, tu t'en es bien sorti, fit remarquer Mellberg en tapant Erling dans le dos.

— Je ne me plains pas.

Erling tendit un verre de vin à ses invités.

— Et qu'est-ce que vous nous avez préparé de bon ? demanda Mellberg.

Il avait toujours le déjeuner à Badis en tête, et si on ne leur servait que des noix et des graines ce soir aussi, ils s'arrêteraient au fast-food pour manger un hot-dog au retour.

— Ne t'inquiète pas, Bertil, le rassura Vivianne en faisant un clin d'œil à Rita. J'ai fait une exception ce soir, j'ai préparé des plats consistants rien que pour toi. Mais il se peut qu'un ou deux légumes s'y soient glissés.

— Je pense que je survivrai, dit Bertil avec un rire exagérément cordial.

— On se met à table ?

Erling entoura Rita de son bras et la guida vers la grande salle à manger resplendissante. Son ex-femme l'avait décorée avec beaucoup de goût, il ne pouvait pas le nier. D'un autre côté, c'était lui qui avait casqué, si bien qu'on pouvait dire que c'était son œuvre, et d'ailleurs il n'hésitait pas à le rappeler aussi souvent que possible.

L'entrée fut vite expédiée, et Mellberg s'illumina en voyant que le plat suivant était une généreuse part de lasagnes. Ce n'est qu'au moment du dessert, et après quelques coups de pied sous la table de la part d'Erling, que Vivianne agita ostensiblement sa main gauche.

— Oh, mais c'est bien ce que je crois ? s'exclama Rita.

Mellberg plissa les yeux pour essayer de voir la cause de cette effervescence, et découvrit quelque chose qui scintillait sur l'annulaire de Vivianne.

— Vous vous êtes fiancés ? dit-il en prenant la main de Vivianne pour examiner la bague de plus près. Erling, vieille canaille, t'as pas lésiné, on dirait !

— On n'a jamais rien sans rien. Mais elle le vaut bien, ma Vivianne.

— Elle est magnifique, cette bague, dit Rita avec un grand sourire. Toutes mes félicitations à vous deux.

— Eh bien, ça se fête. T'aurais pas quelque chose de plus fort, qu'on puisse trinquer dignement ?

Mellberg regarda avec dégoût le verre de Baileys qu'Erling avait servi avec le dessert.

— Je devrais pouvoir nous trouver un peu de whisky, dit Erling.

Il se leva et alla ouvrir un grand bar. Il prit deux bouteilles qu'il posa sur la table, puis alla chercher quatre verres à whisky.

— Ça, c'est du sérieux, dit Erling en montrant une des bouteilles. Du Macallan, vingt-cinq ans d'âge. Il coûte bonbon, je peux vous le dire.

Il servit deux verres, qu'il posa devant Vivianne et lui-même. Puis il reboucha la bouteille hors de prix et la rapporta précautionneusement au bar, où il la rangea bien à l'abri.

Mellberg le suivit du regard, interloqué.

— Ben, et nous ? ne put-il s'empêcher de demander, et Rita eut l'air de penser la même chose, même si elle ne disait rien.

Erling revint à table et ouvrit avec insouciance l'autre bouteille sur la table. Du Johnnie Walker Red Label, qui coûtait deux cent quarante-neuf couronnes en grande surface.

— Mon whisky rarissime, je ne pense pas que vous sauriez l'apprécier à sa juste valeur. Ce serait du gâchis.

Avec un grand sourire, Erling leur servit un Johnnie Walker chacun. Mellberg et Rita contemplèrent en silence le contenu de leur verre, puis celui dans les verres d'Erling et de Vivianne, qui scintillait d'un tout autre éclat. Vivianne ne savait plus où se mettre.

— À votre santé ! Et à la nôtre, ma chérie !

Erling leva son verre. Abasourdis, Mellberg et Rita firent de même.

Peu après, ils s'excusèrent et quittèrent leurs hôtes. Plus radin, tu meurs, pensa Mellberg dans le taxi. C'était un coup dur porté à une amitié prometteuse.

Le quai était désert quand ils descendirent du train. Personne n'était au courant de leur arrivée. Sa mère allait avoir un choc en les voyant apparaître, mais elle n'avait aucun moyen de la prévenir. Et elle allait lui faire courir un grand danger en lui demandant de les héberger. Elle aurait préféré ne pas avoir à exposer ses parents à ça, mais ils n'avaient nulle part où aller. Elle aurait des gens à voir ensuite, des choses à expliquer, et Madeleine s'était aussi promis de rembourser Ditte pour les billets. Elle détestait se sentir redevable, mais elle n'avait pas trouvé d'autre moyen de rentrer. Le reste attendrait.

Elle n'osait même pas penser à ce qui allait se passer maintenant. Paradoxalement, elle était presque apaisée par l'inévitable, rassurée d'être ainsi acculée, sans possibilité de fuir nulle part. Elle avait abandonné la partie, et dans un certain sens, c'était presque agréable. Fuir, lutter tout le temps était tellement usant. Désormais, elle n'avait plus peur pour elle-même. Seuls les enfants la faisaient hésiter, mais elle ferait tout pour qu'il comprenne et pardonne. Il n'avait jamais touché aux enfants, et ils s'en tireraient quoi qu'il arrive. Elle devait s'accrocher à cet espoir. Sinon, elle sombrerait.

Ils montèrent dans le tram à Drottningtorget. Tout semblait si familier. Les enfants étaient fatigués, leurs yeux se fermaient presque tout seuls, mais ils avaient quand même le nez appuyé contre la vitre et regardaient dehors, curieux de tout.

— Ça, c'est la prison. Hein, maman, c'est une prison? demanda Kevin.

Elle fit oui de la tête. Oui, ils passaient juste devant la prison de Härlanda. Ensuite elle pouvait réciter de tête les différents arrêts : Solrosgatan, Sanatoriegatan, pour descendre à Kålltorp. Pourtant ils faillirent louper l'arrêt, parce qu'elle avait oublié d'appuyer sur le bouton. Au dernier moment, elle s'en souvint, le tram ralentit et s'arrêta pour les laisser descendre. La soirée d'été était encore claire, mais les lampadaires venaient de s'allumer et la plupart des fenêtres étaient éclairées. Elle plissa les yeux et vit que l'appartement de ses parents aussi était illuminé. Son cœur battait de plus en plus vite à mesure qu'elle approchait. Elle allait revoir sa mère, et son père. Sentir à nouveau leurs bras autour d'elle, et voir leur regard quand ils apercevraient leurs petits-enfants. Elle marchait de plus en plus vite, et les enfants trébuchèrent vaillamment derrière elle dans leur hâte de retrouver leurs grands-parents qu'ils n'avaient pas vus depuis si longtemps.

Ils se trouvèrent finalement devant la porte et la main de Madeleine trembla au moment d'appuyer sur la sonnette.

FJÄLLBACKA 1871

C'était un très beau bébé, et l'accouchement s'était étonnamment bien passé. La sage-femme l'avait dit, quand elle avait posé le petit garçon dans ses bras, enveloppé d'une couverture. Une semaine plus tard, le bonheur était toujours là, et il ne faisait que grandir à chaque minute.

Dagmar était aussi heureuse qu'elle. Dès qu'Emelie avait besoin de quelque chose, elle accourait, pleine de zèle, et elle changeait le bébé avec la même expression solennelle qu'elle affichait à l'église le dimanche. C'était un miracle qu'elles partageaient toutes les deux.

Emelie l'avait installé dans un petit panier à côté de son lit. Elle pouvait rester des heures à le regarder dormir, une petite main serrée contre la joue. Parfois, quand ses lèvres étaient parcourues d'un tressaillement, elle se disait que c'était un sourire, qu'il exprimait son bonheur d'exister.

Les vêtements que Dagmar et elle avaient confectionnés en y consacrant tant d'heures furent bien utiles. Il fallait les changer plusieurs fois par jour, et le bébé était toujours propre et rassasié. Emelie avait l'impression que Dagmar, le bébé et elle vivaient dans leur petit monde, dans la joie et la bonne humeur. Elle lui avait trouvé un nom : il s'appellerait Gustav, comme son père à elle. Elle n'avait même pas l'intention de demander l'avis de Karl. Gustav était son fils, rien que le sien.

Karl n'était pas venu la voir une seule fois durant son séjour chez Dagmar. Elle savait pourtant qu'il était venu à Fjällbacka, accompagné de Julian comme toujours. Même si c'était un soulagement de ne pas avoir à le rencontrer, réaliser qu'il se souciait si peu d'elle restait douloureux. Elle ne comptait donc vraiment pas pour lui.

Elle avait essayé d'en parler avec Dagmar, mais comme d'habitude quand il était question de Karl, la vieille dame se fermait. Elle marmonnait seulement que ça n'avait pas été facile pour lui, et qu'elle ne voulait pas se mêler des histoires de famille. Emelie avait fini par se résigner. Elle ne comprendrait jamais son mari et, quoi qu'il en soit, elle ne pouvait s'en prendre qu'à elle-même. Jusqu'à ce que la mort vous sépare, avait dit le pasteur, et il en serait ainsi. Mais maintenant, outre les autres qui avaient été une consolation dans son existence solitaire sur l'île, elle avait quelqu'un. Quelqu'un de réel.

Trois semaines après la naissance de Gustav, Karl vint la chercher. Il regarda à peine son fils. Debout dans l'entrée, impatient, il lui avait juste dit de faire ses bagages, car dès que Julian et lui auraient fini les courses, ils retourneraient sur l'île. Avec elle et le bébé.

— Ma tante, savez-vous si mon père a fait des commentaires au sujet du bébé ? Je lui ai écrit, mais il ne m'a pas répondu, demanda Karl en regardant Dagmar.

Il paraissait inquiet et en même temps empressé, comme un écolier qui cherche à plaire. Le cœur d'Emelie s'adoucit un peu en voyant l'hésitation de Karl, elle aurait aimé savoir ce qui se passait en lui.

— Il a reçu ta lettre, et il est content et satisfait, répondit Dagmar avant de poursuivre : Il s'est fait du souci, tu sais.

Ils échangèrent un regard qu'Emelie ne sut interpréter.

— Père n'a aucune raison de s'inquiéter, rétorqua Karl sur un ton amer. Dites-le-lui.

— Je le lui dirai. Mais toi, tu dois promettre de bien t'occuper de ta famille.

Karl fixa le plancher.

— Bien sûr, dit-il, puis il tourna le dos à Dagmar. Sois prête à partir dans une heure, ajouta-t-il par-dessus l'épaule à l'adresse d'Emelie.

Elle hocha la tête, mais sentit sa gorge se nouer. Bientôt elle serait de retour à Gråskär. Elle serra Gustav fort contre elle.

— Alors, elle a pu la joindre ? demanda Gösta, qui avait encore l'air de sortir du lit.

— Je n'en sais rien. Elle m'a seulement demandé de venir au plus vite.

Patrik jura. La circulation était dense et il était obligé de slalomer entre les voitures. Une fois arrivés aux locaux de Refuge sur Hisingen, ils descendirent de la voiture et Patrik tira sur sa chemise. Il était trempé de sueur.

— Entrez, dit Leila d'une voix assourdie en les accueillant à la porte. Venez, on va s'installer dans la cuisine, c'est plus confortable que dans mon bureau. Il y a du café et des tartines, si vous n'avez pas encore petit-déjeuné.

Ils n'en avaient guère eu le temps, et ils se jetèrent presque sur les petits pains une fois assis autour de la table.

— J'espère que Marie ne va pas avoir d'ennuis à cause de ça, commença Patrik.

Il avait oublié ce détail pendant l'entretien de la veille, mais au moment de s'endormir, il s'était fait du souci pour la pauvre fille émotive qui risquait de perdre son emploi parce qu'elle avait parlé de Madeleine.

— Absolument pas. J'en prends toute la responsabilité. J'aurais dû vous en parler, seulement je pensais avant tout à la sécurité de Madeleine.

— Je comprends, dit Patrik.

Cela l'énervait d'avoir perdu tant de temps, mais il comprenait effectivement pourquoi Leila avait agi ainsi. Et il n'était pas rancunier.

— Alors, vous avez pu la joindre ? demanda-t-il et il enfourna le dernier bout de sa tartine.

Leila déglutit.

— Malheureusement il semble qu'on ait perdu Madeleine.

— Perdu ?

— Oui, on l'a donc aidée à s'enfuir à l'étranger. Je n'ai peut-être pas besoin d'entrer dans les détails, mais ça se passe d'une manière qui est censée garantir une sécurité maximale. Toujours est-il qu'elle et les enfants ont été installés dans un appartement. Et maintenant… maintenant il semble qu'ils l'aient quitté.

— Quitté ? répéta Patrik.

— Oui, d'après notre collaborateur sur place l'appartement est vide, et la voisine dit que Madeleine et les enfants sont partis hier. Apparemment, sans intention de revenir.

— Et ils sont partis où ?

— Je pense qu'ils sont revenus ici.

— Qu'est-ce qui vous fait penser ça ? demanda Gösta en se préparant une autre tartine.

— Elle a emprunté de l'argent à sa voisine pour acheter des billets de train. Et elle n'a nulle part ailleurs où aller.

— Mais pourquoi reviendrait-elle ici, sachant ce qui l'attend ?

Gösta avait parlé la bouche pleine, et une averse de miettes tomba sur ses genoux.

— Je n'en ai pas la moindre idée, répondit Leila, et ils virent le désespoir et l'inquiétude sur son visage.

Vous devez comprendre qu'il s'agit d'un processus psychologique extrêmement complexe. On peut se demander pourquoi les femmes ne partent pas dès le premier coup qu'elles prennent, mais c'est plus compliqué que ça. Il finit par se créer une sorte de relation de dépendance entre celui qui frappe et celle qui est frappée, et les femmes n'agissent pas toujours de façon rationnelle.

— Vous croyez qu'elle a pu retourner auprès de son mari ? s'étonna Patrik, incrédule.

— Je n'en sais rien. Peut-être qu'elle ne supportait plus l'isolement et qu'elle avait envie de revoir sa famille. Même nous, qui travaillons sur ces questions depuis de nombreuses années, nous ne comprenons pas toujours leur raisonnement. Mais c'est leur vie, après tout. Elles sont libres de leurs choix.

— Comment on fait, pour la retrouver ?

Patrik sentit l'impuissance l'envahir. Toujours ces portes qu'on leur claquait à la figure. Il fallait qu'il parle avec Madeleine. Elle était peut-être la clé de tout ce qui s'était passé.

Leila ne dit rien pendant un moment.

— Je commencerais par aller chez ses parents. Ils habitent à Kålltorp. Elle a pu essayer de s'y réfugier.

— Vous avez l'adresse ? demanda Gösta.

— Je l'ai. Mais… vous avez affaire à des gens redoutables, et vous pouvez exposer non seulement Madeleine et sa famille au danger, mais aussi vous-mêmes.

— Nous serons discrets, l'assura Patrik.

— Vous avez l'intention de parler à son mari aussi ?

— Ça devient inévitable. Mais on va d'abord se renseigner auprès de nos collègues ici à Göteborg sur la meilleure façon de procéder.

— Soyez prudents, dit Leila en lui tendant un bout de papier avec l'adresse.

— Ne vous inquiétez pas.

Mais il ne se sentait pas aussi sûr qu'il en avait l'air. Ils plongeaient en eau profonde désormais, et il allait falloir éviter la noyade.

— Donc pas l'avion ? constata Konrad.

— Non, répondit Petra. Ils n'ont pas quitté le pays. En tout cas pas sous leur véritable nom.

— Ils avaient probablement les moyens d'obtenir des faux passeports et de nouvelles identités.

— Et dans ce cas, on ne les retrouvera pas de sitôt. On doit d'abord examiner toutes les autres possibilités. Et on sait très bien quelle hypothèse il faudra privilégier.

Petra croisa le regard de Konrad au-dessus de leurs bureaux placés face à face. Inutile de préciser leurs pensées, les images dans leur tête étaient suffisamment claires comme ça.

— Ce serait vraiment monstrueux qu'ils aient liquidé un gamin de cinq ans, dit Konrad.

En même temps, ils savaient que ces gens avaient évolué dans des cercles où une vie humaine n'avait aucune importance. Tuer un enfant était sans doute inimaginable pour la plupart, mais pas pour tous. L'argent et les drogues avaient la capacité de transformer les humains en bêtes sauvages.

— J'ai parlé avec certaines de ses amies. Elle n'en a pas beaucoup, si j'ai bien compris, et aucune qui semble avoir été vraiment proche. Mais toutes disent la même chose. Annie, Fredrik et leur fils allaient passer l'été dans leur maison en Toscane. Et aucune n'a de raison de croire qu'ils ne soient pas partis, dit Petra et elle but une gorgée d'eau de la bouteille toujours posée sur son bureau.

— Elle est originaire d'où ? demanda Konrad. Elle a une famille chez qui elle a pu aller ? Il a très bien pu se passer quelque chose qui les a empêchés d'aller en Italie, elle et le garçon. Des problèmes conjugaux. C'est peut-être carrément elle qui l'a descendu ?

— Ses amies ont laissé entendre que leur relation n'était pas très heureuse, mais ne commençons pas à spéculer là-dessus à ce stade. Est-ce que tu sais si les balles sont parties au labo ?

— Oui, et on est prioritaires. Les stups connaissent ce gugusse et l'organisation qu'il cache depuis longtemps, si bien que l'affaire s'est retrouvée en haut de la pile.

— Tant mieux, dit Petra en se levant. Alors je vérifie du côté de la famille d'Annie, et toi tu harcèles la brigade technique et tu me fais un rapport dès qu'ils ont quelque chose d'utilisable.

— Mmm… dit Konrad avec un sourire amusé.

Ça faisait longtemps qu'il s'était habitué au comportement de Petra. Elle agissait toujours en chef, bien qu'ils aient le même grade. Et comme il ne cherchait à impressionner personne, il la laissait faire. Il savait qu'elle l'écoutait et qu'au bout du compte elle respectait son jugement et ses opinions, c'était tout ce qui comptait.

Il prit le téléphone pour appeler la brigade technique.

— Tu es sûr que c'est la bonne adresse ? dit Gösta avec un regard vers Patrik.

— Oui, c'est ici. Et j'ai entendu quelqu'un bouger.

— Alors elle est là, c'est certain, chuchota Gösta. Sinon, ils auraient ouvert.

— La question est de savoir comment agir maintenant. Il faut qu'on les amène à nous laisser entrer de leur plein gré, dit Patrik.

Il réfléchit un moment. Puis il sortit son bloc-notes et un stylo. Il écrivit quelques lignes, détacha la feuille, s'accroupit et la glissa sous la porte avec sa carte.

— Qu'est-ce que tu as écrit ?

— J'ai proposé un endroit où on pourrait se voir. J'espère qu'elle mordra à l'hameçon, dit Patrik et il commença à descendre l'escalier, Gösta sur ses talons.

— Et si elle préfère prendre le large ?

— Je ne pense pas. J'ai écrit que c'était au sujet de Mats.

— Espérons que tu as raison, dit Gösta quand ils remontèrent en voiture. On va où ?

— Aux lacs de Delsjön, répondit Patrik et il démarra sur les chapeaux de roues.

Ils se garèrent sur le parking et se dirigèrent à pied vers une petite aire de pique-nique dans la zone forestière. Puis ils attendirent. C'était agréable de se retrouver un peu dans la nature, et la journée de début d'été était belle. Ni chaude ni froide, du soleil dans un ciel sans nuages, le gazouillis des oiseaux et un doux frémissement dans les arbres.

Au bout de vingt minutes, une femme frêle arriva à pied. Elle jetait des regards inquiets autour d'elle et ses épaules étaient remontées jusqu'aux oreilles.

— Il est arrivé quelque chose à Matte ?

Sa voix était claire comme celle d'une très jeune fille, et les mots sortaient par saccades.

— On s'assied un instant ? proposa Patrik en montrant le banc à côté d'eux.

446

— Racontez-moi ce qui est arrivé, insista-t-elle en s'asseyant.

Patrik prit place à côté d'elle alors que Gösta choisit de rester un peu à l'écart et de laisser Patrik gérer l'entretien.

— Nous sommes de la police de Tanumshede.

Le ventre de Patrik se noua en voyant l'expression de Madeleine. Il s'en voulut de ne pas avoir mieux préparé les choses. Ils allaient lui annoncer le décès de Mats. Ils allaient raconter que quelqu'un qui de toute évidence avait beaucoup compté pour elle n'était plus de ce monde.

— Tanumshede? Mais pourquoi? dit-elle en serrant ses mains sur ses genoux et en jetant un regard suppliant à Patrik. Matte vient effectivement de là-bas, mais…

— Mats est retourné vivre à Fjällbacka quand vous avez disparu. Il y a trouvé du travail et il a mis son appartement ici à Göteborg en location. Mais il… dit Patrik en hésitant, puis il prit son élan : Il a été abattu il y a bientôt deux semaines. Je suis désolé, Mats est mort.

Madeleine chercha sa respiration. Ses grands yeux bleus se remplirent de larmes.

— Je croyais qu'ils allaient le laisser tranquille, dit-elle, puis elle enfouit son visage entre ses mains et pleura désespérément.

Patrik lui entoura maladroitement le dos de son bras.

— Saviez-vous que c'est votre ex-mari et ses copains qui avaient agressé Mats à Göteborg?

— Bien sûr que je le savais. Je n'ai pas cru un seul instant à cette histoire idiote de bande de jeunes.

— Et c'est pour ça que vous vous êtes enfuie? demanda Patrik doucement.

— Je m'étais dit qu'ils lui ficheraient la paix si on partait. Avant ça, j'avais espéré que les choses s'arrangeraient. Qu'on pourrait se cacher ici en Suède. Mais quand j'ai vu Matte à l'hôpital… J'ai compris que personne de notre entourage ne serait en sécurité tant que nous serions ici. On était obligés de disparaître.

— Pourquoi êtes-vous revenus ? Qu'est-ce qu'il s'est passé ?

Madeleine pinça les lèvres, et sa mine déterminée dit à Patrik qu'elle n'allait pas répondre.

— Ça ne sert à rien de fuir. Si Matte est mort… ça prouve seulement que j'ai raison, dit-elle en se levant.

— Est-ce qu'on peut vous aider en quoi que ce soit ? demanda Patrik et il se leva lui aussi.

— Non, il n'y a rien que vous puissiez faire. Rien.

— Vous étiez ensemble depuis combien de temps ?

— Ça dépend de comment on compte, dit-elle et sa voix trembla. Disons environ un an. On n'avait pas le droit, alors on se voyait en cachette. On devait aussi faire attention par rapport à… dit-elle sans terminer sa phrase, mais Patrik comprit. Matte était tellement différent de ce que j'avais connu avant. Si doux, si généreux. Il n'aurait jamais fait de mal à personne. Et ça… c'était nouveau pour moi.

Son rire était amer.

— Il y a autre chose que je dois vous demander, poursuivit Patrik, mais il eut du mal à la regarder dans les yeux. Savez-vous si Mats était mêlé à un trafic de drogues ? Cocaïne ?

Madeleine ouvrit de grands yeux.

— D'où tenez-vous ça ?

— On a trouvé un sachet de cocaïne dans une poubelle devant l'immeuble de Mats à Fjällbacka. Avec ses empreintes digitales.

— C'est forcément une erreur. Mats n'aurait jamais touché à ces trucs-là. Par contre, vous savez aussi bien que moi qui a accès à la came, dit Madeleine à voix basse, et ses larmes roulèrent sur ses joues. Pardon, mais je dois rentrer auprès de mes enfants maintenant.

— Gardez ma carte et appelez-moi si vous avez besoin d'aide.

— Tout ce que vous pouvez faire pour moi, c'est arrêter celui qui a tué Matte. Je n'aurais jamais dû...

Elle partit en courant, les larmes ruisselant sur sa figure. Patrik et Gösta la regardèrent disparaître. Ils savaient tous les deux qu'elle n'appellerait jamais.

— Tu n'as pas posé beaucoup de questions, constata Gösta.

— Ce n'était pas difficile de comprendre qui elle soupçonne d'avoir tué Mats.

— Oui. Et ce qu'on a à faire maintenant ne me botte pas spécialement.

— Je sais, dit Patrik et il sortit son téléphone portable de sa poche. Autant appeler Ulf tout de suite. On va avoir besoin de renfort.

— Ça ne sera pas du luxe, marmonna Gösta.

Le temps que l'appel aboutisse, Patrik sentit une inquiétude l'envahir. L'espace d'une seconde, une image parfaitement nette d'Erica et des enfants lui apparut. Puis Ulf répondit.

— C'était sympa, votre soirée d'hier? demanda Paula.

Johanna et elle étaient toutes les deux rentrées pour le déjeuner, une fois n'est pas coutume, et comme Bertil aussi était là, ils se retrouvèrent tous autour de la table de la cuisine.

— Ben, ça dépend de comment on voit les choses, sourit Rita.

Les fossettes étaient encore bien visibles sur ses joues rondes. Malgré la salsa qu'elle pratiquait assidûment, ses formes étaient toujours aussi généreuses, et Paula se disait souvent que c'était une chance. Car sa maman était infiniment belle. Elle n'aurait pas voulu qu'elle soit différente, et Bertil non plus, apparemment.

— Ce rat de mes deux, il nous a offert du whisky au rabais, marmonna Mellberg.

Habituellement, il aimait bien le Johnnie Walker et n'aurait jamais l'idée de gaspiller son argent en whisky haut de gamme. Mais quand on offre, on ne lésine pas.

— *Damned!* s'écria Johanna. Du whisky au rabais, ça achèverait un mort!

— Erling s'est servi un scotch hors d'âge, et à Vivianne aussi, et nous, on a eu droit à du Johnnie Walker ordinaire, expliqua Rita.

— Quel radin, dit Paula, estomaquée. Je ne pensais pas que Vivianne était comme ça.

— Je ne pense pas qu'elle le soit non plus. Je l'ai trouvée très sympa, et elle avait l'air mortifiée. Mais Erling doit quand même lui plaire d'une façon ou d'une autre, puisqu'on a eu la surprise d'apprendre qu'ils se sont fiancés. Ils nous l'ont annoncé au dessert.

— Eh ben mon cochon! s'exclama Paula.

Elle essaya d'imaginer Erling et Vivianne ensemble, mais en vain. C'était impossible. Il fallait vraiment chercher pour trouver un couple aussi mal assorti. À part peut-être sa mère et Bertil. Et d'une façon étrange, elle avait commencé à les considérer comme la combinaison parfaite. Elle n'avait jamais vu sa mère aussi heureuse, et c'était la seule chose qui comptait. Voilà pourquoi elle appréhendait tellement ce que Johanna et elle-même avaient à leur dire.

— C'est chouette que vous soyez là, toutes les deux, dit Rita en leur servant de la soupe brûlante.

— Oui, on avait l'impression qu'il y avait de l'eau dans le gaz ces temps-ci, dit Mellberg en tirant la langue à Leo, ce qui le fit hoqueter de rire.

— Attention, il peut avaler de travers, gronda Rita, et Mellberg arrêta immédiatement, tant il avait peur pour son trésor.

— Mâche bien maintenant, pour faire plaisir à papi Bertil, dit-il.

Paula ne put s'empêcher de sourire. Même si Mellberg pouvait se montrer l'homme le plus mufle qu'elle ait jamais rencontré, elle lui pardonnait tout quand elle voyait comment son fils le regardait. Puis elle se racla la gorge, sachant très bien que ce qu'elle allait annoncer maintenant aurait l'effet d'une bombe.

— Oui, effectivement, on a traversé une période un peu creuse. Mais hier on a eu l'occasion de mettre tout ça à plat et…

— Vous n'allez pas rompre quand même? dit Mellberg. Vous aurez du mal à vous recaser. Il n'y a pas beaucoup de gouines par ici, en tout cas pas assez pour trouver chaussure à votre pied, à toutes les deux.

Paula regarda le plafond et pria pour garder patience. Elle compta à rebours à partir de dix et prit un nouvel élan :

— On ne va pas se séparer. Mais…

Du regard, elle chercha le soutien de Johanna, qui termina sa phrase :

— On ne peut plus habiter ici.

— Vous ne pouvez plus habiter ici? répéta Rita en regardant Leo tandis que les larmes lui montaient aux yeux. Mais vous irez où ? Comment vous allez… et le petit ?

Sa voix était saccadée et les mots ne semblaient pas vouloir sortir dans le bon ordre.

— En tout cas, vous ne pouvez pas retourner à Stockholm. J'espère que vous n'y songez même pas, trancha Mellberg. Leo ne peut pas grandir dans une ville aussi grande, vous le savez, hein ? Il pourrait tourner loubard, toxico ou je ne sais quoi encore.

Paula se retint de faire remarquer qu'elle-même et Johanna y avaient grandi sans en garder de séquelles. Certains sujets ne valaient même pas la peine d'être abordés.

— Mais non, on n'a pas l'intention de retourner à Stockholm, se dépêcha de dire Johanna. On se plaît ici. Par contre, on va avoir du mal à trouver un appartement, et on devra probablement chercher à Grebbestad et à Fjällbacka. Le mieux serait évidemment qu'on trouve quelque chose près de chez vous. Mais quoi qu'il en soit…

— Quoi qu'il en soit, il est nécessaire pour nous de déménager, poursuivit Paula. Vous nous avez été d'une aide formidable, et pour Leo, ça a été fantastique de vous avoir, tous les deux, mais on a besoin d'avoir un chez-nous, ajouta-t-elle en serrant la main de Johanna sous la table. Et on prendra ce qu'on trouvera.

— Mais le petit, il faut qu'il voie ses grands-parents tous les jours. Il y est tellement habitué.

Mellberg eut l'air de vouloir arracher Leo de sa chaise, pour le serrer contre lui et ne plus jamais le lâcher.

— On fera au mieux, mais on va déménager dès que possible. On verra bien où.

Le silence s'abattit sur la table, seul Leo restait aussi joyeux que toujours. Rita et Mellberg se regardaient, au désespoir. Les filles allaient partir, et elles prendraient le petit avec elles. Ce n'était peut-être pas la fin du monde, mais ça y ressemblait.

Impossible d'oublier le sang. Le rouge si vif sur la soie blanche. Elle avait ressenti une terreur qui dépassait tout ce qu'elle avait connu auparavant. Et pourtant les années avec Fredrik avaient comporté leur lot de peur, des instants auxquels elle préférait ne pas penser, qu'elle avait choisi de reléguer dans un coin reculé de sa tête. À la place, elle s'était concentrée sur Sam et son amour pour lui.

Cette nuit-là, elle était restée comme pétrifiée devant le sang. Puis elle avait repris ses esprits et avait agi, avec une détermination qu'elle pensait avoir perdue. Les valises étaient déjà prêtes. Elle avait même pris le temps d'enfiler un jean et un pull. Sam pouvait voyager en pyjama. Elle l'avait soulevé et porté dans la voiture en dernier. Il ne dormait pas, mais était tout silencieux.

Globalement il n'y avait pas eu beaucoup de bruit. Seul le bourdonnement tranquille de la rare circulation nocturne avait troué le silence. Elle s'était interdit de spéculer sur ce que Sam avait vu, sur ce que signifiait son mutisme et sur les séquelles qu'il pourrait en conserver. Lui qui d'habitude était une vraie pipelette n'avait pas proféré le moindre son. Pas un mot.

Assise sur le ponton, Annie remonta les genoux et les entoura de ses bras. Elle s'étonna de ne pas ressentir le moindre ennui après deux semaines passées sur l'île. Au contraire, elle avait l'impression que les jours filaient à toute vitesse. Elle n'avait pas encore eu la force de réfléchir à leur avenir, à Sam et elle. Elle ne savait même pas s'ils en avaient un. Elle ignorait quelle importance le cercle qui entourait Fredrik pouvait bien leur accorder, et combien de temps Sam et elle pourraient rester cachés ici. Elle aurait préféré se retirer du monde et vivre sur Gråskär pour toujours. En été, c'était simple, mais quand l'hiver arriverait, la vie ici serait impossible. Et Sam avait besoin d'avoir du monde autour de lui. Des amis et des gens intègres.

Avant de prendre une décision, elle voulait encore lui laisser le temps de se rétablir. Le soleil brillait et le murmure de la mer contre les rochers nus les berçait le soir avant qu'ils s'endorment. Ils étaient en sécurité à l'ombre du phare. Le reste pouvait attendre. Et avec le temps, le souvenir du sang finirait bien par s'estomper.

— Comment vas-tu, ma chérie ?

Elle sentit les bras de Dan venir l'entourer par-derrière, et elle dut lutter pour ne pas se dégager immédiatement de son étreinte. Si elle était sortie de l'obscurité et qu'elle pouvait de nouveau voir les enfants, être présente et les aimer, tout restait mort en elle quand Dan la touchait et la suppliait du regard.

— Ça peut aller, dit-elle et elle s'extirpa de ses bras. Un peu fatiguée, mais je vais essayer de rester debout un moment. J'ai besoin d'entraîner mes muscles.

— Quels muscles ?

Elle essaya de sourire à sa plaisanterie, se rappelant vaguement qu'elle avait toujours souri quand il la faisait marcher. Mais son sourire ne fut qu'une grimace.

— Tu pourras aller chercher les enfants ? demanda-t-elle et elle essaya péniblement de se pencher pour ramasser une petite voiture par terre.

— Laisse-moi faire, dit Dan en attrapant le jouet d'un geste rapide.

454

— Mais j'y arrive, lança-t-elle, irritée.

Elle regretta immédiatement son ton en voyant son expression blessée. Qu'est-ce qui n'allait pas chez elle ? Pourquoi y avait-il un trou dans sa poitrine à l'endroit où tous ses sentiments pour Dan auraient dû se trouver ?

— Je ne veux pas que tu t'épuises, c'est tout.

Dan caressa sa joue. Sa main était froide contre sa peau et elle se força à ne pas l'écarter. Comment pouvait-elle être comme ça avec Dan, qu'elle avait aimé si tendrement et qui était le père de l'enfant dont elle s'était tant réjouie ? Ses sentiments pour lui avaient-ils disparu en même temps que leur fils avait cessé de respirer ?

Subitement, l'accablement la submergea de nouveau. Elle n'avait pas la force d'y penser maintenant. Elle voulait seulement qu'on la laisse tranquille, qu'elle puisse se reposer jusqu'au retour des enfants où elle sentirait son amour pour eux l'inonder à nouveau, un amour qui, lui, avait survécu.

— Tu vas les chercher ? murmura-t-elle, et Dan hocha la tête.

Elle n'arrivait pas à croiser son regard, qu'elle savait rempli de douleur.

— Alors je monte m'allonger un moment, dit-elle en claudiquant en direction de l'escalier.

— Je t'aime, Anna, lança-t-il derrière elle d'une voix faible.

Elle ne répondit pas.

— Vous êtes là ? appela Madeleine en refermant la porte derrière elle.

L'appartement était étrangement silencieux. Les enfants dormaient-ils déjà ? Ça n'aurait rien d'étonnant. Ils étaient arrivés tard la veille et s'étaient réveillés très tôt, tout excités d'être chez leurs grands-parents.

— Maman ? Papa ?

Madeleine baissa la voix. Elle retira ses chaussures et suspendit son manteau. Un instant, elle s'arrêta devant le miroir de l'entrée. Elle ne voulait pas qu'ils voient qu'elle avait pleuré. Ils étaient suffisamment inquiets comme ça. Elle avait eu tant de plaisir à les retrouver. Légèrement confus et en pyjama, ils avaient ouvert la porte, puis leur expression méfiante s'était transformée en larges sourires. C'était si bon d'être de retour, même si elle savait que la sensation de sécurité était à la fois fausse et provisoire.

Elle se retrouvait de nouveau dans un chaos indescriptible. Matte était mort, et elle réalisait maintenant qu'au fond, elle avait toujours cru et espéré qu'un jour ils trouveraient le moyen de vivre ensemble.

Elle resta devant le miroir, repoussa ses cheveux derrière les oreilles et essaya de se voir telle que Matte l'avait vue. Il avait dit qu'elle était belle. Elle ne l'avait pas cru, mais elle savait qu'il était sincère. Elle pouvait le lire dans ses yeux chaque fois qu'il la regardait, et il avait eu tant de projets pour leur avenir commun. Bien que la décision de partir soit venue d'elle, elle avait gardé l'espoir que ces projets se réalisent un jour. Les larmes lui montèrent aux yeux à nouveau et elle fixa le plafond pour les empêcher de déborder et de couler sur ses joues. Au prix d'un énorme effort, elle les chassa en cillant, puis elle respira profondément. Elle devait se ressaisir pour les enfants et faire ce qu'elle avait à faire. Il serait temps de pleurer ensuite.

Elle se retourna et se dirigea vers la cuisine. C'était là que ses parents passaient le plus clair de leur temps, sa mère en tricotant et son père en faisant des mots croisés ou des sudokus, qui semblaient avoir sa préférence depuis quelques années.

— Maman ? dit-elle en passant la porte, puis elle s'arrêta net.

— Salut ma chérie.

Cette voix, à la fois douce et railleuse. Elle n'en serait jamais libérée.

Sa mère avait une expression de terreur. Elle était assise face à Madeleine, le canon du pistolet posé sur sa tempe droite. Le tricot sur lequel elle travaillait était resté sur ses genoux. Son père était à sa place habituelle devant la fenêtre, et un bras musclé autour de son cou veillait à ce qu'il ne bouge pas.

— On vient d'évoquer de vieux souvenirs, mes beaux-parents et moi, dit Stefan calmement, et Madeleine vit qu'il pressa plus fort le pistolet sur la tempe de sa mère. C'était sympa de se revoir, ça faisait vraiment trop longtemps.

— Les enfants ? demanda Madeleine d'une voix qui ressemblait à un croassement tellement sa bouche était sèche.

— Ils sont en lieu sûr. Pauvres mômes. Ils ont dû être traumatisés de se retrouver aux mains d'une femme détraquée, sans leur papa. Mais on va rattraper le temps perdu, rigola-t-il, et ses dents scintillèrent entre ses lèvres.

— Ils sont où ?

Elle avait presque oublié combien elle le haïssait. Et combien elle avait peur de lui.

— En lieu sûr, je viens de te le dire.

Il appuya de nouveau sur le pistolet et sa mère fit une grimace de douleur.

— J'avais l'intention de venir te voir. C'est pour ça que nous sommes revenus, dit-elle et elle entendit combien son ton était implorant. J'ai compris que j'ai eu tort d'agir comme je l'ai fait. Je suis revenue pour que tout rentre dans l'ordre.

— Tu as reçu ma carte ?

C'était comme si Stefan n'entendait pas ce qu'elle disait. Elle ne comprenait même pas comment elle avait pu le trouver beau, au tout début. Comment avait-elle pu être si amoureuse, et même trouver qu'il ressemblait à une star de cinéma avec ses cheveux blonds, ses yeux bleus et ses traits taillés au couteau ? Elle avait été flattée qu'il la choisisse, alors qu'il aurait pu avoir toutes les filles. Elle n'avait que dix-sept ans, et aucune expérience de la vie. Stefan lui avait fait la cour, l'avait inondée de compliments. Le reste était venu plus tard, la jalousie et le besoin de tout contrôler, et il était déjà trop tard. Elle était enceinte de Kevin, et son amour-propre dépendait tellement de l'attention et de l'estime de Stefan qu'elle était incapable de s'affranchir de sa domination.

— La carte est arrivée, répondit-elle.

Subitement, elle sentit un grand calme l'envahir. Elle n'avait plus dix-sept ans, et elle avait été aimée.

Elle visualisa le visage de Matte et sut qu'elle lui devait de se montrer forte maintenant.

— Je vais venir avec toi. Laisse maman et papa tranquilles, poursuivit-elle en secouant la tête à l'intention de son père qui essaya de se lever. Tout va s'arranger. Je n'aurais pas dû partir, c'était une erreur de ma part. On va redevenir une famille.

Stefan fit brusquement un pas en avant et la frappa en pleine figure avec le pistolet. Elle sentit l'acier contre sa joue et tomba à genoux. Du coin de l'œil, elle vit le gorille de Stefan forcer son père à se rasseoir. Elle regrettait de tout son cœur que ses parents soient obligés d'assister à cette ignominie.

— On verra ça, espèce de pute.

Stefan l'attrapa par les cheveux et la traîna vers le vestibule. Elle lutta pour se remettre debout. C'était horriblement douloureux, comme s'il lui arrachait tout le cuir chevelu. Tout en la tenant d'une main de fer, il se retourna et agita son arme en direction de la cuisine.

— Pas un putain de mot de tout ça ! Si vous tentez quoi que ce soit, c'est la dernière fois que vous voyez Madeleine. Compris ?

Il braqua le pistolet sur la tempe de Madeleine et fixa ses parents, l'un après l'autre.

Ils hochèrent la tête, muets. Madeleine n'eut pas la force de les regarder. Elle en perdrait tout son courage, elle perdrait l'image de Matte qui l'incitait à être forte quoi qu'il arrive. Alors elle baissa les yeux tout en sentant la racine de ses cheveux brûler. Le pistolet était froid contre sa peau, et pendant une seconde elle se demanda comment ça serait : aurait-elle le temps de sentir la balle s'enfoncer dans son cerveau ou la lumière s'éteindrait-elle, tout simplement ?

— Les enfants ont besoin de moi. Ils ont besoin de nous. On peut redevenir une famille, dit-elle en essayant de maintenir une certaine fermeté dans sa voix.

— On verra, dit Stefan encore une fois, et le ton de sa voix lui fit plus peur que sa main autour de ses cheveux, plus peur que le pistolet contre sa tête.

Puis il la traîna vers la porte d'entrée.

— Tout indique que Stefan Ljungberg et sa bande y sont mêlés, dit Patrik.

— Sa femme est donc de retour en ville ? demanda Ulf.

— Oui, avec les enfants.

— Ça n'augure rien de bon. Elle aurait dû rester à l'écart, le plus loin possible de lui.

— Elle n'a pas voulu dire pourquoi elle est revenue.

— Il peut y avoir des milliers de raisons. Ce n'est pas la première fois que je vois ça. Le mal du pays, la nostalgie de leur famille, de leurs amis… La vie en cavale n'est pas ce qu'elles avaient imaginé. Ou alors elles sont retrouvées par leur bourreau et exposées à des menaces, et se disent qu'il vaut sans doute mieux rentrer à la maison.

— Vous êtes donc au courant que des organisations comme Refuge dépassent parfois le cadre de la loi pour les aider ?

— Oui, mais on a choisi de détourner les yeux. Ou, plus exactement, on a choisi de ne pas engager de poursuites. Après tout, ces organisations interviennent là où la société fait défaut. On ne peut pas protéger ces femmes et ces enfants comme on le devrait, et du coup… eh bien, que voulez-vous qu'on fasse ? dit Ulf en écartant les bras. Mais elle pense donc que son ex peut être l'auteur du meurtre ?

— Oui, on dirait, répondit Patrik. Et on a suffisamment d'éléments qui vont dans ce sens-là pour au moins avoir une conversation avec lui.

— Comme je te l'ai déjà dit, ce n'est pas une mission facile. D'une part, on ne veut pas risquer de perturber des enquêtes en cours concernant les Eagles et leurs activités. Et d'autre part, on a affaire à des mecs qu'il vaut mieux éviter, dans la mesure du possible.

— J'en suis conscient, concéda Patrik. Mais puisque toutes nos pistes conduisent à Stefan Ljungberg, ce serait une faute professionnelle de ne pas bavarder un peu avec lui.

— J'étais sûr que tu allais dire ça, soupira Ulf. Voilà ce qu'on va faire : je prends un de mes meilleurs gars, et on va tous les quatre causer avec Stefan. Pas d'interrogatoire, pas de provocation, pas d'agressivité. Seulement une petite conversation. On va marcher sur des œufs… et on verra bien ce que ça donne. Qu'en dites-vous ?

— Je pense qu'on n'a pas d'autre choix.

— Bien. Mais il est trop tard pour y aller maintenant, ça attendra demain matin. Vous avez un endroit où dormir ?

— Oui, on peut passer la nuit chez mon beau-frère.

Du regard Patrik interrogea Gösta, qui fit oui de la tête. Il prit son téléphone pour appeler Göran.

Erica fut un peu déçue quand Patrik lui annonça qu'il ne rentrerait que le lendemain. Mais elle en prit son parti. S'il avait appelé pour lui annoncer la même chose quand Maja était aussi petite que les jumeaux aujourd'hui, sa réaction aurait été tout autre. Elle aurait été prise de panique à l'idée de rester seule à la maison pendant la nuit. Cette fois, elle regrettait de ne pas s'endormir à côté de Patrik mais n'éprouvait aucune inquiétude à s'occuper seule des trois enfants. Tous les morceaux du puzzle semblaient avoir trouvé leur place, et elle était heureuse de pouvoir profiter de ses bébés. Cela ne signifiait absolument pas qu'elle avait moins aimé sa fille bébé. Bien sûr que non. Simplement, elle ressentait un autre calme, une autre confiance, avec les jumeaux.

— Papa rentrera demain, dit-elle à Maja sans recevoir de réponse.

Sa fille regardait *Bolibompa* à la télé, et il aurait pu pleuvoir des bombes devant les fenêtres sans qu'elle s'en aperçoive. Les jumeaux venaient de prendre leur biberon, elle les avait changés et ils s'étaient tranquillement endormis dans le lit qu'ils partageaient. De plus, le rez-de-chaussée était pour une fois à peu près propre et rangé, puisqu'elle avait eu un sursaut d'énergie et s'était mise au ménage en rentrant de la crèche. Elle se sentait presque désœuvrée à présent.

Erica se rendit dans la cuisine, se prépara une tasse de thé et mit des petits pains à la cannelle à décongeler au micro-ondes. Après quelques instants d'hésitation, elle alla chercher les documents sur Gråskär et s'installa à côté de Maja avec son thé, ses viennoiseries et ses histoires de fantômes. Elle se retrouva aussitôt plongée dans le monde des revenants. Il fallait vraiment qu'elle montre ses trouvailles à Annie.

— Tu ne devrais pas rentrer t'occuper de tes filles?

Konrad la regarda sévèrement. Devant leurs fenêtres de l'hôtel de police sur Kungsholmen à Stockholm, les lumières de la ville venaient de s'allumer.

— C'est le tour de Pelle ce soir. Il a fait tellement d'heures sup ces derniers temps que ça lui fait du bien de connaître les joies de la maison.

Le mari de Petra tenait un café dans le quartier de Södermalm, et c'était un véritable casse-tête pour eux de gérer le quotidien. Parfois Konrad se demandait comment ils avaient réussi à faire cinq enfants, en se voyant si peu.

— Tu trouves des choses ? demanda-t-il en s'étirant.

La journée avait été longue et il commençait à en sentir tout le poids dans les contractures de son dos.

— Parents décédés, pas de frère et sœur. Je continue à chercher, mais on dirait qu'il ne lui reste aucune famille.

— Comment elle a bien pu se retrouver dans les bras d'un type pareil ? dit Konrad, et il pencha la tête d'un côté puis de l'autre pour se détendre la nuque.

— Ça ne me paraît pas très difficile à comprendre, dit Petra sèchement. Elle fait partie de ces nanas qui ont pour seul atout leur physique, et dont le seul but dans la vie est de se faire entretenir. Qui s'en foutent de savoir d'où vient l'argent et qui passent leurs journées à courir les magasins et les instituts de beauté. Et pour s'en remettre, elles vont déjeuner entre copines avant d'aller prendre un verre de vin blanc à Sturehof ou dans un autre de ces restos branchés.

— Eh beh, dit Konrad. Ça pue les préjugés, tout ça.

— Je n'hésiterais pas à étrangler mes filles si elles devenaient comme ça. Moi, j'estime qu'on n'a qu'à s'en prendre à soi-même quand on accepte d'entrer dans ce monde-là les yeux fermés, seulement parce que l'argent n'a pas d'odeur.

— N'oublie pas qu'un enfant y est mêlé aussi, lui rappela Konrad et il vit tout de suite le visage de Petra s'adoucir.

C'était une dure à cuire, mais qui s'avérait plus sensible que la plupart, surtout quand il était question de la souffrance des enfants.

— Oui, je sais, dit-elle en fronçant les sourcils. C'est pour ça que je suis ici alors qu'il est dix heures du soir et que Pelle est probablement en train de vivre une véritable mutinerie à la maison. En tout cas, je ne le ferais pas pour une poulette arriviste et gâtée.

Elle continua de pianoter sur son clavier un moment, avant d'éteindre son ordinateur.

— Allez, ça suffit pour aujourd'hui. J'ai envoyé quelques demandes d'infos, je ne pense pas qu'on ira plus loin que ça ce soir. On a rendez-vous avec les gars des stups à huit heures demain matin pour tout passer en revue. Mieux vaut s'accorder quelques heures de sommeil pour être à peu près en forme.

— Toujours aussi sage, dit Konrad en se levant. Espérons que la journée de demain aura plus à nous offrir.

— Oui, sinon on demandera l'aide des médias, dit Petra avec une grimace de dégoût.

— Les journalistes sauront flairer l'affaire tout seuls, crois-moi.

Konrad avait cessé depuis longtemps de s'indigner de l'influence des journaux à sensation sur leur travail. Et il n'en avait pas non plus une vision aussi manichéenne que Petra. Les journalistes pouvaient être d'une grande aide, comme ils pouvaient mener au désastre. Quoi qu'il en soit, la presse de caniveau serait toujours là, et il était inutile de se battre contre des moulins à vent.

— Bonne nuit, Konrad, dit Petra et elle traversa le couloir à grandes enjambées.

— Bonne nuit, répondit-il en éteignant la lumière.

FJÄLLBACKA 1873

La vie sur l'île avait changé, même si beaucoup de choses étaient restées les mêmes. Karl et Julian avaient toujours cette lueur de méchanceté dans les yeux quand ils la regardaient, et de temps en temps ils laissaient fuser des commentaires blessants. Mais cela ne la touchait plus, car elle avait Gustav désormais. Elle était totalement absorbée par son merveilleux fils, et tant qu'il serait à ses côtés, elle pourrait tout supporter. Elle pourrait vivre sur Gråskär jusqu'à sa mort, à condition d'avoir son fils auprès d'elle. Rien d'autre n'avait d'importance. Cette certitude lui procurait un grand calme, tout comme le faisait sa foi en Dieu. De jour en jour, la parole de Dieu devenait plus explicite. Elle consacrait tout son temps libre sur l'île aride à lire attentivement ce que la Bible avait à lui apprendre, et son message comblait son cœur, de sorte qu'elle pouvait fermer la porte à tout le reste.

Au grand chagrin d'Emelie, Dagmar était décédée deux mois après son retour sur l'île. Les circonstances de sa mort étaient si terribles qu'elle avait du mal à y penser. Une nuit, un malfaiteur s'était introduit dans sa maison, probablement dans l'intention de voler le peu de chose de valeur qu'elle possédait. Au matin, une amie l'avait découverte, frappée à mort. Emelie avait les larmes aux yeux dès qu'elle pensait à elle et au sort brutal qui lui avait été réservé. Par moments, c'était plus qu'elle n'en pouvait supporter. Qui pouvait être aussi mauvais, porter autant de haine en lui, pour être capable d'ôter la vie à une vieille dame qui n'aurait pas fait de mal à une mouche ?

La nuit, les morts chuchotaient un nom. Ils savaient et ils voulaient qu'elle écoute ce qu'ils avaient à dire. Mais Emelie refusait d'entendre, refusait de connaître la vérité. Dagmar lui manquait profondément. La savoir là-bas, à Fjällbacka, l'aurait rassurée, bien qu'elle n'eût toujours pas le droit d'accompagner Karl et Julian dans leurs expéditions d'approvisionnement. Dagmar n'était plus de ce monde, et Gustav et Emelie se retrouvaient tout seuls.

Ce n'était pas tout à fait exact. Quand elle était revenue, portant Gustav dans ses bras, ils l'attendaient sur les rochers. Ils avaient salué son retour sur l'île et lui avaient souhaité la bienvenue. Désormais, elle les voyait sans peine. Gustav avait un an et demi maintenant, et même si elle avait douté au début, elle avait finalement acquis la certitude qu'il les voyait, lui aussi. Souvent il affichait un grand sourire et agitait les bras en l'air. Leur présence le rendait joyeux, et la joie de Gustav était tout ce qui comptait dans le monde d'Emelie.

Les jours se ressemblaient et l'existence sur l'île aurait pu sembler monotone. Et pourtant, elle n'avait jamais été plus contente de son sort. Le pasteur était revenu une fois leur rendre visite. Elle avait le sentiment qu'il s'inquiétait et voulait voir comment se passaient les choses. Mais il n'avait pas de souci à se faire. L'isolement, qui autrefois lui avait donné la chair de poule, ne lui pesait plus. Elle disposait de toute la compagnie qu'il lui fallait, et sa vie avait un

sens. Qui aurait l'audace d'en demander davantage ?
Le pasteur était reparti rassuré. Il avait vu la quiétude
sur son visage, vu la Bible lue et relue ouverte sur la
table de la cuisine. Il avait caressé la joue de Gustav,
lui avait glissé une boule de gomme et avait dit qu'il
était un beau petit garçon, ce qui avait fait rayonner
Emelie de fierté.

Karl en revanche ignorait totalement le petit.
C'était comme si son fils n'existait pas. Il avait déserté
la chambre à coucher pour de bon, et dormait désormais dans la pièce au rez-de-chaussée. Julian avait
dû prendre la banquette de la cuisine. Le bébé criait
trop, prétendait Karl, mais Emelie soupçonnait qu'il
cherchait juste une excuse pour ne pas partager le lit
conjugal. Cela lui était parfaitement égal, elle dormait à côté de Gustav, le bras dodu de son fils autour
de son cou et sa bouche contre sa joue. C'était tout
ce dont elle avait besoin. Son fils, et Dieu.

La soirée chez Göran fut agréable. Pendant la plus grande partie de leur vie, Erica et Anna avaient ignoré qu'elles avaient un frère, mais après leur rencontre, il était vite devenu très proche de ses deux petites sœurs, et Patrik et Dan aimaient eux aussi beaucoup leur beau-frère. Märta, sa mère adoptive, qui avait partagé leur repas de la veille, était une vieille dame délicieuse qui avait tout de suite trouvé sa place dans la famille élargie.

— Alors, prêts pour le combat ? demanda Ulf.

Ils s'étaient retrouvés sur le parking de l'hôtel de police. Sans attendre de réponse, Ulf leur présenta son collègue Javier – encore plus grand qu'Ulf, si c'était possible, et en bien meilleure forme physique. Apparemment, il n'était pas du genre causant, et sans un mot, il serra la main de Patrik et de Gösta.

— Vous nous suivez ? dit Ulf qui se glissa derrière le volant d'une voiture de police banalisée en soufflant comme un bœuf.

— Oui, mais ne roulez pas comme des malades. Je ne connais pas bien la ville, dit Patrik, en se dirigeant vers sa voiture avec Gösta sur ses talons.

— Je vais conduire comme un instructeur d'auto-école, lança Ulf en riant.

Ils traversèrent la ville et arrivèrent dans des zones où les habitations se faisaient plus rares. Vingt minutes plus tard, il n'y en avait pratiquement plus aucune.

— C'est paumé par ici, constata Gösta en regardant autour de lui. Ils habitent en pleine forêt ?

— Ça paraît logique qu'ils vivent à l'écart. J'imagine qu'ils ne veulent pas de voisins qui pourraient se mêler de leurs affaires.

— Oui, sans doute.

Devant eux, Ulf ralentit et s'engagea dans la cour d'une grande maison. Quelques chiens se précipitèrent sur les voitures en aboyant furieusement.

— Putain, je déteste les chiens.

Gösta regarda par la vitre et sursauta lorsqu'un des gros animaux, un rottweiler, vint japper juste devant sa portière.

— Je pense qu'ils hurlent plus qu'ils ne mordent, dit Patrik en coupant le moteur.

— Ce que tu penses, ça me fait une belle jambe, répliqua Gösta paralysé sur son siège.

— Allez, viens.

Patrik descendit de la voiture, mais se figea lorsque trois chiens vinrent l'encercler en montrant les crocs.

— Rappelez vos chiens, cria Ulf.

Au bout d'une minute ou deux, un homme apparut à la porte.

— Et pourquoi je les rappellerais ? Ils font leur boulot. Ils tiennent les intrus à distance, dit l'homme avec un sourire amusé en croisant les bras sur sa poitrine.

— Laisse tomber, Stefan. On veut seulement causer un peu. Rappelle ces putains de chiens maintenant.

Stefan rit, glissa le pouce et l'index dans la bouche et émit un sifflement strident. Les chiens cessèrent immédiatement d'aboyer, coururent rejoindre leur maître et se couchèrent à ses pieds.

— Ça va, t'es content maintenant ?

Patrik nota que le leader des IE avait une certaine allure. S'il n'y avait pas eu cette expression froide dans ses yeux, on aurait pu le qualifier de bel homme. Ses vêtements aussi contribuaient à ruiner son pouvoir de séduction : jean élimé, tee-shirt taché et gilet noir de motard. Et, pour parfaire le tout, des sabots scandinaves aux pieds.

D'autres hommes commencèrent à surgir autour d'eux. Tous avec le même regard attentif et menaçant.

— Qu'est-ce que vous voulez ? C'est une propriété privée ici, dit Stefan et il semblait surveiller leurs moindres gestes.

— On veut juste causer un peu, répéta Ulf en levant les mains devant lui en un geste d'apaisement. On n'est pas venus chercher d'embrouille. Seulement discuter tranquillement.

Il y eut un long silence. Le biker eut l'air de réfléchir, et personne ne bougea un cil.

— OK, entrez, finit par dire Stefan avec un haussement d'épaules, comme si ça lui était égal, et il leur tourna le dos pour pénétrer dans la maison.

Ulf, Javier et Gösta le prirent au mot, et Patrik les suivit, le cœur battant.

— Asseyez-vous.

Stefan montra quelques fauteuils autour d'une table en verre crasseuse. Quant à lui, il se laissa tomber dans le canapé en cuir prétentieux et posa ses bras sur le dossier. La table était pleine de canettes de bière, de cartons de pizza et de mégots, certains dans des cendriers, d'autres directement sur la table.

— Je n'ai pas eu le temps de faire le ménage, ricana Stefan avant de retrouver son sérieux : Qu'est-ce que vous voulez ?

Ulf regarda Patrik qui se racla la gorge. Il se sentait pour le moins mal à l'aise, assis là dans le QG d'un gang de bikers. Mais il ne pouvait plus reculer maintenant.

— Nous sommes du commissariat de Tanumshede, dit-il et il entendit sa voix trembler, pas beaucoup mais suffisamment pour éveiller une lueur amusée dans les yeux de Stefan. Nous avons quelques questions au sujet d'une agression qui a eu lieu en février dernier. À Göteborg, dans la rue Erik Dahlbergsgatan. L'agressé était un homme du nom de Mats Sverin.

Il fit une pause et Stefan le dévisagea d'un air interrogateur exagéré.

— Oui ?

— Plusieurs témoignages attestent qu'il a été attaqué par des hommes portant votre emblème dans le dos.

Stefan eut un rire sarcastique et jeta un coup d'œil à ses hommes, qui se tenaient au fond de la pièce, aux aguets. Ils firent chorus en ricanant avec lui.

— Ah bon, et le mec en question, qu'est-ce qu'il dit ? C'est quoi son nom… Max ?

— Mats, dit Patrik avec raideur.

De toute évidence, ils assistaient à un show, mais pour l'instant, il manquait d'éléments pour démonter l'apparente assurance de Stefan Ljungberg.

— Ah, pardon. Que dit ce Mats ? Est-ce qu'il nous a désignés comme coupables ?

Stefan prit encore davantage ses aises, on aurait dit qu'il occupait le canapé entier à lui tout seul. Un des chiens s'approcha et se coucha à ses pieds.

— Non, dit Patrik à contrecœur. Il ne vous a pas désignés.

— Alors c'est réglé, dit Stefan avec le même petit ricanement.

— C'est bizarre, tu ne demandes même pas qui est ce mec, dit Ulf, puis il appela doucement le chien.

Gösta regarda Ulf comme s'il le prenait pour un fou, mais le chien se leva, partit d'un pas pataud en direction d'Ulf et se laissa gratter derrière l'oreille.

— Lolita n'a pas encore appris à détester l'odeur de flic, dit Stefan. Mais ça ne va pas tarder. Quant à Mats, comment voulez-vous que je me souvienne de lui ? Je suis un homme d'affaires, je rencontre beaucoup de personnes.

— Il travaillait pour une organisation qui s'appelle Refuge. Le nom te dit quelque chose ?

Patrik ressentait une aversion de plus en plus aiguë pour l'homme. Ce jeu était frustrant. Il était sûr que Stefan savait très bien de quoi ils parlaient, et que Stefan savait qu'ils savaient. Il aurait préféré qu'Ulf le cueille pour l'interroger au commissariat, et qu'ils laissent le témoin d'Erik Dahlbergsgatan l'identifier. Même s'ils n'avaient pas eu la confirmation concrète que Stefan lui-même avait participé à l'agression de Mats Sverin, Patrik en était convaincu. Vu l'aspect personnel de l'affaire, il n'imaginait pas Stefan confiant cette mission à ses gorilles.

— Refuge ? Non, ça ne me dit rien.

— C'est étrange. Parce que, eux, ils te connaissent. Très bien même, dit Patrik, qui bouillonnait intérieurement.

— Ah bon, dit Stefan en affichant une mine étonnée.

— Au fait, comment va Madeleine ? demanda Ulf.

Lolita s'était couchée sur le dos pour qu'il puisse lui gratter le ventre.

— Ben, tu sais ce que c'est, les bonnes femmes. On est un peu en froid ces temps-ci, mais rien de grave, ça va s'arranger.

— En froid ? dit Patrik entre ses dents, et Ulf lui lança un regard d'avertissement.

— Elle est là ? dit-il.

Javier n'avait pas dit un mot. Il émanait de lui une force musculaire brute. Patrik comprit pourquoi Ulf avait choisi de l'emmener.

— Pas en ce moment, dit Stefan. Mais elle sera sûrement désolée de vous avoir loupés. Les bonnes femmes adorent les visites.

Il paraissait parfaitement calme et Patrik dut se retenir de coller son poing sur sa gueule railleuse.

Stefan se leva. Lolita bondit immédiatement et retourna aux côtés de son maître. Elle se serra contre sa jambe comme pour s'excuser de sa petite escapade, et Stefan se pencha pour la caresser.

— Si c'est tout ce que vous avez à me dire, j'ai des trucs à faire.

Patrik avait encore mille questions à poser. Sur la cocaïne, sur Madeleine, sur Refuge, sur le meurtre. Mais Ulf l'avertit à nouveau du regard et hocha la tête en direction de la porte. Patrik ravala ce qu'il avait au bout de la langue. Ce serait pour la prochaine fois.

— J'espère qu'il s'est rétabli. Le mec qui s'est fait agresser, je veux dire. Ces trucs-là peuvent avoir des conséquences graves, dit Stefan et il se planta dans l'embrasure de la porte en attendant qu'ils partent.

Patrik le dévisagea.

— Il est mort. Assassiné, dit-il, le visage tellement près de celui de Stefan qu'il pouvait sentir son haleine empestant la bière et les cigarettes.

— Assassiné ?

Le ricanement disparut, et pendant une fraction de seconde, Patrik eut l'impression de lire une authentique surprise dans les yeux de Stefan.

— La maison tenait toujours debout quand tu es rentrée hier ? demanda Konrad en jetant un œil à Petra à travers ses petites lunettes rondes.

— Oui oui.

Entièrement absorbée par son écran, elle ne semblait pas vraiment comprendre de quoi il voulait parler. Au bout d'un moment, elle fit rouler sa chaise en arrière et se retourna.

— J'ai trouvé un truc dans les fichiers. La femme de Wester possède un bien immobilier dans le Bohuslän, dans l'archipel de… de Fjällbacka, lut-elle sur son écran.

— C'est magnifique, ce coin. J'y suis allé pour les vacances plusieurs fois.

Petra le dévisagea, interloquée. Pour une raison ou une autre, elle n'avait jamais vraiment imaginé qu'il puisse faire quelque chose pendant ses vacances. Elle fut obligée de se mordre la langue pour ne pas demander avec qui il y était allé.

— Ça se trouve où ? demanda Petra. Ma parole, on dirait qu'elle est propriétaire d'une île entière. Gråskär.

— Entre Uddevalla et Strömstad, dit Konrad.

Il était en train d'éplucher les relevés téléphoniques de Fredrik Wester. Appels entrants et sortants. C'était barbant, mais il fallait le faire, les téléphones pouvaient se révéler des mines d'or dans les enquêtes criminelles. Cependant, cette fois-ci, il doutait de l'utilité de la démarche. Ces types-là étaient trop expérimentés pour laisser des traces. Pour les transactions délicates, ils utilisaient certainement des cartes prépayées qu'ils jetaient ensuite. La patience était néanmoins l'une de ses qualités premières, et s'il y avait quelque chose à trouver dans la liste en apparence interminable de communications, il le dénicherait.

— Je n'ai pas réussi à trouver son numéro de portable, du coup je pense que ce serait plus rapide de contacter la police sur place. S'il y en a. Ça ne me paraît pas très grand. Göteborg est peut-être plus près ?

— Tanumshede, dit Konrad en continuant à entrer des numéros pour les comparer avec les fichiers. Le commissariat le plus proche se trouve à Tanumshede.

— Tanumshede ? Comment ça se fait que ce nom me dise quelque chose ?

— La semaine dernière, les tabloïdes ont fait grand cas d'un meurtre là-bas, lié à la drogue.

Konrad ôta ses lunettes et se frotta la racine du nez avec le pouce et l'index. Après un certain temps passé à fixer des lignes serrées, il avait toujours les yeux irrités.

— Ah oui, c'est vrai. Apparemment, cette saloperie ne circule pas que dans les grandes villes.

— Eh non, il existe un monde au-delà de Stockholm, tu sais. Je comprends que ça puisse paraître bizarre, mais c'est ainsi, dit Konrad.

Petra était née intra-muros, elle passait sa vie intra-muros et avait rarement dépassé le nord d'Uppsala ou le sud de Södertälje.

— Et toi ? Tu viens d'où ? demanda Petra sur un ton moqueur.

Elle réalisa tout de suite ce qu'il y avait d'étrange à poser cette question à quelqu'un avec qui elle travaillait depuis quinze ans. Mais ils n'avaient jamais eu l'occasion d'évoquer le sujet.

— De Gnosjö, répondit Konrad, le regard rivé sur ses listes.

— Dans le Småland ? Pourtant tu n'as pas d'accent.

Konrad haussa les épaules et Petra ouvrit la bouche pour continuer à le questionner, puis se ravisa. Elle venait d'apprendre à la fois d'où Konrad était originaire et où il passait ses vacances, c'était assez d'informations pour la journée.

— Gnosjö, murmura-t-elle sidérée, avant de soulever le combiné du téléphone. J'appelle nos collègues de Tanumshede.

Konrad hocha la tête. Il était profondément absorbé dans les chiffres.

— Tu as l'air fatigué, mon chéri.

Erica embrassa Patrik. Elle portait un jumeau sur chaque bras, et il déposa une bise sur leur tête.

— Oui, je me sens assez épuisé. Et toi, comment tu t'en sors ? dit-il d'un air coupable.

— T'en fais pas, tout va bien.

Elle s'étonna elle-même de la sincérité de sa voix, mais c'était simplement la vérité. Tout s'était bien passé, elle avait déposé Maja à la crèche et les jumeaux venaient de prendre leur biberon, ils étaient rassasiés et contents.

— Ça valait le coup d'y aller ? Comment vont Göran et Märta ? demanda-t-elle pendant qu'elle posait les jumeaux sur une couverture. Il y a du café au chaud.

— J'en veux bien, dit Patrik et il la suivit dans la cuisine. Je ne peux pas rester, il faut que je retourne au commissariat.

— Assieds-toi quand même une minute pour souffler un peu, dit Erica.

Elle le força pratiquement à prendre place et posa une tasse de café devant lui, dont il but voluptueusement une première gorgée. Elle posa aussi sur la table une assiette de petits pains à la cannelle tout chauds.

— Regarde ce que j'ai préparé !

— Alors là ! Peut-être que tu finiras par faire une bonne ménagère après tout, dit Patrik, mais un regard sombre d'Erica lui fit comprendre que sa plaisanterie n'était pas appréciée.

— Raconte maintenant, dit-elle et elle s'assit à table avec lui.

Patrik résuma les grandes lignes de ce qui s'était déroulé à Göteborg. Une certaine résignation perçait dans sa voix.

— Et Göran et Märta vont bien. Ils ont l'intention de venir nous voir un de ces week-ends, si on n'est pas trop sur les rotules.

— Ce serait super ! J'appelle Göran cet après-midi pour qu'on se mette d'accord, dit Erica en s'illuminant, puis elle retrouva son sérieux. J'ai pensé à un truc. Est-ce que quelqu'un a annoncé à Annie ce qui est arrivé à Gunnar ?

Patrik réalisa que c'était une bonne question.

— Non, je ne pense pas. À moins qu'elle n'ait appelé Signe.

— Signe est toujours à l'hôpital. Apparemment, elle est complètement déboussolée.

— Je l'appellerai dès que je peux, dit Patrik.

— Très bien.

Erica sourit, puis se leva, déplaça la tasse de Patrik vers le milieu de la table et s'assit à califourchon sur ses genoux. Elle passa ses doigts dans ses cheveux et l'embrassa doucement sur la bouche.

— Tu m'as manqué…

— Mmm, toi aussi tu m'as manqué, dit-il en passant ses bras autour de la taille de sa femme.

Dans le salon, ils entendirent le babillement satisfait des jumeaux, et Patrik aperçut une lueur bien connue dans les yeux d'Erica.

— Est-ce que ma chère et tendre épouse aurait envie de m'accompagner au premier étage un petit moment ?

— Je vous remercie, mon bon monsieur, volontiers.

— On y va alors ?

Patrik se releva si brusquement qu'Erica tomba presque de ses genoux. Il prit sa main et la guida vers l'escalier. Au moment où il posait un pied sur la première marche, son téléphone portable se mit à sonner. Il voulut continuer à monter, mais Erica l'arrêta.

— Chéri, tu dois répondre. C'est peut-être le commissariat.

— Ils peuvent attendre. Parce que ça sera vite fait, tu peux me croire, dit-il en tirant de nouveau sur sa main, mais sans succès.

— Je ne sais pas si c'est un très bon argument de vente, sourit-elle. Et tu dois répondre, tu le sais.

Patrik soupira. Elle avait raison, qu'il le veuille ou non.

— Une autre fois alors ? dit-il en allant prendre son portable dans la poche de sa veste.

— Avec grand plaisir, dit Erica avec une révérence.

Patrik sourit en répondant au téléphone. Il était sacrément veinard d'avoir une femme comme la sienne !

Mellberg était préoccupé. Il fallait à tout prix régler le problème, il avait l'impression que sa vie entière en dépendait. Rita était sortie faire un tour avec Leo, et les filles étaient au boulot. Il s'était échappé du bureau un moment pour regarder le sport à la télé. Mais, pour la première fois, il n'avait pas réussi à se concentrer sur l'écran, et s'était mis à errer dans l'appartement, les pensées tourbillonnant dans sa tête.

Soudain, il s'arrêta. Bon sang, mais c'était bien sûr ! La réponse était là, juste devant son nez ! Il sortit précipitamment de chez lui, et dévala l'escalier jusqu'au bureau du rez-de-chaussée. Alvar Nilsson était à son poste, derrière sa table.

— Tiens donc, salut Mellberg !

— Salut, répondit Mellberg avec son meilleur sourire.

— Qu'est-ce que t'en dis ? Tu m'accompagnes ?

Alvar ouvrit un tiroir et en sortit une bouteille de whisky. Mellberg lutta contre lui-même, mais le combat connut la même issue que d'habitude.

— Oh, et puis merde, d'accord, dit-il et il s'assit.

Alvar lui tendit un verre.

— Dis-moi, j'ai un petit truc à te demander, déclara Mellberg et il fit tourner le verre dans sa main, se délectant de son éclat, avant de boire la première gorgée.

— Ah. En quoi est-ce que je peux t'aider ?

— Les filles se sont mis en tête de déménager, elles veulent leur propre appartement.

Alvar eut l'air amusé. "Les filles" avaient largement dépassé les trente ans.

— Oui, c'est ce qui se passe en général, répondit-il en se penchant en arrière, les mains nouées derrière la nuque.

— Le fait est que Rita et moi, on n'a pas envie qu'elles disparaissent à Pétaouchnock.

— Je peux le comprendre. Mais trouver un appart à Tanumshede ces temps-ci, c'est compliqué.

— C'est exactement pour ça que j'ai pensé que tu pourrais m'aider.

Mellberg se pencha en avant et fixa Alvar droit dans les yeux.

— Moi ? Mais tu connais cet immeuble autant que moi. Tous les appartements sont occupés. Je n'ai pas le moindre petit réduit à proposer.

— Tu as un super trois-pièces à l'étage en dessous du nôtre.

Alvar parut interloqué.

— Le seul trois-pièces à cet étage, c'est… commença-t-il, puis il se tut avant de secouer la tête. Jamais de la vie. Non, pas possible. Bente ne sera jamais d'accord.

Alvar tendit le cou et jeta un coup d'œil inquiet vers la pièce d'à côté, habituellement occupée par sa secrétaire et également maîtresse norvégienne.

— Ce n'est pas mon problème. Mais ça pourrait devenir le tien, dit Mellberg en baissant la voix. Je ne pense pas que Kerstin apprécierait ton petit… arrangement.

Alvar lui jeta un regard mauvais et Mellberg ressentit une pointe d'inquiétude. S'il avait misé sur le mauvais numéro, l'homme pouvait le virer de son bureau, tête la première. Il retint sa respiration. Mais Alvar se débina rapidement.

— Putain, Mellberg. T'es du genre impitoyable, toi. Enfin, ce n'est pas une bonne femme qui va venir gâcher notre amitié. On va s'arranger. J'ai des relations, je trouverai autre chose pour Bente. Qu'est-ce que tu dis d'un déménagement dans un mois ? Mais hors de question que je finance des putain de travaux de peinture ou je ne sais quoi. Vous les ferez vous-mêmes. C'est d'accord ?

Alvar tendit la main, et Mellberg la prit entre les deux siennes. Il pouvait enfin respirer.

— Je savais que je pouvais compter sur toi, dit-il.

La joie gargouilla dans son ventre. Le marmot allait déménager, certes, mais à l'étage en dessous, et il pourrait descendre le voir à tout moment.

— Allez, on va fêter ça avec une autre petite lichette, dit Alvar.

Mellberg tendit son verre.

À Badis, l'activité battait son plein, mais Vivianne avait l'impression d'être au ralenti. Il y avait tant de choses à finaliser, tant de choses à mettre au point. Ce qui la préoccupait le plus, cependant, c'était les réponses évasives d'Anders. Il lui cachait quelque chose, et son mutisme ouvrait un gouffre entre eux, tellement large et profond qu'elle distinguait à peine l'autre rive.

— Où faut-il installer les tables du buffet? demanda une serveuse, et Vivianne s'efforça de se reprendre.

— À gauche, là-bas. En long, pour qu'on puisse se servir des deux côtés.

Tout devait être parfait, elle n'avait pas le droit à l'erreur. Les tables, la cuisine, l'espace spa, les soins. Les chambres préparées avec des fleurs et des paniers de fruits pour les invités d'honneur. Et la scène prête à accueillir l'orchestre. Rien n'était laissé au hasard.

Sa voix flanchait par instants, quand elle répondait aux questions qui fusaient de partout. Sur sa main, la bague scintillait, et elle luttait contre la tentation de l'arracher et de la jeter contre le mur. Elle ne devait pas perdre le contrôle maintenant, alors qu'ils étaient si près du but et que la vie allait enfin prendre un nouveau virage.

— Salut, qu'est-ce que je peux faire pour t'aider?

Anders avait une tête affreuse, comme s'il n'avait pas fermé l'œil de la nuit. Ses cheveux étaient tout ébouriffés et il avait des cernes sombres sous les yeux.

— J'ai essayé de t'appeler toute la matinée. Où étais-tu?

Elle sentit l'angoisse l'envahir. Les pensées sombres qui s'étaient glissées dans son esprit ne lui laissaient pas de répit. Anders serait-il capable d'une telle chose? Elle doutait désormais de la réponse. Comment savoir ce qui trotte dans la tête de quelqu'un?

— J'avais éteint mon portable. J'avais besoin de dormir, répondit-il, en évitant son regard.

— Mais…

Elle s'interrompit. C'était inutile. Après tout ce qu'ils avaient partagé, Anders choisissait de l'exclure. Et elle n'arrivait pas à lui expliquer à quel point elle en était blessée.

— Assure-toi qu'on ait assez à boire, se contenta-t-elle de dire. Et assez de verres aussi. Si tu pouvais t'occuper de ça, ça m'arrangerait.

— Bien sûr, je ferai tout pour t'aider, tu le sais, dit-il, et pendant un bref instant, il fut comme d'habitude, avant de faire demi-tour pour rejoindre la cuisine.

Je le savais, oui, pensa Vivianne. Les larmes roulèrent sur ses joues et elle les essuya avec la manche de son pull, puis elle se dirigea vers l'espace spa. Elle ne pouvait pas craquer. Plus tard, peut-être. Maintenant, elle devait vérifier les stocks de gommages aux coquilles d'huîtres et d'huiles de massage.

— On vient de recevoir un appel de la brigade criminelle de Stockholm. Ils cherchent à joindre Annie Wester.

Patrik vit les mines surprises de ses collègues. Il avait probablement affiché la même tête chez lui en entendant Annika lui annoncer la nouvelle au téléphone une demi-heure plus tôt.

— Pourquoi ils la cherchent ? demanda Gösta.

— Son mari a été retrouvé mort assassiné, et ils ont peur qu'Annie et leur fils ne soient morts eux aussi quelque part. Fredrik Wester était apparemment un poids lourd dans le trafic de drogues suédois.

— Tu déconnes ? dit Martin.

— Moi aussi, j'ai eu du mal à le croire. Mais les stups l'avaient dans le collimateur depuis longtemps, et l'autre jour, il a été retrouvé chez lui, abattu dans son lit. Apparemment, il était mort depuis longtemps, plusieurs semaines sans doute.

— Mais pourquoi personne ne l'a découvert avant ? demanda Paula.

— Tout était manifestement prêt pour qu'ils partent en Italie où la famille possède une maison. Ils devaient y passer l'été. Tout le monde pensait qu'ils étaient en vacances.

— Et Annie ? demanda Gösta.

— Ils avaient peur qu'elle et son fils n'aient été balancés dans une forêt quelque part, une balle dans la tête. Maintenant que je leur ai confirmé qu'ils sont bien ici, ils pensent plutôt qu'elle s'est enfuie avec son fils. Elle peut même avoir été témoin du meurtre, et dans ce cas elle a raison de rester cachée. Ils ne peuvent pas non plus exclure que ce soit elle qui ait tué son mari.

— Et maintenant, qu'est-ce qu'on fait ? demanda Annika, l'air déconcerté.

— Deux policiers chargés de l'enquête arrivent demain. Ils veulent lui parler au plus vite. On va les attendre avant d'y aller.

— Mais s'ils sont en danger ? dit Martin.

— Il n'est rien arrivé jusque-là, et demain on aura du renfort. J'ose espérer qu'ils savent comment agir dans un cas comme celui-ci.

— Oui, il vaut sûrement mieux que Stockholm se charge de cette affaire, renchérit Paula. Mais est-ce que je suis la seule à penser qu'il peut y avoir…

— … un lien entre les meurtres de Fredrik Wester et de Mats Sverin ? La pensée m'a frappé, moi aussi, répliqua Patrik.

Alors qu'un début de certitude sur l'identité du coupable commençait à se dessiner, ce rebondissement changeait effectivement la donne.

— Et comment ça s'est passé à Göteborg ? demanda Martin, comme s'il avait pu lire les pensées de Patrik.

— À la fois bien et mal.

Patrik raconta leurs deux jours en ville. Quand il eut terminé, tout le monde dans la cuisine resta silencieux, sauf Mellberg, qui pouffait dans son coin, comme s'il se racontait des blagues à lui-même. De toute évidence, il avait bu.

— On se retrouve donc avec deux pistes possibles, probables même, alors que jusque-là on n'en avait aucune, résuma Paula.

— Oui, et il est extrêmement important de ne privilégier ni l'une ni l'autre, en continuant à ratisser large. Demain les policiers de Stockholm seront là et on pourra parler avec Annie. J'attends aussi des nouvelles d'Ulf à Göteborg pour savoir comment poursuivre avec les IE. Et puis il y a encore le volet technique. Toujours pas d'infos concernant la balle ? demanda Patrik à la cantonade.

Paula secoua la tête.

— Ça risque d'être long. Le bateau aussi est en cours d'analyse, mais ils ne nous ont rien dit pour l'instant.

— Et le sachet de coke ?

— Il reste une empreinte digitale qui n'a pas été identifiée.

— Au fait, je me posais une question à propos du bateau, poursuivit Patrik. Il doit bien y avoir quelqu'un par ici qui pourrait nous renseigner sur les courants, d'où il a pu dériver, sur quelle distance, ce genre de choses ?

Il regarda autour de lui, puis son regard s'arrêta sur Gösta.

— Je m'en occupe, dit celui-ci d'une voix lasse. Je sais à qui je peux demander.

— Bien.

Martin leva une main et Patrik lui fit signe de s'exprimer.

— Paula et moi, on avait demandé à Lennart d'examiner les documents dans la serviette de Mats.

— Ah oui, c'est vrai. Il a trouvé quelque chose ?

— Malheureusement, tout semble normal. Ou plutôt heureusement, ça dépend du point de vue, dit Martin en s'empourprant.

— Lennart n'a pas découvert d'irrégularités, expliqua Paula. Cela ne veut pas forcément dire qu'il n'y en a pas, mais les documents que Mats trimballait étaient en ordre.

— Très bien. Qu'est-ce que vous savez au sujet de l'ordinateur ?

— Ça va prendre encore une semaine, dit Paula.

Patrik soupira :

— Beaucoup d'attente, on dirait, mais on va continuer d'avancer avec ce qu'on a. Je pensais me poser un peu et éplucher tous les éléments dont nous disposons pour le moment, pour faire le point et vérifier que rien ne nous a échappé. Gösta, tu te renseignes pour le bateau. Martin et Paula, vous fouillez chacun de votre côté pour obtenir un max d'informations sur l'activité des IE, et aussi sur celle de Fredrik Wester. Nos collègues à Göteborg et à Stockholm ont promis de collaborer avec nous. Je vais vous donner leurs contacts, comme ça vous pourrez demander directement tout ce dont vous aurez besoin. Vous déciderez entre vous qui fait quoi.

— D'accord, dit Paula.

Martin hocha la tête pour montrer qu'il était d'accord, lui aussi, puis il leva discrètement la main.

— Qu'est-ce qui va se passer pour Refuge ? Vous allez les dénoncer ?

— Non, dit Patrik. On estime qu'il n'y a aucune raison de le faire. On laisse tomber.

Martin eut l'air soulagé, puis il ajouta :

— Comment avez-vous trouvé pour la copine de Sverin ?

Patrik jeta un regard sur Gösta, qui scruta le sol.

— Du travail policier minutieux. Et un peu d'intuition, répondit-il, puis il frappa dans ses mains. Allez, tous au boulot !

FJÄLLBACKA 1875

Les jours devinrent des semaines, et les mois des an-
nées. Emelie avait trouvé sa place et s'était adaptée
au rythme calme de Gråskär. Elle avait l'impression
de vivre en harmonie avec l'île. Elle savait exacte-
ment quand les roses trémières allaient fleurir, quand
la chaleur de l'été allait se muer en froideur autom-
nale, quand la glace allait se poser sur la mer et quand
elle allait se rompre. L'île était son monde, et dans ce
monde, Gustav était le roi. C'était un enfant heureux, et
elle s'émerveillait chaque jour de le voir aussi content
de l'existence limitée qui était la sienne.

Karl et Julian ne lui parlaient plus guère. Ils vivaient
séparés, bien que l'espace qu'ils partageaient fût si petit.
Les mots durs aussi avaient commencé à se faire plus
rares. C'était comme si elle n'était même plus un être
humain, quelqu'un contre qui se fâcher, mais plutôt une
créature invisible. Elle s'acquittait des tâches ménagères
qui lui incombaient ; pour le reste elle n'était pas prise
en compte. Gustav aussi s'accommodait de cet étrange
arrangement. Il ne cherchait jamais à s'approcher de
Karl ou de Julian. Ils étaient moins réels pour lui que
les morts. Et Karl ne prononçait jamais le nom de son
fils. Le garçon, disait-il les rares fois où il parlait de lui.

Emelie savait exactement à quel moment la haine
dans ses yeux s'était muée à nouveau en indifférence.

C'était juste après l'anniversaire des deux ans de Gustav. Karl venait de rentrer d'une expédition à Fjällbacka avec une mine qu'elle avait eu du mal à interpréter. Il était resté sobre. Pour une fois, ils n'avaient pas fait le détour chez Abela, et rien que ça, c'était inhabituel. Plusieurs heures s'étaient écoulées avant qu'il ne parle, pendant lesquelles elle avait essayé de deviner ce qui se passait. Pour finir, il avait posé une lettre sur la table.

— Père est mort, avait-il dit.

Et ce fut comme si quelque chose s'était relâché en Karl à cet instant. Comme s'il était devenu libre. Elle regrettait que Dagmar ne lui en ait pas dit plus au sujet de Karl et son père, mais c'était trop tard maintenant. Elle n'y pouvait rien, elle était simplement reconnaissante que son mari leur fiche la paix, à Gustav et elle.

Chaque jour, il lui devenait aussi de plus en plus évident que Dieu était présent partout à Gråskär. Elle était remplie de gratitude de pouvoir vivre ici avec Gustav, de sentir l'esprit de Dieu dans les mouvements de l'eau et d'entendre sa voix dans le souffle du vent. Chaque jour passé sur l'île était un don et Gustav était un enfant merveilleux. Elle savait que c'était orgueilleux de penser cela de son propre fils, de sa propre image. Mais d'après la Bible, il était aussi l'image de Dieu, et elle espérait que ce péché lui serait pardonné. Il était si beau, avec ses cheveux blonds et bouclés, ses yeux bleus et ses cils longs et épais qui couvraient sa joue quand il s'endormait à côté d'elle le soir. Il parlait sans cesse, avec elle et avec les morts. Parfois elle les écoutait à la dérobée, en souriant. Il disait tant de choses sages, et ils étaient si patients avec lui.

— Je peux sortir, maman?

Il tira sur sa jupe et leva la tête vers elle.

— Bien sûr que tu peux sortir, dit-elle et elle se pen-
cha et l'embrassa sur la joue. Mais fais bien attention
de ne pas tomber dans l'eau en glissant sur les rochers.

Emelie le regarda partir à toutes jambes. Elle n'était
pas vraiment inquiète. Elle savait qu'il n'était pas seul.
Les morts et Dieu veillaient sur lui.

Le samedi arriva sous un soleil magnifique, un ciel bleu et une légère brise. Tout Fjällbacka bouillonnait d'impatience. Les heureux élus qui avaient reçu une invitation à l'inauguration de Badis avaient passé le plus clair de la semaine à penser à leur tenue et à leur coiffure. Tous ceux qui comptaient dans la région seraient présents, et la rumeur courait que viendraient même quelques people de Göteborg.

Mais Erica avait autre chose en tête. Au matin, sur un coup de tête, elle s'était dit que ce serait mieux si Annie recevait l'annonce de la mort de Gunnar personnellement plutôt que par téléphone. De toute façon, elle avait l'intention de se rendre à Gråskär pour lui faire part de ses découvertes sur l'histoire de l'île, comme une petite surprise. Et aujourd'hui elle avait une baby-sitter, alors autant profiter de l'occasion.

— Tu es sûre que tu pourras les supporter aussi longtemps ? demanda-t-elle à Kristina, qui souffla d'indignation.

— Aucun problème. Ce sont des anges.

Elle tenait Maja dans ses bras, et les jumeaux dormaient dans les nacelles de la poussette.

— Je serai partie pendant un bon bout de temps. D'abord je file retrouver Anna, et ensuite je vais à Gråskär.

— Tu feras bien attention si tu y vas seule en bateau, lui recommanda Kristina.

Elle posa Maja qui montrait qu'elle voulait descendre, et la petite fille plaça deux bisous mouillés sur la tête de ses petits frères avant de partir jouer.

— Mais oui, je suis un excellent pilote, rit Erica. Contrairement à ton fils.

— C'est pas faux, dit Kristina, mais elle avait toujours l'air inquiet. Et tu es sûre qu'Anna a suffisamment récupéré?

Erica avait eu la même pensée quand Anna lui avait demandé de l'accompagner sur la tombe, avant de comprendre que c'était à sa sœur de décider.

— Oui, je crois, répondit-elle, s'efforçant de paraître plus convaincue qu'elle ne l'était réellement.

— Moi, ça me paraît trop tôt, dit Kristina et elle prit Noel qui commençait à pleurnicher. Mais j'espère que tu as raison.

Moi aussi, pensa Erica en gagnant la voiture pour se rendre au cimetière. Quoi qu'il en soit, elle avait promis d'être là, elle ne pouvait pas faire marche arrière.

Anna attendait devant les grandes grilles en fer forgé près de la caserne des pompiers. Elle paraissait si petite… Les cheveux courts lui donnaient un aspect frêle, et Erica dut se refréner pour ne pas la prendre dans ses bras et la bercer comme une petite enfant.

— Tu penses que tu vas y arriver? demanda-t-elle doucement. On peut le faire un autre jour si tu préfères.

Anna secoua la tête.

— Non, c'est bon. Je veux y aller. J'étais tellement dans les vapes pendant l'enterrement que je ne me souviens pratiquement de rien. Il faut que je voie où il est enterré.

— D'accord, dit Erica et elle prit le bras d'Anna pour la guider dans l'allée de gravier.

Elles n'auraient pas pu choisir une plus belle journée. À part le bruit de fond de la circulation dans la rue, tout était calme et paisible. Le soleil faisait briller les stèles polies, et la plupart des tombes étaient bien entretenues, avec des fleurs coupées déposées là par un membre de la famille. Anna hésita subitement et Erica lui indiqua d'un petit hochement de tête l'emplacement de la tombe.

— Il est là, à côté de Jens.

Elle montra une belle pierre arrondie en granit gravée du nom de Jens Läckberg. Jens était un ami de leur père dont elles se souvenaient parfaitement : un homme avec une petite brioche sympathique, toujours gai, sociable et prêt à rigoler.

— C'est joli, dit Anna.

Sa voix était atone, mais le chagrin se lisait nettement sur son visage. Ils avaient choisi une pierre tombale semblable à celle d'à côté, en granit naturellement arrondi. L'épitaphe était gravée dans le même style. On pouvait y lire *Petit* et l'année. Une seule année.

Erica sentit sa gorge se nouer, mais elle se força à retenir ses larmes. Elle devait se montrer forte en cet instant, pour Anna. Sa petite sœur tangua un peu, debout, à regarder la stèle funéraire, la seule chose qui lui restait de l'enfant qu'elle avait tant désiré. Elle saisit la main d'Erica et la serra. Elle pleurait doucement et silencieusement. Puis elle se tourna vers sa sœur.

— Comment tout ça va se terminer ? Comment on va s'en sortir ?

Erica l'attira contre elle et la serra fort dans ses bras.

— Rita et moi, on a une proposition à vous faire, annonça Mellberg en passant son bras autour des épaules de Rita.

Paula et Johanna les regardèrent, intriguées.

— Oui, bon, on ne sait pas ce que vous allez en penser, dit Rita qui paraissait plus hésitante encore que Mellberg. Vous disiez que vous avez envie d'avoir un appartement à vous… Et, donc, on se demandait s'il fallait absolument qu'il soit situé loin d'ici.

— De quoi vous parlez? demanda Paula en dévisageant sa mère.

— On voudrait savoir si ça vous suffirait de juste descendre d'un étage? dit Mellberg, le regard plein d'espoir.

— Mais il n'y a pas d'appartement libre dans cet immeuble…

— Si. Dans un mois il y en a un qui se libère. Le trois-pièces d'en dessous est à vous dès que l'encre sur le contrat de location aura séché.

Rita examina attentivement les filles pour tenter de deviner leurs pensées. Elle avait été folle de joie quand Bertil avait parlé de cet appartement, mais elle ignorait quelle distance les filles avaient besoin de mettre entre eux.

— Évidemment, on ne viendra pas vous déranger pour un oui ou pour un non, promit-elle.

Mellberg la regarda, décontenancé. Ça allait pourtant de soi qu'ils allaient pouvoir entrer et sortir comme chez eux, non? Mais il laissa de côté la question pour l'instant. Le plus important était que les filles acceptent la proposition.

Paula et Johanna échangèrent un regard. Puis un grand sourire illumina leur visage et elles se mirent à parler en même temps.

— C'est un appartement magnifique, il est traversant avec des fenêtres des deux côtés, super lumineux. Et la cuisine vient d'être refaite. La petite pièce que Bente utilise comme rangement, ça pourrait devenir la chambre de Leo et…

Elles s'interrompirent subitement.

— Et Bente, elle va où? dit Paula. Je ne savais pas qu'elle avait l'intention de déménager.

Mellberg haussa les épaules.

— Aucune idée. Je suppose qu'elle a trouvé autre chose. Alvar ne m'en a rien dit quand j'ai discuté avec lui l'autre jour. Par contre il m'a prévenu qu'on devra s'occuper nous-mêmes de la peinture.

— Pas de problème, dit Johanna. Peindre, c'est marrant. On saura le faire, pas vrai, ma chérie?

Ses yeux brillaient et Paula se pencha pour l'embrasser à pleine bouche.

— Et nous, on pourra continuer à s'occuper de Leo, ajouta Rita. Dans la mesure où ça vous arrange, je veux dire, on ne veut pas être casse-pieds.

— On va avoir besoin d'aide tout le temps, dit Paula pour rassurer sa mère. Et on trouve ça merveilleux pour Leo de vous avoir pas loin, toi et papi Bertil. Le plus important pour nous, c'est d'être dans nos propres murs.

Paula se tourna vers Mellberg qui avait pris Leo sur les genoux.

— Merci, Bertil, dit-elle.

À sa grande surprise, il se sentit presque gêné.

— Pfff, c'est rien.

Il enfouit son visage dans le creux de la nuque de Leo, ce qui faisait toujours gargouiller de rire le petit garçon. Puis il leva la tête et contempla les personnes rassemblées autour de la table. Encore une fois, Bertil

Mellberg ressentit une profonde gratitude d'avoir trouvé une famille.

Il errait au hasard dans le bâtiment. Partout les gens couraient en tous sens pour régler les derniers détails. Anders savait qu'il aurait dû donner un coup de main, mais le pas qu'il s'apprêtait à franchir le paralysait. Il voulait et ne voulait pas le faire. La question était de savoir s'il avait assez de courage pour assumer les conséquences de sa démarche. Il n'en était pas sûr, mais bientôt il faudrait qu'il se décide. Plus question de tergiverser.

— Tu as vu Vivianne ? lui demanda une femme qui passait en trombe, et Anders pointa un doigt vers la grande salle. Merci ! lança-t-elle. Ça va être super ce soir !

Tout le monde courait, tout le monde était pressé. Pour sa part, il avait l'impression de se mouvoir en eau profonde.

— Tiens, te voilà, mon cher futur beau-frère, dit Erling en passant son bras autour de ses épaules, et Anders dut se maîtriser pour ne pas se dégager de son accolade. Ça va être du tonnerre. Les célébrités seront là vers seize heures, ils auront tout leur temps pour s'installer dans leurs chambres. On ouvrira les portes aux autres vers dix-huit heures.

— Toute la ville en parle.

— Il ne manquerait plus que ça, qu'on n'en parle pas ! C'est le plus grand événement dans le coin depuis…

Il s'arrêta, mais Anders comprit ce qu'il avait failli dire. Il avait entendu parler de *Fucking Tanum*, l'émission de téléréalité qui avait viré au fiasco pour Erling.

— Et où se trouve ma petite tourterelle ? reprit Erling en tendant le cou pour regarder autour de lui.

Anders indiqua à nouveau la salle, et Erling s'y rua. Sa sœur était indéniablement populaire aujourd'hui. Il alla dans la cuisine, s'assit sur une chaise dans un coin et se massa les tempes. Une sévère migraine se préparait. Il fouilla dans la mallette de médicaments et avala une gélule de paracétamol. Bientôt, se dit-il. Bientôt il prendrait sa décision.

Les sanglots étaient toujours là, comme une grosse boule dans sa gorge, lorsque Erica sortit du port avec le bateau. Le moteur avait démarré au quart de tour et elle aimait bien ce bruit familier. Son père Thore avait tenu à la *snipa* comme à la prunelle de ses yeux, et même si Patrik et elle n'étaient pas aussi consciencieux que lui, ils essayaient de maintenir le bateau en bon état. Cette année il faudrait sans doute poncer et revernir le pont qui commençait à s'écailler par endroits. Si Patrik s'occupait des enfants, elle pouvait envisager de le faire elle-même. Avec son boulot sédentaire, elle adorait faire un peu de travail manuel, de temps en temps. Et elle était plus bricoleuse que Patrik, ce qui en soi ne signifiait pas grand-chose.

Elle tourna la tête vers la droite en direction de Badis. Ils avaient envisagé de faire un tour à l'inauguration, mais rien n'était décidé. Patrik avait l'air fatigué ce matin au réveil, et Kristina ne pourrait peut-être pas garder les enfants jusqu'au soir.

Quoi qu'il en soit, elle se réjouissait de retourner à Gråskär. Quand elle y était allée la première fois avec Patrik, elle avait été séduite par l'atmosphère, et après tout ce qu'elle avait lu sur l'île, elle était encore plus fascinée. Elle avait regardé quantité de photographies de l'archipel, et le phare de Gråskär était indubitablement l'un des plus beaux. Elle pouvait donc comprendre qu'Annie s'y plaise, même si elle-même deviendrait vraisemblablement folle au bout de quelques jours sans la moindre compagnie. Elle pensa au fils d'Annie en espérant qu'il allait mieux maintenant. Ce qui était probablement le cas, puisque Annie n'avait demandé aucune aide et n'avait même pas donné signe de vie.

Très vite, Gråskär se dessina à l'horizon. Au téléphone, Annie n'avait d'abord pas paru très enthousiaste à l'idée de recevoir de la visite, puis elle s'était laissé convaincre par les arguments d'Erica, qui était persuadée qu'elle serait ravie d'en apprendre un peu plus sur l'histoire de l'île.

— Tu sais comment faire pour l'accostage ? lança Annie depuis l'embarcadère.

— Pas de problème. Mais je ne garantis rien pour le ponton.

Elle sourit pour montrer qu'elle plaisantait, puis elle accosta comme une pro. Elle coupa le moteur et envoya l'amarre à Annie qui attacha consciencieusement le bateau.

— Salut, dit Erica quand elle eut débarqué.

— Salut, répondit Annie avec un sourire prudent et sans croiser son regard.

— Comment va Sam ?

— Mieux.

Annie avait maigri depuis la dernière fois qu'Erica l'avait vue, on voyait nettement ses clavicules à travers son tee-shirt.

— Tiens, des petits pains à la cannelle, je les ai faits moi-même, dit Erica en brandissant un sachet. Mais j'y pense, tu aurais peut-être voulu que je t'apporte des provisions ?

Elle s'énerva contre elle-même de ne pas y avoir pensé plus tôt. Annie n'avait sans doute pas osé la solliciter encore une fois. Après tout, elles ne se connaissaient pas très bien.

— Non, ça va. Vous m'en avez apporté beaucoup la dernière fois, et je peux toujours demander à Gunnar et Signe. Mais c'est vrai que c'est peut-être trop pour eux, à leur âge…

Erica avala sa salive. Elle n'allait pas le lui dire tout de suite. Elle préférait attendre qu'elles soient bien installées.

— On prendra le café dans le hangar à bateaux. Il fait tellement beau aujourd'hui.

— Oui, ce n'est pas un temps à rester dedans.

Erica suivit Annie jusqu'au hangar ouvert où des tasses à café étaient disposées sur une table rustique entourée de bancs. Des engins de pêche étaient suspendus sur les murs, ainsi que de jolies boules en verre bleu et vert qui servaient autrefois de flotteurs. Annie servit le café qu'elle avait préparé dans un thermos.

— Comment fais-tu pour vivre dans un coin aussi isolé?

— On s'y fait, répondit Annie calmement en regardant la mer. Et je ne suis pas tout à fait seule.

Erica tiqua et la regarda, interloquée.

— Ben, j'ai Sam, ajouta-t-elle.

Intérieurement, Erica se moqua d'elle-même. Elle s'était tellement plongée dans les histoires sur Gråskär qu'elle avait commencé à y croire.

— Alors ce nom qu'on lui donne, l'île aux Esprits, est totalement infondé selon toi?

— De vieilles histoires de fantômes, personne n'y croit, dit Annie et elle fixa de nouveau la mer.

— Mais ça lui donne en tout cas une petite touche particulière, à cette île.

Erica avait rassemblé tous les documents concernant Gråskär dans un classeur qu'elle sortit de son sac et poussa vers Annie.

— Elle a beau être petite, l'île a quand même un passé très riche. Et assez dramatique, par moments.

— Oui, j'en ai entendu parler. Maman et papa connaissaient certains événements, mais malheureusement je n'ai jamais trop écouté ce qu'ils disaient.

Annie ouvrit le classeur. La légère brise faisait voleter les feuillets.

— J'ai tout mis dans l'ordre chronologique, commença Erica, puis elle se tut pendant qu'Annie feuilletait lentement les pages.

— Oh, il y en a beaucoup, dit-elle, et ses joues se colorèrent.

— C'était amusant à chercher. J'avais besoin de faire autre chose que de changer des couches et nourrir des bébés affamés, dit Erica, puis elle montra la copie d'un article. Ça, c'est l'épisode le plus mystérieux. Une famille entière qui a disparu de l'île. Personne ne sait ce qui est arrivé ni où ils sont passés. La maison était restée en l'état, comme s'ils avaient juste décidé de partir en laissant tout en plan.

Erica se rendit compte qu'elle se laissait emporter par l'enthousiasme, mais elle avait toujours adoré ce genre d'histoires. Les mystères chatouillaient son imagination, et celui-ci était tout droit sorti de la réalité.

— Regarde ce qu'ils disent, poursuivit-elle d'une voix plus calme. Le gardien de phare Karl Jacobsson, sa femme Emelie, leur fils Gustav et l'assistant Julian Sontag vivaient sur l'île depuis plusieurs années. Puis ils ont disparu purement et simplement, comme s'ils

499

étaient partis en fumée. On n'a jamais retrouvé de corps ni aucune piste. Il n'y a aucune raison de croire qu'ils aient disparu de leur plein gré. Tu ne trouves pas ça bizarre?

Annie regarda l'article avec une drôle d'expression.

— Si. Très bizarre.

— Tu ne les aurais pas aperçus par hasard? plaisanta Erica, mais Annie se contentait de fixer l'article, sans réagir. Je me demande ce qui a pu se passer. Quelqu'un aurait-il pu accoster, assassiner toute la famille et se débarrasser des corps? Leur propre bateau était resté amarré au ponton.

Tout en caressant le papier du doigt, Annie murmura quelque chose pour elle-même. Quelque chose au sujet d'un petit garçon blond, mais Erica fut incapable de saisir ses paroles. Elle leva les yeux vers la maison.

— Tu n'as pas peur qu'il se réveille et se demande où tu es?

— Il s'est endormi juste avant que tu arrives. Sam dort toujours beaucoup, répondit Annie d'un air absent.

Il y eut un moment de silence et Erica se rappela subitement l'autre sujet qui l'amenait là. Elle inspira profondément, puis elle se lança :

— J'ai quelque chose à te dire, Annie.

Annie leva la tête.

— C'est au sujet de Matte? Ils savent qui…

— Non, ils ne savent pas encore qui, même s'ils ont certains soupçons. Mais, en un certain sens, ça concerne effectivement Matte.

— Quoi? Dis-moi, supplia Annie, la main reposant sur l'article.

Erica respira de nouveau un bon coup puis elle parla de Gunnar. Le visage d'Annie se tordit.

— Dis que ce n'est pas vrai! Mais qu'est-ce qui s'est

passé? demanda-t-elle, et on aurait dit qu'elle était en train de suffoquer.

Le cœur lourd, Erica parla des gamins qui avaient trouvé la cocaïne, des empreintes digitales sur le sachet et de ce qui était arrivé après la conférence de presse.

— Non, non, non! Ce n'est pas ça, ce n'est pas du tout ça, dit-elle en secouant la tête et en détournant le regard.

— Tout le monde dit la même chose, et je sais que Patrik est sceptique, lui aussi. Mais il semblerait que ce soit vrai, et ça pourrait expliquer pourquoi il a été tué.

— Non. Matte détestait tout ce qui avait à voir avec les drogues, dit Annie en serrant les mâchoires. Pauvre, pauvre Signe.

— Oui, c'est atroce, de perdre son fils et son mari en l'espace de quinze jours, dit Erica à voix basse.

— Comment va-t-elle?

Les yeux d'Annie étaient remplis de chagrin et de compassion quand elle les posa sur Erica.

— Je ne saurais le dire. J'ai juste appris qu'elle est hospitalisée et assez mal en point.

— Pauvre Signe, répéta Annie. Tant de destins. Tant de tragédies, dit-elle en regardant de nouveau l'article.

— Oui, dit Erica ne sachant pas quoi ajouter. Est-ce que tu m'autorises à monter dans le phare? finit-elle par demander.

Annie sursauta, comme si elle avait été profondément plongée dans ses pensées.

— Oui… oui bien sûr. Je vais aller chercher la clé, dit-elle et elle partit en direction de la maison.

Erica se leva et s'approcha du phare. Arrivée au pied de la tour, elle inclina la nuque en arrière et leva les yeux. La couleur blanche était aveuglante au soleil. Quelques mouettes planaient au-dessus de la lanterne en criant.

— Tiens, la voilà.

Annie soufflait un peu en arrivant. À la main, elle tenait une grosse clé rouillée qu'elle tendit à Erica.

La serrure s'ouvrit sans difficulté, puis Erica poussa la lourde porte. Les gonds grincèrent et protestèrent. Elle entra et commença à grimper l'étroit escalier en colimaçon, Annie sur ses talons. Sa respiration se fit lourde alors qu'elle n'était qu'à mi-hauteur, mais une fois arrivée en haut, elle constata que l'effort en valait la peine. La vue était spectaculaire.

— Ouah, s'exclama-t-elle.

— C'est vrai, c'est époustouflant, dit Annie avec fierté.

— Et dire qu'ils passaient des heures dans ce petit espace, médita Erica.

Annie vint se placer à côté d'elle, tellement près que son épaule touchait presque celle d'Erica.

— Un travail solitaire. Comme se trouver aux confins de l'univers, dit-elle, et elle semblait totalement absorbée par ses réflexions.

Erica huma l'air. Elle sentit une odeur bizarre, inconnue et pourtant familière… Elle avait déjà senti ça quelque part. Ses pensées se bousculèrent, et lentement les morceaux du puzzle trouvèrent leur place.

— Tu veux bien m'attendre là pendant que je descends chercher l'appareil dans le bateau ? J'aimerais prendre quelques photos.

— Bien sûr, dit Annie de mauvaise grâce, et elle s'assit sur le lit étroit.

— Super.

Erica dévala l'escalier, puis la petite butte sur laquelle le phare était construit. Mais au lieu de se diriger vers le ponton, elle courut vers la maison. Elle essaya de se persuader qu'il s'agissait seulement d'une autre de ses idées farfelues. Mais il fallait qu'elle en ait le cœur net.

Après avoir jeté un regard par-dessus son épaule, en direction du phare, elle appuya sur la poignée de porte.

La veille, à l'étage, Madeleine les avait entendus. Elle ne savait pas que c'étaient des policiers avant que Stefan monte et le lui dise. Entre les coups.

Elle traîna son corps maltraité et couvert d'hématomes jusqu'à la fenêtre. Péniblement, elle se redressa et regarda dehors. La lucarne de la petite pièce mansardée était la seule source de lumière. Dehors, on ne voyait que des champs et des forêts.

Ils ne s'étaient pas donné la peine de lui mettre un bandeau sur les yeux, si bien qu'elle savait qu'elle se trouvait à la ferme. Cette pièce avait été la chambre des enfants quand elle y avait habité. Aujourd'hui, le seul témoignage de leur présence était une petite voiture abandonnée dans un coin.

Elle posa sa paume contre le mur et tâta le relief du papier peint. C'est ici que s'était trouvé le lit à barreaux de Vilda. Celui de Kevin était alors posé le long de l'autre mur. Ça lui semblait tellement lointain. Elle arrivait à peine à se rappeler qu'elle avait vécu ici. Une vie dans la terreur, mais quand même une vie avec les enfants.

Elle se demandait où ils étaient, où Stefan avait bien pu les emmener. Probablement dans une des familles qui ne vivaient pas à la ferme. Une autre femme s'occupait de ses enfants en cet instant. Le manque était presque pire que la douleur physique. Elle les visualisa : Vilda qui faisait du toboggan dans la cour à Copenhague. Kevin qui regardait fièrement sa petite sœur si courageuse, la frange tombant sans arrêt sur ses yeux. Allait-elle les revoir un jour?

S'abandonnant aux pleurs, elle s'effondra par terre et y resta en position fœtale. Tout son corps était comme un seul grand hématome. Stefan n'avait pas épargné ses efforts. Elle avait eu tort, terriblement tort, de penser que ce serait plus sûr de revenir, qu'elle allait pouvoir demander pardon. À l'instant où elle l'avait vu dans la cuisine chez ses parents, elle l'avait compris. Il n'y avait aucun pardon à obtenir, elle avait été complètement folle de le croire.

Pauvre maman, pauvre papa. Elle savait qu'ils devaient être fous d'inquiétude, qu'ils se demandaient sûrement s'ils devaient contacter la police ou non. Papa dirait que c'était la seule solution. Mais maman protesterait, craignant que cela ne condamne leur fille. Papa avait raison, mais comme toujours, il céderait à maman. Si bien que personne ne viendrait la sauver.

Elle se recroquevilla encore davantage, essayant de faire une boule de son corps. Mais chaque mouvement était douloureux, et elle obligea ses muscles à se détendre. Au bruit de la clé dans la serrure, elle se figea, tentant d'ignorer ce qui allait arriver. Une main rude la prit par le bras et la remit debout.

— Lève-toi, sale pute!

Elle eut l'impression que son bras allait se détacher, comme si quelque chose se rompait au niveau de l'épaule.

— Où sont les enfants? supplia-t-elle. Laisse-moi les voir, je t'en prie.

Stefan lui jeta un regard plein de mépris.

— T'aimerais bien, hein? Pour que tu puisses de nouveau me les enlever et t'enfuir avec eux. Personne, tu m'entends, personne ne m'enlève mes enfants!

Il la tira par la porte et lui fit dévaler l'escalier.

— Pardon. Je te demande pardon, sanglota-t-elle, le visage strié de sang, de poussière et de larmes.

Les hommes de Stefan étaient rassemblés au rez-de-chaussée. Le noyau. Elle les connaissait tous : Roger, Paul, Lillen, Steven et Joar. En silence, ils regardaient Stefan la traîner à travers la pièce. Elle avait du mal à focaliser son regard. Un de ses yeux était tellement gonflé qu'il était pratiquement fermé, et dans l'autre coulait du sang d'une plaie sur son front. Tout était pourtant soudain d'une grande évidence. Elle le lut sur le visage de ces hommes, dans leurs regards froids, ou teintés de regret chez certains. Joar, celui qui s'était toujours montré le plus gentil avec elle, se mit subitement à fixer le plancher. Et elle sut. Elle envisagea de se battre, de résister et de courir. Mais pour aller où ? Elle n'avait aucune chance, et ça ne ferait que prolonger sa souffrance.

Elle se résigna à trébucher à petits pas derrière Stefan, qui tenait toujours son bras fermement. Il l'entraîna par le champ derrière la maison, vers l'orée de la forêt. Dans sa tête, elle faisait défiler les images de Kevin et Vilda. Nouveau-nés, tout poisseux sur sa poitrine. Devenus grands, pleins de rires à nouveau, sur le terrain de jeu dans la cour. Elle choisit de ne pas se souvenir du temps intermédiaire, quand leurs yeux semblaient s'éteindre de jour en jour. C'était cela qui les attendait désormais, mais elle ne devait pas y penser. Elle avait échoué. Elle aurait dû les protéger, mais elle s'était laissé fléchir, avait baissé la garde. Maintenant elle allait recevoir sa punition, et elle l'acceptait, si seulement les enfants étaient épargnés.

Ils avaient pénétré dans la forêt. Les oiseaux gazouillaient et la lumière filtrait à travers le feuillage. Elle se prit le pied dans une racine et faillit tomber, mais Stefan la dégagea brutalement et l'obligea à poursuivre. Plus loin, elle aperçut une clairière, et un instant le visage de Matte apparut devant elle. Son beau visage, si doux. Il l'avait tant aimée, et lui aussi, il avait été puni.

En arrivant dans la clairière, elle vit le trou. Rectangulaire, profond d'environ un mètre et demi. La pelle était toujours plantée dans la terre à côté.

— Approche-toi du bord, dit Stefan et il lâcha son bras.

Madeleine obéit. Sa volonté l'abandonnait. Se tenant au bord de la fosse, elle tremblait de tout son corps. En baissant les yeux, elle vit plusieurs énormes vers de terre qui se tortillaient et essayaient de réintégrer la terre sombre et humide. Avec un dernier effort, elle se retourna lentement pour faire face à Stefan. Qu'au moins il soit obligé de la regarder droit dans les yeux.

— Je vais te mettre la balle pile entre les sourcils.

Le bras tendu, Stefan braqua le pistolet droit sur elle, et elle sut qu'il disait vrai. Il était excellent tireur.

Une bande d'oiseaux s'envolèrent, affolés, quand le coup de feu retentit. Mais très vite, ils furent de retour sur leurs branches et mêlèrent à nouveau leur gazouillis au bruissement du vent.

C'était terriblement barbant d'avoir à éplucher tous ces papiers : protocoles d'autopsies, rapports d'interrogatoires de voisins, notes qu'ils avaient prises au cours de l'enquête. L'ensemble avait fini par faire une grosse liasse de documents, et Patrik réalisa avec découragement qu'en trois heures, il n'avait examiné que la moitié. Quand Annika pointa la tête par l'ouverture de la porte, ce fut une interruption bienvenue.

— Les gens de Stockholm viennent d'arriver. Je te les envoie ou vous vous installez dans la cuisine?

— Dans la cuisine.

Patrik se leva. Son dos lui faisait mal et il s'étira en se disant qu'il devrait faire ça plus souvent. Un lumbago, c'était bien la dernière chose dont il avait besoin, alors qu'il revenait tout juste de son congé de maladie.

Il les accueillit dans le couloir. La femme, grande et blonde, serra si fort sa main qu'il crut que ses os allaient se briser. Le petit homme aux lunettes rondes avait une poignée de main plus douce.

— Petra et Konrad, c'est ça? Je me suis dit qu'on allait s'installer dans la cuisine. Ça a été, la route?

Ils bavardèrent un peu pendant qu'ils prenaient place, et Patrik se fit la réflexion que ces deux-là formaient vraiment un couple dépareillé. Pourtant ils étaient manifestement sur la même longueur d'onde, et il soupçonna de nombreuses années de service commun derrière eux.

— On aurait besoin de rencontrer Annie Wester, finit par dire Petra, de toute évidence lassée du papotage.

— Oui, elle est ici. Sur son île. Je l'ai vue il y a une semaine.

— Et elle n'a rien dit au sujet de son mari?

Petra riva son regard au sien, et Patrik eut l'impression d'être soumis à un interrogatoire.

— Non, rien du tout. On y est allés pour lui parler d'un ancien petit ami qu'on a retrouvé assassiné à Fjällbacka.

— On est au courant de l'affaire, dit Konrad, et il fit venir Ernst près de lui en claquant des doigts. C'est la mascotte du commissariat?

— On peut dire ça, oui.

— La coïncidence est un peu étrange, vous ne trouvez pas ? coupa Petra. Nous avons un mari abattu, et vous, vous avez un ex-petit ami abattu.

— Oui, on s'est dit la même chose. Mais de notre côté, on a un suspect probable.

Il fit un bref résumé de ce qu'ils avaient trouvé au sujet de Stefan Ljungberg et des Illegal Eagles, et aussi bien Petra que Konrad cillèrent quand il mentionna la cocaïne dans la poubelle.

— Un autre lien, dit Petra.

— Tout ce qu'on sait, c'est qu'il a touché le sachet. Rien d'autre.

Petra balaya les protestations de Patrik.

— Dans tous les cas de figure, il faut qu'on vérifie. Fredrik Wester vendait principalement de la coke, et ses affaires ne se limitaient pas à Stockholm. Avec Annie comme lien, ils sont peut-être entrés en contact et ont commencé à faire du business ensemble.

Patrik plissa le front.

— Mouais, Mats Sverin n'était pas exactement du genre à…

— Il n'y a malheureusement aucun genre, objecta Konrad gentiment. Nous avons vu de tout : des fils à papa, des mamans d'enfants en bas âge, même un pasteur.

— Seigneur, je l'avais oublié celui-là, rit Petra, et elle eut tout de suite l'air moins effrayant.

— Je veux bien vous croire, dit Patrik.

Il se fit l'effet d'un flic de province. Bien sûr, il était novice dans ce domaine, et il pouvait se tromper. C'était probable, même. Dans le cas présent, il devait sans doute faire confiance à ses collègues de Stockholm plutôt que de se fier à son intuition.

— Est-ce que tu peux nous faire un petit topo de ce que vous avez ? Après, ce sera notre tour, dit Petra.

— Bien sûr.

Konrad sortit un papier et un stylo, et Ernst se coucha, déçu.

Patrik réfléchit pendant quelques secondes puis il essaya de résumer de tête ce que leur enquête avait donné. Alors que Konrad prenait des notes, Petra écoutait, l'air concentré et les bras croisés.

— Voilà, je vous ai donné les grandes lignes, termina-t-il. À vous maintenant.

Konrad posa son stylo et lui présenta leur dossier. Pour avoir déjà eu affaire à Fredrik Wester, ils en savaient long sur le bonhomme et sur l'organisation qui se cachait derrière lui. Il ajouta qu'ils avaient raconté pratiquement tout ça la veille, quand un certain Martin Molin les avait appelés. Patrik était au courant, mais il tenait quand même à tout entendre de leur propre bouche.

— Comme tu l'auras compris, dans cette enquête nous travaillons étroitement avec nos collègues des stups, dit Konrad en remontant ses lunettes sur son nez.

— Oui, ça me semble normal, murmura simplement Patrik, car une idée avait commencé à prendre forme dans son esprit. Vous avez pu vérifier les balles dans les bases de données ?

Konrad et Petra secouèrent la tête en même temps.

— J'ai eu le labo central hier au téléphone, dit Konrad, ils viennent juste de commencer.

— Nous non plus, on n'a pas encore eu de rapport, mais…

Petra et Konrad le regardèrent attentivement. Puis une lueur brilla dans les yeux de Petra.

— … si on leur demandait de comparer les balles des deux affaires…

— On aurait sans doute un résultat plus rapidement, avec un peu de chance et de cirage de bottes, dit Patrik.

— Ça, c'est un raisonnement qui me plaît, dit Petra et elle lança un regard encourageant à Konrad. Tu les appelles ? Je crois que tu as un contact chez eux. Moi, ils ne me supportent plus depuis…

Konrad l'interrompit, ayant manifestement compris à quoi elle faisait allusion :

— J'appelle tout de suite.

— OK, je vais chercher ce qu'il te faut, dit Patrik.

Il courut à son bureau et revint presque immédiatement avec un document qu'il posa sur la table.

Konrad commença sa conversation téléphonique par un peu de bavardage avant d'en venir au fait. Il écouta, hocha la tête, puis afficha un franc sourire.

— Tu es mon sauveur ! Je te dois une fière chandelle. Vraiment. Merci du fond du cœur, dit-il en raccrochant, l'air satisfait. J'ai eu un des mecs que je connais là-bas. Il file au bureau tout de suite et fait le rapprochement. Il nous rappelle dès qu'il peut.

— Incroyable, dit Patrik, impressionné.

Petra resta impassible. Elle était habituée aux petits miracles de Konrad.

Anna était rentrée à pied du cimetière, d'un pas lent. Erica avait proposé de la raccompagner en voiture, mais elle avait décliné l'offre. Falkeliden n'était qu'à un jet de pierre, et elle avait besoin de rassembler ses esprits. À la maison, il y avait Dan. Il s'était senti blessé par son désir de se rendre sur la tombe avec Erica plutôt qu'avec lui. Mais elle n'avait pas la force de prendre en compte les états d'âme de Dan en ce moment. Ses propres sentiments lui suffisaient amplement.

L'inscription sur la pierre resterait pour toujours dans son cœur. *Petit*. Ils auraient peut-être dû essayer de lui trouver un vrai nom. Après coup. Mais ça n'aurait pas été naturel. Il avait été *Petit* dans son ventre tout au long de la grossesse, tout ce temps où il avait été aimé. Et il le resterait. Il ne grandirait jamais, ne serait jamais adulte, ne serait que le petit paquet qui n'avait même pas eu le droit de reposer dans ses bras.

Elle était restée dans le coma beaucoup trop longtemps, jusqu'à ce qu'il soit trop tard. Dan avait pu le tenir dans ses bras, enveloppé d'une couverture. Il avait pu le toucher et lui dire adieu, et même si ce n'était pas la faute de Dan, elle souffrait de savoir qu'il avait vécu ce qu'elle avait raté. Au fond d'elle, elle lui en voulait aussi de ne pas les avoir protégés, elle et le bébé. Elle était consciente que c'était un reproche injuste, irrationnel. La décision de monter dans la voiture avait été sa décision à elle, Dan n'était même pas présent lors de l'accident. Il n'aurait rien pu faire. Malgré cela, sa colère contre lui, qui n'avait pas su la préserver du mal, ne faisait que grandir.

Peut-être s'était-elle laissé bercer par un faux sentiment de sécurité. Après tout ce qu'elle avait vécu, après les années difficiles avec Lucas, elle avait pensé que c'était fini. Que la vie avec Dan serait comme une longue ligne droite, sans obstacles ni virages imprévus. Elle n'avait pas de projets délirants, pas de grands rêves. Elle avait seulement souhaité une vie quotidienne paisible, dans la maison mitoyenne à Falkeliden, avec des dîners entre amis, des crédits à rembourser, les entraînements de foot des enfants et d'éternels tas de chaussures dans l'entrée. Était-ce trop demander ?

D'une façon ou d'une autre, elle avait considéré Dan comme le garant de cette vie-là. Il était si rassurant, si solide, toujours calme, capable de voir au-delà des problèmes. Elle s'était appuyée sur lui, quand elle-même

511

ne tenait pas sur ses jambes. Mais il était tombé, et elle ne savait pas comment elle pourrait le lui pardonner.

Elle ouvrit la porte et entra dans le vestibule. Tout son corps était douloureux après la promenade, ses bras lui parurent lourds quand elle les leva pour enlever son foulard. Dan pointa la tête par la porte de la cuisine. Il ne dit rien, la supplia seulement des yeux. Mais elle n'eut pas le courage de croiser son regard.

— Je monte m'allonger, marmonna-t-elle.

Lentement, il fit ses bagages. Il s'était plu dans le petit appartement, qui avec le temps lui avait fait l'effet d'un vrai foyer. Vivianne et lui avaient rarement connu ça. Enfants, ils avaient vécu dans des tas d'endroits différents. Dès qu'ils commençaient à avoir des copains, à se sentir chez eux quelque part, il fallait à nouveau déménager. Quand les questions se mettaient à pleuvoir, quand les voisins et les profs devenaient suspicieux et que les dames des services sociaux ne se laissaient plus berner par le charme d'Olof, ils devaient lever l'ancre de nouveau.

Devenus adultes, ils avaient continué sur ce rythme. C'était comme si Vivianne et lui avaient intégré l'insécurité, comme s'ils l'avaient dans le corps. Ils étaient toujours en fuite, allant d'un endroit à un autre, exactement comme avec Olof.

Bien qu'il soit mort depuis longtemps, son ombre planait toujours sur eux. Ils se cachaient, essayaient de ne pas se faire remarquer, ne pas se faire voir. Le schéma se répétait. C'était différent, et pourtant pareil.

Anders boucla sa valise. Il avait décidé d'assumer. Intérieurement, il sentait déjà le manque, mais, comme disait toujours Vivianne, on ne fait pas d'omelette sans casser des œufs. Il faudrait cependant beaucoup d'œufs pour cette omelette, et il n'était pas certain d'être capable d'envisager toutes les conséquences de son choix. Mais il allait le lui dire. Comment pourrait-il recommencer sa vie sans en même temps prendre ses responsabilités ? Il lui avait fallu de nombreuses nuits blanches pour en arriver là, mais maintenant sa décision était prise.

Anders balaya l'appartement du regard. Il ressentait à la fois du soulagement et de l'appréhension. Il fallait du courage pour faire le choix de rester au lieu de fuir à nouveau. En même temps, c'était le chemin le plus facile. Il descendit la valise du lit, mais la laissa posée par terre. Il n'était plus temps de réfléchir. La fête devait être somptueuse, et il allait aider Vivianne à en faire le succès du siècle. C'était le moins qu'il puisse faire pour elle.

Le temps ne s'était pas écoulé aussi lentement que Patrik l'avait craint. En attendant, ils avaient parlé de leurs enquêtes, et il avait senti l'adrénaline couler à flots. Même si Paula et Martin étaient des policiers tout à fait compétents, leurs collègues de Stockholm étaient d'une tout autre trempe. Avant tout, il enviait à Petra et Konrad leur complicité. Il lui paraissait évident à présent qu'ils étaient comme faits l'un pour l'autre. Petra était bouillonnante, avait toujours de nouvelles idées, lançait sans cesse des propositions. Konrad était plus discret, plus réfléchi, et aux boutades féroces de Petra il répondait par de sages commentaires.

Lorsque le téléphone sonna, tous les trois sursautèrent. Konrad répondit.

— Oui ?… D'accord… Hm… Ah bon ?

Petra et Patrik le dévisagèrent. Était-il aussi laconique à seule fin de les torturer? Il finit par raccrocher et se renversa dans sa chaise. Ils le fixèrent jusqu'à ce qu'il ouvre enfin la bouche.

— Elles correspondent. Les balles correspondent.

On aurait pu entendre une mouche voler.

— Ils sont sûrs à cent pour cent? demanda Patrik après un instant.

— Totalement sûrs. Aucune hésitation. C'est la même arme qui a servi aux deux meurtres.

— Putain, ça alors, lâcha Petra avec un grand sourire.

— Du coup, il faut absolument qu'on puisse parler avec la veuve de Wester. Il y a forcément un lien entre les victimes, et je dirais que c'est la cocaïne. Vu les types qui peuvent y être mêlés, je ne me sentirais pas spécialement en sécurité si j'étais Annie.

— On y va alors? dit Petra et elle se leva.

Patrik sentit ses pensées s'agiter. Il entendit à peine la question de Petra, tant il était plongé dans ses réflexions. De vagues soupçons commençaient à former un dessin.

— J'aurais besoin de vérifier quelques détails d'abord. Est-ce que vous pouvez attendre une ou deux heures, et ensuite on y va?

— Je suppose que oui, répondit Petra, mais sa voix révéla à quel point elle était impatiente.

— Merci. Vous pouvez vous installer ici, vous êtes chez vous, ou alors faire une petite balade. Si vous voulez manger, je peux vous recommander le *Tanums Gestgifveri*.

Les policiers de Stockholm hochèrent la tête.

— Je pense qu'on va aller casser la croûte en attendant. Montre-nous par où c'est, dit Konrad.

Après leur avoir indiqué la direction à prendre, Patrik respira à fond et s'enferma dans son bureau. Il ne fallait surtout pas se précipiter. Il devait passer quelques coups de fil, et il tenta d'abord sa chance auprès de Torbjörn. Bien qu'on soit samedi, Torbjörn répondit. Patrik raconta brièvement ce qu'ils avaient appris au sujet de la balle et il lui demanda s'il pouvait comparer l'empreinte digitale non identifiée sur le sachet de cocaïne avec celle qu'ils avaient relevée sur la porte d'entrée de Mats Sverin, côté extérieur comme intérieur. Puis il l'avertit qu'il allait lui faire parvenir une nouvelle empreinte à comparer aux deux autres. Torbjörn commença à poser des questions, mais Patrik l'interrompit. Il expliquerait plus tard.

L'étape suivante fut de trouver le bon rapport. Il se trouvait quelque part dans le tas. Patrik fouilla parmi les documents, finit par le dénicher et lut attentivement le maigre rapport un tantinet étrange. Puis il se leva et alla voir Martin.

— J'ai besoin d'aide pour un truc, dit-il en posant le document sur le bureau de Martin. Tu te souviens d'autres détails concernant ça ?

Martin le regarda un peu surpris, puis il secoua la tête.

— Non, désolé. Même si c'est un témoin que je ne vais pas oublier de sitôt.

— Est-ce que tu peux y retourner poser deux trois questions de plus ?

— Bien sûr, répondit Martin qui eut du mal à contenir sa curiosité.

— Tout de suite, dit Patrik comme Martin restait collé à sa chaise.

— D'accord, d'accord, dit Martin en bondissant. Je t'appelle dès que j'ai fini, lança-t-il par-dessus son

515

épaule, avant de s'arrêter. Mais tu ne pourrais pas m'en dire plus?

— Vas-y maintenant, je te dirai après.

Voilà deux questions réglées. En restait une. Il alla se planter devant la carte marine qui était affichée dans le couloir. Après s'être bagarré avec les punaises quelques secondes, il perdit patience et finit par l'arracher en laissant les coins en place, pour aller retrouver Gösta dans son bureau.

— Tu as parlé avec le gus qui connaît l'archipel de Fjällbacka?

— Oui, je lui ai communiqué tout ce qu'on avait, il m'a dit qu'il y réfléchirait. Ce n'est pas une science exacte, mais ça pourra peut-être nous fournir une piste.

— Rappelle-le et donne-lui ces informations aussi.

Patrik posa la carte marine sur le bureau de Gösta et lui expliqua ce qu'il avait en tête. Gösta leva un sourcil.

— Ça urge?

— Oui, appelle-le tout de suite et demande-lui une estimation rapide. On veut juste savoir si c'est possible. Ou plausible. Viens me voir ensuite.

— C'est comme si c'était fait, dit Gösta en soulevant le combiné.

Patrik retourna dans son bureau et se rassit devant sa table de travail. Il était essoufflé comme s'il avait couru, il sentit son cœur cogner dans sa poitrine. Les pensées tournoyaient toujours : davantage de détails, davantage de points d'interrogation, davantage de questionnements. Mais il avait l'impression d'être sur la bonne piste. À présent, il ne restait qu'à attendre. Il regarda par la fenêtre et tambourina avec les doigts sur son bureau. La sonnerie stridente de son portable le fit sursauter.

Il répondit, puis écouta d'un air concentré.

— Merci de m'avoir appelé, Ulf. Continue à me tenir informé, s'il te plaît, dit-il avant de raccrocher.

Son cœur s'emballa de nouveau. De fureur, cette fois. Cet enfoiré avait retrouvé Madeleine et les enfants. Le père avait rassemblé son courage, avait appelé la police pour signaler que l'ex-mari de sa fille s'était introduit de force chez eux et avait enlevé les enfants et Madeleine. Depuis, ils n'avaient pas eu le moindre signe de vie. Patrik réalisa qu'ils devaient déjà avoir disparu quand il s'était rendu dans la ferme avec Ulf et les autres. Peut-être s'y trouvaient-ils même, enfermés et sans défense ? Il serra les mains d'impuissance. Ulf lui avait assuré qu'ils feraient tout pour retrouver Madeleine, mais le ton de sa voix trahissait un sentiment de résignation.

Une heure plus tard, Konrad et Petra revinrent.

— On peut y aller maintenant ? demanda Petra sans ambages.

— Pas tout à fait, il y a un dernier truc à vérifier.

Patrik ne savait pas trop comment présenter les choses. La situation comportait encore beaucoup de flou et d'imprécisions.

— Quel truc ? dit Petra en fronçant les sourcils d'impatience.

— Allons dans la cuisine.

Patrik se leva et alla prévenir les autres. Après une petite hésitation, il frappa également à la porte de Mellberg.

Une fois les présentations faites, il s'éclaircit la gorge et commença lentement à exposer sa théorie. Il ne chercha pas à éviter les zones d'ombre, au contraire, il en rendit compte aussi minutieusement que possible. Quand il eut fini, un long silence s'installa.

— Et quel serait le motif? finit par dire Konrad, avec autant de scepticisme que d'espoir.

— Je ne sais pas. Ça reste à découvrir. Mais la théorie tient la route. Même s'il reste encore beaucoup de cases vides à remplir.

— Qu'est-ce qu'on fait maintenant? demanda Paula.

— J'ai parlé avec Torbjörn, je lui ai dit qu'on lui ferait parvenir au plus vite une autre empreinte digitale à comparer avec celles sur la porte et sur le sachet. Si elles correspondent, tout deviendra beaucoup plus facile. Il y aura enfin un lien avec le meurtre.

— Avec les meurtres, corrigea Petra, qui semblait hésitante, mais aussi passablement impressionnée.

— Qui vient avec nous?

Konrad regarda tout le monde. Il s'était à moitié levé et semblait déjà en route.

— Vous deux et moi, ça devrait suffire, dit Patrik. Vous autres, continuez à bosser avec la nouvelle donne.

À l'instant même où ils sortirent au soleil, le portable de Patrik sonna. En voyant que c'était sa mère, il envisagea d'abord de ne pas répondre, puis il finit quand même par décrocher. Avec un certain agacement, il écouta l'incroyable flot verbal de sa mère. Elle n'arrivait pas à joindre Erica, elle avait essayé sur son portable plusieurs fois sans succès. Lorsqu'elle lui dit où Erica s'était rendue, Patrik s'arrêta net. Sans même dire au revoir, il raccrocha et se tourna vers Petra et Konrad.

— Il faut qu'on y aille. Immédiatement.

La porte s'ouvrit et Erica tituba. Elle faillit vomir, et comprit qu'elle avait eu raison. C'était bien une odeur de cadavre. Une puanteur nauséabonde, insupportable, qu'on ne pouvait oublier une fois qu'on l'avait sentie.

Erica entra en collant son bras sur son nez et sa bouche pour essayer de faire barrage à la pestilence. C'était impossible, mais elle traversa quand même. Erica eut l'impression que l'odeur pénétrait chacun de ses pores, de la même façon qu'elle s'était fixée dans les vêtements d'Annie.

Elle regarda autour d'elle tandis que l'âcre émanation lui faisait monter les larmes aux yeux. Elle s'engagea plus à l'intérieur de la petite maison. Tout était calme et paisible. Le seul bruit qu'on entendait était le murmure lointain de la mer. La nausée l'envahissait par vagues, mais elle résista à l'impulsion de fuir à l'air libre.

De l'endroit où elle se tenait, elle pouvait voir tout le rez-de-chaussée. Il n'y avait que des objets usuels : un pull jeté sur le dossier d'une chaise, une tasse à café posée sur la table à côté d'un livre ouvert. Rien qui pouvait expliquer cette odeur putride enveloppant tout, comme une couverture.

Une porte était fermée. Erica hésita à l'ouvrir, mais maintenant qu'elle était entrée dans la maison, elle savait qu'elle devait le faire. Ses mains tremblaient et elle eut tout à coup les jambes en coton. Elle avait envie de faire demi-tour, de partir en courant jusqu'au bateau et de rentrer se mettre en sécurité chez elle. Retrouver la bonne et douce odeur des cheveux de bébé. Pourtant elle continua. Elle vit sa main droite tremblante s'avancer pour se poser sur la poignée. Elle hésita à appuyer, craignant d'affronter ce que cachait cette porte.

Un brusque courant d'air autour de ses jambes la fit se retourner. Mais trop tard. Soudain, tout devint noir.

Dans un bourdonnement d'excitation, les invités d'honneur qui venaient de loin descendaient des cars en provenance de Göteborg. On leur avait servi du vin mousseux pendant le trajet pour Fjällbacka, et le résultat ne s'était pas fait attendre. Tout le monde était d'excellente humeur.

— Ça va bien se passer, tu verras, dit Anders en serrant les épaules de Vivianne tandis qu'ils attendaient pour accueillir les invités.

Vivianne afficha un sourire dépourvu de joie. C'était là le début, mais aussi la fin. Et elle ne pouvait se résoudre à vivre dans le présent alors que seul l'avenir comptait. Un avenir plus trouble qu'elle ne l'avait imaginé quelques semaines auparavant.

Elle contempla le profil de son frère qui se tenait devant les portes grandes ouvertes de Badis. Il avait changé. Elle avait toujours pu lire en lui comme dans un livre ouvert, mais désormais il s'était retiré dans un endroit où elle ne pouvait l'atteindre.

— Quelle journée magnifique, ma chérie.

Erling l'embrassa sur la bouche. Il avait l'air reposé. Hier, elle lui avait donné le somnifère dès sept heures du soir, si bien qu'il avait dormi de façon ininterrompue pendant plus de treize heures. Il paraissait vif et alerte dans son costume blanc, et après lui avoir planté un second baiser sur la bouche, il fila.

Les invités commencèrent à entrer dans l'établissement.

— Soyez les bienvenus. Nous espérons que vous passerez un agréable séjour ici à Badis.

Vivianne serra des mains, sourit et répéta sa phrase de bienvenue encore et encore. Elle était comme une fée dans sa longue robe blanche, ses cheveux épais rassemblés comme d'habitude en une tresse dans le dos.

Quand pratiquement tout le monde fut passé et qu'elle eut un instant en tête à tête avec son frère, son sourire disparut pour laisser place à son inquiétude. Elle se tourna vers Anders.

— On se dit tout, n'est-ce pas ? dit-elle à voix basse.

Elle espérait de toutes ses forces qu'il réponde oui et qu'elle puisse le croire. Mais Anders détourna le regard, et garda le silence.

Vivianne s'apprêtait à lui reposer la question, mais un des retardataires s'approcha de l'entrée et elle arbora de nouveau son sourire le plus chaleureux. Intérieurement, tout en elle était glacé.

— Et pourquoi elle y est allée, ta femme ? demanda Petra.

Patrik roulait à toute allure en direction de Fjällbacka. Il expliqua quel était le métier d'Erica, et qu'elle avait démarré des recherches sur Gråskär pour se divertir.

— Je pense qu'elle voulait montrer à Annie ce qu'elle avait trouvé.

— Il n'y a aucune raison de croire qu'elle serait en danger, dit Konrad du siège arrière, d'une voix rassurante.

— Non, je sais.

Pourtant, Patrik sentit instinctivement qu'il devait arriver à Gråskär au plus vite. Il avait prévenu Peter au téléphone, qui lui avait promis de se tenir prêt avec la vedette.

— Je me demande toujours quel serait son motif, dit Konrad.

— On le saura sans doute bientôt, si Patrik a raison, répliqua Petra, qui ne paraissait toujours pas convaincue.

— Ainsi donc, un témoin affirme que Mats Sverin était accompagné d'une femme en rentrant chez lui la nuit où il a été tué. Quelle fiabilité peut-on lui accorder ? demanda Konrad en pointant sa tête entre les deux sièges avant.

Derrière les vitres de la voiture, la campagne défilait à une vitesse inquiétante, mais ni Petra ni Konrad ne semblaient y prêter attention.

Patrik réfléchit à ce qu'il devait raconter. À vrai dire, le vieux Grip n'était pas le témoin le plus crédible qui ait été entendu dans une enquête pour meurtre. Par exemple, il soutenait que son chat avait vu la femme. C'était la première pensée qui avait surgi à l'esprit de Patrik quand il avait appris que les balles venaient de la même arme. Dans le rapport de Martin, c'était écrit noir sur blanc : le chat se trouvait devant la fenêtre et avait craché après la voiture, et quelques lignes plus haut : "Marilyn n'aime pas les bonnes femmes. Elle crache quand elle en voit une." Martin n'avait pas vu le lien, et Patrik non plus à la première lecture du rapport. Mais en additionnant cette information aux autres données qui avaient surgi, cela avait suffi pour envoyer Martin questionner Grip à nouveau. Cette fois, il avait réussi à faire dire au vieux qu'une femme était descendue de la voiture qui s'était arrêtée devant l'immeuble dans la nuit du vendredi au samedi. Après une certaine hésitation, il avait aussi confirmé que c'était la voiture de Sverin. Malheureusement, Grip affirmait toujours que c'était le chat qui avait vu la scène, et Patrik avait décidé de taire ce détail pour l'instant.

— Le témoin est digne de foi, dit-il en espérant qu'ils se contenteraient de ça.

Le plus important pour l'instant était de rejoindre Erica d'urgence et d'interroger Annie ; le reste pouvait attendre. D'autant que d'après le type avec qui Gösta avait parlé, il était possible et même probable que le bateau de Sverin ait dérivé de Gråskär jusqu'à la baie où on l'avait retrouvée.

Dans l'esprit de Patrik, un déroulement vraisemblable des événements avait commencé à prendre forme. Mats était allé voir Annie sur l'île et pour une raison inconnue elle était ensuite venue à Fjällbacka avec lui. Ils s'étaient rendus dans l'appartement de Mats, où elle l'avait tué. Il s'était senti en sécurité avec Annie et n'avait pas hésité à s'exposer de dos. Puis elle était retournée au port, avait regagné Gråskär avec la *snipa* de la famille Sverin qu'elle avait ensuite laissée dériver. Le bateau était allé se coincer là où on l'avait récupéré. Clair comme de l'eau de roche. À part le fait qu'il ignorait toujours pourquoi Annie aurait voulu tuer Mats et éventuellement son propre mari. Et pourquoi Mats avait-il quitté Gråskär pour retourner à Fjällbacka au milieu de la nuit ? Cela avait-il quelque chose à voir avec la cocaïne ? Mats était-il sur une affaire avec le mari d'Annie ? L'empreinte digitale inconnue sur le sachet de cocaïne appartenait-elle à Annie ?

Patrik écrasa l'accélérateur. Ils passèrent dans Fjällbacka à tombeau ouvert, mais il ralentit un peu sur la place Ingrid-Bergman après avoir failli renverser un vieux monsieur qui traversait la rue.

Il se gara au port devant l'emplacement du Sauvetage en mer et sortit précipitamment de la voiture. Il vit avec soulagement que Peter se tenait prêt, moteur allumé. Konrad et Petra arrivèrent en courant et sautèrent à bord.

— Ne t'inquiète pas, répéta Konrad. Pour l'instant, ce ne sont que des indices, rien ne permet d'affirmer que ta femme est en danger.

Patrik le regarda puis se cramponna au plat-bord du bateau qui sortait du port en dépassant largement la vitesse autorisée.

— Tu ne la connais pas. Erica a le don de fourrer son nez partout. Tout le monde trouve qu'elle pose trop de questions, même ceux qui n'ont rien à cacher. Un vrai bulldozer.

— Une femme à mon goût, j'ai l'impression, dit Petra tout en contemplant avec admiration l'archipel qui défilait.

— Et elle ne répond toujours pas à son portable, ajouta Patrik.

Le reste du trajet se fit en silence. Ils repérèrent le phare de loin et Patrik sentit son estomac se nouer d'inquiétude. Il pensait sans cesse à l'autre nom de Gråskär, le plus courant : l'île aux Esprits. Et à l'origine de ce nom.

Peter ralentit et accosta au ponton, à côté de la *snipa* en bois d'Erica et Patrik. Ils n'aperçurent personne sur l'île. Ni vivants ni morts.

Tout allait s'arranger. Ils étaient ensemble, Sam et elle. Et les morts veillaient sur eux.

Annie était entrée dans l'eau avec Sam dans ses bras, et elle lui fredonnait la berceuse qu'elle avait toujours chantée pour l'endormir quand il était plus petit. Il était détendu entre ses bras et lui parut plus léger dans l'eau. Quelques gouttes vinrent éclabousser son visage, qu'elle essuya doucement. Il n'aimait pas avoir de l'eau dans les yeux. Dès qu'il serait plus gaillard, dès qu'il irait mieux, elle lui apprendrait à nager. Il était assez grand maintenant pour ça, et pour faire du vélo aussi, et bientôt ses dents de lait commenceraient à tomber, son sourire dévoilerait d'adorables trous. Il deviendrait grand.

Fredrik s'était toujours montré impatient et terriblement exigeant avec lui. Il disait qu'elle le mettait sous cloche. Il prétendait qu'elle voulait qu'il reste petit. Elle n'espérait rien de plus que de voir Sam grandir, mais il fallait le laisser évoluer à son propre rythme.

Ensuite, il avait voulu lui enlever Sam. D'une voix hautaine, il avait déclaré que Sam se porterait mieux avec une autre maman. Le souvenir tenta de refaire surface, alors elle chantonna plus fort, pour le repousser. Mais les mots épouvantables avaient pénétré jusque dans son âme et couvraient son chant. L'autre serait mieux, avait-il dit. C'était elle qui deviendrait la nouvelle maman de Sam et qui viendrait en Italie avec eux. Annie n'aurait plus le droit d'être sa maman. Elle devait disparaître.

Le visage de Fredrik montrait une telle délectation qu'elle n'avait pas douté une seconde de son sérieux. Comme elle l'avait haï! La fureur avait commencé à grandir quelque part au plus profond d'elle et avait pris possession de tout son corps sans que rien ne puisse l'arrêter. Fredrik n'avait eu que ce qu'il méritait. Il ne pouvait plus leur faire de mal. Elle avait vu son regard éteint, elle avait vu le sang.

Maintenant ils allaient vivre en paix ici sur l'île, Sam et elle. Elle regarda son visage. Il avait les yeux fermés. Personne ne pourrait le lui enlever. Personne.

Patrik demanda à Peter d'attendre à bord, puis il débarqua avec Konrad et Petra. Sur la table du hangar à bateau, ils virent les restes d'un goûter, et à leur passage quelques mouettes s'envolèrent d'une assiette remplie de petits pains à la cannelle.

— Elles ont dû rentrer dans la maison, dit Petra en scrutant attentivement les alentours.

— Venez, s'impatienta Patrik, et Konrad le prit délicatement par le bras.

— Il vaut mieux y aller en douceur, je pense.

Patrik comprit qu'il avait raison et commença à monter calmement en direction de la petite maison, refrénant son envie de courir. Arrivés devant la porte, ils frappèrent. Comme personne ne vint ouvrir, Petra s'avança et frappa plus fort.

— Ohé ?

Toujours aucun bruit à l'intérieur. Patrik appuya sur la poignée et la porte s'ouvrit sans difficulté. Il fit un pas à l'intérieur, mais recula brusquement et faillit bousculer Konrad et Petra quand l'odeur le frappa dè plein fouet.

— Oh putain ! s'exclama-t-il en se couvrant le nez et la bouche, et il déglutit plusieurs fois pour ne pas vomir.

— Oh putain… fit Konrad en écho derrière lui.

Lui aussi dut lutter contre la nausée, alors que Petra semblait totalement indifférente à la puanteur. Patrik l'interrogea du regard.

— Odorat peu développé, précisa-t-elle.

Patrik ne demanda rien de plus. Il entra dans la maison, et vit immédiatement le corps gisant par terre.

— Erica !

Il courut se jeter à genoux à côté de sa femme. En retenant sa respiration, il la toucha, et elle se retourna en gémissant. Il répéta son nom plusieurs fois jusqu'à ce qu'elle tourne lentement la tête vers lui. Alors il vit la plaie sur sa tempe. Elle y porta péniblement la main, et ses yeux s'élargirent quand elle vit le sang sur ses doigts.

— Patrik ? Annie, elle… sanglota-t-elle, et Patrik caressa sa joue.

— Comment va-t-elle ? demanda Petra.

Patrik se contenta de faire un geste de la main pour dédramatiser la situation, et elle monta l'escalier pour inspecter l'étage, Konrad sur ses talons.

— Il n'y a personne là-haut, dit-elle quand elle fut de retour au rez-de-chaussée, puis elle montra la porte devant Erica. Tu as vérifié là-dedans?

Patrik secoua la tête et Petra les contourna pour l'ouvrir.

— Merde, oh merde! Venez!

Elle leur fit signe de s'approcher, mais Patrik resta agenouillé auprès d'Erica et laissa à Konrad le soin de rejoindre sa collègue.

— Qu'est-ce que c'est qui pue comme ça? demanda-t-il en regardant la porte entrouverte qui l'empêchait de voir la totalité de la pièce. En tout cas, ça vient bien de là, dit Konrad, la main plaquée sur son nez et sa bouche.

— Un cadavre?

Pendant une seconde il imagina que c'était Annie, puis une pensée le frappa qui le fit blêmir et il chuchota :

— Le petit garçon?

Petra ressortit de la pièce.

— Je ne sais pas. Il n'y a personne. Mais le lit est rempli d'une sorte de bouillasse et ça schlingue grave, même moi je peux le sentir.

Konrad confirma d'un hochement de tête.

— C'est probablement l'enfant. Vous avez vu Annie il y a environ une semaine, et je soupçonne que le cadavre est resté ici un bon moment.

Avec peine, Erica essaya de se redresser, et Patrik passa son bras autour de ses épaules pour la soutenir.

— Il faut les retrouver, dit-il en regardant sa femme. Qu'est-ce qu'il s'est passé?

— On était dans le phare et j'ai senti l'odeur sur les vêtements d'Annie. J'ai commencé à me poser des questions et je me suis éclipsée pour venir vérifier. Elle a dû me suivre et m'a frappée à la tête…

Sa voix s'éteignit. Patrik leva les yeux vers Konrad et Petra.

— Vous voyez ce que je veux dire. Faut toujours qu'elle fourre son nez partout, sourit-il, mais son regard restait grave.

— Tu n'as pas vu le petit? demanda Petra en s'accroupissant.

Erica secoua la tête et fit une grimace de douleur.

— Non, je n'ai pas eu le temps d'ouvrir la porte. Mais il faut les retrouver, dit-elle en répétant les mots de Patrik. Ne vous en faites pas pour moi. Trouvez Annie et Sam.

— On va la ramener jusqu'au bateau, suggéra Patrik.

Il ignora les protestations d'Erica et, en joignant leurs forces, ils la portèrent jusqu'à l'embarcadère et la descendirent doucement dans la vedette où Peter les attendait.

— Tu es sûre que ça ira?

Avec son visage blême et la plaie ensanglantée à sa tempe, Patrik eut du mal à abandonner sa femme, mais elle balaya ses scrupules.

— Allez-y, filez, je vais bien je vous dis.

À contrecœur, Patrik la laissa là.

— Où peut-elle être allée?

— Sûrement de l'autre côté de l'île, dit Petra.

— En tout cas, le bateau est toujours là, constata Konrad.

Ils se mirent en route en grimpant sur les rochers. L'île paraissait aussi déserte que quand ils avaient accosté. À part le clapotis des vagues et les cris des mouettes, on ne percevait pas un bruit.

— Ils peuvent aussi être dans le phare, avança Patrik en inclinant la tête et en plissant les yeux vers la tour.

— Peut-être, mais je pense qu'on devrait d'abord chercher sur l'île, dit Petra.

Elle mit quand même sa main en visière pour essayer de voir à travers les fenêtres, tout en haut du phare. Mais elle non plus ne put déceler le moindre mouvement.

— Alors, vous venez ? dit Konrad.

Le point culminant de l'île n'était qu'à une courte distance. Ils jetaient des regards à droite et à gauche tout en marchant. Une fois en haut, ils pourraient apercevoir pratiquement toute l'île. Ils restaient sur leurs gardes, ne sachant pas dans quel état d'esprit se trouvait Annie, ni si elle avait un pistolet et, dans ce cas, si elle serait prête à l'utiliser. L'odeur de cadavre collait encore à leurs narines. Tous les trois avaient la même idée en tête, mais aucun n'avait encore osé la formuler à voix haute.

Ils montèrent au sommet.

Ils étaient arrivés en bateau, comme elle l'avait craint. Elle entendit des voix au ponton, des voix près de la maison. Sa seule porte de sortie était fermée maintenant, elle n'avait aucune possibilité d'atteindre le bateau et de s'enfuir de l'île. Sam et elle étaient pris au piège.

Lorsque Erica, qu'elle avait crue son alliée, avait fait irruption dans leur monde, elle avait fait la seule chose à faire. Elle avait protégé Sam, comme elle le lui avait promis à l'instant où on l'avait déposé dans ses bras à la maternité. Elle avait promis qu'elle ne laisserait jamais rien de mal lui arriver. Pendant longtemps, elle s'était montrée lâche et n'avait pas su remplir sa promesse. Mais depuis cette nuit-là, sa force était revenue. Elle avait sauvé Sam.

Lentement, elle avança dans l'eau. Le jean collait, lourd, à ses jambes, l'attirait plus loin, plus bas. Sam était si gentil. Il ne bougeait pas du tout entre ses bras.

Quelqu'un marchait à côté d'elle, pataugeait dans l'eau et l'accompagnait. Elle jeta un regard furtif sur le côté. La femme avait remonté sa lourde jupe, mais elle finit par la lâcher, la laissant flotter sur l'eau autour d'elle. Elle ne quittait pas Annie du regard. Sa bouche remua, mais Annie ne voulut pas écouter. Autrement, elle ne pourrait plus protéger Sam. Elle ferma les yeux pour la faire disparaître, mais dès qu'elle les rouvrit elle ne put s'empêcher de tourner la tête sur le côté de nouveau. C'était comme si quelque chose l'y obligeait.

La femme portait son enfant dans ses bras. L'instant d'avant, il n'était pas là, Annie en était certaine, mais maintenant il la regardait lui aussi de ses grands yeux suppliants. Il parlait avec Sam. Annie voulut se boucher les oreilles avec ses mains et hurler pour faire barrage aux voix du garçon et de la femme. Mais ses mains étaient occupées à tenir Sam, et son cri resta bloqué dans sa gorge. L'eau atteignit sa chemise, puis son ventre, et elle prit une grande respiration. La femme marchait tout près d'elle. Ils parlaient en même temps, la femme à l'adresse d'Annie, le garçon à l'adresse de Sam. À contrecœur, Annie commença à écouter ce qu'ils disaient. Leurs voix la pénétraient de la même façon que l'eau de mer pénétrait ses vêtements et mouillait sa peau.

Ils étaient arrivés au bout du chemin, Sam et elle. On ne tarderait pas à les retrouver pour finir le travail. Le souvenir du sang éclaboussant le mur et barbouillant le visage de Fredrik scintilla un bref instant. Annie secoua la tête pour évacuer ces images. Étaient-ce des rêves, des produits de son imagination ou la réalité? Elle ne savait plus. Elle se rappelait seulement la froide sensation de haine et de panique, et l'angoisse profonde qui s'était emparée d'elle, la livrant à ce qu'elle avait en elle de plus primitif et de plus violent.

Quand l'eau lui arriva aux aisselles, elle sentit que Sam devenait encore plus léger. La femme et le garçon étaient tout près. Les voix parlaient contre son oreille et elle entendit nettement ce qu'elles disaient. Annie ferma les yeux et, pour finir, elle céda. Ils avaient raison. Cette certitude la remplit tout entière et effaça la panique. C'était si évident, maintenant qu'elle entendait distinctement la femme et le garçon. Elle savait qu'ils leur voulaient du bien, à Sam et à elle. Elle s'arrêta et se laissa inonder par la paix.

Loin derrière, elle eut l'impression d'entendre d'autres voix. D'autres personnes qui l'appelaient, qui tentaient de lui dire quelque chose, de capter son attention. Elle s'en fichait, ils étaient moins réels que les voix tout près de son oreille qui continuaient à lui parler.

— Lâche-le, dit la femme doucement.

— Je veux jouer avec lui, dit le garçon.

Annie hocha la tête. Elle devait le lâcher. C'est ce qu'ils réclamaient depuis toujours, ce qu'ils avaient essayé de lui expliquer. Il était des leurs maintenant.

Lentement elle ouvrit ses mains autour de Sam. Elle laissa la mer le prendre, le laissa disparaître sous la surface de l'eau, emporté par les courants. Puis elle fit un pas, et encore un. Les voix résonnaient toujours. Elle les entendait de près et de loin, mais de nouveau elle choisit de les ignorer. Elle voulait suivre Sam et devenir l'un d'eux. Que pouvait-elle faire d'autre ?

La voix de la femme la supplia, mais l'eau montait plus haut que ses oreilles, noyait tous les sons, et bientôt elle ne perçut plus que le bruissement de son sang circulant à toute vitesse dans ses veines. Elle continua, sentit l'eau se refermer au-dessus de sa tête, et l'air dans ses poumons se comprimer.

Mais quelqu'un saisit son corps pour la sortir de l'eau. Une femme étonnamment forte. Elle la tira vers la surface et Annie sentit la colère monter. Pourquoi ne lui permettait-on pas de suivre son fils ? Elle lutta pour se dégager, mais la femme refusa de lâcher prise et continua à la ramener vers la vie.

D'autres mains saisirent son corps et l'entraînèrent vers le haut. Sa tête émergea de la surface et ses poumons se remplirent d'air. Annie laissa un cri monter vers le ciel. Elle voulait retourner sous l'eau, mais on la traînait vers la plage.

Puis la femme et le garçon disparurent. Tout comme Sam.

Annie sentit qu'on la soulevait, qu'on l'emportait. Elle abandonna. Ils avaient fini par la trouver.

La fête s'était poursuivie une bonne partie de la nuit. On avait bien mangé, le vin avait coulé à flots, les invités d'honneur et la population locale s'étaient mêlés et, sur la piste de danse, de nouveaux liens s'étaient noués. En d'autres mots, une soirée très réussie.

Vivianne s'approcha d'Anders, qui se tenait appuyé contre la balustrade et regardait les couples danser.

— On part dans un instant.

Il hocha la tête, mais quelque chose dans son expression confirma l'inquiétude initiale de Vivianne.

— Alors, tu viens ? demanda-t-elle.

Elle le tira légèrement par le bras et, sans la regarder dans les yeux, il la suivit. Elle avait dissimulé son sac de voyage dans l'une des chambres qui n'étaient pas réservées pour les invités.

— Et ta valise, où est-elle ? On doit partir dans dix minutes si on ne veut pas louper l'avion.

Sans un mot, il s'assit lourdement sur le lit, le regard rivé au sol.

— Anders ?

Elle serra la poignée de son sac d'une main crispée.

— Je t'aime, chuchota Anders, et les mots eurent subitement une connotation effrayante.

— Il faut qu'on parte !

Au fond d'elle, elle sut cependant qu'il n'allait pas la suivre. Au loin, elle entendait la musique. Anders leva la tête. Ses yeux étaient remplis de larmes.

— Je ne peux pas.

— Qu'as-tu fait ? demanda-t-elle malgré elle. Elle ne voulait pas entendre la réponse, ne voulait pas que ses pires craintes se révèlent fondées.

— Ce que j'ai fait ? Mon Dieu, tu as cru que c'était moi qui… ?

— Ce n'est pas le cas ?

Elle s'assit tout près de lui sur le lit, et Anders secoua la tête, puis se mit à rire tout en essuyant ses larmes avec le dos de la main.

— Bon sang, Vivianne. Non !

Elle ressentit un incroyable soulagement. Mais se demanda aussitôt quel pouvait donc bien être, dans ce cas, le problème.

— Pourquoi alors ?

Vivianne entoura d'un bras les épaules de son frère, et il appuya sa tête contre la sienne. Cela fit ressurgir tant de souvenirs, toutes ces fois où ils s'étaient tenus ainsi, les têtes étroitement rapprochées.

— Je t'aime, tu le sais.

— Oui, je le sais.

Et soudain, elle comprit. Elle redressa le dos pour

pouvoir le regarder bien en face. Tendrement, elle prit son visage entre ses mains.

— Mon frère adoré, tu es tombé amoureux.

— Je ne peux pas partir avec toi, dit-il, et les larmes coulèrent à nouveau. Je sais qu'on s'est promis de toujours rester ensemble. Mais ce voyage, tu le feras sans moi.

— Si tu es heureux, je suis heureuse. C'est aussi simple que ça. Tu vas terriblement me manquer, mais il n'y a rien que je souhaite davantage pour toi qu'une vie qui soit la tienne, sourit-elle. Tu vas quand même devoir me dire de qui il s'agit, sinon je ne pourrai pas partir !

Il lui révéla son nom, et elle visualisa une femme qu'ils avaient côtoyée dans le cadre du projet Badis. Elle sourit de nouveau.

— Tu as bon goût, dit-elle, puis elle se tut un instant avant de poursuivre : Tu vas avoir pas mal de choses à expliquer, dont on va te tenir pour responsable. Veux-tu réellement que je te laisse gérer ça tout seul ? Je reste, si tu me le demandes.

Anders secoua la tête.

— Je veux que tu partes. Tu n'auras qu'à bronzer pour moi, quand tu seras là-bas au soleil. Je ne vais sans doute pas voir beaucoup de lumière naturelle pendant un certain temps, mais elle est au courant de tout et elle a promis d'attendre.

— Et l'argent ?

— Il est à toi, dit-il sans hésiter. Je n'en ai pas besoin.

— Tu es vraiment sûr ?

Elle prit de nouveau son visage entre ses mains, comme si elle voulait y imprimer le souvenir de ses traits. Il hocha la tête et retira ses mains.

— Je suis sûr, et toi, tu dois partir maintenant. L'avion ne va pas t'attendre.

Il se leva et prit sa valise. Sans un mot, il la porta jusqu'à la voiture et la rangea dans le coffre arrière. Personne ne les vit. Le brouhaha des invités se mêlait à la musique, et l'attention de chacun était focalisée sur la fête.

Vivianne monta dans la voiture et s'assit derrière le volant.

— On a vraiment fait fort sur ce coup, tu ne trouves pas? dit-elle en regardant Badis qui brillait dans la faible lumière.

— Si, vraiment fort.

Ils se turent. Après une petite hésitation, Vivianne ôta la bague de son annulaire et la tendit à Anders.

— Tiens, rends ça à Erling. Ce n'est pas un homme méchant. J'espère sincèrement qu'il trouvera quelqu'un à qui la donner plus tard.

Anders glissa la bague dans la poche de son pantalon.

— Je vais la lui rendre, compte sur moi.

Ils échangèrent un dernier regard, sans un mot. Puis Vivianne claqua la portière et démarra le moteur. Elle partit sur les chapeaux de roues et Anders vit la voiture disparaître au bout de la rue. Puis il remonta lentement l'escalier de Badis. Il avait l'intention d'être le dernier à quitter la fête.

Erling sentit la panique monter. Vivianne avait disparu. Personne ne l'avait vue depuis la fête du samedi soir, et sa voiture manquait à l'appel. Quelque chose était arrivé.

Il prit de nouveau le téléphone et rappela le commissariat.

— Rien de neuf ? demanda-t-il dès qu'il entendit la voix de Mellberg, et comme il reçut la même réponse pour la énième fois, il ne put se maîtriser : Mais qu'est-ce que la police fait réellement pour retrouver ma fiancée ? Il lui est arrivé quelque chose, j'en suis certain. Est-ce que vous avez dragué le port ? Oui, je sais que sa voiture aussi a disparu, mais qu'est-ce qui nous dit qu'on ne l'a pas balancée dans l'eau, peut-être avec Vivianne dedans ? J'exige que tu mettes tous tes hommes à sa recherche !

Sa voix partit dans les aigus et il visualisa Vivianne dans sa voiture, incapable d'en sortir tandis que l'eau montait lentement.

Il raccrocha au nez de son interlocuteur. Un léger coup frappé à sa porte le fit sursauter. Gunilla pointa la tête et le dévisagea, l'air effaré.

— Oui ?

Tout ce qu'il voulait, c'est qu'on lui fiche la paix. Il avait cherché Vivianne toute la journée du dimanche, et ce matin il s'était rendu au bureau uniquement dans l'espoir qu'elle essaie de l'y joindre.

— La banque vient d'appeler, dit Gunilla, encore plus angoissée que d'habitude.

— Je n'ai pas le temps pour ça maintenant, dit-il et il fixa de nouveau le téléphone.

— Il y a quelque chose qui ne va pas avec le compte de Badis. Ils veulent que tu les appelles.

— Je suis occupé, je te dis, siffla-t-il, mais, à son étonnement, Gunilla ne lâcha pas l'affaire.

— Ils veulent que tu les rappelles immédiatement, répéta-t-elle avant de se sauver dans son bureau.

Avec un soupir, Erling prit le combiné et appela son conseiller à la banque.

— C'est Erling, il paraît qu'il y a un problème ?

Il essaya de prendre un ton efficace. Il tenait à conclure cette conversation au plus vite, pour que la ligne ne sonne pas occupée si Vivianne appelait. Il écouta d'abord le banquier d'une oreille distraite, puis très vite se redressa sur sa chaise.

— Comment ça, il n'y a pas d'argent sur le compte ? Vous n'avez qu'à revérifier. Nous y avons déposé plusieurs millions de couronnes, et cette semaine il y en aura d'autres, provenant de Vivianne et Anders Berkelin. Je sais, il y a beaucoup de fournisseurs qui attendent d'être payés, mais le compte est approvisionné, dit-il, puis il se tut et écouta encore un moment. Vous êtes absolument certain que ce n'est pas une erreur ?

Tout à coup Erling eut du mal à respirer et dut tirer sur le col de sa chemise. Il raccrocha, les pensées tournoyant dans sa tête. L'argent avait disparu. Vivianne avait disparu. Il n'était pas si bête, pas la peine de lui faire un dessin. Pourtant, il ne voulait pas y croire.

Erling avait déjà composé les trois premiers chiffres du numéro du commissariat quand Anders apparut dans l'embrasure de la porte. Erling le dévisagea. Le frère de Vivianne avait l'air fatigué, ravagé. Il se tint d'abord là sans rien dire, puis s'approcha du bureau d'Erling et tendit sa main ouverte. La lumière de la fenêtre vint faire briller l'objet posé sur sa paume, projetant de petits rayons étincelants sur le mur derrière Erling. La bague de fiançailles de Vivianne.

À cet instant, tous ses doutes disparurent. Abasourdi, il finit de composer le numéro de la police de Tanumshede. Anders s'assit sur la chaise en face de lui et attendit. Sur le bureau, la bague de fiançailles scintillait de mille feux.

Le mercredi matin, Erica eut l'autorisation de quitter l'hôpital et de rentrer chez elle. En fin de compte, le coup qu'elle avait reçu sur la tête n'était pas très grave, mais étant donné qu'elle avait déjà été blessée peu de temps auparavant lors de l'accident de voiture, ils l'avaient gardée en observation quelques jours de plus.

— Arrête, je peux marcher toute seule, lança-t-elle à Patrik qui la tenait par le bras pour monter les marches du perron. Tu as entendu ce qu'ils ont dit. Tout va bien. Je n'ai pas eu de commotion cérébrale, juste quelques points de suture.

Patrik ouvrit la porte.

— Oui, je sais, mais… commença-t-il, et le regard noir d'Erica lui cloua le bec.

— Les enfants rentrent quand ? demanda-t-elle en se débarrassant de ses chaussures.

— Maman ramène les jumeaux vers deux heures, je me disais qu'après on pourrait aller chercher Maja tous ensemble. Tu lui as beaucoup manqué, tu sais.

— Ma petite puce d'amour, dit Erica.

Elle se rendit dans la cuisine. C'était bizarre, la maison sans enfants. Elle arrivait à peine à se rappeler qu'un jour leur vie avait été comme ça.

— Assieds-toi, je vais faire du café, dit Patrik.

Erica était sur le point de protester mais elle réalisa qu'elle devait peut-être profiter de l'aubaine. Elle s'installa à table et hissa ses jambes sur la chaise d'à côté avec un soupir d'aise.

— Tu sais ce qu'il va se passer avec Badis ?

Elle avait l'impression d'avoir été enfermée dans une bulle à l'hôpital, et elle était pressée d'apprendre tout ce qui était arrivé. Elle avait encore du mal à croire les rumeurs qui lui étaient quand même parvenues au sujet de Vivianne.

— L'argent a disparu et Vivianne aussi, répondit Patrik qui lui tournait le dos pendant qu'il remplissait le filtre à café. On a trouvé sa voiture à l'aéroport, on est en train d'éplucher les vols de ce week-end. Tout porte à croire qu'elle a voyagé sous un faux nom, alors ça risque d'être compliqué…

— Et l'argent ? Vous ne pouvez pas le tracer ?

Patrik se retourna et secoua la tête.

— Il ne faut pas compter là-dessus. On a demandé de l'aide à la brigade financière de Göteborg, mais il existe apparemment des moyens de sortir de l'argent du pays pour ainsi dire impossibles à pister. Et mon petit doigt me dit que Vivianne a très soigneusement préparé son coup.

— Et Anders, qu'est-ce qu'il en dit ? demanda Erica en se levant pour aller ouvrir le congélateur.

— Reste assise, je m'en occupe, ordonna Patrik et il sortit un sachet de petits pains à la cannelle qu'il mit au micro-ondes. Anders a avoué sa contribution à l'escroquerie, mais il refuse de dire où se trouvent sa sœur et l'argent.

— Pourquoi est-il resté, lui ?

Patrik haussa les épaules, prit une brique de lait dans le réfrigérateur et la posa sur la table.

— Va savoir. Il a peut-être eu des scrupules au dernier moment, ou la trouille de passer le reste de sa vie en cavale hors des frontières de la Suède.

— Oui, peut-être… dit Erica, puis elle réfléchit un instant avant de demander : Et Erling, comment il le prend ? Et qu'est-ce qui va se passer pour Badis ?

Patrik servit le café dans deux tasses, sortit les petits pains tout chauds du four à micro-ondes et s'assit de l'autre côté de la table.

— Erling semble surtout… résigné, dit-il. En ce qui concerne Badis, l'avenir est assez incertain. Presque aucun fournisseur n'a été payé, les entrepreneurs non plus d'ailleurs. La question est de savoir s'il vaut mieux fermer l'endroit ou continuer l'activité pour limiter les pertes. Après la fête de samedi, les réservations entrent apparemment à flots, si bien que la commune va peut-être tenter de mener à bien le projet malgré tout. Ils aimeraient évidemment retrouver au moins une partie de leur argent, et ce n'est pas totalement impossible qu'ils choisissent de poursuivre l'aventure.

— Ce serait tellement dommage que tout tombe à l'eau… L'endroit est redevenu si beau.

— Mmm, fit Patrik en croquant à pleines dents sa viennoiserie.

— Comment Matte a-t-il pu voir que quelque chose clochait ? Tu m'as bien dit que Lennart n'avait rien trouvé ? C'est un peu bizarre que personne d'autre à la mairie n'ait eu de soupçons.

— D'après Anders, Matte n'était pas tout à fait sûr, mais il avait commencé à flairer l'embrouille. Le vendredi, avant d'aller voir Annie sur l'île, il a fait un saut à Badis et parlé avec Anders. Il lui a posé des tonnes de questions. Pourquoi ils avaient tant de factures de fournitures impayées, à quelle date l'argent qu'ils avaient promis d'investir arriverait. Et d'où cet argent-là allait provenir. Il a aussi demandé les coordonnées de leurs contacts pour pouvoir vérifier. Il a dû sérieusement ébranler Anders. Si Mats n'avait pas été tué, je pense qu'il aurait continué à éplucher la comptabilité de Badis et qu'il aurait démasqué l'arnaque bien avant.

Erica hocha la tête, puis elle se fit songeuse et son regard se voila.

— Comment va Annie?

— Elle va subir un examen psychiatrique. Le risque qu'elle se retrouve en prison me paraît assez minime. Elle sera probablement condamnée à des soins en institution fermée. Je ne vois pas ce qu'ils peuvent décider d'autre.

— On a été bêtes de ne pas comprendre, non? demanda Erica en posant son petit pain, l'appétit coupé.

— Comment aurait-on pu? Personne ne savait que Sam était mort.

— Et il est mort comment? dit-elle en avalant sa salive.

L'idée qu'Annie avait passé plus de quinze jours dans la petite maison pendant que le corps de son fils pourrissait lentement lui souleva l'estomac. De dégoût autant que de compassion.

— On ne sait pas trop. Et on ne le saura sans doute jamais. Mais j'ai parlé avec Konrad hier soir, ils ont appris que la réservation sur le vol pour l'Italie était au nom d'une autre femme. Ils l'ont contactée, et le plan était qu'elle prenne la place d'Annie, qu'ils feraient disparaître du paysage.

— Et le mari d'Annie était censé réaliser ça comment?

— Il avait l'intention d'utiliser la dépendance à la cocaïne d'Annie pour faire pression sur elle. Menacer de lui confisquer totalement la garde de Sam si elle ne s'effaçait pas de son propre gré.

— Quelle ordure !

— C'est le moins qu'on puisse dire. On pense qu'il a mis Annie devant le fait accompli le soir avant leur départ. En analysant le sang dans le lit conjugal, ils ont découvert qu'il y avait deux ADN différents. Sam était probablement venu se glisser dans le lit de son papa pendant la nuit. Et quand Annie a vidé le chargeur sur son mari... eh bien, elle ne savait pas que son fils était couché là.

— Tu te rends compte, découvrir que tu as tué ton propre fils...

— J'ai du mal à imaginer quelque chose de pire. Ça a dû la traumatiser au point de totalement la déconnecter de la réalité. Elle a refusé de comprendre que Sam était mort.

Ils restèrent un instant en silence. Puis Erica leva la tête, l'air perplexe.

— Mais pourquoi la maîtresse ne s'est-elle pas manifestée quand Wester ne s'est pas pointé à l'aéroport ?

— Je suppose que Fredrik Wester n'était pas connu comme l'homme le plus fiable du monde. Alors, quand il n'est pas venu, elle a dû croire qu'il l'avait larguée. D'après Konrad, il y avait quelques messages assez corsés de sa part sur la boîte vocale de Wester.

Les pensées d'Erica étaient déjà ailleurs.

— Matte a dû trouver Sam.

— Oui, et la cocaïne. Les empreintes d'Annie sont sur le sachet, et sur la porte d'entrée de Mats. Comme on n'a pas encore pu entendre Annie, on n'est sûrs de rien, mais Mats a probablement découvert dans la nuit de vendredi à samedi que Sam était mort et il a dû trouver le sachet. Puis il a obligé Annie à venir avec lui à Fjällbacka pour se dénoncer.

— Et elle était obligée de protéger son illusion que Sam était vivant.

— Oui. Même si ça devait coûter la vie à Mats.

Patrik regarda par la fenêtre. Lui aussi ressentait une immense compassion pour Annie, bien qu'elle ait tué trois personnes, y compris son propre fils.

— Elle le sait maintenant?

— Elle a dit aux médecins que Sam est avec les morts à Gråskär. Qu'elle aurait dû les écouter et le laisser les rejoindre. Donc, oui, je pense qu'elle le sait maintenant.

— Ils l'ont retrouvé? demanda Erica doucement.

Elle préférait ne pas penser à l'état dans lequel devait se trouver le petit corps de l'enfant. L'épouvantable puanteur dans la maison l'avait suffisamment traumatisée.

— Non. Il est parti avec les courants.

— Je me demande comment elle a fait pour supporter l'odeur, dit Erica.

Elle pouvait presque encore la sentir, et pourtant elle n'était entrée qu'un bref instant. Annie avait vécu avec pendant plus de deux semaines.

— L'esprit humain est tout à fait étonnant. Ce n'est pas la première fois que quelqu'un vit avec un cadavre pendant des semaines, des mois, voire des années. Le déni est une force très puissante, dit Patrik en buvant une gorgée de café.

— Pauvre petit. Tu crois qu'il y a du vrai dans ce qu'ils disent?

— De quoi tu parles?

— À propos de Gråskär, l'île aux Esprits? Que les morts ne quittent jamais l'île?

— Pas de doute, tu as reçu un bon coup sur la tête, sourit Patrik. Ce ne sont que de vieilles légendes, des histoires de fantômes.

— Oui, tu as probablement raison.

Erica n'avait toujours pas l'air entièrement convaincue. Elle pensa à l'article qu'elle avait montré à Annie, sur la famille du gardien de phare qui avait disparu de l'île sans qu'on n'ait jamais retrouvé aucune trace. Peut-être se trouvaient-ils encore là-bas.

Tout était étrangement vide en elle. Elle avait conscience de ce qu'elle avait fait, mais ne ressentait rien. Pas de chagrin, pas de douleur. Seulement du vide.

Sam était mort. Les médecins avaient essayé de le lui annoncer en douceur, mais elle le savait déjà. Au moment où sa tête avait disparu sous l'eau, elle avait compris. Les voix avaient fini par l'atteindre, l'avaient aidée à lâcher prise, la persuadant qu'il valait mieux que Sam les rejoigne. Ils allaient bien s'occuper de lui. Elle était contente de les avoir écoutées.

Quand le bateau l'avait emmenée de Gråskär, elle s'était retournée et avait contemplé l'île et le phare une dernière fois. Les morts se tenaient sur les rochers et la regardaient partir. Sam était parmi eux. Il se tenait à côté de la femme, et de l'autre côté d'elle il y avait son fils. Deux petits garçons, un brun et un blond. Sam avait l'air content, et dans ses yeux, elle avait lu qu'il se sentait bien avec eux. Elle avait levé la main pour lui faire un signe, mais s'était tout de suite ravisée. Prendre congé de lui était au-dessus de ses forces. Ça faisait tellement mal d'admettre que sa place n'était plus auprès d'elle, mais à leurs côtés. Sur Gråskär.

La chambre qu'on lui avait donnée était petite mais lumineuse. Un lit, un bureau. Elle restait assise sur le lit la plupart du temps. De temps en temps on venait lui parler, un homme ou une femme qui d'une voix aimable posait des questions auxquelles elle n'avait pas toujours de réponse. Mais chaque jour, les choses s'éclaircissaient un peu. C'était comme si elle se réveillait d'un long sommeil et apprenait tout doucement à faire la distinction entre ce qui était du domaine du rêve et ce qui était du domaine de la réalité.

La voix méprisante de Fredrik avait été bien réelle. Il avait pris plaisir à lui faire faire les bagages avant de lui dire qu'elle n'était pas du voyage. Que c'était l'autre qui allait l'accompagner. Si elle protestait, Fredrik révélerait son usage de cocaïne aux autorités et elle perdrait la garde de Sam. À ses yeux, elle était faible. Superflue.

Mais Fredrik l'avait sous-estimée. Quand il était allé se coucher, elle était descendue attendre dans l'obscurité de la cuisine. Encore une fois, il devait être heureux de l'avoir réduite à néant, d'avoir obtenu ce qu'il voulait, mais il se trompait. Elle avait toujours été faible avant la naissance de Sam, et elle l'était peut-être encore en partie. Mais son amour pour son fils l'avait rendue bien plus forte que ce que Fredrik pouvait imaginer. Assise sur un des tabourets de bar, la main posée sur le marbre froid, elle avait attendu qu'il s'endorme. Puis elle était allée chercher son pistolet, et sans un tremblement, elle avait tiré plusieurs fois droit sur la couverture, droit sur le lit. Tout lui avait paru bien. Juste.

Ce n'est qu'en entrant dans la chambre de Sam et en voyant son lit vide que la panique s'était emparée d'elle et que le brouillard l'avait progressivement envahie. Elle avait tout de suite su où il se trouvait.

La vue de son petit corps ensanglanté, quand elle avait soulevé la couverture, avait été un tel choc qu'elle s'était effondrée sur l'épaisse moquette. Puis le brouillard s'était fait plus dense, et même si elle savait aujourd'hui qu'elle avait vécu dans un rêve, Sam lui paraissait alors encore bien vivant.

Et Matte. Elle se souvenait de tout à présent. La nuit qu'ils avaient passée ensemble, son corps contre le sien, si familier, si aimé. Elle se rappelait combien elle s'était sentie rassurée, entrevoyant un avenir possible qui viendrait effacer le cauchemar de ces années passées avec Fredrik.

Puis les bruits venant du rez-de-chaussée. Elle s'était réveillée, gênée par l'absence de Matte à ses côtés. Sa place était encore chaude, elle avait compris qu'il venait juste de se lever. Enveloppée dans la couverture, elle était descendue le rejoindre et avait dû affronter son regard déçu alors qu'il brandissait le sachet de cocaïne. Il l'avait trouvé dans le tiroir, qu'elle n'avait pas fermé correctement. Elle avait voulu lui expliquer, mais les mots n'avaient pas franchi ses lèvres. En fait, elle n'avait aucune excuse, et Matte ne pourrait jamais comprendre.

Se tenant là, pieds nus sur le plancher froid, la couverture sur le dos, elle avait vu Matte ouvrir la porte de la chambre de Sam. Il s'était retourné et l'avait dévisagée avec consternation. L'avait habillée de force et dit qu'ils devaient rejoindre le continent pour chercher de l'aide. Tout s'était passé si vite… Elle l'avait docilement suivi. Dans son rêve, dans ce qui n'était pas la réalité, tout son être s'insurgeait à l'idée de laisser Sam sur l'île. Mais ils étaient quand même partis avec le bateau de Matte.

Ils avaient pris sa voiture. Son esprit était étrangement vide. Toutes ses pensées étaient concentrées sur

Sam. Elle se disait qu'on tentait encore de le lui enlever. Sans réfléchir, elle avait emporté son sac à main en partant, et là, dans la voiture, elle avait senti le poids du pistolet qui s'y trouvait.

En marchant en direction de l'immeuble, ses oreilles s'étaient mises à siffler de façon ininterrompue. L'esprit embrumé, elle avait vu Mats jeter le sachet à la poubelle. Dans le vestibule de son appartement, sa main s'était glissée dans le sac et ses doigts avaient rencontré l'acier froid. Il ne s'était pas retourné. S'il l'avait fait, et qu'elle avait dû croiser son regard, elle aurait peut-être suspendu son geste. Mais il l'avait précédée dans le vestibule en lui tournant le dos, alors sa main s'était levée et ses doigts avaient pressé la crosse et la détente. Un coup de feu, un corps qui tombe. Puis le silence.

Tout ce qu'elle avait en tête, c'était de retourner auprès de Sam. Elle était redescendue au port, avait pris le bateau de Matte pour rejoindre l'île, puis elle l'avait laissé partir à la dérive. Ensuite, plus rien n'était venu gêner sa vie avec son fils. Le brouillard emplissait son cerveau. Le monde autour d'elle avait disparu, il ne restait que Sam, Gråskär et l'idée qu'ils devaient survivre, ici. Sans cette forme de protection, elle n'aurait plus eu que du vide en elle.

Annie était assise sur le lit et regardait droit devant elle. Sur sa rétine, il y avait l'image de Sam, sa main dans celle de la femme. Ils allaient s'occuper de lui maintenant. C'était la promesse qu'ils lui avaient faite.

FJÄLLBACKA 1875

— Maman !

Emelie lâcha la casserole par terre et se précipita dehors, l'inquiétude lui martelant la poitrine.

— Gustav, où es-tu ? cria-t-elle, son regard errant de tous côtés.

— Viens, maman !

Le faible appel venait de la plage. Elle souleva sa lourde jupe en laine et courut sur les rochers qui formaient un sommet au milieu de l'île. De là-haut, elle l'aperçut. Il était assis au bord de l'eau, se tenant le pied en pleurant. Elle se dépêcha de le rejoindre et se laissa tomber à côté de lui.

— Ça fait mal, sanglota-t-il désespérément.

Il montra la plante de son pied où s'était fiché un gros éclat de verre.

— Chuut...

Elle essaya de calmer son fils tout en réfléchissant à ce qu'il convenait de faire. L'éclat était profondément enfoncé. Devait-elle le retirer tout de suite ou bien attendre d'avoir de quoi faire un pansement ?

Rapidement, elle prit une décision.

— On va aller voir ton père.

Elle leva les yeux vers le phare. Karl y était allé pour donner un coup de main à Julian quelques heures *auparavant. D'habitude, elle ne lui demandait pas conseil, mais là, elle ne savait vraiment pas quoi faire.*

Elle souleva son fils, qui sanglotait pitoyablement, et le porta comme un nourrisson dans ses bras en faisant attention de ne pas toucher son pied. Ce n'était plus très commode de le porter, il avait tellement grandi.

Arrivée à proximité du phare, elle appela son mari, mais sans recevoir de réponse. La porte était ouverte, probablement pour faire entrer un peu d'air. Autrement, la chaleur devenait insupportable là-dedans quand le soleil tapait.

— Karl ! appela-t-elle encore. Peux-tu descendre ?

Ça n'avait rien d'inhabituel qu'il l'ignore, et elle comprit qu'il lui faudrait se donner la peine de monter en haut de la tour. N'ayant pas la force de porter Gustav dans le raide escalier, elle le posa doucement par terre et lui caressa la joue pour le rassurer.

— Ça ne sera pas long. Je vais juste monter chercher ton père.

Les yeux pleins de confiance, il glissa le pouce dans sa bouche, prêt à attendre.

Emelie était déjà essoufflée d'avoir porté Gustav depuis la berge, et elle essaya de calmer un peu sa respiration en montant l'escalier. Sur la dernière marche, elle s'arrêta pour reprendre son souffle, puis leva les yeux. Tout d'abord, elle ne comprit pas ce qu'elle voyait. Pourquoi étaient-ils couchés dans le lit ? Et pourquoi n'avaient-ils pas de vêtements ? Elle resta comme figée, à les observer. Aucun des deux hommes ne l'avait entendue arriver. Ils étaient absorbés par leur intimité, par les caresses interdites qu'ils se prodiguaient l'un l'autre.

L'épouvante saisit Emelie. Elle chercha bruyamment son souffle et ils s'avisèrent alors de sa présence.

Karl leva la tête, et pendant une seconde, leurs regards se croisèrent.

— C'est un péché !

Les passages de la Bible brûlèrent en elle. Les Saintes Écritures parlaient de ce genre de choses, et c'était interdit. Karl et Julian attireraient le malheur et la damnation non seulement sur eux-mêmes, mais sur elle et Gustav. Dieu allait maudire tous les habitants de Gråskär s'ils ne faisaient pas pénitence.

Karl n'avait pas encore prononcé le moindre mot, mais c'était comme s'il pouvait lire en elle et deviner ses pensées. Il retrouva soudain son masque de glace, et Emelie entendit les morts chuchoter. Ils lui disaient de fuir, mais ses jambes refusèrent d'obéir. Elle était incapable de bouger, de détacher son regard des deux corps nus et moites.

Les voix se firent plus fortes, et ce fut comme si quelqu'un lui donnait une petite bourrade dans le dos, de sorte qu'elle puisse se mouvoir de nouveau. Elle dévala l'escalier et souleva Gustav, qui pleurait. Avec des forces insoupçonnées et tenant son fils dans ses bras, elle s'enfuit en courant, sans savoir où aller. Derrière elle, elle entendait déjà les pas rapides de Karl et de Julian, et savait qu'elle ne pourrait pas les distancer. Elle jeta des regards désespérés autour d'elle. La maison ne constituerait pas un refuge sûr. Même si elle avait le temps d'y arriver et de s'y enfermer à clé, ils auraient tôt fait de briser la mince porte ou d'entrer par une fenêtre.

— Emelie ! Arrête-toi ! cria Karl derrière elle.

Elle eut presque envie de le faire. De s'arrêter et d'abandonner la partie. S'il n'avait été question que d'elle-même, elle aurait cédé, mais Gustav, qui sanglotait, effrayé, entre ses bras, la poussa à continuer.

Elle ne se faisait pas d'illusions, ils ne l'épargneraient pas. Gustav n'avait jamais compté pour Karl. Gustav n'existait que pour amadouer le père de Karl, pour le persuader que tout était en ordre.

Cela faisait bien longtemps qu'elle n'avait pas pensé à Edith, sa confidente pendant les années passées à la ferme. Elle aurait dû écouter ses mises en garde, mais elle était jeune et naïve et n'avait pas voulu comprendre ce qui était désormais clair comme le jour. C'était à cause de Julian que Karl était rentré précipitamment du bateau-phare, et c'était à cause de Julian qu'il avait été obligé de se marier avec la première femme qui se présentait. Même la bonne à tout faire de la ferme avait fait l'affaire pour sauver la réputation de la famille. Et la stratégie avait fonctionné. Le scandale qu'aurait pu causer le benjamin fut étouffé.

Mais Karl avait trompé son père. À son insu, il avait emmené Julian sur l'île. Il avait estimé que ça valait le risque de s'exposer à nouveau à la colère paternelle. Une brève seconde, Emelie se surprit à avoir pitié de lui, mais quand elle entendit les pas s'approcher, elle se souvint de tous les mots durs, et des coups, et de la nuit où Gustav avait été conçu. Rien ne l'avait obligé à la traiter si mal. Pour Julian, elle ne ressentait aucune commisération. Le cœur de cet homme était noir et il avait dirigé sa haine contre elle dès le début.

Personne ne pouvait la sauver maintenant, mais les pieds d'Emelie continuaient à avancer. S'il n'y avait eu que Karl à ses trousses, elle aurait peut-être pu le radoucir. Il avait été un autre homme avant que l'obligation de vivre dans le mensonge ne le transforme. Mais Julian ne l'épargnerait jamais. Soudain, *il lui fut tout à fait évident qu'elle allait mourir sur l'île. Elle, et Gustav. Ils ne s'en sortiraient jamais.*

Une main tâtonna dans l'air derrière elle et faillit attraper son épaule. Mais elle s'esquiva juste au bon moment, comme si elle avait eu des yeux dans la nuque. Les morts l'aidaient. Ils lui conseillèrent de courir vers la grève, vers la mer qui longtemps avait été son ennemie mais qui allait maintenant devenir son salut, elle le comprit.

Emelie courut droit dans l'eau, son fils dans les bras. L'eau monta autour de ses chevilles et, après quelques mètres, elle dut ralentir son rythme et se mettre à marcher. Gustav s'était agrippé à son cou mais il ne criait pas. Il gardait le silence, comme s'il comprenait.

Elle entendit Karl et Julian entrer dans l'eau, eux aussi. Elle avait quelques mètres d'avance, et elle continua. L'eau lui atteignait la poitrine à présent, et elle faillit paniquer. Elle ne savait pas nager. Mais c'était comme si la mer l'accueillait, lui souhaitait la bienvenue et promettait de la mettre en sûreté.

Quelque chose la fit se retourner. Karl et Julian s'étaient arrêtés dans l'eau et la dévisageaient, puis, en la voyant s'immobiliser, ils reprirent leur marche pour tenter de la rattraper. Elle reprit sa marche, elle aussi. L'eau lui arrivait aux épaules, et Gustav fut porté par sa force. Les voix lui parlaient, la calmaient et lui affirmaient que tout irait bien. Rien ne pourrait leur faire du mal, ils étaient les bienvenus et ils trouveraient bientôt la paix.

Emelie sentit un grand calme l'envahir. Elle avait confiance en eux, ils les enveloppaient d'amour, Gustav et elle. Puis ils lui dirent de se diriger vers l'horizon infini, et elle obéit aveuglément à ceux qui avaient été ses seuls amis sur l'île. Portant Gustav dans ses bras, elle avança péniblement là où elle savait que les courants s'intensifiaient et où le fond descendait à pic. Karl et Julian la suivirent, ils avancèrent vers l'horizon et plissèrent les yeux pour se protéger du soleil sans la lâcher du regard.

La dernière chose qu'elle vit avant que l'eau se referme sur elle et Gustav, ce fut Karl et Julian entraînés sous la surface par les courants marins. Et peut-être aussi par autre chose. Mais elle ne les reverrait plus jamais, ça, elle en était certaine. Ils ne resteraient pas sur Gråskär, comme Gustav et elle. Pour Karl et Julian, il n'y aurait de la place qu'en enfer.

REMERCIEMENTS

Comme d'habitude, mon éditrice Karin Linge Nordh a effectué un travail colossal, tout comme ma rédactrice Matilda Lund. Je n'ai pas assez de mots pour vous remercier de tout ce que vous avez fait cette fois encore. Les autres collaborateurs des éditions Bokförlaget Forum nous ont secondés de maintes façons et ont montré un enthousiasme sans faille.

Nordin Agency me soutient totalement en Suède et dans le monde. Joakim Hansson a pris le relais de Bengt Nordin et a admirablement poursuivi la course. Je suis immensément reconnaissante à Bengt de continuer à faire partie de ma vie, comme ami aujourd'hui plus qu'agent.

Aucun de mes livres n'aurait vu le jour sans toute l'aide dont j'ai bénéficié pour garder les enfants, et comme toujours, je voudrais remercier ma mère Gunnel Läckberg et mon ex-mari et désormais ami Micke Eriksson qui se mobilise toujours pour moi. Mon ex-belle-mère, la grand-mère paternelle des enfants, Mona Eriksson, participe également au processus d'écriture avec ses livraisons de boulettes de viande, qui heureusement n'ont pas cessé.

Merci aussi à Emma et Sunit Mehrotra de nous avoir prêté votre merveilleuse maison pendant une semaine l'hiver dernier. J'y ai écrit de nombreuses pages du *Gardien de phare*, le soleil brillant sur la neige étincelante et le feu crépitant dans la cheminée. Et merci à mes beaux-parents,

Agneta von Bahr et Jan Melin. Votre sollicitude et votre soutien ont beaucoup compté pour moi pendant l'écriture de ce livre.

Les policiers de Tanumshede sont, comme toujours, de fervents supporteurs et une source d'inspiration. Tout autant que les habitants de Fjällbacka qui continuent à se réjouir de me voir semer des cadavres partout dans leur petite ville.

Christina Saliba et Hanna Jonasson Drotz chez Weber Shandwick m'ont fourni de nouvelles idées et angles de vue, ce qui nous a menés à une agréable collaboration. Elles m'ont aussi aidée à me concentrer sur ce qui est le plus important pour moi : l'écriture.

La recherche et la vérification des faits sont extrêmement importantes pour un tel ouvrage, et nombreux sont ceux qui m'ont apporté leur aide. Je voudrais les remercier tous, particulièrement Anders Torevi, Karl-Allan Nordblom, Christine Fredriksen, Anna Jeffords et Maria Farm. Niklas Bernstone a joué un rôle important en sillonnant l'archipel afin de prendre la photo parfaite d'un phare pour la couverture de l'édition originale.

Et vous, les lecteurs de mon blog, vous êtes une telle source d'énergie positive !

Merci à mes amis, je n'en cite aucun pour n'oublier personne, vous qui acceptez que je disparaisse plus ou moins de la surface de la terre pendant les périodes d'écriture intense. C'est incroyable, mais vous êtes encore là quand je ressurgis, ce qui est parfois totalement immérité, quand il s'est passé des mois sans que j'aie donné signe de vie. Et Denise Rudberg, toujours à l'écoute et pleine d'encouragement. Lors de nos conversations téléphoniques presque quotidiennes, nous évoquons les peines de l'écrivain mais aussi la vie dans toute sa globalité.

Les livres et tout ce qui va avec n'auraient aucune importance sans mes enfants : Wille, Meja et Charlie. Et mon merveilleux Martin. Tu n'es pas seulement mon grand amour, tu es aussi mon meilleur ami. Merci d'être toujours là pour moi.

Camilla Läckberg,
Enskede, le 29 juin 2009.
www.camillalackberg.se

Retrouvez les enquêtes d'Erica Falck
dans les collections Babel noir et Actes noirs.

LA PRINCESSE DES GLACES
traduit du suédois par Lena Grumbach et Marc de Gouvenain

*Dans une petite ville tranquille de la côte suédoise,
deux suicides – une jeune femme, puis un clochard
peintre – s'avèrent être des assassinats dont la police
a bien du mal à cerner les causes.*

LE PRÉDICATEUR

traduit du suédois par Lena Grumbach et Catherine Marcus

Le descendant d'un prédicateur manipulateur des foules, catastrophé d'avoir perdu le don de soigner, entreprend de tuer pour bénéficier à nouveau de l'aide divine et retrouver son pouvoir.

LE TAILLEUR DE PIERRE
traduit du suédois par Lena Grumbach et Catherine Marcus

Un pêcheur trouve une petite fille noyée. Le problème est que Sara, sept ans, a dans les poumons de l'eau douce savonneuse. Quelqu'un l'a donc tuée et déshabillée avant de la balancer à la mer. Un polar palpitant.

L'OISEAU DE MAUVAIS AUGURE
traduit du suédois par Lena Grumbach et Catherine Marcus

Déjà pris de court entre l'installation d'une équipe de téléréalité qui chamboule la tranquillité de la ville et la préparation de son mariage imminent avec Erica Falck, le commissaire Patrik Hedström doit faire face à la multiplication d'étranges accidents de voiture.

L'ENFANT ALLEMAND
traduit du suédois par Lena Grumbach

*Erica contacte un vieux professeur retraité à Fjäll-
backa pour essayer de comprendre pourquoi sa mère
avait conservé une médaille nazie. Quelques jours
plus tard, l'homme est assassiné. La visite d'Erica
a-t-elle déclenché un processus qui gêne ou qui, en
tout cas, remue une vieille histoire familiale ? Patrik
Hedström, en congé parental, ne va pas rester inactif.*

LA SIRÈNE

traduit du suédois par Lena Grumbach

L'irrésistible enquêtrice au foyer, enceinte de jumeaux, ne peut s'empêcher d'aller fouiner dans le passé d'un écrivain à succès lorsque celui-ci commence à recevoir des lettres de menace anonymes qui semblent liées à la mystérieuse disparition d'un de ses amis...

LA FAISEUSE D'ANGES
traduit du suédois par Lena Grumbach

*Pâques 1974. Sur l'île de Valö, aux abords de Fjäll-
backa, une famille a disparu sans laisser de trace à
l'exception d'une fillette d'un an et demi, Ebba. Des
années plus tard, Ebba revient sur l'île et s'installe
dans la maison familiale avec son mari. Les vieux
secrets de la propriété ne vont pas tarder à ressurgir.*

LE DOMPTEUR DE LIONS
traduit du suédois par Lena Grumbach

Une jeune fille disparue depuis plus de quatre mois se fait renverser par une voiture sur une route déserte de forêt. L'accident n'explique pas les yeux crevés de la victime. Lorsqu'Erica Falck exhume une vieille affaire de meurtre impliquant un dompteur de lions, elle ne se doute pas que le cauchemar ne fait que commencer…

BABEL NOIR

Extrait du catalogue